PROFEDIGAETHAU
ENOC HUWS

DANIEL OWEN

Cyflwyniad gan
E. G. MILLWARD

HUGHES

Argraffiad cyntaf: 1891
Argraffiad newydd: 1995

ISBN 0 85284 163 9

Argraffwyd gan
Wasg Dinefwr, Heol Rawlings, Llandybïe, Dyfed.

Cyhoeddwyd gan
Hughes a'i Fab, Parc Tŷ Glas, Llanisien, Caerdydd CF4 5DU.

CYNNWYS

CYFLWYNIAD

Ar 8 Mai, 1888, cododd Samuel Smith, yr aelod seneddol dros Sir Fflint, ar ei draed yn y Senedd yn Llundain i roi cynnig gerbron y Tŷ. Albanwr a Rhyddfrydwr oedd Smith a buasai'n aelod dros sir Daniel Owen er mis Mawrth, 1886. Nid dim gwleidyddol oedd ei gynnig ond protest yn erbyn y modd yr oedd llenyddiaeth lwgr yn mynd ar gynnydd: 'This House deplores the rapid spread of demoralising literature in this country'. Credai'r aelod fod 'an immense increase in vile literature in London and throughout the country' a bod y llenyddiaeth anfad hon yn chwalu moesau'r genhedlaeth ifanc. Diolchodd yr Ysgrifennydd Cartref iddo'n gynnes am ei gyfraniad amserol a derbyniwyd y cynnig yn unfrydol.

Sôn yn bennaf yr oedd Smith am y cyfieithiadau i'r Saesneg o nofelau 'dieflig' Émile Zola ac y mae'n debyg na wyddai ddim am waith y nofelydd Cymraeg, poblogaidd, yn ei etholaeth ei hun. Ni wyddys a ddarllenodd Daniel Owen waith Zola. Yr oedd yn gyfarwydd â pheth o waith Victor Hugo a chydnabu fod gan y Ffrancwr 'ddychymyg aruthrol' a 'chydnabyddiaeth fanwl o'r galon ddynol', er na chafodd flas arbennig arno. Ond yr oedd Daniel Owen, yntau, fel y nofelwyr Saesneg a Ffrangeg cyfoes, yn mynnu meithrin annibyniaeth greadigol y llenor yn ail hanner y bedwaredd ganrif ar bymtheg. Dyma gyfnod pryd yr oedd nofelau Ouida a Rhoda Broughton (a aned ger Dinbych ac a fu'n byw am rai blynyddoedd yn Rhuthun) yn hynod boblogaidd, er eu bod tan gabl gan rai fel llyfrau mentrus a sioclyd. Bu'n rhaid i George Gissing, Charles Reade a Thomas Hardy ddioddef gweld eu nofelau'n cael eu sensro gan olygyddion y cylchgronau a'r gweisg. Chwilio am ryw onestrwydd sylfaenol a dilysrwydd artistig yr oedd y rhain, yn wyneb gofynion taer y gyfundrefn foesol Victoraidd. Camp anodd, ac weithiau amhosibl, i'r nofel-ydd yn Oes Victoria oedd osgoi'r pwysau trwm arno i beidio â dweud y gwir, fel y gwelai ef neu hi y gwir hwnnw, am y byd a'r betws.

Dangosodd Daniel Owen yn *Rhys Lewis* ei fod yn rhan o'r symudiad hwn i ehangu ffiniau'r nofel ac i ennill annibyniaeth greadigol y nofelydd. Gwnaeth hynny yn ei nofel gyntaf trwy ddefnyddio ffurf yr hunangofiant mewn ffordd wreiddiol ac eironig. Nid yw'r Parchedig Rhys Lewis yn arwr ysbrydol, cyn-seiliol. Ni all ond dal i chwilio am y goleuni, heb fod yn gwbl sicr o'i argyhoeddiad crefyddol. Hanes un enaid a hanes cyf-nod yw hunangofiant Rhys Lewis. Erbyn ysgrifennu ei ail nofel yr oedd Daniel Owen yn dechrau lledu ei adenydd a hawlio mwy byth o ryddid llenyddol. Ac yr oedd hynny'n fwy anodd yng Nghymru Oes Victoria nag yn Lloegr.

Dechreuodd *Profedigaethau Enoc Huws* ymddangos yn y rhifyn cyntaf o'r newyddiadur *Y Cymro* ar 22 Mai, 1890, a daeth i ben ar 4 Mehefin, 1891. Cyn diwedd mis Hydref, 1891, yr oedd yr awdur yn ysgrifennu ei ragymadrodd i'r argraffiad cyntaf rhwng cloriau, ac yntau wedi ychwanegu pennod, sef Pennod XXIV, 'Dafydd Dafis ar y Seiat Brofiad'. Efallai iddo deimlo'n fwy rhydd i fynnu ei ryddid fel llenor am fod ei waith yn ymddangos mewn cyfrwng mwy seciwlar na'r *Drysorfa*, cylchgrawn swyddogol y Methodistiaid Calfinaidd. Bid a fo am hynny, mae'n bur debyg fod y frawddeg agoriadol yn y bennod gyntaf wedi codi aeliau llawer o'i ddarllenwyr. Gwyddai Daniel Owen fod rhai ohonynt yn dal yn naïf eu hagwedd at ffuglen a cheir ganddo ymddiheuriad confensiynol y storïwr Cymraeg yn y pedwerydd paragraff o'i Ragarweiniad. Ac ymroes i wneud llawer mwy. Dengys teitl eironig y bennod gyntaf a'r frawddeg agoriadol fod y nofelydd hwn yn datgan ei annibyniaeth foesol a llenyddol. A defnyddio geiriau'r Rhagarweiniad, gofyn y mae gan ei ddarllenwyr y rhyddid i ddweud ei stori yn ei ffordd ei hun 'fel ffeithiau diamheuol – hynny yw ... pob peth nad ydyw'n dyfod o fewn terfynau eu gallu a'u profiad hwy i'w wrthddywedyd ...' Dyma 'ddirgelwch' gallu creadigol y nofelydd, meddai, y gallu i fod yn holl-bresennol ac yn hollwybodol ynglŷn â'i gymeriadau a'u gweithredoedd. Bydd yn rhaid iddo 'sefyll ar ei wadnau ei hun' yn ei ail nofel. Y gwir yw na lwyddodd i gefnu'n llwyr ar ddull yr hunangofiant ac y mae'r adroddwr yn ymwthio'n afraid i mewn i'r stori o bryd i'w gilydd. Serch hynny, dengys Pennod XI, 'O Boptu'r Gwrych', a Phennod XIV, 'Pedair Ystafell Wely', y modd yr oedd ei grefft yn datblygu.

Y mae'r bennod gyntaf yn gosod holl dôn ddychanus y nofel. Agorir gydag un o hoff ddelweddau Oes Victoria, y ferch syrthiedig. Ond nid condemnio pechod y ferch yw amcan yr olygfa gyntaf; nid ailddatgan barn foesol yr oes i fodloni Samuel Smith a'i debyg. Y mae Elin yn edifeiriol, heb fod unrhyw weinidog yn agos ati, a chaiff fynd i'r nef at ei mam. Cyfrwng yw'r olygfa agoriadol i godi amryw o ystyriaethau sylfaenol a'r rheini'n syndod o herfeiddiol. A ddylid trafod 'achosion anhyfryd' o'r fath o gwbl a sut mae eu deall? A yw'r Gymru gyfoes yn haeddu'r teitl 'Cymru lân, gwlad y gân'? Yn wir, a oes y fath beth ag anniweirdeb? Yn waeth byth, a oes y fath beth ag uffern? A ellir cyfiawnhau ymddygiad tad Elin ac yntau'n hoff ddelwedd arall, y *paterfamilias* Victoraidd? Teflir yr holl gwestiynau hyn i wyneb cymdeithas a nodweddir gan ei 'mursendod' a'i 'gorledneisrwydd'. Eir ymlaen yn union yn yr ail bennod i ddychanu difrawder y gweinidog Methodistaidd. Cawn gefndir i hyn oll yn Rhagarweiniad yr adroddwr. Atodiad yw'r stori i *Hunangofiant Rhys Lewis*, meddir, a thrafod pobl 'nad oeddynt yn hynod am eu crefyddolder' yw'r nod. A'r her fwyaf, o bosibl, yw awgrymu nad oes du a gwyn yn y byd moesol. Nid da digymysg yw Mr Daldygŵd neu weinidogion yr efengyl, ac nid drwg digymysg yw dynion fel Wil Bryan. A yw'n bosibl cynnal safonau moesol, cadarn, yn y gymdeithas hon? Gwendid mawr y rhan fwyaf o 'nofelau' Cymraeg ail hanner y ganrif ddiwethaf yw eu bod yn dractau crefyddol nad ydynt ond yn talu gwrogaeth ufudd i foesoldeb cydnabyddedig y cyfnod. Yn y tudalennau cyntaf o *Profedigaethau Enoc Huws* y mae Daniel Owen yn ein rhybuddio na fydd dim yn y gymdeithas a adwaenai yn dianc rhag llygaid llym y dychanwr. Yn wahanol i Dickens, gweddol ysgafn a digrif yw hynny o sylw a gaiff Gweithdy'r Undeb ar ddechrau'r llyfr. Diddordeb mawr y nofelydd Cymraeg oedd cymhellion ei bobl. Aeth ati i agor ystrydebau'r oes i gael gweld a oedd ynddynt unrhyw gynnwys gwerthfawr, arhosol.

Gwnaeth hynny, wrth gwrs, yn null ei gyfoeswyr llenyddol. Ni ddylid disgwyl i'r stori ddatblygu'n gymen ac yn gyflym. I'r nofelydd Victoraidd yng Nghymru, megis yn Lloegr, yr oedd trafod gwerthoedd moesol a chrefyddol yn rhan annatod o wneuthuriad y nofel a gadewir i gymeriadau areithio neu fyfyrio'n faith ar bynciau o bwys. Yr oedd cynnwys penodau fel 'Y Bugail', 'Didymus' a 'Dafydd Dafis ar y Seiat Brofiad', er nad ydynt yn symud y stori ymlaen, yn wedd bwysig ar waith nofelydd yn y bedwaredd ganrif ar bymtheg a châi'r math yma o draethu dwys (a digrif yn achos Daniel Owen) groeso gan ddarllenwyr. Credai un adolygydd fod *Enoc Huws* 'yn llawn tuedd i wneud argraff dda ar feddwl a chalon y neb a'i darlleno'. Yr oedd yn dda ganddo weld bod Susi yn dod yn 'ferch ieuanc rinweddol, feddylgar a chrefyddol' a bod Enoc yn 'cadw ei ddiniweidrwydd a'i burdeb, ac yn y diwedd yn cael ei wobrwyo'. Nofel foesol oedd y nofel Victoraidd. Rhaid oedd i'r da drechu'r drwg. Gwyddai Daniel Owen hefyd fod angen cadw diddordeb y darllenwyr mewn nofel gyfres, a gofalodd amrywio naws ei benodau wythnosol. Ond yr oedd am ddefnyddio ffuglen fel cyfrwng i ddehongli bywyd ac yr oedd hyn yn gyson â'r pwysau ar y llenor Victoraidd i gynhyrchu rhywbeth rheitiach na difyrrwch. Ys dywedod adolygydd arall, yr oedd gofyn i'r nofelydd Cymraeg 'fod yn fuddiol yn gystal â difyrrus'. Y mae cwlwm y stori, felly, yn *Enoc Huws* yn ddigon ystrydebol. Yn hyn o beth nid oedd Daniel Owen yn wahanol i lawer un arall ymhlith nofelwyr y cyfnod.

Os nad oes yn y nofel gwlwm cymhleth, y mae iddi ei phatrwm. Y dosbarth canol oedd maes mwyaf ffrwythlon prif nofelwyr Saesneg Oes Victoria a'r un yw cyd-destun cymdeithasol nofel Daniel Owen. Craidd y patrwm hwn yw Enoc Huws, y tad a'r mab, 'arwr' deublyg y stori. Dyma'r ddau gymeriad pwysicaf yn y cylch mewnol o gymeriadau'r dosbarth canol. Dwy wedd ar yr un cymeriad yw Enoc a'r Capten. *Alter ego*'r Capten yw Enoc Huws. Gwŷr busnes yw'r ddau. Y mae'r naill yn batrwm o ddiwydrwydd a diniweidrwydd rhinweddol. Dengys ei hanes fod modd llwyddo ym myd busnes a chasglu cyfoeth heb aberthu safonau moesol a chefnu ar werthoedd Cristionogol: 'yr *oedd* Enoc *yn* gwneud busnes anferth, ac nid oedd yn gofalu llawer am arian'. Y mae Enoc yn ymgorfforiad o'r argyhoeddiad Calfinaidd fod ymelwa mewn masnach yn gwbl dderbyniol, ac o'r deinamig Victoraidd mai 'da ar ddyn yw dod ymlaen', chwedl yr hen bennill. Nodwedd amlwg y llall yw ei fod yn ymgorfforiad o anonestrwydd rhagrithiol. Ceir o gwmpas y ddau gwrthgyferbyniol hyn nifer o gymeriadau'r dosbarth canol a rwydir gan ragrith y Capten. Y mae ei ddylanwad ar rai ohonynt yn angheuol, heb sôn am yr angel syrthiedig yn y bennod gyntaf. Yn olaf, cawn gylch allanol o gymeriadau'r dosbarth gweithiol yn bennaf, nad ydynt yn dal cysylltiad mor agos â'r Capten, a rhai o'r rhain ar ffiniau pellaf y stori. Yn wahanol i'r cylch creiddiol, nid yw rhagrith yn cael rhwydd hynt i weithio ymhlith cymeriadau'r dosbarth gweithiol, ond i'r graddau y maent yn dod dan ddylanwad y Capten a gwerthoedd y dosbarth canol. Y trydydd math o gymeriad yw'r *deus ex machina* a oedd yn rhan gyfarwydd o arfogaeth y nofelydd Victoraidd, y cymeriadau a ymddangosai'n annisgwyl i ddatrys rhyw ddirgelwch a dwyn y stori i ben yn hapus – yr Americanwr a Miss Bifan yn y nofel hon, a hyd yn oed Wil Bryan ei hun, a ddaw yn ôl i briodi Susi, fel y mae Miss Bifan yn ymddangos yn gyfleus i briodi Enoc, fel bod y cwbl yn diweddu gyda phriodasau hapus, ystrydeb Victoraidd arall.

Y mae Capten Trefor yn greadigaeth ragrithiol nodedig, cymeriad y mae mwy o gynnwys seicolegol ynddo na'r un o gymeriadau'r nofelydd. Ef yw dirywiad dinistriol y Chwyldro Diwydiannol, wyneb annerbyniol efengyl gymdeithasol Oes Victoria. Nid am ei fod yn gormesu ei weithwyr y daw dan lach dychan y nofelydd. Ei bechod cyntaf yw'r ffaith ei fod wedi bradychu'r delfryd Victoraidd o'r *paterfamilias*; bradychodd ei deulu a'i sarnu. Ar ben hynny, twyllodd ei gymheiriaid yn y dosbarth canol, y *bourgeoisie* sy'n 'speciletio'. Ceir awgrym o amodau gwaith peryglus y mwynwyr yn y disgrifiad o Sem Llwyd yn yr ugeinfed bennod, ond paradocs anonestrwydd mileinig y Capten yw bod Pwll-y-gwynt a Choed Madog yn fendith i'r gymdogaeth ac i'r achos crefyddol. Dechreuodd ei yrfa trwy dwyllo merch ifanc a pheri ei marwolaeth. Ef yw achos marwolaeth ei wraig ei hun a Hugh Bryan, ac anhapusrwydd teuluol Denman. Canolbwyntia ei holl egnïon cyfrwys ar dwyll ariannol er mwyn cadw 'appearance'. Fel Capten Horatio Paget, y twyllwr yn nofel Mary Elizabeth Braddon (1837-1915), *Charlotte's Inheritance* (1868), nid yw fel petai'n ymwybodol o'i bechod, dim ond ei fethiant i elwa ar ddiniweidrwydd ei gydnabod:

> That he had erred, the Captan was very ready to acknowledge. That he had sinned deeply, and had much need to repent himself of his iniquity, he was very slow to perceive.

Arf pwysicaf Capten Trefor y twyllwr diegwyddor, yw ei huodledd trofaus a atalnodir gan eiriau ac ymadroddion amodol fel 'os', 'pe', 'er', 'hwyrach', 'mewn ffordd o siarad', ac yn y blaen. Fe welir ysgrifennu Daniel Owen ar ei orau pan fydd y Capten yn boddi ei wrandawyr yn llifeiriant amlgymalog ei ddadleuon. Y mae ei lythyr olaf yn gyfuniad meistrolgar o'r arddull ffuantus hon, na all ei hepgor hyd yn oed yn ei oriau olaf, a chyffesu eglur. Ac yn gyson â'r hyn a ddywedir yn y Rhagarweiniad am y da a'r drwg ynom, y mae'r llythyr yn codi'r cwestiwn hollbwysig: a ellir ei gredu? Dyna'r amwysedd gogleisiol yn y cymeriad hwn. A allwn ei gredu pan ddywed ei fod yn teimlo dros ei weithwyr? A yw'n teimlo dros Denman? Ni allwn byth fod yn siŵr fod y Capten yn dweud y gwir, hyd yn oed ar ei wely angau, ar wahân i'w ffyddlondeb i ganllaw sicr ei weithredu rhagrithiol: 'A dyna ydyw'r *beauty* – nid yn y peth ei hun y mae'r drwg, ond yng nghael ein dal'. Y mae'r Capten yn cael ei haeddiant ac yn marw yn ei ddiod. Dyna'r diwedd yr oedd *mores* Oes Victoria yn ei hawlio. Ond unwaith eto, a yw'r farwolaeth druenus hon yn wir edifeiriol? Nid yn y cymeriad ei hun y mae'r unig amwysedd. Y mae gwely angau'r Capten i'w gyferbynnu â marwolaeth Elin yn y bennod gyntaf. Fel rhai beirniaid a nofelwyr Saesneg y cyfnod, ni allai'r Cymro fodloni ar y sefyllfa arwyddocaol hon fel eicon diamwys crefyddwyr uniongred yr oes.

Un o'r agweddau mwyaf diddorol a difyr ar waith Daniel Owen, ac yn enwedig yn y nofel hon, yw'r sylw a rydd i gymeriadau benywaidd. Fel y gwelwyd, dengys y bennod gyntaf nad oedd yn derbyn y ddelwedd o'r ferch syrthiedig yn gwbl ddigwestiwn. Anelir ei ddychan yma at un o hoff ddelweddau'r oes, sef y cysyniad Victoraidd o'r wraig a'r ferch ddelfrydol. Yr oedd y *paterfamilias* yn ddelwedd o Dduw, yn gynheiliad y teulu, a'r wraig yn ddarostyngedig iddo, gyda grym y gyfraith yn cadarnhau'r safle israddol hwnnw am y rhan fwyaf o'r ganrif. 'Man to command, and woman to obey, all else confusion', meddai Tennyson. Bu peth gwelliant yn safle merched o'r wythdegau ymlaen, er y bu'n rhaid iddynt aros tan yr ugeinfed ganrif cyn meddu ar y bleidlais. Credid yn gyffredinol na ddylai ac na allai merched ymgymryd â'r gwaith a wnâi'r dynion – a siarad yr ydys, wrth gwrs, am y dosbarth canol. 'Be good, sweet maid, and let who can be clever', oedd anogaeth Charles Kingsley. Yn iawn am y bywyd difreintiedig hwn, câi'r ferch ei delfrydu. Ei theyrnas hi oedd y cartref. Hyhi oedd ceidwad moesau'r teulu a'i dylanwad ar y plant yn anfesuradwy. 'Pethe i ddynion' oedd busnes, y farchnad, a'r cwmpeini, meddai Susi, a 'gwisgo a chodlo' a breuddwydio am ŵr cyfoethog oedd yn mynd â'i bryd. Daw hi at ei choed, gan adleisio Bella Rokesmith yn *Our Mutual Friend*, a Nora Helmer yn *Tŷ Dol*. 'Be' ydw i ond dol?', medd Susi. Fel Dickens ac Ibsen, dychanu safle israddol y ferch y mae Daniel Owen. Rhan o hymbyg y dosbarth canol yw Mrs Trefor a Susi, cyn ei chyfnewidiad, a thröedigaeth ddyneiddiol, seciwlar, a gaiff

Susi, nid tröedigaeth grefyddol, yn union fel Wil Bryan yn y nofel gyntaf.

Dyry perthynas Enoc Huws â Susi gyfle i ddychanu Enoc fel diniweityn a charwr aflwyddiannus ac i roi ias o ollyngdod pleserus i'r darllenwyr wrth weld bod Enoc wedi'i achub rhag priodi 'eich chwaer', chwedl yr Americanwr. Yr oedd llunio'r berthynas hon yn fentr beryglus mewn nofel Gymraeg. Teimlai Daniel Owen, mae'n amlwg, ei fod mewn perygl o groesi ffin gwedduster Victoraidd a bu'n rhaid iddo greu Enoc yn garwr trwstan a gofalu bod ei garwriaeth â Susi yn gwbl blatonaidd. Wedi datgelu'r gwir i Susi, y mae'n rhydd i Enoc roi cusan brawd iddi: 'peth nad oedd – er mor rhyfedd ydyw adrodd – wedi ei wneud o'r blaen – cusanodd Miss Trefor.' Fel 'Sus' y cyfeirir at Susi droeon. 'Sus-ter' yw hi na chafodd erioed sws gan ei dyweddi! Daliai Daniel Owen yn ddychanwr hyd at ddiwedd y nofel a gwyddai sut i roi gwefr i'w gynulleidfa yn null y 'sensation novel' Saesneg.

Gall fod elfen o ffantasi yn hanes Enoc a Susi a dyna a geir eto ym mherthynas Enoc a Marged. Yr oedd yr athrawes breifat neu'r *housekeeper* yn gymeriad cyffredin yn nofelau Saesneg y cyfnod. Charlotte Bronte a wnaeth y defnydd mwyaf cofiadwy o'r cymeriad hwn yn *Jane Eyre*. Yr oedd merched o'r fath ar drugaredd penteulu neu fab diegwyddor, ond aeth Danïel Owen ati i drawsnewid y sefyllfa gyfarwydd hon. Nid merch ddiniwed, ddiamddiffyn, yn agored i drais, yw Marged. Y mae hi 'yn hynod o gref wrth natur', yn gryf fel dyn, ac Enoc 'ond eiddilyn', mor wan â merch. Rhaid i Enoc ffoi rhagddi i'w ystafell wely a chloi'r drws yn ei herbyn. Yna, clyw Marged yn dod i fyny'r grisiau 'yn nhraed ei 'sanau … yn ysgafn ac araf'. Bwrlesgio'r sefyllfa drais y mae'r nofelydd. Enoc yw'r ferch wan, ofnus. Marged yw'r dyn cryf, treisgar. Wedyn, y mae 'breuddwyd ofnadwy' Enoc yn dwysáu'r elfen ffantasïol yn fwy byth. Yn yr un modd, cyfnewidir *rôle* y dyn a'r ferch yng nghymeriad Twm Solet, nad yw'n dweud odid air o'i ben, fel Barbara Bartley yn *Rhys Lewis*.

'Hymbygoliaeth' y dosbarth canol Cymraeg, felly, ei ragrith

a'i fursendod, ei orfoesgarwch a'i bwyslais ar 'appearance' yw prif wrthrych dychan Daniel Owen. Aeth cenhedlaeth Abel Hughes a Mari Lewis heibio. Yr oedd Rhys Lewis ei hun, er ei ansicrwydd prudd, o ddifrif calon wrth chwilio am iechyd enaid. Daeth y Parchedig Obediah Simon i gymryd ei le. Dichon fod y cyfeiriad yn ei enw bedydd at y llyfr hwnnw yn yr Hen Destament yn tanlinellu dwyster gweledigaeth Daniel Owen wrth sylwi ar gymeriadau 'nad oeddynt yn hynod am eu crefyddolder'. Nid yw Mr Simon yn ddirwestwr ac y mae ef a'r Capten yn deall ei gilydd i'r dim. Gŵr y canu a'r wisg barchus, 'orglerigol', chwedl Didymus, yw'r gweinidog newydd. Fe'i gyrrir ar ffo i America am nad yw'r gynulleidfa yn ei werthfawrogi. Unwaith yn rhagor, rhaid gofyn y cwestiwn hollbwysig ar ddiwedd y stori: pwy sydd ar ôl i gynnal y gwir werthoedd ysbrydol? Gellir awgrymu mai Dafydd Dafis yw'r lladmerydd hwn, ond ffermwr annibynnol yw ef nad yw yng ngafael gofynion y gymdeithas Victoraidd. Daw'r nofel i ben yn gonfensiynol o hapus. Ond yn arwyddocaol iawn, Wil a Susi a erys yng Nghymru a bydd Wil yn ennill bri trwy ddarlithio ar 'y ddynol natur'. Rhaid anfon Enoc a'i wraig i Chicago, Valhalla'r *self-made man*. Nid oes i Enoc le yn ei gynefin. Daw Wil, o bawb, yn siopwr llwyddiannus ac yn aelod o'r *bourgeoisie*. Onid Wil, y gŵr ifanc, eofn, a gafodd dröedigaeth anfethodistaidd, a Susi a gafodd brofiad tebyg, a ddylai fod wedi ymfudo? Arhosant yn y dreflan i ddangos yn derfynol mai gwedd ar ddyneiddiaeth bellach yw crefydd Cymru. Ac anfon Enoc ddiniwed i Chicago yw ergyd olaf Daniel Owen y dychanwr.

E. G. Millward

RHAGYMADRODD

NID cymwys, yn ddiau, yr ymddengys ysgrifennu "Rhagym-adrodd" i lyfryn o natur Profedigaethau Enoc Huws. Ac eto, prin yr ystyrir llyfr Cymraeg yn gyflawn hebddo, mwy nag yr ystyrid pregeth Gymraeg amser yn ôl, heb fod ynddi *yn gyntaf, yn ail, yn drydydd, ac yn olaf.*

Y mae i'r llyfr hwn ei amcan; ac os nad yw'n ddigon eglur heb i mi ei enwi, ni wna hynny ond dangos fy mod wedi methu yn fy nghais. Bydd yn syn gennyf, hefyd, os na wêl rhai rhan-nau o'n gwlad, yn enwedig Sir Fflint, pa beth oedd yn fy mryd wrth ei ysgrifennu. Pa fodd bynnag, mi adawaf i'r hanes lefaru drosto ei hun.

Goddefer i mi wneud un sylw, gan fod hwn yn gyfleustra rhagorol i'w wneud, ac na welais, hyd yr wyf yn cofio, neb yn galw ein hystyriaeth ato: yn ystod yr hanner can mlynedd diwethaf, mi gredaf, na wad neb sydd yn gwybod rhywbeth amdanom, fod llenyddiaeth Gymraeg wedi adfywio nid ychydig, ac wedi cyrraedd safon uwch nag mewn unrhyw gyfnod blaen-orol – o leiaf y mae'n fwy eang a thoreithiog. Gyda'n holl fisol-ion, deufisolion, a'n chwarterolion, a'r holl lyfrau a ddygir yn feunyddiol drwy'r wasg, heb sôn dim am ein newyddiaduron, ni faidd y philistiad mwyaf dienwaededig ac wynebgaled, tybed, ddweud nad oes gennym, erbyn hyn, lenyddiaeth. Ystyrir ni, os nad ydwyf yn camgymryd, yn genedl o deimladau naturiol bywiog, ac o ddychymyg gref. Ond rhyfedd! nid oes yn ddiw-eddar ddim neilltuol a hynod o dda wedi ymddangos mewn chwedloniaeth wir Gymreig. Rhaid i ni fynd ymhell yn ôl i gael hynny. Mae'n wir fod gennym ugeiniau o ffugchwedlau wedi ymddangos yn ein gwasg; ond, hyd y gwelais i, gydag ychydig eithriadau, nid ydynt ond adlewyrchiadau ac efelychiadau o nofelau Saesneg. Mewn gwledydd eraill, megis Lloegr, Ffrainc,

ac America, ceir y dynion mwyaf eu dysg a'u hathrylith ym-
hlith y chwedleuwyr. Ond yng Nghymru gadawyd y gangen
hon o lenyddiaeth, hyd yn hyn, i ysgrifenwyr israddol, fel fy
hunan.

Pa fodd y rhoddwn gyfrif am hyn? Nid oes, ar y funud, pan
wyf yn ysgrifennu hyn o eiriau, ond un rheswm yn ei gynnig ei
hun i'm meddwl. Mae Cymru oddi ar y Diwygiad Methodist-
aidd – ac ni a ddylem ddiolch am hynny – yn wlad grefyddol,
ac wedi ei thrwytho â'r elfen Biwritanaidd. Ein harwres ydyw
Ann Griffiths ac nid George Eliot. A gallaf yn hawdd ddych-
mygu am hen flaenor ymneilltuol cywir, crefyddol, a duwiol,
gyda *Phererin* Bunyan yn agored ar ei lin, â'r dagrau yn ei
lygaid wrth ei ddarllen, ac, ar yr un pryd yn edrych – a hynny'n
eithaf gonest – ar nofelydd Cymraeg fel dyn yn dweud celwydd
i foddio ynfydion!

Mi gredaf fod y cyfnod hwnnw ar fynd heibio. Mae mwy
nag un ffordd i addysgu a difyrru ein gilydd. Y chwedl fwyaf
effeithiol, boblogaidd, ac anfarwol yng Nghymru, ydyw Y Mab
Afradlon! A rheswm da paham! Amen, felly y byddo byth!

Mae hanes, ac arferion Cymru, yn wir, y bywyd Cymreig, hyd
yn hyn, yn *virgin soil*, ac, yn y man, mi hyderaf, y gwelir blaen-
ion ein cenedl yn corffori yn y gangen hon o lenyddiaeth ein
neilltuolion a'n defodau. Hyd hynny, gwasanaethed Enoc Huws
a'r cyffelyb.

DANIEL OWEN

Yr Wyddgrug,
Hydref 20fed, 1891

2

PROFEDIGAETHAU
ENOC HUWS

RHAGARWEINIAD

BWRIEDID i'r hanes hwn fod yn rhyw fath o atodiad i *Hunan-gofiant Rhys Lewis*. Pan oeddwn yn cyhoeddi'r gwaith hwnnw mi gymerais – pa un ai yn gam ai yn gymwys, nid yw o fawr bwys erbyn hyn – y darllenydd i'm cyfrinach, am y modd y daethai yr ysgrif honno i'm dwylo, ac am yr hyn a'm cymhellodd i'w har-graffu. Yr oedd gennyf, ar y pryd, resymau digonol, i mi fy hun, dros fabwysiadu'r cwrs a gymerais – rhesymau, rhaid i mi gyd-nabod, nad ydynt o wasanaeth yn yr amgylchiad hwn. Wrth gyhoeddi'r hanes hwn yr wyf yn ymwybodol fy mod yn gwneud antur lawer pwysicach. Gyda'r *Hunangofiant*, Rhys Lewis ei hun oedd gyfrifol am deilyngdod y gwaith ac am fanylion ffeith-iau ei einioes fer. A phe digwyddasai iddo fod yn anghymeradwy gan y Cymry, yr unig gŵyn, o bwys, a allesid ei dwyn yn fy erbyn am anturio ei argraffu fuasai fy mod wedi dangos diffyg barn. Yn ffortunus, hyd y gwn i, ni ddygwyd cwyn o'r fath yn fy erbyn. Derbyniwyd y llyfr yn galonnog gan ieuainc a hen, a chyfiawnhawyd fy ngobeithion na fyddai'r amgylchiadau a'r cymeriadau a ddisgrifiwyd gan Rhys Lewis – yn ôl y ddawn a rodded iddo ef – yn annerbyniol nac anniddorol.

Ond wrth ddwyn yr hanes hwn drwy'r wasg yr wyf yn teimlo yn bur wahanol. Rhaid i mi sefyll ar fy ngwadnau fy hun, fel y dywedir. Yr wyf yn fy ngosod fy hun mewn sefyllfa i gael fy nghyhuddo – nid yn unig o fod yn ddiffygiol o farn ond hefyd o *fedr*. Myfi fy hun raid fod yn gyfrifol am ffeithiau, arddull, a phopeth ynglŷn â'r hanes yr wyf ar fin ei adrodd, ac nid yw fy

3

ngobeithion o lawer mor ddisglair am y derbyniad a roddir iddo gan fy nghydwladwyr. Gwenieithwn oll i ni ein hunain ein bod yn meddu *barn* – y gwyddom beth sydd yn werth ei agraffu a beth sydd heb fod felly. Pawb ydynt *feirniaid*, ond nid yw pawb gynhyrchwyr. A dyna'r rheswm, fe ddichon, y gwna unrhyw un y tro yn feiriad mewn Eisteddfod. Gall pob un ohonom weiddi "Bw", neu "*Encore*", yn ôl fel y byddom yn barnu, ond ffigiwr gwael a dorrai'r nifer mwyaf ohonom ar y llwyfan. Dengys hyn nad ydyw'r ddawn i gynhyrchu yn gyfled â'r ddawn i farnu. Nid oes, yr wyf yn meddwl, angen awdurdod uwch i benderfynu'r pwnc hwn am byth na'r eiddo Wil Bryan. Yr wyf yn cofio'n dda sylw o'i eiddo (yr oedd hyn cyn iddo fynd oddi cartref) i'r perwyl canlynol: "Wyddost di? er nad ydw i ond *youngster*, yr ydw i wedi dablo, i radde mwy neu lai, fel y byddan nhw'n deud, efo agos i bob *art an' science* – i fyny o'r *noble art of self-defence* hyd at ysgrifennu i'r wasg, ond dydw i'n gwbod am ddim y torres i fwy o *sorry figure* efo fo na dawnsio, er bod gen i dipyn o *predilection* at hynny. Er i mi dreio 'ngore – ar 'y mhen fy hun, wrth gwrs, achos mi fase'n *degrading* mynd at *dancing master* – er i mi dreio 'ngore fedres i neud na rhych na gwellt ohono. Erbyn hyn dydw i ddim yn fecsio, achos os ydi dyn yn edrach yn *soft* mewn rhywbeth, pan fydd o yn dawnsio mae hynny. Fuost di rioed ar ddiwrnod y *Ladies' Club*, pan fydd yno gannoedd yn dawnsio ar y *green*, yn rhoi dy fysedd yn dy glustie rhag clywed y *band*, er mwyn i ti gael gweld pa argraff a neiff yr olwg arnyn nhw ar dy feddwl di? Treia di, a mi ffeindi y bydd raid i ti dynnu dy fysedd o dy glustie'n syth, neu fynd i gredu fod *universal insanity* wedi setio i fewn. Mi gymra fy llw os bu Dafydd yn edrach yn *soft* rw dro mai pan oedd o'n dawnsio o flaen yr arch oedd hynny, a fod gynno fo g'wilydd o'i galon cofio am y peth pan sobrodd o i lawr. Ond dene oeddwn i'n mynd i ddeud – er na fedres i rioed neud dim byd ohoni efo'r dawnsio 'ma, ro i ddim i fyny i neb fel *critic* ar yr *art*. Mi wn mewn munud os bydd rhwfun yn gneud *mistake* ne yn ddiffygiol o *grace*. Does dim isio, wyddost, i ddyn fod yn medrud gneud y peth ei hun i allu barnu a

4

ydi erill yn ei neud o'n iawn, ne mi fydde raid ti fynd yn brentis o grydd cyn y medret ti wbod ydi dy sgidie di yn dy ffitio, ac a ydyn nhw *up to dick.*"

Gorchwyl hawdd, mewn cymhariaeth, oedd i mi farnu a oedd *Hunangofiant Rhys Lewis* yn werth ei argraffu, ond pwnc arall hollol ydyw a allaf fi afael ym mhen edef yr hanes hwnnw a'i ddilyn mewn cysondeb. Bydd gennyf fi rai anfanteision nad oedd raid i Rhys Lewis deimlo dim oddi wrthynt na'u cyffelyb. Yn un peth, yr oedd Rhys Lewis wedi marw cyn i'r *Hunangofiant* ddod yn eiddo i'r cyhoedd, ac y mae'r natur ddynol yn dringar iawn wrth y marw. Ond yr ydwyf fi yn fyw, hyd yn hyn, fodd bynnag, ac ni all y byw ddisgwyl am lawer o dynerwch. A dyma un o'r pethau sydd yn gwahaniaethu dyn oddi wrth yr anifail – ni ddychmygir am flingo anifail nes iddo farw; ond gyda dyn (fel awdur) y cwestiwn cyntaf a ofynnir, "A ydio'n fyw?" ac os ceir atebiad cadarnhaol, y cwrs nesaf fydd, "Wel, gadewch i ni ei flingo, a gwerthu ei groen i dalu i'r adolygydd." Yr oeddwn ar fedr enwi amryw anfanteision eraill, "Ond ni chwanegaf," ys dywedai'r hen John Jones, Rhyl, wrth orffen pob pregeth.

Mae'n rhaid i mi ofyn un ffafr gan fy narllenwyr, os anrhydeddir fi â'r cyfryw; ac yr wyf yn ymwybodol ei fod yn gryn beth i'w ofyn. Hynny yw – fod iddynt dderbyn pob peth a adroddaf fel ffeithiau diamheuol – hynny yw, eto, pob peth nad ydyw'n dod o fewn terfynau eu gallu a'u profiad hwy i'w wrthddywedyd, ac, yn wir, llawer o bethau eraill ag y bydd yn naturiol iddynt ymofyn pa fodd yr oedd yn bosibl i mi ddod yn wybyddus ohonynt. Er enghraifft – os byddaf, fel y mae'n ddiamau y byddaf, yn adrodd meddyliau hwn neu arall pan fydd ar ei ben ei hun – meddyliau na hysbysodd ef i neb byw, naturiol fydd i'r darllenydd ymofyn, pa fodd y deuthum i yn hysbys ohonynt? Annwyl ddarllenydd, y dirgelwch hwn sydd fawr; na flina, ymarfer ychydig ffydd, a rhoddaf finnau fy ngair nad adroddaf ddim na allaf sefyll ato, os bydd raid.

Pobl Bethel a ddygir i sylw yn yr hanes hwn, ac er nad wyf yn bwriadu mynd dros yr un tir ag a gerddodd Rhys Lewis, bydd raid i mi yn achlusurol gyfeirio'n gynnil at rai o'r cymeriadau sydd eisoes yn adnabyddus i'r darllenydd – megis Tomos Bartley, Wil Bryan, &c. Ni bydd y gwaith hwn yn dwyn gwedd mor grefyddol â'r *Hunangofiant*; bydd a wnelo â chymeriadau, gan mwyaf, nad oeddynt yn hynod am eu crefyddolder. Rhaid i mi roddi credyd i Rhys Lewis am gywirdeb ei hanes cyn belled ag y mae'n mynd, a hefyd i onestrwydd yr awdur, yn enwedig yn y rhannau hynny sydd yn datguddio rhyw bethau ynglŷn â'i deulu nad ydynt, a dweud y lleiaf, yn adlewyrchu dim anrhydedd arno – pethau na fuasai ei gyfeillion yn dychmygu sôn amdanynt. A gadael heibio ei waith yn manylu ar ddrygioni ei dad a'i ewythr, a ddarfu i'r darllenydd sylweddoli'r gwroldeb oedd yn angenrheidiol i sôn am ddygn dlodi ei fam? Edryched y darllenydd o'i gwmpas ac ymofynned pa nifer o'i gydnabod sydd wedi codi dipyn yn y byd, a sonia o'u gwirfodd am dlodi eu rhieni? am yr adeg yr oeddynt yn byw ar botes maip? Onid yr ymdrech feunyddiol ydyw anghofio'r pethau sydd o'r tu ôl? Pa swm o arian a roddai Mr. Daldygŵd – sydd wedi llwyddo yn y byd, a hel llawer o gyfoeth, a thrwy ddiwydrwydd a thalent sydd yn llenwi swyddau uchel, ac yn troi mewn cylchoedd parchus – pe gallai ddileu hanes ei febyd o gof ei gymdogion, a phe gallai fod yn sicr nad ydyw'r hen ŵr sydd yn rhoi ei law wrth ei het iddo yn cofio mai crydd oedd ei dad, ac mai gwerthu *pop* oedd ei wraig cyn iddo ef, Mr. Daldygŵd, ei phriodi? Fel y mae yn cael ei boeni wrth gyfarfod yr hen wreigan – sydd, erbyn hyn, yn plygu yn ei garrau iddo – wrth gofio am ambell frechdan a gafodd ef ganddi pan oedd golwg eisiau bwyd ar ei wyneb? Pa ryfedd ei fod yn llawenhau wrth glywed am hen bobl yn marw! Mae Mr. Daldygŵd yn awr yn cymdeithasu â phobl barchedig, a bydd rhai ohonynt weithiau, yn hoffi sôn am eu "teulu" – pwnc nad ydyw byth yn colli ei ddiddordeb gyda rhyw bobl – a bydd yntau, Mr. Daldygŵd, druan yn poethi ac yn chwysu ac yn gorfod defnyddio hynny o dalent a fedd i droi'r stori at rywbeth arall; oblegid ni all ef sôn am ei "deulu", oddieithr iddo wneud hynny mewn ffurf o ymosodiad ar anghyfiawnder Bwrdd y

Gwarcheidwaid pan ddarfu iddynt dorri "pae" ei fam o hanner coron i ddeunaw ceiniog yr wythnos! Ond ni all ef wneud hyd yn oed hynny gyda chysondeb, canys y mae yntau, erbyn hyn, yn *guardian* ac yn euog o ymddygiad cyffelyb at wrageddos tlodion. Ond ped ymddygai pob *guardian* fel Mr. Daldygŵd byddai llai o faich ar y trethdalwyr, oblegid y mae wedi rhoi gorchymyn i'w frawd, sydd yn byw mewn tref arall, er dim i beidio pwyso ar y plwyf. A phan enfyn y brawd ei fod yn bwriadu dod i ymweld ag ef, y mae yntau, Mr. Daldygŵd yn anfon iddo *post-office order* am ddeg swllt, gyda rhybudd iddo aros gartref. Mae Mrs. Daldygŵd a'r merched yn cytuno ag ef yn hyn, ac y mae arnynt arswyd gweld yr *horrid uncle*! Garddwr, wrth ei gelfyddyd, ydyw'r *uncle*, ac yn ei gartref perchir ef fel gŵr da a duwiol, ond oherwydd ei fod wedi dioddef yn dost gan y crydcymalau y mae'n analluog i weithio, ac y mae'n dlawd, ac oherwydd ei dlodi y mae gan ei frawd a'i chwaer-yng-nghyfraith a'i nithoedd gywilydd ohono! Y ffyliaid! Onid ydynt yn cofio mai garddwr oedd ein "tad ni oll"? ac nad oedd ganddo ef na'i wraig, y dyddiau gorau fu dros eu pennau, gerpyn am eu cefnau? – yr hyn, yn ddiamau, a ddygodd ar eu hiliogaeth y gymalwst, ac oddi wrth yr hwn anhwyldeb y mae brawd Mr. Daldygŵd yn dioddef mor enbyd! Ond dyna fel y mae'r byd yn mynd – mae arnom gywilydd o'r graig y naddwyd ni allan ohoni, a'r ffos y clodd-iwyd ni ohoni. Mae'n ffaith mai mwy dewisol gan rywrai ydyw i'w tad enwog fod heb yr un bywgraffiad yn hytrach nag i dlodi eu hynafiaid gael ei roi ar gof a chadw. Er y gwyddant yn burion na ddinoethai'r bywgraffydd fwy nag a fyddai wir angenrheidiol, ac y byddai iddo dyneru ei frawddegau – megis, yn lle dweud fel hyn – "Yr oedd rhieni ein gwrthrych y pryd hwn yn cadw siop fincec a bara gwyn, a mynych y byddai raid iddo yntau, pan na fyddai'n cario bara gwyn hyd y wlad, fynd i'r mynydd i dorri mawn, a gwneud ei ran mewn amryw ffyrdd i gael y ddeupen ynghyd" – yn lle dweud fel yna, y byddai i'r bywgraffydd ddweud – "Er nad oedd rhieni ein gwron, yr adeg yr ydym yn cyfeirio ati, mewn sefyllfa uchel na chyfoethog *iawn*, eto yr oeddynt yn bobl barchus, onest, ac yn talu eu ffordd, ac yn feddiannol ar nodweddion daionus eraill, a amlygwyd i raddau helaeth yn eu mab enwog, yr ydym yn awr yn ceisio ysgrifennu ei hanes." Gwyddant o'r gorau mai yn y dull yna y cyfeirid at yr amgylchiadau anhyfryd, oni ni wna'r tro. Tybiant mai ychydig o bobl a ŵyr am dlodi eu hynafiaid, a'u bod yn mynd leilai bob dydd. Maent yn byw ym mharadwys ffyliaid, ac o'm rhan i, mawr fwyniant iddynt!

Amlwg yw na pherthynai Rhys Lewis i'r dosbarth ffolfalch yna. Mae'n wir na ddarfu iddo ef ymgyfoethogi, ac na feddai erw o'i eiddo ei hun. Ond gwnaeth rywbeth gwell – drwy ei ddiwydrwydd, dyrchafodd ei hun i sefyllfa barchus gweinidog cymwys y Testament Newydd. Ac ni phetrusai ef, pan fyddai hynny o wasanaeth iddo, gyfeirio at ddinodedd a thlodi ei febyd. Cofus gennyf ei fod un tro, yn y Seiat, yn ymddiddan â'r hen Feti Williams – gwreigan dlawd anghenus – a gwynai ei bod yn anniolchgar iawn, a'i bod yn ei gael yn beth anodd bod yn foddlon a diolchgar pan fyddai'n amddifad o bethau gwir angenrheidiol. Ac ebe Rhys – "Digon gwir, Beti Williams, anodd iawn ydyw bod yn ddiolchgar pan fydd y cwpwrdd yn wag. Ac yr ydach chi'n gneud i mi gofio am sylw o eiddo fy mam, pan oeddem heb damaid o fwyd yn tŷ na golwg am ddim i ddod, ebe hi – "Wel, fy machgen, 'dydi o gamp yn y byd bod yn ddiolchgar mewn llawnder, ar ben ein digon; y gamp ydi gallu diolch ein bod yn rhoi mwy o bris ar fara'r bywyd nag ar y bara naturiol, ac *un* peth sydd *angenrheidiol* ac mor werthfawr i mi ydi dirgel obeithio fod Mari Lewis wedi dewis y rhan dda, yr hon *ni ddygir oddi arni.*" Ni cheisiai Rhys Lewis gelu dim o aml gyfyngderau ei ieuenctid, oherwydd, chwedl Wil Bryan, "nad oedd dim *humbug* ynddo".

Mae Rhys Lewis yn gwneud y sylw hwn yn rhywle – mai da iddo ef fuasai pe na chwrddasai erioed â Wil Bryan. Gyda phob dyledus barch, ni wnaeth Rhys Lewis fwy o gamgymeriad yn ei fywyd. Bendith fawr iddo fu ei gysylltiad â Wil. Os oedd rhyw nodwedd fwy amlwg na'i gilydd yn Rhys Lewis fel pregethwr, ei *naturioldeb* oedd hwnnw, ac yr wyf yn credu mai i Wil Bryan yr oedd ef yn ddyledus amdano. Pa fath un fuasai Rhys Lewis pe na buasai erioed wedi cyfarfod Wil? Wel, bachgen mawr, da, diniwed fuasai – bachgen ei fam. Dichon y buasai yn ei gyfansoddiad fwy o siwgr, ond yn sicr buasai ynddo lai o haearn – mwy o *starch*, ond llai o nerth; mwy o hygoeledd, ond llai o ffydd a chraffter. Ond fel yr oedd yr oedd yn naturiol a chymeradwy, ac i Wil yr oedd yn ddyledus am y nodwedd anghyffredin hon. "Anghyffredin" a ddywedais? Ie, nid wyf yn galw'r gair yn ôl. Nid wyf philistiad; ac ni roddaf y gorau i un dyn byw am barch i bregethwyr Cymreig, ond ni all hyn fy atal rhag dweud mai hwy, fel dosbarth – mae eithriadau lawer, mi wn – yw'r llefarwyr mwyaf annaturiol y gwn amdanynt. Pa reswm neu ysgrythur sydd dros i bregethwr, mwy na rhyw siaradwr cyhoeddus arall, lefaru am y chwarter awr cyntaf o'r bregeth yn anghlywedig, yna dechrau canu, ac yn y man rafio, a chyn y diwedd beri i un ofni iddo dorri *blood vessel*? Prin y gallaf gredu mai cymdeithas wastadol y pregethwr â'r *goruwch* naturiol a barodd iddo fabwysiadu arddull mor *an*naturiol. Gan nad pa mor ddigrifol fyddai'r arddull hwn mewn cylchoedd eraill, mae'n rhyfedd y gall cynulleidfa Gymreig nid yn unig beidio chwerthin ond cadw wyneb sobr tra bydd y pregethwr yn ymresymu, yn adrodd hanes, neu yn perswadio ei wrandawyr i gredu yr efengyl, a'r cwbl i gyd ar gân! Yn ffortunus yn y dyddiau hyn y mae canu pregethu yn prysur fynd allan o'r ffasiwn, a buan yr elo. Ond y mae'n ddiau mai i'r hen ddull o lefaru y syrthiasai Rhys Lewis oni bai i Wil Bryan ddangos gwrthuni'r peth iddo, a'i "warnio" y byddai iddo ei "hymbygio" os caffai efe ef yn euog o'r fath annaturioldeb.

Un sylw arall, ac yna dechreuaf ar fy stori. Temtasiwn pregethwr sydd wedi troi ymhlith pobl dda a chrefyddol yn unig ydyw edrych ar gymeriadau cyffelyb i Wil Bryan fel drwg digymysg – fel pobl a'r gwahanglwyf arnynt, ac felly i'w hosgoi a'u gadael i ofal Duw. Nid oes syniad mwy cyfeiliornus yn bod, ac wrth ddweud fel hyn nid oes angen i mi hybysu'r darllenydd nad yn yr ystyr ddiwinyddol yr wyf yn sôn am ddynion. Ar arwynebedd calon cymeriadau diofal, cellweirus a rhyfygus fel

Wil Bryan y mae rhyw lecyn tyner nad yw'n ganfyddadwy o'r pellter, ac o arfer doethineb, a than fendith Duw y gellir ei droi i *good account*. Drwg yn wir ydyw telyn natur y dyn hwnnw nad oes ynddi un tant a ddyry sain hyfryd. Buasai hyn yn enllib ar ei Gwneuthurwr, ac yn gredyd i'r diafol, nad ydyw, mi obeithiaf, yn ei haeddu. Mae anrhydedd ymhlith lladron. Yn aml iawn, wrth wregys y rhai a fu'n troi gyda'r dosbarthiadau annuwiolaf y croga'r nifer mwyaf o allweddau i ystafelloedd y galon. Ond dyna ddigon ar hynyna. Gadawodd Rhys Lewis amryw gymeriadau hynod ymhlith pobl Bethel heb sôn amdanynt, a'm gorchwyl i yn bennaf yn yr hanes hwn fydd chwedleua tipyn ynghylch y rhai hynny, ac y mae'n bryd i mi ddechrau.

I

CYMRU LÂN

MAB llwyn a pherth oedd Enoc Huws, ond nid yn Sir Fôn y ganwyd ef. Yr oedd mangre ei enedigaeth yn agosach i Loegr, a'r trigolion yn siarad meinach Cymraeg, ac yn fwy diwylliedig a chaboledig yn eu tyb eu hunain, er nad oeddynt yn fwy crefyddol. Ni chanwyd y clychau ar ei enedigaeth, ac ni welid ac ni chlywid dim arwyddion o lawenydd o unrhyw natur. Ni ddarfu i hyd yn oed y ffaith mai bachgen ac nid geneth ydoedd ennyn gymaint â gwên ar wyneb un o'r perthnasau pan hysbyswyd hwynt am ei ddyfodiad i'r byd. Yn wir, maentumiai rhai o'r cymdogion fod cyn lleied o ddiddordeb yn cael ei deimlo ynddo, fel na wyddid, am rai dyddiau, i ba ryw y perthynai, ac mai yn ddamweiniol hollol y daeth y peth i'r golwg, a hynny drwy ddiofalwch Enoc ei hun. Y rheswm am yr holl ddifrawder hwn ynghylch y newydd-ddyfodiad oedd – nad oedd neb yn ei ddisgwyl, nac eisiau ei weld. Mi ddywedais ormod: yr oedd *un* yn ei ddisgwyl. Pa nifer o nosweithiau di-gwsg – pa faint o ofid, o gyni ac arteithiau meddwl – pa faint o edifeirwch chwerw a gwirioneddol, ac o hunanffieiddiad, a ymylai ar wallgofrwydd, a gostiodd y disgwyliad hwnnw, Duw yn unig a ŵyr! Mi a wn ei fod yn bwnc tyner a llednais i'w grybwyll – mi a wn mai mwy hyfryd i'r teimlad yw gwrando ar leisiwr da yn canu "Cymru Lân, gwlad y gân", a rhoi *encore* iddo, ac iddo yntau drachefn roddi i ni "Hen wlad y menyg gwynion". Ond ynfytyn fyddai'r dyn a dybiai ei fod wedi cael holl hanes Cymru yn y ddwy gân. Mae'n gofus gennyf, pan oeddwn hogyn, y byddai'r gŵr duwiol hwnnw, Abel Huws, pan fyddai yn yr hwyl yn y capel, yn cau ei lygaid, yn enwedig pan fyddai'n canu, ac i mi fynd i gredu fod cau'r llygaid yn arwydd sicr o dduwioldeb. Yr wyf wedi newid fy meddwl. Nid ydyw cau'r llygaid yn un arwydd o sancteiddrwydd. A rhoi chwarae teg i Abel Huws, ni fyddai yntau yn cau ei lygaid ond pan fyddai yn yr hwyl. Yr oedd ef mor llygadog â neb, ac yn galw pethau wrth eu henwau priodol. A phe buasai ef fyw yn awr diau y buasai yn cael ei ystyried yn ddyn bras. Sicr yw fod Abel Huws, fel yr hen dadau yn gyffredin, dipyn yn rhy blaen yn ei siarad; ond y mae'n ofnus mai ein perygl ni, yn y dyddiau hyn, ydyw mursendod a gor-ledneisrwydd – peidio galw pethau wrth eu henwau Cymreig, os nad peidio eu henwi o gwbl. A ydyw'r pethau wedi peidio â bod? Neu a ydym wedi cael rhyw oleuni newydd arnynt? A oes y fath le ag uffern yn bod yn y dyddiau hyn? Arferid sôn am le felly ers talwm, ond anfynych y clywir crybwylliad am y fath le yrŵan, oddieithr gan ambell un go henffasiwn. A oes y fath beth ag anniweirdeb? Byddwn yn clywed weithiau am "achos anhyfryd". Ond diau fod y byd yn dod yn foneddigeiddiach, a bod eisiau cymryd gofal sut i siarad ag ef.

Nid oedd, fel y dywedwyd, ond un yn disgwyl am Enoc i'r byd, ac nid oedd ar neb ei eisiau yn y byd. Edrychid arno fel *intruder*. Ni wyddai Enoc, druan, mo hynny, a phe gwybuasai y buasai ei ymddangosiad yn creu'r fath gynnwrf, yn achosi'r fath anghysuron a theimladau chwerw, mae'n amheus ai ni fuasai ef yn cyflawni hunanladdiad yn hytrach nag wynebu y fath fyd anghroesawgar! Ond ei wynebu wnaeth Enoc yn hollol ddiniwed a diamddiffyn. Tystiai'r meddyg fod Enoc yn un o'r bechgyn brafiaf a welodd ef erioed, ac nad oedd ond un amherffeithrwydd ynddo, sef oedd hwnnw – fod tri o fysedd ei droed chwith yn glynu yn ei gilydd, fel troed hwyaden. A oedd hyn yn rhagarwyddo y byddai Enoc yn nofiwr da, ni cheisiai'r meddyg benderfynu. Ond nid oedd hynny nac yma nac acw. Cyn bod Enoc yn fis oed – pe buasai yn ddigon synhwyrol, a phe na buasai'n cysgu'n hapus wrth ochr ei fam – gallasai fod yn llygad-dyst o olygfa na buasai byth yn ei hanghofio. Yr oedd yr ystafell-wely yn eang a chomffforddus, a ddynodai fod ei pherchennog mewn amgylchiadau uwch na chyffredin. Nos

Sadwrn ydoedd, o ran amser, neu yn hytrach bore Sul, oblegid yr oedd y cloc newydd daro hanner y nos. Yr oedd y meddyg newydd adael yr ystafell gan fwriadu dychwelyd yn fuan gyda rhyw feddyglyn i gynorthwyo mam Enoc i groesi'r afon, neu mewn geiriau eraill, i farw. Cyn gadael y tŷ dywedasai'r meddyg wrth ei thad, a oedd yn ŵr uchelfalch – "Mi ddof yn ôl ymhen ychydig funudau, Mr. Davies, ond y mae arnaf ofn na wêl Elin, druan, mo'r bore. Gwell i chwi fynd i'w golwg. Ewch, Mr. Davies, ewch, neu byddwch yn edifarhau ar ôl hyn."

Nid oedd Mr. Davies wedi gweld Elin er y dydd y ganwyd Enoc. Elin oedd ei uniganedig, ei gysur, a'i eilun. Ond y diwrnod y ganwyd Enoc, gwnaeth Mr. Davies lw na siaradai ef â'i ferch yn dragywydd. Pa fodd bynnag, pan ddywedodd y meddyg wrtho na welai Elin mo'r bore, teimlodd ei du mewn yn rhoi tro, a'i waed fel pe buasai'n fferu ynddo. Cerddodd yn ôl a blaen hyd y parlwr hanner dwsin o weithiau, a dywedai cip-dyniadau ei wyneb arteithiau dwfn ei galon falch. Cychwynnodd i fyny'r grisiau, a throdd yn ôl. Cychwynnodd eilwaith, a throdd yn ôl. Oedd, yr oedd wedi gwneud llw na siaradai ef â hi byth. Ond cofiai – ac yr oedd yn dda ganddo gofio – na ddywedodd ef nad edrychai arni. Cychwynnodd drachefn i fyny'r grisiau, ac ni throdd yn ôl y waith hon. Yr oedd Mr. Davies yn ŵr lluniaidd, hardd, a chadarn, ac ni theimlodd ef erioed cyn hyn un anhawster i ddringo'r grisiau; ond, y tro hwn, teimlai ei goesau ymron yn ymollwng. Yr oedd dwy *nurse* yn yr ystafell yn ymgomio'n ddistaw, a brawychwyd hwy gan ymddangosiad annisgwyliadwy Mr. Davies, ond nid ynganodd un ohonynt air. Yr oedd Elin â'i llygaid yn gaeedig, a'i hwyneb cyn wynned â'r gobennydd oedd dan ei phen, a'i gwallt hir, oedd cyn dued â'i phechod, yn llanast gwasgaredig a diofal o'i chwmpas. Gafaelodd Mr. Davies, megis o angenrheidrwydd, ym mhost y gwely, ac edrychodd yn ddyfal ar wyneb ei annwyl ferch. Y fath gyfnewidiad a welai! Ai Elin, ei annwyl Elin oedd hon? Anhygoel! Nid oedd hi ond megis cysgod o'r hyn a fuasai. Eto, tybiai Mr. Davies, er yr holl gyfnewidiad, nad oedd hi wedi colli dim o'r prydferthwch y teimlai ef bob amser mor

falch ohono, ac, yn wir, yr oedd Elin yn debycach nag y gwel-
sai ef hi erioed i'w mam, a gladdasai ef ryw flwyddyn cyn
hynny. Edrychodd yn ddyfal ar ei hwyneb gwelw, a dechreu-
odd ei galon feddalhau. Ond trodd ei lygaid a chanfu Enoc,
gyda'i wyneb pinc, ei drwyn fflat, a'i ben moel, a dychwelodd
digofaint a balchder clwyfedig Mr. Davies, ac ochneidiodd yn
drwm. Agorodd Elin ei hamrannau, gan ddatguddio pâr o
lygaid yr edrychasai ei thad arnynt fil o weithiau gydag edmyg-
edd. Nid ei thad oedd yr unig un oedd wedi edmygu'r llygaid
hynny. Oherwydd gwynder ei hwyneb, ymddangosai llygaid
Elin i'w thad yn dduach, disgleiriach, a phrydferthach nag erioed.
Ond yr oedd Elin, ei annwyl Elin, a olygai ef yn gynllun
o berffeithrwydd, heb arni na brycheuyn na chrychni, fel y
goleuni ei hun, yr oedd Elin wedi pechu. A chwarae teg i'w
thad, ei phechod, ac nid y gwarth – er y teimlai ef hwnnw yn
dost – oedd fel cancr yn ysu ei galon, oblegid yr oedd Mr.
Davies yn ŵr manwl, crefyddol, a duwiol yn ei ffordd ei hun.
Agorodd Elin ei hamrannau, fel y dywedwyd, ac edrychodd yn
ymbilgar, er yn dawel, yn llygaid ei thad. Wedi munud o ddis-
tawrwydd, ebe hi yn floesg –

"'Nhad, newch chi ddim siarad â fi?"

Nid atebodd Mr. Davies air, ond dangosai gweithiadau ei
wyneb a'i wddf mai ef oedd y dioddefydd pennaf.

"'Nhad," ychwanegai Elin, "yr ydw i wedi gofyn filoedd o
weithiau i Iesu Grist fadde i mi, ydach chi'n meddwl y gneiff
o, 'Nhad?"

Edrychodd Mr. Davies ar Enoc, a gafaelodd yn dynnach ym
mhost y gwely, ond ni thorrodd ei lw. Dywedodd Elin eil-
waith –

"Bydase Mam yn fyw – ac mae hi'n fyw, mi gweles hi neith-
iwr – ac mae *hi* wedi madde i mi. Newch *chi* fadde i mi, 'Nhad
bach? Yr ydw i wedi bod yn eneth ddrwg, ddrwg, ddrwg; ond
newch chi fadde i mi, 'Nhad bach?"

Gollyngodd Mr. Davies ei afael ym mhost y gwely, gweg-
iodd fel meddwyn, aeth gam ymlaen, gwyrodd, a chusanodd ei
ferch unwaith ac eilwaith, a chiliodd yn ôl i'w hen sefyllfa heb

dynnu ei lygaid oddi ar ei ferch, ond ni ddywedodd ef air. Gwenodd Elin yn hapus, ac yna trodd ei llygaid at Enoc. Megis yn cael ei chyfarwyddo gan reddf, deallodd un o'r *nurses*, yr hon oedd fam, ei dymuniad, a gosododd wyneb y plentyn wrth wefusau oer ei fam. Ni wnaeth Enoc ond rhwchian yn gysgadlyd pan gusanwyd ef am y tro olaf gan ei fam. Wedi gwneud hyn ymddangosai Elin fel pe buasai wedi darfod efo phawb a phopeth, ac edrychai i fyny yn ddi-dor. Ni thynnodd Mr. Davies ei olwg oddi arni, a hyd yn oed pan ddaeth y meddyg i mewn nid ymddangosai ei fod yn ymwybodol o'i ddyfodiad. Deallodd y meddyg ar unwaith fod Elin, druan, ar ymadael, ac ni cheisiodd ganddi gymryd y meddyglyn. Am rai munudau parhaodd Elin i edrych i fyny, yna dywedodd yn hyglyw –

"Yr ydw i'n dŵad yrŵan, Mam, yrŵan."

Ar ôl un dirdyniad, un ochenaid hir, ehedodd ei hysbryd ymaith.

"Mae hi wedi mynd," ebe'r meddyg yn ddistaw, ac ar yr un pryd gafaelodd ym mraich Mr. Davies ac arweiniodd ef i lawr y grisiau. Da gan y meddyg oedd cael cyrraedd y gwaelod yn ddiogel, oblegid pwysai Mr. Davies arno'n drwm. Yr oedd gofid y tad yn arteithiol, a phan syrthiodd yn swrth i'r gadair, gwasgodd ei ben rhwng ei ddwylo, a dolefodd yn uchel –

"O Elin! Elin! fy annwyl Elin!"

Yn ebrwydd neidiodd ar ei draed yn gynhyrfus, a thrawodd y bwrdd amryw weithiau, nes oedd y gwaed yn pistyllio o'i ddwrn; ac, fel pe buasai yn annerch y bwrdd, dywedodd yn ffyrnig –

"Enoc Huws! os nad wyt eisoes yn uffern, bydded i felltith Duw dy ddilyn bob cam o dy fywyd!"

Ailadroddodd y geiriau ffôl amryw weithiau. Arhosodd y meddyg gydag ef nes iddo ymdawelu. Nid oedd Mr. Davies, o ran oedran, ond cymharol ieuanc – prin ddeugain mlwydd oed. Edrychid arno yn y dref lle y trigai fel un mewn amgylchiadau cysurus, a pherchid ef yn fawr. Yr oedd ei ferch Elin, cyn yr amgylchiad a grybwyllwyd, yn ffefryn hyd yn oed gan ei chydryw, sydd yn "ddweud mawr". Bu ei chwymp yn ergyd i

15

ugeiniau o'i chyfeillesau a'i chydnabod, ac nid arwyddodd neb, hyd y gwyddys, foddhad yn ei gwarth. Nid felly, ysywaeth, y digwydda bob amser; ac o bob peth dirmygus, dyna'r peth mwyaf dirmygus, fod neb yn ymfalchïo yn aflwydd ei gydnabod. Yr oedd y cydymdeimlad â Mr. Davies yn ei brofedigaeth chwerw, yn ddwfn a chywir, a'r amlygiad ohono yn ddibrin. Ond ni chododd ef byth mo'i ben. Yr oedd y saeth wedi mynd yn syth i'w galon, ac ni allai neb ei thynnu oddi yno. Gwerthodd ei holl feddiannau a'i dda; a'r gŵr olaf o'i hen gymdogion y bu Mr. Davies yn siarad ag ef oedd Dafydd Jones, y dyn a fyddai'n arfer torri llythrennau ar gerrig beddau.

"Dafydd Jones," ebe fe, "rhowch y geiriau yma ar y garreg sydd uwchben fy ngwraig – na hidiwch am yr oed a'r *date* –

Hefyd
ELIN DAVIES
'Piser a dorrwyd gerllaw y ffynnon.'"

A heb gymaint â chanu'n iach â'i gyfeillion, gadawodd Mr. Davies y wlad.

II

GWEITHDY'R UNDEB

AR farwolaeth ei fam gosodwyd Enoc dan ofal Mrs. Amos, un o'r maethwragedd y cyfeiriwyd atynt yn barod, a dywedid i Mr. Davies roddi swm mawr o arian i'r wreigan hon am gymryd Enoc "allan o'i olwg ac edrych ar ei ôl". Am rai dyddiau ofnid am fywyd Enoc, a churiodd ei gnawd yn dost. Yr oedd yn ymddangos nad oedd yfed llefrith gwahanol wartheg trwy beipen *India Rubber* yn cyfarfod â chwaeth nac yn dygymod â chyfansoddiad ystumog Enoc. Ac er na phryderai neb am hynny, meddyliwyd fod y plentyn ar fedr cychwyn i'r un wlad ag yr aethai ei fam iddi. Yr unig beth a achosai dipyn o flinder i Mrs. Amos am y tebygolrwydd y byddai i Enoc farw, oedd y ffaith ei fod heb ei fedyddio. Buasai iddo farw heb ei fedyddio yn drychineb ofnadwy yng ngolwg Mrs. Amos. Ac yn fawr ei ffwdan hi a aeth at weinidog y Methodistiaid, yn yr eglwys lle y buasai mam Enoc yn aelod. Yr oedd y gŵr hwnnw newydd orffen ei swper, a newydd roi tân ar ei bibell. Derbyniad oer a garw a roddodd ef i Mrs. Amos. Gwrthododd yn bendant symud o'i dŷ, ac ymgroesodd wrth feddwl am gyffwrdd â'r fath lwmp o lygredigaeth ag Enoc. Yna dychwelodd at ei bibell, oedd *agos* cyn ddued ag Enoc, ac aeth Mrs. Amos ymaith gan sibrwd, "Bydase Mr. Davies heb fynd i ffwrdd, fase fo fawr o wrthod, mi gwaranta fo," a rhoddodd iddo ei bendith, yn ôl ei dull hi o fendithio. Ond ni wyddai Mrs. Amos ddim am y *Cyffes Ffydd* a'r rheolau disgyblaethol. Wedi hyn, prysurodd y famaeth i dŷ'r gweinidog Wesleyaidd gyda'r un apêl. Yr oedd John Wesley Thomas yntau yn berffaith hysbys o'r holl amgylchiadau, ac yn garedig iawn, a heb wneud dim "*bones*" ynghylch y peth, aeth ar unwaith gyda Mrs. Amos a gweinyddodd y sacra-

ment ar y plentyn, gan ei alw ar enw ei dad – yn ôl cyfar-
wyddyd Mrs. Amos – sef ENOC HUWS. Teimlai'r famaeth yn
rhwymedig iawn i Mr. Thomas am y gymwynas hon, ac i
ddangos ei theimlad cynigiodd iddo wydriad o chwisgi fel cyd-
nabyddiaeth fechan am ei drafferth. Gwrthododd Mr. Thomas
y moesgarwch gan roddi gair o gyngor iddi – sef anogaeth iddi
ddilyn esiampl y baban Enoc – gadael llonydd i'r botel.
Diolchodd Mrs. Amos yn gynnes i'r gweinidog am ei garedig-
rwydd ac am ei gyngor, a phrotestiodd "os byth y bydd angen
arna i fynd i'r capel, i'ch capel chi, Mr. Thomas, y dof fi, ond
am y gydwff arall ene, wn i ddim sut y mae neb yn mynd ar 'i
gyfyl o." Aeth Mr. Thomas ymaith dan chwerthin, ac ni fu
"angen" ar Mrs. Amos byth i fynd i gapel nac eglwys nes
y cariwyd hi i'r lle olaf gan bedwar o ddynion.

Er dirfawr siomedigaeth i Mrs. Amos, darfu i'r bedydd, neu
rywbeth arall, ddwyn oddi amgylch gyfnewidiad rhyfedd yn
ystad iechyd Enoc. Pe buasai yn "fedydd esgob" ni allasai ei
effeithiau fod yn fwy gwyrthiol. Dechreuodd Enoc yn union-
gyrchol edrych o'i gwmpas yn ddigon henffasiwn, a phan
osododd Mrs. Amos ffroen y beipen *India Rubber* yn ei safn,
sugnodd mor eiddgar a hoyw ag oen bach, a phe buasai ganddo
gynffon, buasai yn ei hysgwyd, ond gwnaeth y diffyg i fyny
drwy ysgwyd ei draed, a chodi ei ysgwyddau i ddangos ei ddir-
fawr foddhad. Yn wyneb yr amlygiadau digamsyniol hyn o
fywyd yn Enoc yr oedd Mrs. Amos wedi monni drwyddi, a
mynych y galwodd hi ef yn "hen *chap* drwg, twyllodrus". Ond
gan mai byw a fynnai yr "hen *chap* drwg", nid oedd mo'r help.

Aeth amser heibio; ac oherwydd nad oedd Enoc yn gwneud
dim – dim, o leiaf, gwerth sôn amdano – ond sugno'r botel
lefrith, a Mrs. Amos, hithau, heb fod yn ddiystyr o gwbl o'r
botel chwisgi, buan y diflannodd y "swm mawr o arian" a
roddodd Mr. Davies i Mrs. Amos am gymryd Enoc "allan o'i
olwg". Ffaith ydyw, cyn bod Enoc yn llawn ddeuddeng mis
oed, fod ei famaeth mewn dygn dlodi. Mewn canlyniad, hi a
aeth at y *relieving officer*, a rhoddodd ar ddeall i'r swyddog
hwnnw mewn eithaf Cymraeg, nad oedd hi am gadw plant

pobl eraill ddim hwy – na allai fforddio gwneud hynny, ac er ei
fod yn ddrwg ganddi ymadael â'r plentyn, oblegid, meddai, yr
oedd ef erbyn hyn, yn ddigon cocsin, eto nid oedd dim arall
i'w wneud. Yr oedd hi wedi disgwyl a disgwyl clywed rhyw-
beth oddi wrth Mr. Davies, ac ni allai aros i ddisgwyl dim yn
hwy. Os âi hi allan am hanner diwrnod i olchi, yr oedd yn
rhaid rhoi hyn a hyn o lodom i Enoc i wneud iddo gysgu, ac
yr oedd hynny yn costio pres. Ac am dad y plentyn, wel, yr
oedd hwnnw wedi rhedeg y wlad cyn i Enoc gael ei eni, y
syrffed. Wedi llawer o siarad a llawer o oedi, a mynd o flaen y
Board of Guardians, a chant o bethau, llwyddodd Mrs. Amos
o'r diwedd i gael Enoc oddi ar ei dwylo, a'i drosglwyddo yn
ddiogel i ofal y *workhouse.*

Pallai amynedd y darllenydd, mae arnaf ofn, pe dilynid hanes
Enoc tra bu ef yn y tloty, ac nid yw hynny'n angenrheidiol i'r
hanes hwn. Sicr yw iddo fod yno nes cyrraedd tair ar ddeg oed,
pryd y bu raid iddo droi allan i ennill ei damaid, ac y dodwyd
ef dan ofal *grocer* mewn tref gyfagos. Yr oedd yn ymddangos,
pan ddaeth Enoc Huws o'r tloty, ei fod wedi cael addysg led
dda mewn darllen, ysgrifennu a "chowntio"; a phe coeliasid ei
fochau, ei fod wedi cael ymborth iachus hefyd. Yr oedd ei gorff
yn fain a thenau, a'i wyneb yn fawr a glasgoch, y tebycaf dim a
welwyd erioed i wnionyn â'i wraidd i fyny. Pa ddyfais sydd gan
awdurdodau'r tloty i fagu bochgernau? Mi glywais mai'r cyn-
llun a arferir ganddynt yw hwn: Wedi i'r bechgyn fwyta eu
powliad sgili – sef uwd mewn darfodedigaeth – arweinir hwynt
i'r buarth, a gosodir hwynt yn rhes â'u hwynebau at y mur.
Yna, gorchmynnir iddynt sefyll ar eu pennau am yr hwyaf, a'r
sawl a enilla fwyaf o farciau yn ystod y flwyddyn, a gaiff
blatied *extra* o blwm pwdin ddydd Nadolig – yr unig ddiwr-
nod y gwneir pwdin yn y tloty – hynny ydyw i'r tlodion. Fe
welir ar unwaith mai effaith naturiol yr ymarferiad hwn ydyw
peri i faeth y sgili (y fath faeth, medd meddygon, ydyw'r nesaf
o ran ansawdd i ddwfr glân) redeg i'r bochau a'u chwyddo
allan, gan adael i rannau eraill y corff gymryd eu siawns. Os
bydd rhai o'r bechgyn yn digwydd bod dipyn yn afrosgo, neu

ynteu fod ganddynt gur yn eu pennau, ac oherwydd hynny yn methu mynd drwy'r ymarferiad hwn, rhoddir iddynt glewten ar y foch yma heddiw, ac ar y foch arall yfory, a thrwy barhau yr oruchwyliaeth, dygir oddi amgylch yr un canlyniad dymunol, sef bochgernau chwyddedig, yr hyn a argyhoedda pob *guardian* rhesymol fod y bechgyn yn cael digon o fwyd maethlon. Gan nad ydyw'r cynllun hwn – oherwydd rhesymau penodol – yn ymarferadwy gyda'r genethod, mabwysiedir un arall, dipyn fwy costus, a gedwir yn *secret*.

Pa fodd bynnag, dyna oedd yr olwg oedd ar Enoc pan ddaeth ef allan o'r tloty. Yr oedd ei wyneb yn fawr a chrwn, fel llawn lloned, neu yn ôl cynllun cais cyntaf hogyn i dynnu llun dyn ar ei lechan. Yr oedd yr olwg arno yn peri i un feddwl am uwd – wyneb uwd – pen i ddal uwd – edrychiad syndrwm uwd, mewn gair deallai plant y dref ar unwaith mai "bachgen y *workhouse*" oedd Enoc. Llwyddasai'r tloty i berffeithrwydd i osod ei nod a'i argraff ar ben ac wyneb Enoc, ond methodd yn lân â newid natur ei feddwl. Yr oedd Enoc yn perthyn i ystoc rhy dda i'r tloty allu gwneud niwed i'w ymennydd.

Yn ffortunus iddo ef, yr oedd ei feistr newydd yn ŵr syn-hwyrol a charedig, a thoc y gwelodd yn Enoc ddefnydd bach-gen medrus. Gydag ymborth sylweddol, caredigrwydd, a hyff-orddiant, dechreuodd Enoc yn fuan golli ei fochau chwydd-edig a magu corff a choesau. Pan ymdeimlodd fod ganddo ryddid i adael i'w wallt dyfu yn ddigon o hyd i allu rhoi crib ynddo, dechreuodd ymdwtio, a gwisgodd ei lygaid fwy o fyw-iogrwydd a sylwgarwch. Mor gyflym oedd y cyfnewidiad ynddo, fel ymhen chwe mis, pan ddaeth un o'r *guardians* i ymorol a oedd Enoc yn cael chwarae teg, mai prin yr oedd ef yn ei adnabod. Yr oedd y bochgernau chwyddedig wedi curio cymaint, a'u glesni wedi eu gadael mor llwyr, nes peri i'r *guardian* feddwl nad oedd Enoc yn cael digon o fwyd, a gofyn-nodd yn ffrom i'w feistr –

"Mr. Bithel, lle mae bochau y bachgen wedi mynd?"

"I'w goesau, syr, a rhannau eraill ei gorff. Er pan welsoch chwi Enoc o'r blaen, y mae yma *redistribution of seats* wedi cymryd lle, ac mi af fi i'r tŷ, syr, tra byddwch chwi yn holi Enoc a ydyw'n cael chwarae teg," ebe Mr. Bithel.

Wedi holi a stilio cafodd y gwarcheidwad ei lwyr foddloni nad oedd Enoc yn cael cam ond prin y gallai ef gredu nad oedd ganddo fymryn o hiraeth am y *workhouse*, y lle dedwydd-af ar y ddaear, yn nhyb y gwarcheidwad.

III

'DOES DIM YN LLWYDDO FEL
LLWYDDIANT

FEL yr oedd Mr. Bithel wedi rhag-weld, trodd Enoc allan yn fachgen rhagorol – pigodd ei fusnes i fyny'n gyflymach nag y gwna bechgyn yn gyffredin. Ond mynych y dywedodd Mr. Bithel wrtho, yn ystod y blynyddoedd olaf y bu Enoc yn ei wasanaeth, ei fod yn ofni na wnâi efe byth *feistr*, am ei fod yn rhy swil, anwrol, a hygoelus. Yr oedd gormod o wir yn hyn, fel y ceir gweld eto. Nid oedd Enoc ei hun yn anymwybodol o hyn, a pharai lawer o boen iddo. Teimlai anhawster i wrth-ddweud neb, ac o wyleidd-dra, ymddangosai, lawer pryd, fel pe bai'n cydsynio â'r hyn oedd mewn gwirionedd yn gwbl groes i'w feddwl. Cofiai bob amser, ac weithiau atgofid ef gan eraill, mai "bachgen y *workhouse*" ydoedd, a dichon fod a wnelai hynny gryn lawer â'i ledneisrwydd. Yr oedd ef, yn naturiol, o dymherau tyner, ac wrth iddo feddwl am ei ddechreuad, yr adroddwyd iddo ei fanylion fwy nag unwaith, pan oedd yn y tloty, rhag iddo ymfalchïo – mynych y gwlychodd ef ei obennydd â dagrau. Fel y cynyddai ef mewn gwybodaeth a diwylliant, mwyaf poenus iddo ef oedd cofio'r hyn a adroddwyd wrtho, ac yn enwedig cofio nad oedd ei hanes yn ddieithr i'w gyfeillion. Yn y cwmni ac yn y capel, lawer pryd, y tybiai Enoc fod pobl yn meddwl am ei ddechreuad, tra mewn gwirionedd nad oedd dim pellach o'u meddyliau. Hoffid ef gan bawb, a gwerthfawrogid ei wasanaeth gan ei feistr. Pa fodd bynnag, pan enillodd ei ryddid – wedi gwasanaethu ei chwe blynedd gyda Mr. Bithel, penderfynodd Enoc fynd ymaith i dref ddieithr, lle y gallai ef gadw ei hanes iddo ef ei hun. Ac felly y bu; ac i dref enedigol Rhys Lewis a Wil Bryan yr arweiniwyd Enoc gan rag-luniaeth.

Digwyddodd fod angen am gynorthwywr yn Siop y Groes. Ceisiodd Enoc am y lle a chafodd ef. Cedwid a pherchenogid Siop y Groes y pryd hynny gan wraig weddw, a fuasai'n hynod anffortunus yn ei chynorthwywyr er pan fu farw ei gŵr. Cawsai mai eu cynorthwyo eu hunain, fel rheol, y byddai'r nifer mwyaf ohonynt, ac nid ei chynorthwyo hi. Ond yn Enoc Huws daeth o hyd i lanc gonest, medrus ac ymdrechgar. Toc y rhoddodd Enoc wedd newydd ar y siop, a bywyd newydd yn y fasnach. Digwyddodd hyn yn yr adeg pan oedd Hugh Bryan yn dech-rau mynd i lawr yr allt. Er nad yw Rhys Lewis yn sôn dim am hynny yn ei Hunangofiant, yr wyf yn lled siŵr fod a wnelo dyfodiad Enoc Huws i Siop y Groes gryn lawer â chyflymu methiant "yr hen Hugh", fel y galwai ei fab ef. Gan ddisgwyl cael "y plwm mawr" oedd o hyd mewn addewid, yr oedd Hugh Bryan, ers blynyddoedd, wedi bod yn cario ei arian i waith mwyn Pwll-y-gwynt, neu, fel y dywedai Wil, "yn specilatio". Wedi gwario cymaint o arian, a thra oedd Capten Trefor yn dal i ddweud eu bod ymron dod o hyd i'r plwm, yr oedd Hugh Bryan yn anfoddlon iawn i roddi ei gyfran yn y gwaith i fyny, yn gymaint felly, fel ar ôl cario ei arian ei hun yno, y dechreuodd ef gario arian pobl eraill. Dan yr amgylch-iadau, yr oedd ei siop yn dioddef yn enbyd, a'r diwedd fu, fel y proffwydasai Wil Bryan cyn mynd oddi cartref, iddi fynd yn "U.P." ar yr hen Hugh. Tra oedd Hugh Bryan yn mynd ar i waered, yr oedd Enoc Huws yn gwthio ymlaen ac eisoes wedi cael y gair ei fod yn un garw am fusnes. Erbyn hyn, cenfig-ennid wrth y weddw am ei bod mor ffortunus yn ei chynorth-wywr. Gwyddai Wil Bryan ers amser fod Enoc yn gwneud stori ar fasnach ei dad, hynny ydyw tad Wil, yn gystal ag eiddo eraill, a chydnabyddai hynny'n rhwydd, ond yr oedd ef ymhell o edmygu Enoc. Yr oedd Wil yn rhy gyfrwys i adael i neb wybod ei fod yn cenfigennu at lwyddiant Enoc Huws, a'r unig sylw angharedig a glywais o'i enau, hyd yr wyf yn cofio, oedd hwn:

"'Does dim isio *genius*, wyddost, i wneud *grocer* llwyddiannus – *second* a *third rate men* ydyn nhw i gyd. Yn wir, mae pob *genius* o siopwr a weles i rioed yn torri i fyny yn y diwedd; ac rydw i'n mawr gredu mai rhw *successful provision dealer* oedd y *confounded* Demas hwnnw y mae Paul ne Ioan, dwy i ddim yn cofio p'run, yn sôn amdano yn y Testament."

Aeth Wil oddi cartref, ac aeth ei dad "*up the spout*", a Wil fuasai'r olaf i ddweud fod ei dad yn "*genius*", ac ni fuasai'n fyr o ddangos nad hynny oedd "*point* ei *argument*". Yr oedd pob peth fel pe buasai'n gweithio i ddwylo Enoc Huws, ac yr oedd y weddw ac yntau cyn bo hir yn chwip ac yn dop. Yr oedd ar y weddw y fath arswyd i Enoc anesmwytho drwy i rywun gynnig iddo gyflog mawr, fel y darfu iddi, heb ei gofyn, roddi iddo gyfran yn y fasnach, a barodd i Enoc ddyblu ei ymdrechion. Drwy hyn heliodd Enoc, nid yn unig dipyn o arian iddo ef ei hun, ond ychwanegodd gryn lawer at ffortiwn y weddw. Aeth misoedd lawer heibio, a bwriodd y weddw arwyddion ei gweddwdod ymaith a digwyddodd iddi, nid yr hyn a ddigwydd yn gyffredin i wragedd gweddwon – sef ailbriodi – ond marw. Ond cyn marw gwnaeth y weddw ddarpariaeth yn ei hewyllys olaf a'i thestament, fod i Enoc Huws gael y cynnig cyntaf ar y siop a'r fasnach, a chael amser rhesymol i dalu i'r ysgutorion am y stoc. Neidiodd Enoc i'r cynigiad; ac ymddangosai pob awel fel pe buasai'n chwythu o'i du. Yn fuan iawn yr oedd ei lwyddiant masnachol yn destun ymddiddan llaweroedd. Nid oedd Enoc Huws yn chwannog i lenwi swyddau cyhoeddus, ac nid oedd natur wedi ei ddonio â'r cymwysterau at hynny. Yr oedd ef, fel y crybwyllwyd yn barod, dipyn yn anhy. Ond y mae rhyw reddf yn y natur ddynol yn ei gorfodi i gredu os bydd dyn yn llwyddiannus yn y byd y dylai dorri ffigiwr yn y capel, gan nad pa gymhwyster fydd yn y dyn at hynny, a chan nad pa mor awyddus fydd ef. Fel y mae y *Lord Lieutenant of the County* yn cael ei dueddu – yn anymwybodol hwyrach – i benodi un yn Ynad Heddwch am ei fod yn fab i fonheddwr, a heb feddwl am foment am ei gymhwyster i eistedd ar y fainc farnol, felly y mae rhyw lais ym mynwesau crefyddwyr, pan gyfyd dyn dipyn yn y byd, yn dweud wrthynt – "Mae'n bryd i'r dyn yma gael swydd". Ac felly y bu gydag Enoc Huws. Nid oes dim, mewn byd nac eglwys, yn llwyddo fel llwyddiant. Cynyddodd masnach Enoc yn ddirfawr. Mae pobl, fel defaid, yn hoff o dyrru i'r unfan. Ar ddiwrnod marchnad yr oedd siop Enoc Huws yn orlawn, tra oedd ambell fasnachwr, oedd cystal dyn ag yntau, a heb fod yn byw ymhell oddi wrtho, yn ddiolchgar am gael cwsmer yrŵan ac yn y man. Taener y gair fod hwn-a-hwn "yn gwneud yn dda", a thyrra pobl i'w gynorthwyo i wneud yn well; sibryder fod un arall yn cael trafferth i gael y ddeupen ynghyd, a gadewir ef gan y lliaws, ac weithiau gan ei gyfeillion, er mwyn gyrru'r ddeupen ymhellach oddi wrth ei gilydd. *Dyna'r gwir, yn dy wyneb, amdanat ti, yr hen natur ddynol!* Ond yr oedd Enoc Huws yn haeddu llwyddo – yr oedd yn ddyn gonest, sydd yn beth mawr i'w ddweud amdano, ac ni byddai byth yn taenu celwyddau mewn hysbyslenni ar y parwydydd, nac yn y newyddiaduron. Ond, fel y dywedwyd, yr oedd yn byw yn ei ymyl ddynion cyn onested ag yntau, yn yr un fasnach ag yntau, yn methu talu eu ffordd. Nid oedd y dŵr wedi dechreu rhedeg at eu melinau hwy – yr oedd agos i gyd yn mynd i droi olwyn fawr Siop y Groes, a gwnaent hwythau druain, eu gorau i ddal y trochion oddi wrth yr olwyn fawr pan drôi gyflymaf. Fel y cynyddai ei fasnach, cynyddai dylanwad Enoc yn y capel. Cyfrannai yn haelionus. Nid oedd ynddo, fel yr awgrymwyd, lawer o elfennau dyn cyhoeddus, ond toc y gwnaed ef yn arolygwr yr Ysgol Sabothol, ac ychydig a fu'n fwy llwyddiannus nag ef i gael athrawon ar ddosbarthiadau. Yr oedd rhywbeth mor ddymunol yn ei wyneb fel na feiddiai neb ei wrthod. Credid fod Enoc Huws yn gyfoethog, a dyweder a fynner, y mae i gyfoeth lawer o fanteision, ac nid y lleiaf ydyw fod yn anos i'w berchennog gyfarfod ag anufudd-dod. Byddai Pitar Jones, y crydd, yr arolygwr arall, er ei fod yn alluocach dyn, ac yn un o farn aeddfetach, yn methu'n glir yn fynych â chael athro ar ddosbarth, ond nid oedd gan bobl nerf i wrthod Enoc Huws. Mynych y teimlodd Pitar i'r byw y gwahaniaeth yn ymddygiad pobl ato ef rhagor at ei gyd-arolygwr. Ond yr oedd Pitar yn anghofio'r gwahaniaeth oedd yn ei sefyllfa fydol; a hefyd yr ymwybydd-iaeth oedd ym meddyliau pobl, sef, na wyddent pa mor fuan y byddai arnynt angen am gynhorthwy Enoc Huws.

Gallesid meddwl nad oedd dim yn amgylchiadau Enoc Huws yn fyr i'w wneud yn ddyn dedwydd. Yr oedd wedi, ac yn ôl pob golwg, yn llwyddo yn y byd – perchid ef gan ei gym-dogion, a mawrheid ef yn y capel, ac os oedd iddo elynion a chenfigenwyr, nid oeddynt o'i wneuthuriad ef ei hun. Ond cyn lleied a wyddom am ddirgel ddyn calon ein gilydd? Yr oedd syniad Enoc Huws amdano ei hun mor wylaidd, a'i duedd mor anuchelgeisiol, fel nad oedd swydd na pharch yn cyfrannu ond ychydig, os dim, at ei ddedwyddwch. Dyn sengl oedd ef; ac yn y ffaith yna yn unig, yr oedd llu o ofidiau a phrofedigaethau na chyfaddefir gan hen lanciau ond yn unig wrth ei gilydd, pan fyddont yn adrodd eu profiad y naill i'r llall. Ond ni ddarfu i Enoc, hyd yn oed yn y wedd yna, ysgafnhau dim ar ei fynwes. Cadwodd ei holl gyfrinach iddo ef ei hun. Yng ngwaelod ei galon diystyrai'r drychfeddwl ei fod yn perthyn o gwbl i'r clwb henlancyddol, ac nid oedd ganddo'r gwroldeb – y dynoldeb – i ddiaelodi ei hunan. Paham? Oherwydd, tybiai ef, ei fod wedi gosod ei serch yn rhy uchel – ar wrthrych anghyraeddadwy. Unig ferch ydoedd hi i Capten Trefor, Tyn-yr-ardd, a hwyrach mai yn y fan hon y dylwn ddwyn teulu Tyn-yr-ardd i sylw'r darllenydd.

IV

CAPTEN TREFOR

YR oedd Capten Richard Trefor wedi bod yn troi yn ein mysg
ers amryw flynyddoedd, ond nid oedd ef, mwy nag Enoc
Huws, yn frodor o'r dreflan. Pan ddaeth ef gyntaf atom, yr
oedd ymron ar ei ben ei hun fel un ag oedd yn gadael i'w farf
dyfu a heb eillio dim, nes i'r peth ddod yn ffasiynol, a greodd
ragfarn gref yn ei erbyn ym mynwesau rhai pobl dda a duwiol.
Edrychai hyd yn oed y gŵr call hwnnw, Abel Huws, braidd yn
gilwgus arno. Yr oedd yn eithaf amlwg, meddai'r rhai oedd yn
cofio ei ddyfodiad cyntaf atom, nad oedd ganddo, y pryd
hwnnw, "fawr o ddim o'i gwmpas", ac mai dyn "yn *juglo* bywo-
liaeth" ydoedd. Trôi o gwmpas y gweithfeydd mwyn, ac yn
fuan iawn, er na wyddai neb pa sut, yr oedd ganddo law yn y
peth yma a llaw yn y peth arall. Credid yn gyffredinol mai dyn
yn byw ar ei *wits* oedd Richard Trefor, ac yn sicr, nid oedd ef
yn brin ohonynt. Meddai allu neilltuol i introdiwsio ei hun i
bawb, ac yn fuan iawn gwelid ef yn ymddiddan â phersonau
nad oedd llawer o'r hen drigolion erioed wedi torri Cymraeg â
hwynt. Siaradai Richard Trefor Gymraeg a Saesneg yn llyfn a
llithrig, a chordeddai eiriau yn ddiddiwedd os byddai raid. Yr
wyf yn cofio clywed Wil Bryan yn cymryd ei lw fod Richard
Trefor, rywdro, wedi llyncu Johnson, Webster, a Geiriadur
Charles fel dyn yn llyncu tair pilsen. Gan nad beth am gywir-
deb llw Wil gyda golwg ar Johnson a Webster, nid yw'n beth
anhygoel i Trefor lyncu Geiriadur Charles yn ei grynswth,
oblegid yr oedd ef yn hynod gyfarwydd yn athrawiaethau
crefydd, ac yr oedd yr Ysgrythurau ar bennau ei fysedd. Yn y
dyddiau hynny yr oedd cryn ddadlau ar bynciau crefyddol –
"Etholedigaeth" a "pharhad mewn gras" a'r cyffelyb, ac ystyrid

27

Richard Trefor yn un o'r rhai "trymaf" mewn dadl, a medrus yn y gwaith o hollti blewyn. Nid oedd ef y pryd hwnnw yn aelod eglwysig, nac ychwaith yn neilltuol o fanwl ynghylch ei fuchedd, oblegid dywedid gan rai ei fod ef weithiau yn cymryd "dropyn gormod". Nid rhyw uchel iawn y safai Richard Trefor ym meddwl mam Rhys Lewis, canys y mae'n gofus gennyf ei chlywed yn dweud –

"Yr ydw i yn ei weld o yn debyg arw, wel di, i Ifans, y syfêr, mae hwnnw'n byticular iawn am gadw y ffordd fawr yn ei lle ac yn daclus, ond anaml y bydd o'i hun yn ei thrafeilio hi. Ac felly mae Trefor; mi ddyliet fod o'n ofalus iawn na fydd na charreg na phwll ar y ffordd i'r bywyd, ond mae gen i ofn nad ydi o'i hun byth yn ei cherdded. Mi glywes Bob yma'n deud fod y Beibl ar ben ei fysedd o, ond mi fase'n well gen i glywed fod tipyn ohono yn ei galon o."

Ond nid hir y bu Richard Trefor heb ddod i'r Seiat, ac yr oedd yn hawdd deall ar waith Abel Huws yn ei holi mai syniad cyffelyb i'r eiddo Mari Lewis oedd ganddo yntau amdano. Nid oeddwn y pryd hwnnw ond hogyn, ond yr wyf yn cofio'r noswaith yn burion, ac o hynny hyd yn awr ni welais neb, wrth gael ei dderbyn i'r seiat, yn cael ei holi mor galed, ac yr wyf yn sicr ped holid rhai yn gyffelyb yn y dyddiau hyn, ac iddynt wybod hynny ymlaen llaw, na ddeuai neb byth yn aelod eglwysig. Pan oedd Abel yn trin Richard Trefor, ni welais fam Rhys Lewis, cynt nac wedi hynny, yn arddangos y fath fwynhad. Daliai ei phen yn gam, a chadwai gil ei llygaid yn sefydlog ar Abel, fel pe buasai hi'n ceisio dweud wrtho, "Dene, Abel, gwasgwch arno fo!" Ond pa gwrs bynnag a gymerai Abel Huws nid oedd ball ar Richard Trefor – atebai bob cwestiwn yn llithrig a llathraidd. Mae'n gofus gennyf fy mod i a Bob Lewis yn cydgerdded gyda'i fam ac Abel o'r capel y noswaith honno, ac ebe Mari Lewis –

"Abel, ddaru chi 'rioed 'y mhlesio i'n well na heno."

"Ai e, ym mha beth, Mari?" ebe Abel.

"Wel, ond wrth wasgu'r fêg ar y dyn ene," ebe Mari. "Yr ydw i'n ofni, Abel, nad ydi'r gŵr ene ddim wedi torri asgwrn ei gefn, a bod cryn waith cwaliffeio arno eto, er mor llithrig ydi'i dafod o."

"Nid yr un amcan sydd gan bawb ohonom, Mari, wrth ddod i'r seiat," ebe Abel.

"Wel, ond oeddwn i'n dallt yn burion ar ych siarad chi, Abel, fod chi'n nelu at rwbeth felly, a fyddwch chi byth yn siarad dan ych dwylo. 'Doedd ene lwchyn o dinc yr enedigaeth newydd yno fo, a odd rŵan?" ebe Mari.

Rhyfedd y fath *insight* i gymeriadau oedd gan yr hen bobl, ac mor graff yr oeddynt i wahaniaethu'r lleidr a'r ysbeiliwr oddi wrth yr hwn a ddeuai drwy'r drws i gorlan y defaid. A oedd *concert pitch* crefydd yr hen bobl yn uwch na'r eiddom ni, ac, felly, fod yn haws pigo allan yr ysgrechiwr yn y côr? Pa fodd bynnag, nid oedd Richard Trefor yn llawn mis oed fel crefyddwr cyn i'r gair fynd allan ei fod ef a Miss Prydderch – merch ieuanc grefyddol a diniwed, ac yn cael y gair fod ganddi lawer o arian – yn mynd i'w priodi. Gwiriwyd y gair yn fuan – hynny yw, gyda golwg ar y priodi, ond gyda golwg ar yr arian ni wiriwyd mo hwnnw byth, oblegid yr oedd Miss Prydderch cyn dloted â rhywun arall, ond ei bod yn digwydd gwisgo'n dda. Nid oedd Richard Trefor uwchlaw meddwl am arian, ond os priododd ef er mwyn arian cafodd gam gwag. Yn wir, clywais ef ei hun, ymhen blynyddoedd ar ôl priodi, pan oedd wedi cyrraedd sefyllfa uchel yn y byd, yn dweud nad oedd ef yn ddyledus i neb am ei sefyllfa anrhydeddus ond i'w dalent a'i ymdrechion personol, ac mai'r cyfan a gafodd ef fel cynhysgaeth efo'i wraig oedd – wyneb prydferth, calon lawn o edmygedd ohono ef ei hun, a llond bocs o ddillad costus. Ac nid oedd gennyf le i amau ei eirwiredd, oblegid clywais fwy nag un o'i ben weithwyr yn dweud mai golwg ddigon tlodaidd oedd arno ef a'i wraig am blwc ar ôl priodi. Ond yr oedd llwyddiant a phoblogrwydd mewn ystôr i Richard Trefor. Nid oedd yn bosibl, yn ôl natur pethau, i oleuni mor ddisglair gael ei gadw yn hir o dan lestr. Fel teigr yn gwneud llam ar ei ysglyfaeth, felly Richard Trefor, un diwrnod, a roddodd naid ar wddf ffawd – cydiodd ynddi, a daliodd ei afael ynddi am flynyddoedd lawer.

Mae Cymru benbaladr wedi clywed am waith mwyn Pwll-y-gwynt. Ond hwyrach na ŵyr pawb mai Richard Trefor oedd ei gychwynnydd – mai ef ydoedd darganfyddwr y "plwm mawr". O'r dydd cyntaf y gwnaed y darganfyddiad yr oedd dyrchafiad Richard Trefor yn eglur i bawb. Nid Richard Trefor oedd ef mwyach, ond Capten Trefor, os gwelwch yn dda. Dechreuwyd edrych ar Capten Trefor fel rhyw Joseph oedd wedi ei anfon gan ragluniaeth i gadw'n fyw bobl lawer. Cymerodd cyfnewidiad sydyn le yn syniadau pobl amdano. Buan y gwelodd y rhai a arferai edrych yn gilwgus arno mai tipyn o guldra oedd hynny o'u hochr hwy, ac ni chollasant amser i ad-drefnu eu meddyliau amdano. Yr hyn a elwid o'r blaen yn bechodau yn Richard, nid oeddynt ond gwendidau yn Capten Trefor. Yr oedd rhyw fai ar bawb, ac ni allesid disgwyl i hyd yn oed Capten Trefor fod yn berffaith. Nid oedd gwendidau Capten Trefor ond gwendidau naturiol, gwendidau hawdd iawn, erbyn hyn, rhoddi cyfrif amdanynt, a'u hesgusodi mewn gŵr *yn ei sefyllfa ef.* Yr oedd Capten Trefor yn well dyn o lawer nag yr oeddid wedi arfer synied amdano, ac, yn sicr, yr oedd ef yn fendith i'r gymdogaeth. Mewn gair yr oedd Capten Trefor yn enghraifft deg mor dueddol ydyw'r natur ddynol i ffurfio syniad anghywir am ddyn pan fyddo'n dlawd, ac mor anobeith-iol ydyw i un gael ei iawn brisio nes iddo gyrraedd rhyw raddau o lwyddiant bydol. Pe proffwydasai rhywun am Capten Trefor, fel y gwnaethai Mr. Bithel am Enoc Huws, sef na wnâi efe byth *feistr,* buasai'n rhwym o gael ei ystyried yn gau-broffwyd. Ar ysgwyddau Capten Trefor gorweddai swydd ac awdurdod yn rasol a gweddeiddlwys ddigon. Amlwg ydoedd ei fod wedi ei eni i fod yn *feistr.* Nid am ei fod yn arddangos unrhyw dra-awdurdod arglwyddiaethus a gorthrymus. Na, yr oedd ef yn rhy dirion a chyweithas i hynny. Meddai ffordd fwy rhagorol, a dull o ddweud drwy ei ymddygiad wrth bawb oedd dan ei awdurdod. "Gwelwch mor fwyn ydwyf, ac mor frwnt y gallwn fod pe bawn yn dewis. Gwyliwch gamarfer fy mwyn-eidd-dra. 'Dydw i ddim yn gofyn i chwi dynnu eich het i mi, ond chwi wyddoch mai diogelaf i chwi ydyw gwneud hynny."

Yn y capel ni chymerai ef un amser ran gyhoeddus yn y gwasanaeth, ond yr oedd rhywbeth yn ei ymddangosiad – ar fore Sul, er enghraifft – a dynnai allan o bob aelod o'r gynulleidfa *"good morning,* Capten Trefor" (distaw).

V

"SUS"

FEL y sylwyd yn barod, yr oedd Mrs. Trefor yn ddynes ddi-
niwed; ac yn eithaf naturiol a phriodol, hyhi o bawb a edmygai
ei gŵr fwyaf. Ni byddai hi byth yn croesi'r Capten; ac yr oedd
yntau mewn canlyniad yn hynod o fwyn tuag ati. Credai Mrs.
Trefor fod dedwyddwch hanner yr hil ddynol yn dibynnu ar ei
gŵr, ac ni ddarfu iddo yntau erioed ei didwyllo, na'i blino mewn
modd yn y byd gyda manylion ei amgylchiadau a'i amrywiol
ofalon. Yn wir, y oedd ar Mrs. Trefor arswyd i'r Capten ddat-
guddio iddi gyfrinach a phwysigrwydd ei safle cymdeithasol,
rhag y buasai hynny'n peri iddi ei edmygu yn ormodol a pheri
iddi anghofio Duw. Gwyddai Mrs. Trefor fod y Capten yn ŵr
digyffelyb, a bod bywoliaeth ardal o bobl yn dibynnu ar ei air,
a chredai hefyd fod yn y Capten ogoniant tu hwnt i hynny na
wyddai hi ddim amdano, ac na fuasai yn llesol i'w henaid ei
wybod am y rheswm a roddwyd uchod. Nid oedd ganddi hi,
er enghraifft, un drychfeddwl am faint ei gyfoeth – ond yn
unig y gallai hi dynnu oddi arno'n ddiderfyn.

> "Ac er maint y tynnu oedd arno
> Nad oedd ei holl eiddo ddim llai."

Digon gan Mrs. Trefor oedd fod enw'r Capten yn dda ym
mhob siop yn y dref. Yr hyn a barai nid ychydig o bryder i
Mrs. Trefor ar hyd y blynyddoedd oedd ei hofn i amrywiol
ofalon y Capten, a'i waith yn astudio *geology* mor galed, beri
i'w synnwyr, yn y man, ddrysu, oblegid nid oedd y Capten,
wedi'r cwbl, ond dyn. Yr unig ffordd, neu o leiaf, y ffordd fwyaf
hwylus, tebygai Mrs. Trefor, y gallai hi fod yn wraig deilwng o

Capten Trefor, a chadw i fyny urddas ei gŵr, oedd drwy ymwisgo orau fyth y gallai. Yn wir, yr oedd hi wedi arfer gwneud hynny pryd nad oedd ganddi foddion cyfartal i'w dymuniadau, ond yn awr nid oedd cythlwng ar ddeisyfiad ei llygaid. Eto i gyd yr oedd Mrs. Trefor yn grefyddol, a gadewch i ni obeithio, yn dduwiol hefyd. Nid oedd neb ffyddlonach na hi yn y moddion gras. Yr oedd hi yn un o'r rhai hynny ag sydd yn gwneud i fyny *aristocracy* Ymneilltuaeth, y rhai sydd yn creu edmygedd ynom eu bod wedi cael nerth i lynu efo chrefydd a pheidio mynd i'r Eglwys neu anghofio eu Cymraeg a mynd at yr achos Saesneg.

Yr oedd i Capten a Mrs. Trefor ferch – eu huniganedig. Susan Trefor oedd eilun ei thad a channwyll-llygaid ei mam. Dygwyd hi i fyny yng nghanol moethau llwyddiant ei thad, a chafodd holl fanteision yr addysg a allesid ei gael yn yr ardal y dyddiau hynny. Nid wyf yn cymryd arnaf, ar hyn o bryd, ddweud pa ddefnydd a wnaeth hi o'r manteision. Ond yr wyf yn cofio'n burion, pan oeddwn i'n hogyn, y golygid Susan Trefor y ferch ieuanc fwyaf brydweddol, ffasiynol, ddysgedig, a'r fwyaf *unapproachable* a berthynai i'n capel ni. Miss Trefor oedd safon ein holl ferched ieuainc. Hi (ar ôl marw Abel Huws) oedd y gyntaf i gael ei smyglo yn gyflawn aelod heb ei holi. Ac y mae yn ffaith fod gwisg Miss Trefor wedi tynnu mwy o ddagrau o lygaid merched ieuainc y capel nag a dynnwyd gan yr holl bregethau a draddodwyd yn eu clywedigaeth yn y cyfnod hwnnw. Ychydig o bobl gyfrifol – hynny ydyw *respectable* – a berthynai i'n cynulleidfa – rhai ar eu gorau oeddynt agos i gyd. Oblegid hynny prin y golygai Miss Trefor fod neb o "bobl y capel" yn gymwys gymdeithion iddi hi, ac nid oedd un o'n merched ieuainc mor uchelgeisiol ag i ymgyrraedd at hynny. Ond yr oeddynt yn cael y fraint o'i gweld ar y Sabboth ac yn mawrhau y fraint. Yn ddigon naturiol, yr oedd yr ychydig a gafodd y fraint o siarad â Miss Trefor yn edrych yn ôl at y troeon hynny fel y llygadau mwyaf heulog yn hanes eu bywyd. Ni fynychai Miss Trefor yr Ysgol Sabothol, ond gwnâi i fyny am hynny drwy roddi te rhad i blant bach tlodion, ac ar y cyfryw achlysuron yr oedd hi ei hun hyd yn oed yn tywallt te i'r cwpanau, a dywedid ddarfod iddi fwy nag unwaith roddi ei llaw wen dan ên ambell hogyn bach pengrych yn garuaidd ods. Dywedai rhai, oedd dipyn yn genfigennus, mai merch ieuanc benwag a ffolfalch oedd Miss Trefor – ymwybodol o'i phryd-ferthwch ac anymwybodol o'i diffygion. Ond prin y gallasai hynny fod yn wir, a phrin y mae eisiau gwell rheswm am ddweud fel yna na bod Wil Bryan yn edmygydd mawr ohoni. Nid un oedd Wil i edmygu hoeden ddisynnwyr, ac ni byddai ef byth yn blino sôn am "Sus", chwedl yntau. Gallai Wil oddef i ni'r hogiau ddweud y peth a fynnem am Capten Trefor, ac weithiau, ni phetrusai ef ei hun siarad yn frwnt amdano, am ei fod wedi perswadio ei dad i "speciletio" nes mynd yn dlawd. Ond ni feiddiai un ohonom sibrwd casair am "Sus" heb osod ei hunan yn agored i ddangos mai llwfryn ydoedd, neu ynteu ddangos pa berffeithrwydd a gyraeddasai yn y *noble art of self-defence*. Ac y mae gwir arall a ddylid ei ddweud yn y fan hon, sef nad oedd Miss Trefor hithau yn diystyru Wil. Dywedodd Wil ei hun wrthyf yn gyfrinachol un tro – "yr wyf yn dallt y natur ddynol yn ddigon da i dy sicrhau nad *small beer* ydw i yng ngolwg Sus". Er, fel y mae Rhys Lewis yn yr Hunangofiant yn adrodd geiriau Wil, "nad oedd dim byd *definite* rhyngddo ef a Sus", eto, yr oedd y peth yn eithaf hysbys i ni, bechgyn y capel, fod gan Wil ddylanwad mawr arni. Gwyddem hefyd fod y Capten, gyda'i lygad barcut, wedi canfod nad annerbyniol oedd Wil gan ei ferch, a'i fod wedi dangos ei anfoddlonrwydd hollol i hynny. Pan soniais un tro am hyn wrth Wil, ebe ef, gyda'i rwyddineb arferol –

"Fel hyn y mae hi, wyddost, mae'r Capten, ar ôl i 'nhad gar-io'i holl bres i Bwll-y-gwynt, yn gwybod yn go lew be ydi'r gloch yn ein tŷ ni – fe ŵyr o'r gore nad oes acw fawr o obeth am *five hundred a year*. Mae o'n meddwl, wyddost, y meder o neud well *match*, ac mewn ffordd, fedra i mo'i feio fo. Ond bydae hi'n dŵad i *pitch battle* rhyngo' i a'r Capten am Sus, mae gen i *idea* go lew sut y trôi pethe."

CYFFES FFYDD MISS TREFOR

PAN aeth Wil Bryan oddi cartref, wedi rhagweld mai "U.P." a *"liquidation by arrangement"* fyddai hi ar ei dad, Hugh Bryan, llawenhaodd calon un dyn gonest yn ei ymadawiad, sef eiddo Enoc Huws. Yr oedd Enoc, druan, yn un o'r dynion diniweitiaf a mwyaf difalais ar wyneb daear, ond ni allai ef aros Wil Bryan. Ni wnaethai Wil erioed ddim niwed iddo, ond yn unig ei anwybyddu. Ac eto, pe clywsai Enoc fod Wil wedi cael ei ladd, neu ei fod wedi ymgrogi, prin, yr wyf yn credu, y gallasai ef ymatal rhag gwenu, os nad llawenhau. Yr oedd cael gwared o Wil, heb i'r naill amgylchiad na'r llall a grybwyllwyd ddigwydd, yn rhoi modd i Enoc Huws lawenhau yn ddirfawr, heb anesmwythyd cydwybod. Yn ystod y blynyddoedd yr oedd Enoc wedi bod yn mynd a dod yn ein plith, nid oedd ugain gair wedi pasio rhyngddo ef a Miss Trefor. Ac eto, amdani hi y meddyliai ef y dydd, ac y breuddwydiai ef y nos. Er na olygai Enoc – yng ngwyleidd-dra ei ysbryd, ei hun yn gymar teilwng i Miss Trefor, ac er na choleddai ef y gobaith gwannaf y byddai i ddyheadau ei galon byth gael eu sylweddoli – yn wir yn ei funudau synhwyrol, canfyddai mai ffansi wyllt wirion oedd y cwbl – eto carai adael i'w ddychymyg fel gwenynen droi o gwmpas a hofran uwchben gwrthrych ei ddymuniad yn ddinâg, ac yr oedd gwybod fod rhywun arall yn mwynhau cymundeb agosach, yn ei lenwi ag eiddigedd, ac yn ei wneud yn druenus dros ben. Weithiau teimlai'n enbyd o ddig wrtho ei hun, a phryd arall chwarddai am ben ei ffolineb, ond, fel y dywedodd wrtho ei hun ugeiniau o weithiau, nid oedd ei feddyliau yn niweidio neb, ac ni wyddai neb amdanynt. Yr oedd Enoc, fel y dywedwyd, yn llawen iawn am i Wil Bryan fynd oddi cartref; ond ni chymerasai ef gan punt am hysbysu ei lawenydd hyd yn oed i'w gyfaill pennaf. Bellach nid oedd yr un gacynen i fynd rhwng y wenynen a'r blodyn, a phe cawsai Enoc sicrwydd na ddeuai yr un gacynen arall, o'r braidd na fuasai yn ddyn dedwydd. A'r dedwyddwch cymharol hwn a fwynhaodd ef am dymor lled faith, drwy roddi ffrwyn i'w ddychymyg i adeiladu castelli yn awyr Siop y Groes. Ond pe gwybuasai Enoc am "gastelli" Miss Trefor, prin y buasai ei gastelli ef nemor uwch na phridd y wadd.

Llanwai Wil Bryan le mawr yng nghalon Miss Trefor. Hoffai ei gwmni tu hwnt i bopeth. Yr oedd gan Wil bob amser rywbeth i'w ddweud, a'r rhywbeth hwnnw'n wastad i'r pwrpas. Ni fyddai hi byth yn blino arno, ac ni fyddai byth, gydag ef, yn ei chael ei hun yn y sefyllfa anghysurus honno o ddyfeisio am beth i sôn nesaf, fel y byddai gyda'r "*baboons* erill". A hyd yn oed pan ddeallodd hi fod ei thad, Capten Trefor, wedi cyrraedd gwaelod "shwmp" poced Hugh Bryan, ni pharodd hynny unrhyw ddiflastod ar gwmni Wil, nac unrhyw leihad yn ei hedmygedd ohono. Yr oedd y Capten, fwy nag unwaith, wedi rhoi ar ddeall ei anghymeradwyaeth o'i hoffter hi o Wil, ond ni wnaeth gwahardd yr afal i ferch Efa ond peri iddi ei ddymuno'n fwy. Teimlodd Miss Trefor oddi wrth ymadawiad Wil fwy nag y dymunasai hi i neb ei wybod, fwy nag a gyfaddefai hi wrthi hi ei hun. Am amser, collodd hyfrydwch ym mhopeth, ac yr oedd meddwl am fynd i'r capel yn gas ganddi. Ond am amser yn unig y bu hyn. Er yr holl sylw a dalodd ef iddi, a'r holl garedigrwydd a ddangosodd, a'r difyrrwch diderfyn a hyfforddodd ef iddi am gyhyd o amser, nid oedd yn bosibl, ymresymai Miss Trefor, fod Wil, wedi'r cwbl, yn hidio rhyw lawer ynddi, onid e ni buasai ef yn mynd ymaith heb gymaint â sôn gair wrthi, na gyrru llinell ati. Ac fel geneth gall a synhwyrol, eisteddodd Miss Trefor i lawr i ailgynllunio program ei bywyd, ac ailffurfio ei hegwyddorion, yn ôl y rhai y byddai iddi hi weithredu yn y dyfodol. Ni chymerodd iddi hi lawer o amser i ffurfio ei chredo a chyffes ei ffydd. Yr hyn a arferai gyniwair drwy ei meddwl a'i chalon yn afluniaidd, amhenodol a gwag, a ddygodd hi yn ebrwydd i drefn a dosbarth, a phe buasai rhywun yn gofyn i Miss Trefor wrth ba enw y galwasai hi'r pethau hyn, gwn yn sicr mai ei hatebiad fuasai "Fy *ideas*". Ac, i nodi ychydig o'r *ideas*, gellir enwi'r rhai canlynol – mae hi oedd y ferch brydferthaf yn y wlad (yr oedd Wil Bryan wedi ei sicrhau o hynny, ac yr oedd Wil cystal *judge* â neb y gwyddai hi amdano). Fod prydferthwch yn dalent, ac y dylai ennill deg talent ati wrth ei gosod yn y farchnad orau. Fod yn well i ferch ieuanc brydweddol fyw ar un pryd yn y dydd am dri mis, na gwisgo bonet allan o'r ffasiwn. Hyd yr oedd yn bosibl, na chymerai hi sylw o neb, yn wryw nac yn fenyw, islaw iddi hi ei hun, oddieithr mewn amgylchiadau ag y gwyddai hi yr edrychid ar hynny fel ymostyngiad rhinweddol a Christionogol. Na fyddai iddi hi byth, hyd y gallai, ddifwyno ei dwylo gydag unrhyw orchwyl isel a dirmygedig, megis cynnau tân, golchi'r llestri, glanhau'r ffenestri, cyweirio'r gwely, a'r cyffelyb, ac os byddai *raid* iddi wneud rhywbeth yn y ffordd yna, na châi llygad un estron ei gweld. Y byddai iddi aros yn amyneddgar a phenderfynol heb briodi hyd yn bump ar hugain oed, os na ddeuai rhyw fonheddwr cyfoethog i gynnig ei hun iddi, ond os na ddeuai y bonheddwr ymlaen erbyn yr oed hwnnw, nad arhosai hi yn hwy yn sengl, ond yr ymostyngai i gymryd y masnachwr gorau y gallai hi gael gafael arno, os byddai ef yn ariannog. Nad edrychai hi ar bregethwr ond fel un i dosturio wrtho, fel dyn prudd a thlawd, ond os caffai hi gynigiad gan giwrad, a fyddai o deulu da, ac yn un tebyg o gael bywoliaeth dda, y byddai iddi hi gymryd hynny i ystyriaeth – hynny ydyw, y teulu a'r fywoliaeth, a hefyd, os byddai'r ciwrad yn *good-looking*, na wnâi wahaniaeth yn y byd pa mor llymrig a dienaid fyddai ef – po fwyaf felly, gorau yn y byd, gallai ei drin fel y mynnai. Pwy bynnag a briodai hi, a phriodi a wnâi yn sicr ddigon, ac nid gwaeth fyddai ganddi fod yn *Hottentot* nag yn hen ferch – pwy bynnag a briodai hi, yr oedd yn benderfynol y mynnai gael ei ffordd ei hun – neu, ac i mi ddefnyddio ymadrodd isel – yr oedd wedi gwneud diofryd y mynnai gael "gwisgo'r clos".

Dyna ychydig o *"ideas"* Miss Susan Trefor. Yr oedd ganddi ddrychfeddyliau eraill, y rhai, pe buasid yn eu henwi, a fuasai'n gosod Miss Trefor mewn gwedd fwy dymunol o flaen y darllenydd. Ac nid yw ond cyfiawnder â hi i mi ddweud fod gan Miss Trefor un *"idea"* oedd i raddau helaeth yn rhoi lliw a llun ar ei holl *"ideas"*, a hwnnw oedd ei chrediniaeth ddiysgog a pharhaus fod ei thad yn gyfoethog. Cafodd Miss Trefor amser maith – amryw flynyddoedd – i anwesu a magu'r *"ideas"* a grybwyllwyd. Tybiais mai priodol a doeth oedd i mi draethu cymaint â hyn am deulu Tyn-yr-ardd, cyn mynd ymlaen at y bennod nesaf.

VII

DEDWYDDWCH TEULUAIDD

NOSWAITH ym mis Tachwedd ydoedd – noswaith ddigon oer a niwlog, ac yr oedd pobl y frest gaeth â'u trwynau wrth y pentan yn ymladd am eu hanadl, ac, yn ddigon naturiol, yn meddwl mai hwynthwy yn unig oedd mewn trueni y noswaith honno. Ond y mae'r fath beth weithiau ag *asthma* ar feddwl ag amgylchiadau dyn pryd na ŵyr i ba le i droi ei ben i gael gwynt. Wrth fynd heibio Tyn-yr-ardd, preswylfod Capten Trefor, cenfigennai ambell fwynwr tlawd, byr ei anadl, at ei glydwch, a dedwyddwch ei breswylydd. Dywedai ynddo ei hun, "Mae'r Capten yn bwyta ei swper, neu wedi gorffen ei swper, yn ysmocio ei bibell, ac yn estyn ei draed mewn slipars cochion at ei dân gwresog, a minnau, druan gŵr, yn gorfod gadael fy nheulu a mynd i weithio stem y nos ym Mhwll-y-gwynt, bydae yno wynt hefyd. Gwyn fyd y Capten! Ond 'does dim posib i bawb fod yn Gapten, a'r neb a aned i rôt ddaw o byth i bum ceiniog." Ond pe gwybuasai'r mwynwr y cwbl, mae'n amheus a newidiasai ef ddwy sefyllfa â'r Capten. Y ffaith oedd, nad oedd y Capten yn bwyta ei swper, nac yn ysmocio, nac yn estyn ei draed at y tân, ond yn hytrach, yr oedd ef yn eistedd wrth ben y bwrdd ac yn ceisio ysgrifennu. Gorffwysai ei ben ar ei law chwith, a'i benelin ar y bwrdd, a daliai ei bin yn segur yn ei law ddehau, ac ymddangosai mewn myfyrdod dwfn a phoenus. Yn ei ymyl, ar y bwrdd, yr oedd llestr yn cynnwys *Scotch Whiskey*, ac yr oedd y Capten, mewn ystod hanner awr, wedi apelio at y llestr hwn amryw weithiau am help a swcwr. Wrth ben arall y bwrdd yr oedd Mrs. Trefor yn brysur gyda rhyw wniadwaith, ac mewn cadair esmwyth wrth ei hochr, ac yn ymyl y tân, eisteddai Miss Trefor, yn ddiwyd weithio rhyw gywreinwaith gyda darn o *ivory* tebyg i bysgodyn bychan, ac edafedd wen. Yr oeddynt ill trioedd cyn ddistawed â llygod eglwys, oblegid ni chaniateid i'r fam a'r ferch siarad tra byddai'r Capten yn ysgrifennu ei lythyrau. Taflai'r ddwy ers meitin edrychiad dan eu cuwch ar y Capten am yr amen ar y llythyrau, ac yr oedd ei waith yn dal ei bin yn segur am ddeng munud yn boenus iawn i'r fam a'r ferch, ac yr oeddynt ill dwyoedd ymron hollti eisiau cael siarad. Rhoddai'r ferch edrychiad ar y fam, ystyr yr hwn ydoedd, "On'd ydi o'n hir?" Rhoddai'r fam edrychiad ar y ferch, "Treia ddal dipyn bach eto". A thipyn bach y bu raid iddi ddal, oblegid ymhen dau funud, taflodd y Capten y pin ar y bwrdd, cyfododd ar ei draed, a cherddodd yn ôl a blaen yn ddiamynedd hyd yr ystafell. Edrychodd y fam a'r ferch braidd yn frawychus, oblegid ni welsant ymron erioed olwg mor gynhyrfus arno, ac ebai'r Capten –

"*Fedra* i ddim ysgrifennu, a threia i ddim chwaith, 'rwyf wedi blino a glân ddiflasu ar y gwaith, byth na smudo i!"

"Tada," ebe Miss Trefor, "ga' i ysgrifennu yn ych lle chi?"

"Cei," ebe fe ("Cewch" a ddywedasai efe oni bai ei fod wedi colli ei dymer, ac felly ei fod yn fwy naturiol). "Cei," ebe fe, "os medri di ddweud mwy o gelwyddau na fi."

"*The idea*, Dada!" ebe Miss Trefor.

"*The idea*, faw!" ebe'r Capten, "be wyddoch chi eich dwy am yr helynt yr ydw i ynddo o hyd yn ceisio cadw pethau i fynd ymlaen? Be sy gynnoch chi eich dwy i feddwl amdano heblaw sut i rifflo arian i ffwrdd, a sut i wisgo am y crandia, heb fawr feddwl am yfory? Ond y mae hi wedi dŵad i'r pen, ac mi fydd diwedd buan arna i ac ar ych holl ffylal chithe, byth na smudo i, ac mi fydd!"

"O, Richard bach!" ebe Mrs. Trefor, oblegid yr oedd clywed y Capten yn siarad fel hyn yn newyddbeth hollol iddi. "O, Richard bach! roeddwn i'n disgwyl o hyd iddi ddŵad i hyn. Mi wyddwn o'r gorau y bydde i chi ddrysu yn ych synhwyre wrth stydio cimint ar *geology*. Susi, ewch i nôl y doctor ar unweth!"

"Doctor y felltith!" ebe'r Capten, yn wyllt, "be sy arnoch

chi, wraig? Ydach chi'n meddwl mai ffŵl ydw i? Drysu yn fy
synhwyre yn wir! Fe ddrysodd ambell un ar lai o achos."

"Ac yr ydach chi *wedi* drysu, yntê, Richard bach? Wel, wel,
be nawn ni rŵan! Susi, ewch i nôl y doctor yn y munud!" ebe
Mrs. Trefor yn wylofus.

Ac i nôl y doctor yr aethai Miss Trefor y foment honno, oni
bai i'r Capten droi pâr o lygaid arni, a barodd iddi arswydo
symud, ac a'i hoeliodd wrth y gadair. Ebe'r Capten eilwaith,
gan gyfarch ei hanner orau –

"Wyddoch chi be, wraig? mi wyddwn eich bod wedi cysgu'n
hwyr pan oeddan nhw'n rhannu ymennydd, ond feddyliais i
rioed fod gynnoch chi gyn lleied ohono. 'Does fawr beryg i chi
ddrysu yn eich synnwyr, oblegid byd a'i gŵyr, 'does gynnoch
chi ddim ohono."

"Nag oes, siŵr, nag oes, 'does gen i ddim synnwyr, 'dydw i
neb, 'dydw i ddim byd! 'Dydw i'n dallt dim *geology*, a mi faswn
yn leicio gweld y wraig *sydd* yn dallt *geology*. 'Rydw i'n cofio
amser pan oedd rhwfun, oedd yn cyfri' hun yn glyfar iawn, yn
meddwl fod gen *i* synnwyr, a chawn i ddim llonydd ganddo.
Ond rhaid nad oedd gen i ddim synnwyr yr adeg honno, ne
faswn i ddim yn gwrando arno fo. A 'does gen i ddim synnwyr
yrŵan, dim, nag oes ddim!" ebe Mrs. Trefor, a dechreuodd wylo,
a chuddiodd ei hwyneb yn ei ffedog.

Rhaid fod calon dyn mor galed â maen isaf y felin, os nad
effeithia dagrau ei wraig arno. Ac y mae pob gwraig yn ym-
wybodol o nerth ei dagrau, a gofalodd rhagluniaeth am roddi
ystôr helaeth iddi ohonynt. Pa nifer o ymresymiadau anatebad-
wy a wnaed yn chwilfriw gan ddagrau gwraig! Ac nid oedd hyd
yn oed Capten Trefor yn anorchfygol o flaen dagrau ei wraig,
yn enwedig pan ddaeth Miss Trefor hithau gyda'i dagrau i ym-
osod ar y gelyn. Gyda'r arfogaeth ddeigrol gorchfygwyd y Capten
mewn byr amser, ceisiodd amodau heddwch drwy eistedd i lawr
wrth y pentan, a dechrau ysmygu. Wedi gwneud hyn, ebe'r
Capten, yn llawer mwyneiddiach –

"Sarah, maddeuwch i mi; mi wn mai ffŵl ydw i, a 'mod i
wedi anghofio fy hun. Mi ddylaswn wybod na wyddech chi na

Susi ddim am fusnes. Ond bydae chwi'n gwybod am yr helynt yr ydw i ynddo o hyd, hwyrach y gwnaech chwi faddau i mi. Sarah, peidiwch â chrio, dyna ddigon, dyna ddigon, gwrandewch arna' i."

"Tada," ebe Susi, "gobeithio nad ydach chi ddim yn mynd i sôn am fusnes, am *syndicate*, a *Board of Directors*, a *geology*, a phethe felly, achos mi wyddoch nad da gan 'y mam a finne mo bethe felly."

"Efo'ch mam yr ydw i'n siarad, Susi. Sarah, wnewch chi wrando arna' i?" ebe'r Capten.

"Os gwnewch chi siarad fel rhw ddyn arall, a pheidio colli'ch tempar," ebe Mrs. Trefor, gan sychu ei llygaid, ac ailafael yn ei gwniadwaith.

"Wel, mi dreiaf," ebe'r Capten, ac erbyn hyn yr oedd ef wedi oeri digon i siarad yn lled fanwl a gramadegol. "Chwi wyddoch, Sarah, fy mod mewn cysylltiad â Gwaith Pwll-y-gwynt ers llawer iawn o flynyddoedd. Y fi fu yn offeryn i gychwyn y Gwaith – y fi, gydag un arall, a ffurfiodd y cwmpeini. Ac y mae'n rhaid i bawb gyfaddef fod ugeiniau o deuluoedd wedi cael bywoliaeth oddi wrth y Gwaith, a bod y Gwaith wedi bod yn help mawr i gario achos crefydd yn ei flaen yn y gymdogaeth. Yn wir, wn i ddim beth a ddaethai o'r achos oni bai am Waith Pwll-y-gwynt. Rhaid i chwithau, Sarah, gydnabod na fuoch yn ystod yr holl amser yn brin o gysuron bywyd nac o foddion gras. Yr ydym fel teulu, yn y tymor hwnnw, wedi codi ein hunain yng ngolwg ein cymdogion, ac yn cael edrych arnom yn lled barchus. Mi wnewch gydnabod hynny, Sarah? 'Does dim eisiau i mi eich atgofio am ein sefyllfa cyn i mi ddod i'r cysylltiad yr wyf yn sôn amdano. Mi wyddoch pa fath dŷ oedd gennym y pryd hwnnw. Nid tŷ a stabal a *coach-house* oedd o, ai e? 'Doedd gennym yr un ceffyl a thrap, na gwas na morwyn. Nid yn y sêt orau yn y capel yr oeddem yn eistedd y pryd hwnnw, ai e? Nid yr un un oeddwn innau yr adeg honno ag ydw i heddiw. Nid yr un un oedd Richard Trefor, *Williams' Court*, a Capten Trefor, Tyn-yr-ardd. Yr oedd gan Richard Trefor, pan oedd yn eistedd ar y fainc yn y capel, dipyn o gydwybod – yr oedd yn cael tipyn o flas ar foddion gras. Faint o flas sydd gan Capten Trefor ar yr Efengyl yn y sêt a'r glustog arni? Ddaeth o 'rioed i'ch meddwl chwi, Sarah, faint a gostiodd i Richard Trefor ddod yn Gapten Trefor! Mi wn fy mod wedi cadw'r cwbl oddi wrthych chwi ar hyd y blynyddoedd, rhag eich blino. Yr oeddwn ar fai. Ond fedra' i mo'i gadw ddim yn hwy. 'Does dim ond dinistr yn ein haros," a dechreuodd y Capten ysgafnhau ei gydwybod. Ond cyn gwneud hynny cymerodd ddogn cryf o'r *Scotch Whiskey.*

VIII

CAPTEN TREFOR YN YSGAFNHAU
EI GYDWYBOD

"PAN gychwynnais Bwll-y-gwynt," ebe'r Capten, "mae'r nef-oedd yn gwybod fy mod yn *gobeithio* iddo droi allan yn dda, ac yr oedd y *miners* mwyaf profiadol yn credu y gwnâi. Yr oedd yn y Gwaith 'olwg' ragorol. Ni chefais, fel y gwyddoch, unrhyw anhawster i hel cwmpeini. Gyda chymorth Mr. Fox, o Lunden, fe ddarfu i ni berswadio llawer o bobl ariannog i ymuno â'r cwmpeini, a chwi wyddoch, Sarah, fel y darfu i amryw o'n cymdogion, megis Hugh Bryan ac eraill, dlodi eu hunain er mwyn cael *shares* yn y Gwaith, ac yr oeddwn innau yn rhoi ar ddeall iddynt fy mod yn gwneud ffafr fawr â hwynt drwy adael iddynt gael *shares* am unrhyw bris. Mor lwcus oeddwn yng ngolwg pobl, ac yn fy ngolwg fy hun! Mor fuan y dechreuodd y rhai a arferai fy ngalw yn Richard fy syrio a fy ngalw yn gapten! Mewn ffordd o siarad, mi eis i'r gwely un noswaith yn feinar cyffredin, ac a gysgais, a deffroais yn y bore yn Gapten Trefor! – yn ŵr o barch a dylanwad – yn un yr oedd pobl yn ceisio dod i fy ffafr – yn un â llawer o ffafrau yn fy llaw i'w cyfrannu i'r neb a fynnwn – yn un ag yr oedd pobl yn cymryd yn garedig arnaf dderbyn anrhegion gwerthfawr ganddynt! Nid oedd prin un dyn yn y dref a wrthodai unrhyw beth a ofynnwn ganddo. Yr ydych yn cofio, Sarah, i mi ddim ond dweud wrth Mr. Nott, yr *Ironmonger*, fy mod yn hoffi ei geffyl, a thrannoeth gwnaeth anrheg i mi ohono, oblegid gwyddai Mr. Nott yn burion y gallwn roddi ambell geffyl yn ei ffordd ef os dymunwn. Talodd yr anrheg honno'n dda i Mr. Nott. Nid oedd eisiau i mi ddim ond edrych ar wn neu debot arian yn *shop* Mr. Nott, a byddai yma drannoeth *with Mr.*

Nott's compliments! a llawer eraill yr un modd. Pan aeth Tyn-yr-ardd yn wag, yr oedd amryw yn ceisio amdano; ond Capten Trefor a'i cafodd. Sarah, fedrwch chwi ddweud faint o'r *furniture* yma a gafwyd fel anrhegion? a phaham? Am mai fi a ddisgyfrodd y plwm mawr ym Mhwll-y-gwynt, ac am i mi, drwy fy nghyfrwystra gymryd *takenote* yn ddistaw bach a gwneud fy hun yn gapten ar y gwaith. Meddyliai pawb ei fod yn ddarganfyddiad ardderchog. Ond ofnwn i o'r dechrau mai troi allan yn dwyllodrus a wnâi, ond cedwais hynny i mi fy hun, a gobeithiwn y gorau. Yr oeddwn yn adnabod Mr. Fox, o Lundain, ers blynyddoedd – mi wyddwn hyd ei gydwybod – a'i fod yn gwybod yn dda sut i weithio'r oracl. Mi ddropies lein iddo ddod i lawr. Yr oedd Mr. Fox yma yn union, heb golli amser, fel dyn am fusnes. Cymerais ef i weld Pwll-y-gwynt. Bu agos iddo ffeintio pan welodd yr 'olwg', ac oni bai fod ei galon fel maen isaf y felin, buasai'n crio fel plentyn. Yr oedd o wedi darn wirioni, ac yn gweiddi ac yn neidio fel ffŵl. Mor falch a llawen oedd o, fel y gallasai, mi gymra fy llw, fy nghario ar ei gefn am ddeng milltir! Gwyddwn i o'r gorau pa fath ddyn oedd gen i i ymwneud ag ef, ond ni wyddai ef ddim amdanaf fi. Yr oedd wedi cael allan yn yr *hotel* cyn i ni gychwyn i weld Pwll-y-gwynt fy mod yn Fethodist, ac ni wyddai'n iawn sut i siarad â fi. Ar y dechrau yr oedd yn wyliadwrus ryfeddol pa beth a ddywedai. Mr. Fox oedd ei enw, ac yr oedd yn ateb i'w enw i'r dim. Yr oedd yn grefyddwr mawr yn ei ffordd ei hun y diwrnod hwnnw, ac ar ôl bod yn gweld Pwll-y-gwynt, pan oeddem yn cael cinio, ar ôl iddo ofyn bendith, holodd gryn lawer am hanes crefydd yng Nghymru, a chymerodd gryn lawer o drafferth i ddangos mai'r un pethau oedd y *Scotch Presbyterians* a'r Methodistiaid Calfinaidd. Gwyddwn o'r gorau mai yr un peth oedd o a minnau, ac ebe fi wrtho, 'Mr. Fox, nid dyna'r pwnc heddiw. Yr wyf yn gwybod amdanoch chwi ers blynyddoedd, ond ni wyddoch chwi ddim amdanaf fi. Mi wn pan fydd gwaith mwyn yn y cwestiwn na chaiff crefydd, gyda chwi, fod ar y ffordd i'w rwystro i'w wneud yn llwyddiannus. Mae eich profiad - nid eich profiad crefyddol yr wyf yn feddwl

45

– yn fawr. Ein pwnc ni heddiw ydyw sut i wneud sôn a siarad am Bwll-y-gwynt, i ffurfio cwmni cryf a chael digon o arian i'n dwylo. Chwi wyddoch fod yn y Gwaith 'olwg' ardderchog, a chwi ydyw'r dyn yn Llunden, a minnau ydyw'r dyn yma – beth bynnag fydd hyd eich cydwybod chwi yn Llunden, yr un hyd yn union fydd hyd fy un innau yma!' Wedi i mi siarad fel yna ysgydwodd Mr. Fox ddwylo efo fi, a galwodd am botel o *champagne,* ac o'r dydd hwnnw hyd heddiw ni fu gair o sôn am grefydd rhyngom. Yr ydach chwi'n adnabod Mr. Fox, onid ydach chwi, Sarah? Mae o wedi bod yma fwy nag unwaith yn cael cinio, ac am grefydd y soniai bob amser gyda chwi, onid e? a byddai yn crio gyda'r llygad agosaf atoch chwi, ac yn wincio gyda'r llall arnaf finnau. *Scotchman* ydyw Mr. Fox, a'r rhagrithiwr mwyaf melltigedig a adwaenwn erioed – oddieithr fi fy hun! Sarah, bydawn i yn mynd dros yr holl hanes yn fanwl, fe fyddai ei hanner yn Latin i chwi, a'r unig beth a welech yn eglur fyddai y fath ŵr cydwybodol sydd gennych! Ond 'doedd dim Latin rhwng Mr. Fox a minnau – yr oeddem yn dallt ein gilydd i'r dim. Yr oeddem ein dau yn gobeithio, o waelod ein calonnau, i waith Pwll-y-gwynt droi allan yn dda, ac yn credu o waelod ein calonnau mai fel arall y troai, ond, fel gwir feinars, ni ddarfu i ni sibrwd ein crediniaeth i neb byw bedyddiol.

"Ydach chwi yn 'y nghanlyn i, Sarah? Fe ddarfu i ni, fel y gwyddoch, ffurfio cwmpeini cryf, a thalwyd i lawr filoedd o bunnau. Fe ddarfu i ni ei wneud yn *point* i beidio agor ond cyn lleied ag a fedrem ar y Gwaith, rhag i'w dlodi o ddod i'r golwg, a chymryd gofal i wario cymaint o arian ag a fedrem ar y lan mewn *buildings* a *machinery* ac yn y blaen. Achos pan fydd pobl wedi gwario llawer o arian gyda gwaith mwyn, mae'n fwy anodd ganddynt ei roddi i fyny. Ac fe ddaeth y dŵr i'n helpio i gadw'r Gwaith i fynd ymlaen ac i fod yn esgus am bob rhwystr ac oediad. Cyfaill mawr fu'r dŵr i Mr. Fox a minnau. Fe roddwyd ambell fil o bunnau yn y dŵr. Fe ddarfu i ni newid y *machinery* deirgwaith, er mwyn cyfarfod â dymuniadau ein cyfaill ffyddlon Mr. Dŵr. Bob tro y ceid *machinery* newydd yr oedd hynny'n gwacáu cryn lawer ar bocedau'r cwmpeini, ac yn rhoi tipyn bach ym mhocedau Mr. Fox a minnau, oblegid yr oedd y cwmpeini yn ymddiried i farn Mr. Fox a minnau fel prynwyr, ac nid oedd ond peth iawn a phriodol i ni gael tâl am ein barn. Ond nid y cwmpeini, dalltwch, oedd yn talu i ni, ond y bobl oedd yn gwneud y *machinery*, achos yr oedd yn rhaid i'r llyfrau ddangos fod popeth yn cael ei gario ymlaen yn *straightforward* ac nad oedd dim twyll yn cael ei arfer. *Commission*, wyddoch, fyddai'r *makers* yn ei alw, gair a ddyfeisiwyd i dawelu cydwybodau capteniaid gweithfeydd mwyn. Ond erbyn hyn y mae'r gair yn nicsionari'r Canhwyllwr, yr *Ironmonger*, y *Timber Merchant*, y dyn sydd yn gwerthu powdwr, a chant a mil eraill." Yn y fan hon, eto, apeliodd y Capten am swcwr at y botel.

"Ydach chwi yn 'nallt i, Sarah? Mi wn na wnewch chwi mo fy nghrogi i. Wel, fel yr oeddwn yn dweud, yr oeddem yn cymryd gofal i beidio agor y gwaith ond mor araf ag y medrem. Pan gaem bob sicrwydd fod tipyn o blwm mewn rhan neilltuol o'r gwaith fe fyddem yn gadael llonydd iddo fel arian yn y banc, ac yn ei gadw nes byddai'r cwmpeini ymron torri ei galon, a phan ddeallem eu bod ar fedr rhoi'r Gwaith i fyny, fe fyddem ninnau yn mynd i'r banc ac yn codi digon o blwm i roi ysbryd newydd yn y cwmpeini i fynd ymlaen am sbel wedyn. Wedi cael y cwmpeini i ysbryd reit dda, fe fyddem yn ailddechrau cynilo, ac felly o hyd, ac felly o hyd ar hyd y blynyddoedd a minnau'n gorfod reportio fel hyn a reportio fel arall – dyfeisio'r celwydd yma un wythnos a'r celwydd arall yr wythnos wedyn, er mwyn cadw pethau i fynd ymlaen, nes yr ydw i wedi mynd heb yr un celwydd newydd i'w ddweud, a thâl i mi ddim fynd dros yr hen rai, achos y mae'r cwmpeini yn eu cofio'n rhy dda. Mae'r *shareholders* trymaf wedi glân ddiflasu a chynddeiriogi ac wedi penderfynu nad ânt gam ymhellach. Ond fe all Mr. Fox a minnau ddweud ein bod wedi gwneud ein dyletswydd, a'n bod wedi gwneud ein gorau i gadw'r Gwaith i fynd ymlaen."

"Wel, Richard," ebe Mrs. Trefor wedi ei syfrdanu yn hollol,

ac yn methu penderfynu pa un ai wedi drysu yn ei synhwyrau yr oedd y Capten ai wedi cymryd dropyn gormod yr oedd ef, "Wel, Richard, ydach chi ddim yn deud nad oes yna blwm ym Mhwll-y-gwynt? Mi'ch clywes chi'n deud gantodd o weithiau wrth Mr. Denman fod yno wlad o blwm ac y byddech chi'n siŵr o ddŵad ato rw ddiwrnod."

"Rhyngoch chwi a fi, Sarah," ebe'r Capten, "mi gymraf fy llw nad oes ym Mhwll-y-gwynt ddim llond fy het i o blwm. Ond wnaiff hi mo'r tro, wyddoch, i bawb gael gwybod hynny. Dydi o ddim llawer o bwys am bobl Llunden, ond y mae'n ddrwg gen i dros Denman. Mae o'n gymydog, ac wedi tlodi ei hun yn dost. Yn wir, mae gen i ofn y bydd Denman cyn dloted â finnau rai o'r dyddiau nesaf yma."

"Cyn dloted â chithe, Richard? Ydach chi ddim yn deud ych bod *chi* yn dlawd?" ebe Mrs. Trefor mewn dychryn mawr.

"Cyn dloted, Sarah, â llygoden Eglwys, ond *just* yn unig y pethau a welwch o'ch cwmpas. Yr oeddwn yn ofni eich bod chwi a Susi – Susi! sut y medrwch chwi gysgu tra mae'ch mam a minnau yn sôn am ein hamgylchiadau?" ebe'r Capten yn wyllt.

"Mi wyddoch, Tada," ebe Susi, dan rwbio'i llygaid, "nad da gen i ddim clywed sôn am fusnes."

"Fe fydd raid i chwi, fy ngeneth," ebe'r Capten, "ymorol am fusnes i chwi eich hun rai o'r dyddiau nesaf. Ie, Sarah, yr oeddwn yn ofni eich bod chwi a Susi yn byw mewn *fool's paradise*. Yr ydym yn dlawd, dalltwch y ffact yna. Mae dialedd o arian wedi mynd trwy fy nwylo; ond 'does dim bendith wedi bod arnynt – maent wedi mynd i rywle, a chwi wyddoch eich dwy lle mae llawer ohonynt wedi mynd. Waeth i ni edrych ar y ffaith yn ei wyneb – *yr ydym yn dlawd*, ac fe fydd Pwll-y-gwynt a'i ben ynddo cyn pen y mis."

"O, Mam!" gwaeddai Miss Trefor.

"Mamiwch chwi fel y mynnoch," ebe'r Capten, "a rhyngoch chwi a fi, *miss*, fe ddylasech chwi fod yn fam eich hun cyn hyn, yn lle rhoi'r fath *airs* i chwi eich hunan. Rhaid i chwi ddod i lawr beg neu ddau a chymryd rhywun y gellwch gael gafael arno, pe na byddai ond *miner* cyffredin."

"*The idea,* Tada!" ebe Miss Trefor.

"*The idea*'r felltith! Ydach chwi ddim yn rialeisio eich sefyllfa? Oes dim posib pwnio dim yn y byd i'ch pen chwiban chwi?" ebe'r Capten, wedi colli ei dymer eilwaith.

"Richard," ebe Mrs. Trefor yn bwyllog, "cedwch eich tempar. Os dyna ydi ein sefyllfa – os tlawd yden ni, ar ôl yr holl flynyddoedd o gario ymlaen, be *ydach* chi'n feddwl neud?"

"Dyna chwi, yrŵan, Sarah," ebe'r Capten, "yn siarad fel gwraig synhwyrol. Dyna ydyw y cwestiwn, Sarah. Wel, dyma ydyw fy mwriad – cadw yr *appearance* cyd ag y medraf, a dechrau gwaith newydd gynted ag y gallaf."

Ar hyn curodd rhywun y drws, ac yn ddilynol gwnaeth Mr. Denman ei ymddangosiad.

IX

CYFRINACHOL

WEL, dyma Mr. Denman!" ebe'r Capten. "Soniwch am – ac y
mae o'n siŵr o ymddangos. Yr oeddem *just* yn siarad amdan-
och yrŵan."

"Beth wnaeth i chi siarad amdana' i?" gofynnodd Mr. Den-
man.

"Wel," ebe'r Capten, "deud yr oeddwn i – ond dyma chwi,
Mr. Denman, fe awn ni i'r *smoke room*, fe fydd yn dda gan y
merched yma gael gwared ohonom."

Wedi i'r ddau fynd i'r *smoke room*, ychwanegodd y Capten –

"Ie, dyna oeddwn i yn ddeud, Mr. Denman, cyn i chwi
ddod i mewn, mai campus o beth fyddai eich gweld chwi – sef
yr unig un o'n cymdogion sydd wedi dal i gredu ym Mhwll-y-
gwynt – mai campus o beth fydd eich gweld ryw ddiwrnod yn
ŵr bonheddig. Yr ydych yn haeddu hynny, Mr. Denman, mi
gymraf fy llw, os haeddodd neb erioed."

"Os na ddaw hynny i mi yn fuan," ebe Mr. Denman, "yr
wyf yn debycach o lawer o ddiweddu fy oes yn y *workhouse*. A
oes gennych chi ryw newydd am Bwll-y-gwynt? Fath olwg
sydd acw yrŵan?"

"Wel," ebe'r Capten, "'does gen i ond yr hen stori i'w had-
rodd wrthych, Mr. Denman, ac nid yr hen stori chwaith. Mae
acw well golwg yrŵan nag a welais i ers tro. Ac eto, mae gen i
ofn deud gormod, rhag y cawn ein siomi. Mae'n well gen i bob
amser ddeud rhy fychan na deud gormod. Ond, fel y gwydd-
och, yr ydym yn gorfod ymladd â'r dŵr yn barhaus – mae'r
elfennau yn ein herbyn – a phe buasai'r *directors* wedi cymryd
fy nghyngor i, sef cael *machinery* digon cryf yn y dechrau, fe
fuasem wedi cael y gorau arno ers talwm. Ond nid bob amser

50

y medr dyn gael ei ffordd ei hun, yn enwedig pan na fydd ef ond gwas. Mi ddywedaf hyn, ac wrth gwrs, nid wyf yn cymryd arnaf fod yn anffaeledig, ond cyn belled ag y mae gwybodaeth ddynol yn mynd – ac y mae gennyf dipyn o brofiad erbyn hyn – cyn belled, meddaf, ag y mae gwybodaeth ddynol yn mynd, mae acw well golwg yrŵan nag a welais i o'r blaen. Hwyrach – ond 'dydw i ddim yn meddwl y bydd – ond hwyrach y bydd raid i ni fod dipyn yn amyneddgar. Chwi wyddoch eich hun fod y plwm a gawsom – 'doedd o ddim llawer o beth mi wnaf addef – ond chwi wyddoch fod y plwm a gawsom yn dangos yn eglur fod yno ychwaneg ohono. Y cwestiwn ydyw – a'r unig gwestiwn – a fydd gan y cwmpeini amynedd, ffydd, a dyfalbarhad, i ddal nes dod o hyd i'r cyfoeth. Pe buasai pawb o'r cwmpeini fel chwi, Mr. Denman, sef yn ddynion a wyddai rywbeth am natur gwaith mwyn, fe fuasai rhyw obaith iddynt ddal ati. Ond pa fath ddynion ydynt? Mi ddywedaf i chwi: dynion wedi gwneud eu harian mewn byr amser, megis *merchants*, ac felly yn disgwyl i waith *mine* dalu proffit mawr mewn ychydig amser – pobl ddiamynedd, os na thaliff rhywbeth ar ei union. Ond nid peth felly ydyw gwaith mwyn. Mae'n rhaid aros weithiau flynyddoedd, ac y mae llawer, fel y gwyddoch, ar ôl gwario miloedd, yn rhoi gwaith i fyny am nad oes ganddynt amynedd i aros. Ac yna y mae eraill yn dod ymlaen, a heb ond y nesaf peth i ddim o gost, yn cymryd y cyfoeth a adawyd. Yr ydym wedi bod dipyn yn anlwcus ym Mhwll-y-gwynt, a mi wn ei fod yn beth pryfoclyd disgwyl a disgwyl a chael ein siomi, yn enwedig pan y mae cymaint o arian caled yn cael eu talu i lawr o hyd. Yr wyf yn gobeithio yn fawr y gwêl y cwmpeini ei ffordd yn glir i gario'r gwaith ymlaen am dipyn bach o leiaf, pe na byddai ond er mwyn fy ngharitor i, ac er mwyn profi fy mod wedi dweud y gwir. Ond, rhyngoch chwi a fi, fyddai ddim yn rhyfedd gennyf bydae'r Saeson yna yn rhoi'r gwaith i fyny, a hynny pan ydym o fewn dim i gyrraedd y plwm, ac fe fyddai hynny'n bechod o beth. Pe digwyddai peth felly i Bwll-y-gwynt, mi wnawn lw nad awn byth wedyn dan *Board of Directors* na dim arall, ond y mynnwn gael fy ffordd fy hun o drin y gwaith."

"Wyddoch chi be', Capten," ebe Mr. Denman, "bydae'r Saeson yna, fel yr ydach chi'n 'u galw nhw, yn rhoi'r gwaith i fyny fory, fydde hynny ddim yn ddrwg gen i, mewn ffordd o siarad. Nid am nad ydw i'n credu fod yno blwm – na, mae gen i ffydd o'r dechre ym Mhwll-y-gwynt. Ond bydaswn i'n gwybod y buasai raid i mi wario cymaint o arian faswn i 'rioed wedi ymuno â'r cwmpeini. Feddyliais i 'rioed y buasai raid i mi wario mwy na rhyw gant neu ddau, ond erbyn hyn y mae agos y cwbl sy gen i wedi mynd, ac mi fydd raid i *mi*, beth bynnag wnaiff y Saeson, roi'r lle i fyny – fedr 'y mhoced i ddim dal."

"Yr wyf yn gobeithio," ebe'r Capten, "nad ydych yn meddwl y gwnawn i eich camarwain yn fwriadol, fodd bynnag? Ac am eich poced, wel, yr ydym yn gwybod yn go lew am honno. Pe buasai gan Capten Trefor boced Mr. Denman, fe fuasai'n cysgu'n llawer tawelach heno. Mae gennych dai a thiroedd, Mr. Denman, ac os rhowch i fyny eich *interest* yn y Gwaith, chwi a edifarhewch am bob blewyn sydd ar eich pen. Nid ydyw ond ynfydrwydd sôn am roi i fyny yrŵan, pan ydym ymron cael y gorau ar yr holl anawsterau. Chwi wyddoch fod gen innau *shares* yn y Gwaith; ond cyn y rhown i fyny yrŵan, mi werthwn fy nghrys oddi am fy nghefn."

"Mae gen i bob ffydd ynoch *chi*, Capten," ebe Mr. Denman. 'Yn wir, faswn i 'rioed wedi meddwl am gymryd *shares* yn y Gwaith oni bai 'mod i'n eich adnabod *chi*, a'n bod ni'n dau'n aelodau yn yr un capel. Na, beth bynnag a ddaw o Bwll-y-gwynt, mi ddywedaf eich bod *chi* yn onest. Ond mater rhaid fydd arna' i roi fyny. Waeth i mi ddeud y gwir, yr wyf wedi *mortgagio* y tai a'r tiroedd agos i'w llawn werth, oddieithr y tŷ yr ydw i'n byw ynddo, a ŵyr y wraig acw mo hynny. Bydae hi *yn* gwybod, fe dorre 'i chalon. Fe ŵyr ar y prinder arian sydd acw 'y mod i wedi cario dialedd i Bwll-y-gwynt, ac mae hi yn rhincian, rhincian, o hyd, ond bydae hi'n gwybod y cwbl, mi fydde raid i mi hel 'y mhac."

"Mae'n ddrwg gennyf eich clywed yn deud fel yna," ebe'r Capten, "a hwyrach y bydd yn anodd gennych gredu, ond yr wyf wedi colli ambell noswaith o gysgu, mae Sarah'n gwybod, wrth feddwl am yr aberth mawr yr ydych yn ei wneud. Ond yr wyf yn gobeithio, *ac yn credu,* y gwelaf y dydd pan fyddwch yn deud y cwbl i Mrs. Denman, ac y bydd hithau yn eich canmol. Ond y mae'r cwbl yn dibynnu ar a fydd gan y cwmpeini ffydd ac amynedd i fynd ymlaen."

"Bydae'r cwmpeini yn rhoi'r Gwaith i fyny, be naech *chi,* Capten, ai mynd i fyw ar eich arian?" gofynnodd Mr. Denman.

'Nid yn hollol felly, Mr. Denman, ond yn hytrach ailgychwyn," ebe'r Capten.

"Pwll-y-gwynt?" gofynnodd Mr. Denman.

"Ie, Pwll-y-gwynt," ebe'r Capten, "pe buasai gen i ddigon o arian. Pe buasai gen i foddion mi fuaswn yn prynu Pwll-y-gwynt. Ond gan nad oes gen i ddim *quite* ddigon i hyny – yn wir, ddim yn agos ddigon – mi fuaswn yn cychwyn mewn lle arall. Mae fy llygad ar y lle ers tro, rhag ofn i rywbeth ddigwydd i Bwll-y-gwynt. Eithaf peth, Mr. Denman, ydyw bod yn barod ar gyfer y gwaethaf. A 'Ngwaith i y câi o fod, gydag ychydig ffrindiau, ac ni châi pobl Llundain roi eu bys yn y briwes hwnnw. Gwaith *fydd* o ar *scale* fechan, heb lawer o gost, ac i ddod i dalu'n fuan. Ond fe fydd raid i mi gael ychydig ffrindiau o gwmpas cartre i gymryd *shares*. Un o'r ffrindiau hynny fydd Mr. Denman. Rhyngoch chwi a fi, yr wyf wedi cymryd y *takenote* yn barod, ac, yn wir, yr oedd eich lles chwi yn fy ngolwg yn gymaint â fy lles fy hun. Yr ydych wedi gwario cymaint, Mr. Denman, fel yr wyf wedi bod yn pendroni pa fodd y gallwn roi rhywbeth yn eich ffordd."

"Lle mae eich llygad arno, Capten, 'mod i mor hy â gofyn?" ebe Mr. Denman yn llawn diddordeb.

"Wel," ebe'r Capten, "yr ydych chwi a minnau yn hen ffrindiau, ac mi wn na wnewch chwi ddim gadael i'r peth fynd ddim pellach, ar hyn o bryd, beth bynnag. Cofiwch nad yrŵan y mae'r lle wedi dod i fy meddwl i gyntaf; na, mae o yn fy meddwl i ers blynyddoedd – yr wyf wedi breuddwydio llawer yn ei gylch. O ran y *meddwl* y mae'r peth yn hen – mae'r bydle'n fywiog – mae'r *engine* yn chwyrnu – mae'r troliau'n cario'r plwm i Lannerchymôr – ac eto y mae'r borfa yn las ar

53

wyneb y tir! Yr ydych yn deall fy meddwl, Mr. Denman? – Yn y *meddwl* y mae'r Gwaith yn hen, ond mewn *reality* y mae'r dywarchen heb ei thorri. Yn fy *meddwl* (a chaeodd y Capten ei lygaid am funud), yr wyf yn gweld y cwbl ar lawn waith – mae yn hen, hen, yn fy meddwl i, ond yn newydd i'r byd – yn wir, yn anwybyddus – yn ddirgelwch hollol!"

"Hwyrach," ebe Mr. Denman, "fy mod yn rhy hy, ond 'dydach chi ddim wedi deud eto ..."

"Mr. Denman," ebe'r Capten, gan dorri ar ei draws, "peid-iwch ag arfer geiriau fel yna. 'Does dim posib i chwi fod yn rhy hy arnaf. Fel y dywedais, yr ydym yn hen ffrindiau, a 'does gen i ddim eisiau cadw dim oddi wrthych – dim, dim. Ni fuaswn yn siarad fel hyn efo neb arall. Os oes rhywun mwy na'i gilydd yn gwybod fy *secrets*, Mr. Denman ydyw hwnnw. Mi ddywedaf beth arall, ddarfu i mi erioed feddwl am y Gwaith y crybwyll-ais amdano – yr wyf yn ei alw yn 'Waith' er nad ydyw wedi ei ddechrau, am nad ydyw ond pwnc o amser yn unig – ddarfu i mi erioed feddwl am y fentr mae fy llygaid arni heb eich bod chwithau yr un pryd yn fy meddwl. Mi fyddwn yn dweud fel hyn – 'Richard Trefor, ŵyr neb arall, ond fe wyddost di, fod yna blwm ddialedd yn y fan a'r fan. Pwy sydd i gael bod yn gyfrannog â thi yn y cyfoeth? Wel, os oes rhywun, Mr. Denman,' meddwn."

"Yr wyf yn bur ddiolchgar, Capten," ebe Mr. Denman, "ond y mae arnaf ofn na allaf fi fentro dim chwaneg. Nid oes gennyf ddegpunt arall i'w gwario heb wneud cam â fy nheulu."

"Yr ystyriaeth yna yn bennaf, er nad yn hollol," ebe'r Cap-ten, "sydd yn fy ngorfodi i'ch gosod ar yr un tir â mi fy hun gyda'r fentr newydd. Cofiwch, fydd yno ddim Saeson i'n rheoli. Yr ydych chwi a minnau hyd yn hyn wedi gwario ein harian i blesio Saeson anwybodus, ac, fel y dywedais, fyddai ddim yn rhyfedd bydaen nhw yn taflu'r Gwaith a'r gost i gyd i fyny yn y diwedd, ac y mae'n bryd i chwi a minnau droi ein llygaid i rywle lle y gwyddom y cawn ein harian yn eu holau. Gwaith fydd – arhoswch, ddarfu i mi ddim dweud eto wrth-ych enw'r lle y mae fy llygaid arno? – Naddo? Wel, dyna ydyw'r lle – 'daiff o ddim pellach, ar hyn o bryd, Mr. Denman? Wel, dyna'r lle – *Coed Madog! Coed Madog!! Coed Madog!!!* (ebe'r Capten, gan ailadrodd yr enw yn ddistaw a chyfrinachol, pan welodd ar wyneb Mr. Denman arwyddion fod pob llythyren yn yr enw fel pe buasent yn treiglo i lawr ei gefn rhwng ei gig a'i groen). Ie, Gwaith fydd Coed Madog i ennill arian ac nid i'w taflu i ffwrdd ar bob anialwch. Yr ydych chwi a minnau, Mr. Denman, wedi *gwario* digon, ac y mae'n bryd i ni ddechrau *ennill*. Rhyngoch chwi a fi, 'does gen innau yr un deg punt i'w taflu i ffwrdd, ond 'does dim eisiau i bawb wybod hynny. Wrth gwrs, fe fydd raid gwario rhyw gymaint cyn y daw'r Gwaith i dalu, a dyna pam yr oeddwn yn dweud y byddai raid i ni gael ychydig ffrindiau gyda ni. Yn awr, Mr. Denman, ni a edrychwn ar y mater fel hyn: Y chwi a minnau, mewn ffordd o siarad, biau Gwaith Coed Madog – yr ydym ar yr un *footing*. Nid oes gan yr un ohonom arian i'w taflu i ffwrdd. Mae'n rhaid gwario rhyw gymaint. Felly y mae'n rhaid i ni gael rhywun neu rywrai i gymeryd *shares*. Yr ydych chwi yn adnabod pobl yn well na mi, ac yn gwybod am eu hamgylchiadau. Os gallwn wneud daioni i gyfeillion y capel, gorau oll, ond os bydd raid mynd at enwadau eraill, fydd mo'r help. Pwy fyddant, Mr. Denman?"

"Wel, Capten," ebe Mr. Denman, "o'n pobol ni fedra i feddwl am neb tebycach na Mr. Enoc Huws, Siop y Groes, a Mr. Lloyd, y twrne."

"Rhyfedd!" ebe'r Capten, "fel y mae ein meddyliau yn cydredeg. Am Mr. Huws y meddyliais innau gyntaf. Wn i beth am Mr. Lloyd, ond y mae Mr. Huws, fe ddywedir, yn ddyn sydd wedi gwneud llawer o arian. Mae'n ŵr ieuanc parchus ac o safle uchel fel masnachwr, ac yn ddiamau yn grefyddol, ac os gallwn roi rhywbeth yn ei ffordd gyda'r Gwaith, fe fyddwn, ar yr un pryd, yn gwneud daioni i'r achos, oblegid yr wyf fi fy hun yn cyfrif mai Mr. Huws ydyw'r dyn gorau a feddwn yn y capel – hynny ydyw, fel gŵr ieuanc. Y pwnc ydyw a allwn ni ei gael i weld lygad yn llygad â ni. Mae *mining*, yn ddiau, yn beth dieithr iddo, a chyda rhai felly nid gwaith hawdd ydyw dangos pethau yn eu lliwiau priodol. A wnewch chwi ei weld, Mr. Denman?"

"Yr wyf yn meddwl," ebe Mr. Denman, "mai'r cynllun gorau fyddai i chwi anfon amdano yma yrŵan."

"Mae'r dalent o daro'r hoel yn ei phen gennych, Mr. Denman," ebe'r Capten, a chan eistedd i lawr wrth y bwrdd, ysgrifennodd y Capten nodyn boneddigaidd at Enoc Huws yn gofyn iddo ddod cyn belled â Thyn-yr-ardd. Tra mae'r Capten yn ysgrifennu'r nodyn, a'r forwyn yn ddilynol yn ei gymryd i Siop y Groes, hwyrach mai gorau i mi fyddai rhoi i'r darllenydd gipolwg ar amgylchiadau a sefyllfa meddwl Enoc, druan.

X

MARGED

NID oedd Enoc Huws ond naw ar hugain oed, ond yr oedd ef eisoes yn teimlo ei fod yn hen lanc, ac yn etifeddu holl anghysuron y sefyllfa ddiwarafun honno. Yr oedd ef yn llanc o deimladau tyner a gwyliadwrus iawn o'i gymeriad. Wrth ddewis ei *housekeeper*, gofalodd am gael un lawer hŷn nag ef o ran dyddiau. Ei henw oedd Marged Parri. Yr oedd Marged wedi gweld goleuni dydd ugain mlynedd, o leiaf, o flaen ei meistr – ffaith y rhoddai hi gryn bwys arni pan ddeuai cwestiwn dyrus ac anodd ei benderfynu rhyngddynt, megis, Pa un ai nos Sadwrn ai bore Sul y dylid pilio tatws? Pa un ai berwi ai rhostio nec o fytyn a fyddai orau? a chwestiynau dyrys eraill cyffelyb. Gwir dieithriad ydoedd na soniai Marged un amser am ei hoedran oddieithr pan amheuid cywirdeb ei barn. Ar adegau felly dywedai, "Mistar, yr ydwi'n hŷn na chi, a fi ddylai wbod ore". Ni fuasai Marged erioed yn briod – nid am na chafodd gynigion gwerthfawr lawer gwaith, *meddai hi,* ond am fod yn well ganddi fywyd sengl. Ond tybiai ei meistr, Enoc Huws, ei fod yn canfod rheswm arall am sefyllfa ddibriod Marged, a'r rheswm hwnnw oedd ei chymhwyster pennaf yn ei olwg fel *housekeeper* – sef anserchogrwydd ei hwynepryd. Yr oedd un golwg ar wyneb Marged yn ddigon i argyhoeddi pob dyn rhesymol na chusanwyd mohoni erioed oddieithr iddi daro ryw dro ar ddyn dall o'i enedigaeth. Ac nid ei hwyneb oedd yr unig reswm tybiedig am ei sefyllfa ddibriod; oblegid nid oedd ffurf ei chorff yn un o'r rhai mwyaf gweddeiddlwys, nac yn debyg i un a fuasai yn ennyn edmygedd unrhyw ŵr ieuanc o chwaeth uchel, neu aflonyddu dim ar ei gwsg. Yr oedd yn fer a llydan, ac yn peri i un feddwl fod Marged, ar un adeg, wedi gorfod cario pwysau anferth ar ei phen, yr hyn a achosodd iddi suddo gryn lawer iddi hi ei hun, a byrhau ei gwddf a'i choesau, a lledu allan ei hysgwyddau, ei gwasg, a'i hipiau. Ni fuasai llawer o waith cŷn a morthwyl yn angenrheidiol ar Marged i'w gwneud yn gron, a phe digwyddasai iddi syrthio ar ymyl crib y Foel Famau ar y cwr deheuol, ni pheidiasai â throelli nes cyrraedd Rhuthun.

Fu erioed gamp na fyddai rhemp, a hwyrach na fu erioed remp na fyddai camp. Yn ei ffordd ei hun yr oedd Marged yn ddiguro. Buasai'n well ganddi gael torri ei bys nag i rywun awgrymu fod unrhyw aflerwch yn y tŷ. Yr oedd pob peth oedd dan ei gofal yn hynod o lanwedd, a phe buasai rhywun yn awgrymu yn wahanol buasai yn drosedd anfaddeuol yn erbyn Marged. Anffaeledigrwydd oedd rhinwedd pennaf Marged, a'r sawl a amheuai hynny oedd y pechadur pennaf. Nid ar un-waith y darganfu Enoc Huws yr anffaeledigrwydd hwn. Mae'n wir ei fod wedi cael cymeriad rhagorol i Marged cyn ei chyf-logi, ond, fel yr awgrymwyd, ei rhinwedd pennaf yn ei olwg y pryd hwnnw oedd ei bod yn annaearol o hyll – mor hyll fel na feiddiai'r tafod mwyaf enllibgar lunio ystori ei fod ef a'i *house-keeper* ar delerau rhy gyfeillgar. Nid oedd ganddo ddrych-feddwl yr adeg honno am anffaeledigrwydd Marged. Yn ystod yr wythnosau cyntaf y bu hi yn ei wasanaeth ni allai Enoc Huws wneud na phen na chynffon ohoni. Os cwynai ef am unrhyw ran o'i ŵasanaeth, âi Marged i'w mwgwd, ac ni siaradai ag ef am ddyddiau. Fel cais olaf cyn ei throi ymaith, meddyliodd Enoc am ei chanmol, i edrych pa effaith a gâi hynny ar ei gwasanaeth. Ac un diwrnod, pan oedd Marged wedi paratoi cinio iddo na allai un Cristion o chwaeth ei fwyta, ebe fe –

"Marged, mae'n biti o beth fod fy stumog mor ddrwg heddiw, achos yr ydach chi wedi gneud cinio *splendid* – fase dim posib iddo fod yn well. Bydaswn i yn gwbod y basech chi'n gneud cinio mor dda mi faswn wedi gwadd rhwfun yma, ond y mae gen i ofn y bydd raid i mi fynd at y doctor i gael rhwbeth at fy stumog."

"Ydi," ebe Marged, "mae'r cinio yn syffisiant i undyn byw, a mi 'na dipyn o de wermod i chi, mistar, achos i be'r ewch chi at y doctor pan fedra i neud cystal ffisig ag yntau a gwell."

Ni fu raid i Enoc byth ond hynny gwyno rhyw lawer yn erbyn yr ymborth. Ac felly gyda phob rhan o wasanaeth Marged; pan fyddai'n ddiffygiol nid oedd eisiau ond ei ganmol, a byddai yn lled agos i fod yn iawn y tro nesaf. Yr oedd canmoliaeth feunyddiol ei meistr wedi peri i Marged ffurfio syniad uwch o lawer – os oedd hynny'n bosibl – am ei rhinweddau nag a feddai hi yn wreiddiol, a gwneud iddi reoli a rhoi ei bys ym mhob briwes o'i eiddo, oddieithr y siop. Y siop oedd yr unig ran o ymerodraeth Enoc Huws nad oedd Marged wedi ei goresgyn. Mor llwyr y rheolai hi ei dŷ, fel yr ofnai Enoc, ar adegau, gael mis o notis ganddi – hynny ydyw, mis o notis iddo ef fynd ymaith. Ond pa help oedd ganddo? Os cwynai ef at rywbeth, neu os ceisiai ef osod ei gynlluniau ei hun yn flaenaf, âi Marged i'w chidwm, ac ni wnâi na rhych na gwellt; tra, o'r ochr arall, os gadawai ef iddi gael ei ffordd ei hun, ond odid na fyddai pethau yn lled agos i'w lle. Yr oedd cadw Marged mewn hwyl a thymer dda mor bwysig yng ngolwg Enoc, ac yn cymryd cymaint o'i feddwl, ymron, â'i holl oruchwylion eraill gyda'i gilydd. Pan fyddai angen arno ddwyn rhywbeth ymlaen i dorri ar unrhywiaeth ei fywyd henlancyddol, byddai raid iddo fyfyrio'n hir pa fodd y gallai ef wneud hynny heb roi Marged allan o gywair. Fel y dywedwyd o'r blaen, nid oedd yr olwg ar Marged ar y gorau yn serch-hudol, ac arswydai Enoc ei gweld wedi cythruddo a monni. Pan fyddai hi yn y dymer honno rhoddai'r olwg a fyddai arni yr *horrors* iddo, ac aflonyddai ei gwsg am nosweithiau. Er ei fod, erbyn hyn, yn deall ffordd Marged yn lled dda, ni allai ef lai na theimlo ei sefyllfa yn dra darostyngol wrth ystyried ei fod ef, oedd yn fasnachwr llwyddiannus, yn un oedd yn cael edrych i fyny ato gan lawer o'i gymdogion, ac yn cael ei barchu gan ei gyd-aelodau yn y capel am ei ddefnyddioldeb a'i haelfrydedd – ei fod, er y cwbl, dan ryw fath o raid ynglŷn â'i holl amgylchiadau a'i gynlluniau i gymryd Marged i ystyriaeth ac i fanwl chwilio pa fodd y gallai ef gadw'r ddysgl yn wastad gyda hi. Oni buasai fod calon Enoc Huws – pob ystafell ohoni – wedi ei meddiannu yn hollol gan Miss Trefor – er na choleddai ef obaith am i'w serch gael ei ddychwelyd – buasai ar lawer pryd yn troi allan i chwilio am gymar bywyd heb ofalu pa beth fuasai sefyllfa fydol yr un honno, gan mor ddigysur y teimlai ei hun. Yr oedd ei ofalon yn fawr; ac fel un oedd wedi ymroddi i fasnach, nid oedd ganddo amser i wneud cyfeillion. Yr adeg hapusaf ar Enoc oedd pan fyddai'n berffaith sicr fod Marged yn cysgu. Yr oedd ganddo ystafell fechan mewn cysylltiad â'r siop a droesai ef yn fath o *office*, ac a oedd wedi ei llenwi yn bwrpasol â chistiau a phethau eraill fel nad oedd lle ynddi ond i un gadair. I'r ystafell hon yr âi Enoc ar ôl swper, er mwyn cael bod ar ei ben ei hun, a chael llonydd. Os âi ef i'r parlwr deuai Marged i gadw cwmpeini iddo, ac mewn cadair esmwyth syrthiai i gysgu mewn dau funud, a chwyrnai fel mochyn tew hyd adeg mynd i'r gwely, ac os gwarafunai Enoc iddi wneud hynny, âi Marged allan o hwyl am dridiau. I arbed y trychineb hwn, âi Enoc i'r *office* yn gyson dan yr esgus fod ganddo "fusnes" i'w wneud. "Busnes" oedd yr unig beth a gyfaddefai Marged nad oedd yn ei ddeall. Tra byddai Enoc yn yr *office* byddai Marged wrth y tân yn y gegin yn chwyrnu fel *engine* am ddwy, ac weithiau dair awr, oblegid nid âi hi byth i'r gwely yn gyntaf am na allai "drystio" ei meistr i gloi'r drysau a rhoi'r *gas* allan. Mewn gwirionedd, yr oedd sefyllfa Enoc yn un druenus iawn, ac yr oedd arno arswyd i neb wybod gymaint yr oedd ef dan awdurdod Marged, ac oherwydd hynny ychydig o gyfeillion a wahoddai ef i'w dŷ, gan nad pa mor dda fuasai hynny ganddo.

Y noswaith y cyfeiriwyd ati yr oedd Enoc wedi mynd i'r *office* ar ôl cael ei swper. Yr oedd yn noswaith oer a niwlog, fel y dywedwyd. Buasai Enoc yn fwy prysur nag arferol y diwrnod hwnnw, a theimlai yn hynod flinedig. Yr oedd ef yn rhy ddifater i fynd i'r llofft i ymolchi ac ymdrwsio; ac eisteddodd o flaen tân yn ei ddillad blodiog – nid i gyfrif y broffit fawr a wnaethai ef y diwrnod hwnnw, ond i synfyfyrio ar ei sefyllfa unig a digysur. A phe gwelsai merched ieuainc y capel ef y noson honno, a gwybod am ei feddyliau pruddglwyfus, mae'n ddiamau y buasai ambell un yn barod i gymryd trugaredd arno. Nid wyf yn sicr na fuasai calon hyd yn oed Miss Trefor yn meddalhau ychydig. Yr oedd ei gynorthwywyr yn y siop yn lletya allan am na fynasai Enoc iddynt wybod gymaint yr oedd ef dan lywodraeth Marged. Mwynhaent hwy eu hunain yma ac acw, ond Enoc, druan, fel y dywedwyd, a eisteddodd o flaen tân – tynnodd ei esgidiau a gwisgodd ei slipars. Yr oedd ef yn rhy ddiysbryd i ddarllen, er bod y *Liverpool Mercury* yn ei boced. Pe dygasai ef y *Mercury* yn ei law neu dan ei gesail o'r gegin i'r *office*, buasai Marged yn deall ei fod yn bwriadu darllen, ac yn y man yn ei ddilyn i holi beth oedd y newydd. Yr oedd hi wedi gwneud hynny lawer gwaith, ac yntau er mwyn cadw cymdogaeth dda, yn gorfod adrodd rhywbeth iddi gydag wyneb siriol, er, os rhaid dweud y gwir, mai ei ddymuniad fuasai ei hannerch – "Ewch i'r – a gadewch lonydd i mi". Wedi eistedd yn llonydd am ryw bum munud, ymddangosai Enoc yn fwy cynhyrfus nag arferol – crychai ei dalcen a gwthiai ei ddwylo i waelodion pocedau ei drywsers. Yna cododd ar ei draed, estynnodd ei bibell, gan ei llenwi'n dynn, a mygodd yn galed nes pardduo nenfwd yr *office*. Yna poerodd yn *sarcastic* i lygad y tân. Pwysleisiodd yn bendant gyda'i ben, a phoerodd eilwaith gan ei *underlinio*, fel pe buasai'n gwneud rhyw benderfyniad cadarn yn ei feddwl, ac yn rhoi'r diffoddyr yn dragwyddol ar rywun neu'i gilydd. Buasai'r olwg arno yn peri i estron gredu ei fod yn ŵr penderfynol a meistrolgar iawn. Ond ar unwaith, fel pe buasai'n cofio pwy ydoedd, cyfododd Enoc ar ei draed yn wyliadwrus – agorodd gil y drws yn ddistaw, a gosododd ei glust ar y rhigol i wrando a oedd Marged yn cysgu, ac, wedi sicrhau ei hun mai dyna oedd y ffaith, gwenodd, a chaeodd y drws drachefn yn esmwyth, ac, wrth aileistedd, ebe wrtho'i hun, ond yn ddigon hyglyw i'r llygod glywed – "*All right,* Jezebel! Ond mae byw fel hyn yn *humbug* perffaith. Dyma fi wedi bod wrthi fel *black* drwy'r dydd, ac i beth? Mae pob gwas sy gen i yn fwy hapus na fi. Diolch na ŵyr neb sut fyd sy arna i. Bydae pobl yn digwydd dod i wybod, fedrwn i byth ddangos 'y ngwyneb – mi awn i'r 'Merica, mi gymra fy llw. A pham y rhaid iddi fod fel hyn? 'Dydw i ddim yn dlawd – yr ydw i'n gneud yn well nag ambell un; ac rydw i'n meddwl bydawn i'n cynnig fy hun – wel, rydw i agos yn siŵr y medrwn i gael – ond waeth heb siarad! Ai nid ffŵl o'r sort waetha ydw i? Ai nid y ffaith 'y mod i'n pendroni bob nos, ac yn adeiladu castelli yn yr awyr ynghylch Miss Trefor ydi'r achos o fy holl anghysuron? Digon gwir! Ond yr wyf am roi pen ar hynny heno – pen am byth bythoedd. I be y pendrona i? Ddaw byth ddim byd o hynny – am wn i. Mi faswn yn leicio bydase gen i dipyn mwy o wroldeb ac wynebg'ledwch – ond waeth tewi, 'does gen i 'run o'r ddau. Mi fase ambell un wedi mynnu gwybod cyn hyn, rywfodd neu'i gilydd, a fase rhyw obeth iddo, ac os na fase, yn rhoi clec ar ei fawd ac yn troi *to other fields and pastures new*. Ond sut mae Enoc wedi gneud? Caru yn ei ddychymyg, ar ei ben ei hun, heb symud bys na bawd i ddod â hynny i boint. Yr hen het gen i! Y fath drugaredd na ŵyr neb am feddyliau dyn! Ond y mae rhywbeth i'w ddweud o ochr Enoc – mae hi'n uchel, ie, waeth rhoi'r enw iawn arno – mae hi'n falch. 'Dydi hi ddim yn siarad efo rhai mwy ymhongar na fi, a mwy *respectable*, yn yr ystyr fydol o'r gair. Er ein bod yn mynd i'r un capel, ac yn 'nabod ein gilydd ers blynyddoedd, neiff hi brin edrach arna i. Bydawn i ddim ond yn sôn am y peth wrthi – wel, mi gwela hi! Fydde fychan ganddi roi slap i mi yn 'y ngwyneb! Mae'n siŵr ei bod – er nad oes dim sôn am hynny – yn edrach am rywun llawer uwch na *grocer* yn ŵr. Fe ŵyr pawb – ac fe ŵyr hithau – ei bod yn brydferth, a bod hyd yn oed ei balchder yn gweddu iddi. Piti na faswn i'n ŵr bonheddig? Mae'i thad, fe ddywedir, yn gyfoethog, ac yn meddwl llawer ohoni. Digon naturiol. felly 'rydw inne. Capten Trefor, faint o bris ydach chi'n roi ar Miss Susi? Felly. Enoc Huws ydi'r *highest bidder*! Ond golygwn, *for the sake of argument,* fod hynny'n bosibl, a hyd yn oed yn debygol, a hyd yn oed yn ffaith, be fydde'r canlyniad? *Revol-ution* yn fy holl amgylchiadau! Yn y lle cyntaf, fe fyddai raid troi Marged i ffwrdd, ac fe fydde raid cael dau blismon i neud hynny. Yn y lle nesa fe fydde raid ailffyrnishio'r tŷ o'r top i'r gwaelod, os nad cael darn newydd ato. Yn nesa at hynny, fe âi'r tipyn arian sy gen i, a holl broffit y busnes, i gadw *style* i fyny! Am ba hyd y medrwn i ddal? Am flwyddyn, hwyrach. Ond, ie, dyna ffaith sobr i'w deud – pe byddai hynny'n bosibl, fe gâi pob ffyrling fynd am fyw gyda hi a'i galw yn Mrs. Huws ddim ond am flwyddyn, ac os bu ffŵl erioed, Enoc Huws ydyw hwnnw! Ond aros di, Enoc, chei di ddim bod yn ffŵl ddim yn hwy – mi rown ben ar y meddyliau gwag yna ar ôl heno. Ni awn i feddwl am rywun arall mwy tebyg a chyfaddas i neud gwraig i siopwr – rhwfun na neiff hi ddim creu *revolution*, ac na fydd ganddi gywilydd mynd tu ôl i'r *counter*, a rhwfun a fydd yn ymgeledd ac yn gysur i mi. Ond yr wyt wedi *deud* fel yna lawer gwaith o'r blaen; do; ac yr ydw i am *neud* ar ôl heno, deued a ddelo! Holo! pwy sydd yna rŵan? Ydi'r siop ddim wedi bod yn agored trwy'r dydd, tybed? Ond mae'n rhaid i ryw bobol gael blino dyn ar ôl adeg cau. A'r un rhai ydyn nhw bob amser. Yr hen Fusus Bennett, neu'r hen Murphy, mi gymra fy llw."

Fel yna y siaradai Enoc ag ef ei hun pryd y curodd rhywun ddrws y tŷ yn galed.

XI

O BOPTU'R GWRYCH

FEL y dywedwyd, curodd rhywun ddrws tŷ Siop y Groes, yr hyn a roddodd ben ar ymson Enoc Huws. Yn y funud clywai Enoc Marged yn ei llusgo ei hun ar hyd y lobi, gan rwgnach yn ei gwddf. Gwrandawai Enoc yn astud gan ddisgwyl clywed Marged yn cyhoeddi'r ddeddf uwch ben Mrs. Bennett neu yr hen Murphy am aflonyddu ar ôl adeg cau. Yn lle hynny clywai hi yn dweud "Dowch i mewn", ac yn ebrwydd agorodd Marged ddrws yr *office*, yn ôl ei harfer, heb guro, ac ebe hi –

"Dowch i mewn 'y ngeneth i. Mistar – O!'r annwyl dirion! rydach chi wedi bod yn smocio yn ddigydwybod – rydach chi'n siŵr o ladd ych hun rw ddiwrnod! Dyma lythyr oddi wrth Capten Trefor, a ma'r eneth yma isio ateb."

Da i Enoc oedd fod haen o flawd ar ei wyneb, oblegid oni bai am hynny buasai Marged a'r eneth yn rhwym o sylwi ei fod wedi gwelwi y foment y crybwyllwyd enw Capten Trefor. Gyda dwylo crynedig agorodd Enoc y llythyr, a darllenodd ef. Ni chynhwysai ond ychydig eiriau –

"Tyn-yr-ardd.

"Annwyl Syr, – Os nad ydyw yn ormod o'r nos, ac os nad ydych yn rhy flinedig ar ôl eich amrywiol orchwylion, ac os nad oes gennych gwmni na ellwch yn gyfleus eu gadael, teimlwn yn dra rhwymedig i chwi pe cerddech cyn belled ag yma, gan fod gennyf eisiau ymddiddan â chwi ar fater pwysig i chwi ac i minnau. Disgwyliaf air gyda'r gennad.

Yr eiddoch yn gywir,
RICHARD TREFOR."

Gyda chryn anhawster y gallodd Enoc ysgrifennu gair i'w anfon gyda'r eneth y deuai i Dyn-yr-ardd ymhen hanner awr. Cafodd ddigon o bresenoldeb meddwl i enwi "hanner awr" er mwyn cael amser i ymolchi ac ymwisgo. Gofynnodd Enoc i Marged am gannwyll.

"Be sy gan y Capten isio gynnoch chi, Mistar?" gofynnodd Marged gyda'i hyfdra arferol.

"Busnes," ebe Enoc yn frysiog, gair a arferai actio ar Marged fel *talisman*. Ond nid oedd ei effeithiau, y tro hwn, lawn mor foddhaol, ac ebe hi –

"Busnes, yr adeg yma o'r nos? Pa fusnes sy gynnoch chi i neud rŵan?"

"Mae'r *Fly Wheel Company* wedi mynd allan o'i *latitude*, ac mae rhywbeth y mater efo'r *bramoke*," ebe Enoc yn sobr.

Nid oedd gan Marged, wrth gwrs, ddim i'w ddweud yn erbyn hyn, a chyrchwyd y gannwyll ar unwaith. Ond yr oedd meddwl Enoc yn gynhyrfus iawn, a'i galon yn curo'n gyflym, a'i *nerves* fel ffactri. Wedi iddo ymolchi, gorchwyl mawr oedd gwisgo ei ddillad gorau, a phan geisiai roi coler lân am ei wddf tybiodd na allai byth ddod i ben, gan mor dost y crynai ei ddwylo. Meddyliodd, fwy nag unwaith, y buasai raid iddo alw ar Marged i'w helpio. Llwyddodd o'r diwedd, ond nid cyn bod y chwys yn berwi allan fel pys o'i dalcen. Wedi twtio ei hun orau y gallai prysurodd i lawr y grisiau, ac er ei syndod y peth cyntaf a welai oedd Marged gyda nodyn Capten Trefor yn ei llaw ac yn ei simio fel pe buasai'n ceisio ei ddarllen, er na fedrai hi lythyren ar lyfr. Pleser Enoc fuasai rhoi bonclust iddi, ond ffrwynodd ei hun fel y gwnaethai gannoedd o weithiau yn flaenorol.

"Mi faswn inne yn leicio bod yn sgolor, Mistar, gael i mi ddallt busnes," ebe Marged yn ddigyffro wrth roi'r nodyn ar y bwrdd a gadael yr ystafell.

"Yr ydych chi'n ddigon o sgolor gen i, yr hen gwtsach," ebe Enoc rhyngddo ac ef ei hun wrth wisgo'i esgidiau.

Cyn cychwyn allan darllenodd Enoc lythyr Capten Trefor eilwaith, a phan ddaeth at y geiriau – y rhai nad oedd ef wedi sylwi'n fanwl arnynt o'r blaen – "Mae gennyf eisiau ymddidd-an â chwi ar fater pwysig i chwi ac i minnau," gwridodd at ei geseiliau. Beth allai fod ystyr y geiriau hyn? gofynnodd Enoc. A oedd yn bosibl fod ei feddyliau am Miss Trefor, drwy ryw ffordd nas gwyddai ef, wedi dod yn hysbys i'r Capten? Teimlai Enoc yn sicr nad ynganasai air am hyn wrth neb byw bedydd-iol. Ac eto rhaid, meddyliai, fod y Capten wedi dod i wybod y cwbl. A oedd ei wyneb neu ei ymddygiad wedi ei fradychu? neu a oedd rhywun wedi darllen ei du mewn ac wedi hysbysu'r Capten o hynny? Yr oedd y Capten ei hun yn ŵr craff iawn, ac, efallai, yn dipyn o *thought reader*. Ai tybed ei fod wedi ei gael allan, ac yn ei wahodd i Ddyn-yr-ardd i'w geryddu am ei ryfyg? A oedd ef ei hun wedi bod yn siarad yn ei gwsg, a Mar-ged wedi ei glywed, a hithau wedi bod yn clebar? A chant a mwy o gwestiynau ffolach na'i gilydd a ofynnodd Enoc iddo'i hun, ac edifarhaodd yn ei galon addo mynd i Ddyn-yr-ardd. Meddyliodd am lunio esgus dros dorri ei addewid, ac anfon nodyn gyda Marged i'r perwyl hwnnw. Ond cofiodd yn y funud na allai hi wisgo ei hesgidiau oherwydd fod ei thraed yn arfer chwyddo tua'r nos, ac na ddeuent i'w maint naturiol hyd y bore. Yr oedd yr hanner awr i fyny, ac yr oedd yn rhaid iddo fynd neu beidio. Edrychodd yn y drych bychan oedd ganddo yn yr *office*, a sylwodd fod ei wyneb yn ymddangos yn gul a llwyd, ac yn debyg o wneud argraff ar y neb a'i gwelai na byddai ei berchennog fyw yn hir. Rhwbiodd ei fochau, a chryn-hodd hynny o wroldeb ag a feddai, a chychwynnodd am Ddyn-yr-ardd. Gobeithiai Enoc, pa beth bynnag arall a ddigwyddai, na welid ef gan Miss Trefor y noson honno. Teimlai mai hon oedd yr ymdrech fwyaf a wnaethai ef erioed, bod ei ddedwydd-wch dyfodol yn dibynnu'n hollol ar yr ymweliad hwn â Thyn-yr-ardd. Rhyngddo ac ef ei hun, arferai alw ei hun yn "hen gath", ond ni ddychmygodd ei fod y fath hen gath hyd y noswaith hon, oblegid pan gurai ef ddrws Tyn-yr-ardd teimlai ei goesau yn ymollwng dano, a bu raid iddo bwyso ar y mur rhag syrthio, tra oedd yn aros i rywun agor iddo. Arweiniwyd ef i'r ystafell a elwid gan y Capten Trefor yn *smoke room*; ac nid anhyfryd gan Enoc oedd canfod nad oedd neb ynddi ond y Capten a Mr. Denman yn unig. Yr oedd Mr. Denman wedi ei ddwyn yno yn ddiamau, meddyliodd Enoc, fel tyst, a theimlai fod y mater wedi cymryd gwedd bwysig ym meddwl y Capten, ac ni fu'n well ganddo erioed gael cadair i eistedd arni, a estynnwyd iddo gan y Capten ei hun yn siriol a chroesawus.

"Rhaid," ymsyniodd Enoc, "fod y Capten yn edrych yn ffafriol ar y peth, neu ynte y mae'n rhagrithio er mwyn cael allan y gwir."

"Yr wyf yn gobeithio, Mr. Huws," ebe'r Capten, "eich bod yn iach, er, mae'n rhaid i mi ddweud – 'dydi hynny ddim yn *gompliment*, mi wn – fy mod wedi eich gweld yn edrych yn well. Gweithio yn rhy galed yr ydych, mi wn. Yr ydych chwi, y bobl yma sydd yn gwneud yn dda, mae arnaf ofn, yn gosod gormod ar yr hen gorffyn. Mae'n rhaid i'r corff gael gorffwys, neu mae'n rhaid talu'r dreth yn rhywle, chwi wyddoch. Rhaid edrych, fel y byddant yn dweud, ar ôl *number one*. Mae eich busnes yn fawr, mi wn, ac mae'n rhaid i rywun edrych ar ei ôl. Ond byddwch yn ofalus, Mr. Huws. Mi fyddaf bob amser yn dweud mai nid gwneud arian ydyw popeth yn yr hen fyd yma; ac er bod yn rhaid eu cael ('Mae o isio gwbod faint ydw i werth,' ebe Enoc ynddo ei hun), mae eisiau i ni gofio bob amser fod byd ar ôl hwn, onid oes, Mr. Denman? Tra mae'n dyletswydd yw gwneud y gorau o'r ddau fyd, mae eisiau i ni gymryd gofal o'r corffyn, fel y dywedais, a pheidio, pan mae'r haul yn gwenu arnom, syrthio i fedd anamserol. Yr wyf yn meddwl, Mr. Huws – maddeuwch fy hyfdra – mai dyna ydyw eich perygl chwi. Mae'r byd yn gwenu arnoch ('Mae o'n treio pympio,' meddyliodd Enoc), ond cofiwch na wneiff eich natur ddal ond hyn a hyn o bwysau, ac os rhowch ormod o *power* ar y *machinery* mae o'n siŵr o dorri."

"Yr wyf – yr wyf – wedi hyrio – tipyn – achos 'doeddwn i ddim – isio'ch – cadw chi, Capten Trefor – yn aros amdanaf. Yn wir – 'rwyf – wedi colli 'ngwynt – allan o bwff – fel y byddan nhw'n deud – a minnau ddim – yn rhw Samson o ddyn," ebe Enoc gydag anhawster.

"Chwi fuoch yn ffôl, Mr. Huws," ebe'r Capten, "achos nid ydyw hanner awr nac yma nac acw yr adeg yma ar y nos. Nid oedd eisiau i chwi brysuro o gwbl; yn wir, y fi ddylasai ddod atoch chwi, Mr. Huws, oblegid y mae a fynno'r peth yr wyf eisiau cael ymddiddan â chwi yn ei gylch fwy â mi – yn yr oed yr ydw i ynddo – nag â chwi. Yn y gwanwyn nesaf, os Duw a'i myn, mi fyddaf yn – wel, yn fy oed i fe ddylai dyn wybod rhywbeth – mae ei feddwl wedi ei wneud i fyny, ac nid ychydig wneiff ei droi" ("Mae hi'n edrach yn ddu arna i," sibrydodd Enoc yn ei galon).

"Mae'r mater, Mr. Huws," ychwanegodd y Capten, "yr wyf eisiau cael ymddiddan difrifol â chwi yn ei gylch yn agos iawn at fy nghalon, fel y gŵyr Mr. Denman. Mewn ffordd o siarad, dyma fy unig blentyn, a pha beth bynnag fydd eich pender-fyniad chwi nid wyf am ollwng fy ngafael ohono. ('Mae hi yn y pen arna i,' meddyliai Enoc.) Mae Mr. Denman, fel y gwyddoch, Mr. Huws, yn dad i blant, a rhaid iddo ef, fel fy hunan, gymryd y dyfodol a chysur ei deulu i ystyriaeth, ac y mae ef o'r un meddwl â fi yn hollol ar y pwnc yma. 'Dydi'r mater yr wyf eisiau cael siarad â chwi yn ei gylch, Mr. Huws, ddim yn beth newydd *i mi* – nid rhywbeth er doe neu echdoe ydyw. ('Digon gwir,' meddyliodd Enoc, 'ond sut yn y byd y daeth o i wybod?') Na, yr wyf wedi colli llawer noswaith o gysgu o'i herwydd, er na chrybwyllais i air am y peth hyd yn oed wrth Mrs. Trefor, y dylaswn fod wedi ei hysbysu gyntaf, gan ei fod yn dwyn cysylltiad â hi lawn cymaint â mi fy hun, cyn belled ag y mae cysur teuluaidd yn y cwestiwn. Ond chwi wyddoch, Mr. Huws, er mai hen lanc ydych – begio'ch pardwn, 'dydach chi ddim yn hen lanc eto, nac yn meddwl bod yn un, gallwn dybied – ond er mai dyn dibriod ydych, chwi wyddoch nad ydyw merched yn edrych ar bethau fel mae dynion yn edrych. Edrych y mae merched trwy eu calonnau – *sentiment* ydyw'r cwbl – ond y mae'n rhaid i ni, y dynion, edrych ar bethau trwy lygad rheswm. Sut yr wyf yn teimlo ydyw gofyniad merch, ond sut y dylai pethau fod ydyw gofyn-iad dyn. ('Mi leiciwn bydae o yn dŵad at y *point*, a darfod â fo,' meddai Enoc yn ei frest.) Ond dyna oeddwn yn ei ddweud, 'dydi'r mater yr wyf eisiau cael ymddiddan â chwi yn ei gylch ddim yn beth newydd i mi, a Mr. Denman ydyw'r unig un y soniais i air erioed wrtho amdano, onid e, Mr. Denman?"

"Ie," ebe Mr. Denman, "ac y mae'n rhaid i mi ddweud fod y Capten yn ddyn llygadog iawn. Prin yr oeddwn yn credu'r peth yn y dechrau; ond y mae'r Capten o ddifrif, ac yn benderfynol gyda golwg ar y peth, a fi ddaru ei annog i anfon amdanoch yma heno. Yr oeddwn yn meddwl mai gwell oedd iddo eich gweld, Mr. Huws, ar y mater, nag ysgrifennu llythyr atoch."

"Yn hollol felly," ebe'r Capten. "Yr oeddem ein dau yn cydfeddwl mai gwell oedd i ni ddod i wynebau ein gilydd er mwyn cael dealltwriaeth briodol ar y pwnc. Hwyrach, Mr. Huws, yn wir, mae yn ddiamau, y bydd raid i ni yn y drafodaeth hon – hyd yn oed os byddwch yn cydymffurfio â'm cais – gael rhywun arall i mewn, megis Mr. Lloyd, y twrne, er y dymunwn ei gyfyngu i'r cylch lleiaf sydd yn bosibl. ('*Marriage Settlement* mae o'n feddwl, ddyliwn,' ebe Enoc yn ei frest, a churai ei galon yn gyflymach.) Yr wyf, gyda thipyn o gyfrwystra, Mr. Huws," ychwanegodd y Capten, "wedi sicrhau y *virgin ground*, fel y dywedir. ('Diolch! os ydi hi yn foddlon, ond yr wyf *just* â ffeintio,' ebe Enoc ynddo'i hun.) Ond y cwestiwn ydyw a fyddwch chwi, Mr. Huws, yn foddlon i ymgymryd â'r anturiaeth, hynny ydyw, os llwyddaf i ddangos i chwi y fantais o hynny?" Yr oedd Enoc ar fedr dweud "Twbi shŵar y byddaf yn foddlon," pryd yr ychwanegodd y Capten, "Mae arnaf ofn, Mr. Huws, nad ydych yn teimlo'n iach – mae eich gwedd yn dangos hynny'n eglur – dowch ymlaen yma, syr, a gorweddwch ar y soffa am funud – yr ydych wedi gorwneud eich hun, a'r ystumog, hwyrach, allan o *order*. Gorweddwch, Mr. Huws, mi geisiaf rywbeth i'ch dadebru."

Teimlai Enoc ei hun yn hollol ddiymadferth ac ufuddhaodd i anogaeth y Capten. Er ei fod yn ddig enbyd wrtho'i hun am ei fod y fath "hen gath", teimlai'n sicr ei fod yn llesmeirio. Agorodd y Capten ddrws yr ystafell a gwaeddodd yn uchel –

"Susi, dowch â thipyn o frandi yma ar unwaith."

"Na, na," ebe Enoc, oblegid nid oedd yn llesmeirio, "mi fyddaf yn *all right* yn union deg."

"Mae'n rhaid i chwi, Mr. Huws, gymryd rhywbeth i'ch dadebru – yr ydych wedi gor-wneud eich hun," ebe'r Capten.

Gan dybied mai ar ei thad yr oedd angen am y brandi, daeth Susi yn frysiog i'r ystafell gyda'r *quantum* arferol, a oedd, a dweud y lleiaf, yn *stiff*. Synnodd Susi yn fawr pan welodd hi Enoc Huws yn gorwedd ar y soffa, a'i wyneb cyn wynned â'r galchen, a chynhyrfwyd ei chalon, oblegid yr oedd gan hyd yn oed Miss Trefor galon, ac ebe hi'n dyner –

"O, Mr. Huws bach, 'rydach chi'n sâl! O! mae'n ddrwg gen i – ydi'n wir! Cymerwch hwn, Mr. Huws bach, dowch," a rhoddodd ei braich am ei wddf i'w gynorthwyo i godi ei ben.

Yr oedd Enoc yn Nazaread o'r groth; ond sut y gallai ef wrthod? Crynai ei law yn gymaint fel na allai ddal y gwydryn yn wastad, a chymerodd Susi y llestr yn ei llaw ei hun, gan ei osod wrth ei enau. Mor boeth oedd y gwirod, ac Enoc yntau heb erioed o'r blaen brofi'r fath beth, fel y neidiodd y dagrau i'w lygaid wrth iddo ei lyncu.

"Peidiwch â chrio, Mr. Huws bach, mi ddowch yn well toc; dowch, cymerwch o i gyd," ebe Susi'n garedig neu'n ystrywgar.

A'i gymryd a wnaeth; a phe buasai cynhwysiad y gwydryn yn wenwyn marwol, ac yntau'n gwybod hynny, ni allai ef ei wrthod o'r llaw wen, dyner honno.

"Gorweddwch yrŵan, Mr. Huws bach, ac mi ddowch yn well yn y munud," ebe Miss Trefor.

"*Thank you*," ebe Enoc yn floesg. Yn y man, teimlai ei hun yn hapus dros ben. Ymhen ychydig funudau, teimlai'n awyddus i roi cân, a lled-ddisgwyliai i rywun ofyn iddo ganu, a dechreuodd sugno ei gof pa gân a fedrai ef orau, a phenderfynodd ar "Y Deryn Du Bigfelen", os gofynnid iddo. Gan nad oedd neb yn gofyn iddo ganu, ni thybiai'n weddus gynnig ohono ei hun. Wedi hir-ddisgwyl, daeth drosto deimlad o syrthni, ond ofnai gau ei lygaid rhag y buasai'n cysgu, oblegid cofiai ei fod yn chwyrnwr, ac ni fynasai am fil o bunnau i Susi wybod ei fod yn perthyn i'r rhyw hwnnw o greaduriaid. Tybiai, weithiau, ei fod

70

mewn clefyd, a phryd arall, mai breuddwydio yr oedd ef. Ond ni allai fod yn breuddwydio, canys yr oedd yn sicr fod Susi, Capten Trefor, a Mr. Denman, yn edrych arno. Weithiau ymddangosent ymhell iawn oddi wrtho, ac yn fychain iawn; bryd arall, yn ei ymyl – yn boenus o agos – yn enwedig y Capten a Mr. Denman. Teimlai'n awyddus i siarad â Susi, a dweud ei holl feddwl wrthi, a gwyddai y gallai wneud hynny'n hollol ddiofn a hyderus, oni bai ei fod yn gweld ei thad a Mr. Denman o flaen ei lygaid. Yr oedd ef yn berffaith sicr yn ei feddwl ei fod ar delerau da efo phob dyn ar wyneb y ddaear, ac y gallai wneud araith ar unrhyw bwnc yn hollol ddifyfyr! Am ba hyd y bu ef yn y cyflwr hwn ni fedrodd byth gael allan, ac nid ymhoffai atgofio'r amgylchiad. Gwylid ef yn fanwl gan y Capten, Susi, a Mr. Denman, a phan welsant arwyddion ei fod yn dod ato'i hun, ebe'r Capten –

"Sut yr ydych yn teimlo erbyn hyn, Mr. Huws?"

"*All right*," ebe Enoc.

"Mi wyddwn," ebe'r Capten, "y gwnaethai dropyn ddaioni i chwi; a chan ei fod wedi gwneud daioni i Mr. Huws, paham, Susi, na wnaiff o ddaioni i minnau? Ac wedi i chwi ei estyn i mi, chwi ellwch chwi, Susi, fynd, gael i ni orffen y busnes, hynny ydyw, os ydyw Mr. Huws yn teimlo'n barod i fynd ymlaen."

"*Certainly*," ebe Enoc yn fywiog, "yr ydw i yn barod i entro i unrhyw *arrangement* rhesymol; ac yr ydw i yn addo i chi, Capten Trefor, pan ddown i berthynas agosach, os byth y down i hynny, na chewch y drafferth a gawsoch gyda fi heno. Fûm i 'rioed yn teimlo 'run fath o'r blaen. Yn gyffredin, yr ydw i'n ddyn lled gryf, ac yn gweithio cyn g'leted ag odid i neb, ond fedrwn i rywfodd mo'i –"

"Dyna ydyw eich bai, Mr. Huws," ebe'r Capten, cyn i Enoc gael gorffen y frawddeg – "gweithio yn *rhy* galed yr ydych, a dyna pam y dylai gŵr fel chwi – (*thank you*, Susi, chwi ellwch chwi fynd yrŵan) – Ie, dyna pam y dylai gŵr fel chwi gael rhywun i gymryd rhan o'ch baich a'ch gofal, ac i edrych ar ôl eich cysuron. Dyma ydyw eich angen mawr, Mr. Huws, ac ond

71

i chwi wneud yr angen yna i fyny, chwi fyddech yn ddyn dedwydd. Beth a ddaethai ohono' i, syr, oni bai am Mrs. Trefor? Buaswn yn fy medd ers llawer dydd. Maddeuwch y sylw, Mr. Huws, ond, fe ddylai dyn sydd wedi cyrraedd ei – wel, dyweder fy oed i, fod yn dipyn o *philosopher*. 'Dydw i fy hun yn gweld dim diben nac amcan teilwng o ddyn mewn bywyd sengl. Chwi wyddoch, Mr. Huws – oblegid yr ydych chwi, fel fy hunan, yn un sydd wedi darllen llawer – pan mae dyn yn ymdroi ynddo ei hun, mewn ymchwiliad am ddedwyddwch, ei fod bob amser yn methu ei gael; ond pan gyfeiria ei ymdrechion i wneud rhai eraill yn ddedwydd, mai dyma'r pryd yr enilla efe hunanddedwyddwch. Er enghraifft – oblegid nid oes dim yn well nag enghraifft – pe buaswn i wedi gwneud hunanddedwyddwch yn brif amcan fy mywyd, a phe buasai Mrs. Trefor wedi gwneud yr un modd, buasem ein dau yn rhwym o fod wedi aflwyddo. Ond gan mai amcan mawr bywyd Mrs. Trefor a minnau ydyw gwneud y naill y llall yn hapus, yr ydym wedi ennill ein dedwyddwch yn ein gilydd. Ac y mae hyn yn hollol gyson â dysgeidiaeth ein Harglwydd am hunanymwadiad, gan nad pa mor hwyrfrydig ydyw'r byd i gredu'r athrawiaeth honno. Ai nid felly mae pethau'n bod, Mr. Denman?"

"Chlywes i neb yn gosod y peth yn fwy teidi. Un garw ydach chi, Capten," ebe Mr. Denman, er ei fod yn meddwl ers meitin am y derbyniad a gâi gan Mrs. Denman pan âi adref.

"Na," ebe'r Capten, "'does dim eisiau i ddyn fod yn un garw i ddarganfod y gwirionedd yna, ac yr wyf yn mawr hyderu y bydd Mr. Huws ei hun yn brofiadol o'r peth cyn nemor o fisoedd. ('Mae o am hyrio'r briodas, ond waeth gen i pa mor fuan,' ebe Enoc ynddo'i hun.) Ond y mae'n bryd i mi ddod at y pwnc," ychwanegodd y Capten.

"Ydi," ebe Enoc, "ac yr ydw i'n berffaith barod, a gore po gyntaf y down ni i *understanding* efo'n gilydd."

"Wel," ebe'r Capten, "yr wyf wedi ymdroi yn lled hir cyn dod at y pwnc ('Gynddeiriog,' ebe Enoc yn ei frest), ond buaswn wedi dod ato yn gynt oni bai – wel, 'does dim eisiau sôn am hynny eto. Ond dyma ydyw'r pwnc, Mr. Huws (daliai Enoc ei anadl). Chwi a wyddoch – nid oes neb a ŵyr yn well – ac eithrio Mr. Denman, a fy hunan, hwyrach – fod Gwaith Pwll-y-gwynt wedi, ac yn bod, yn brif gynhaliaeth y gymdogaeth y gwelodd rhagluniaeth yn dda i'ch llinynnau chwi a minnau ddisgyn ynddi. Ac efallai" – ac yn y fan hon yr ymollyngodd y Capten i lefaru.

XII

ENOC HUWS YN DECHRAU
AMGYFFRED Y SEFYLLFA

YMOLLYNGODD y Capten i lefaru, fel y dywedwyd, ac ebe fe –
"Efallai, Mr. Huws, a chymryd popeth i ystyriaeth, y
gellwch chwi a minnau ddweud fod ein llinynnau wedi disgyn
mewn lleoedd tra hyfryd, a dichon y gall Mr. Denman fynd
lawn cyn belled â ni yn y ffordd yna. Er bod gennyf lawer o
destunau diolch, hwyrach fwy na'r cyffredin o ddynion, nid y
lleiaf, Mr. Huws, ydyw fy mod, fel offeryn gwael yn llaw
Rhagluniaeth, wedi cael y fraint o fod mewn cysylltiad, a'r
cysylltiad hwnnw heb fod yn un dirmygus, â gwaith a fu'n
foddion – os nad yn uniongyrchol, yn sicr, yn anuniongyrchol
– i roddi tamaid o fara i rai cannoedd o'n cyd-genedl, ac i
helpu eraill i ddarparu ar gyfer diwrnod glawog – ymhlith y
rhai olaf yr wyf yn eich ystyried chwi, Mr. Huws – a hefyd
cysylltïad a fu'n foddion, nid yn unig i ddarparu ar gyfer y
corff, ond, mewn ffordd o siarad, ac yn wir, fel mater o ffaith,
a fu'n gefn ac yn swcwr i anghenion ysbrydol y gymdogaeth,
drwy ein galluogi mewn gweinidogaeth gyson a di-fwlch – gan
nad beth a ddywedwn am ei hansawdd, i ddiwallu, neu o leiaf,
i roddi cyfleustra i ddiwallu, anghenion yr enaid, yr hyn,
mae'n rhaid i ni oll gydnabod, ydyw'r peth pennaf, pa un a
ystyriwn ni bersonau unigol neu gymdeithas fel cymdeithas."
('I ble yn y byd mawr mae o'n dreifio rŵan?' gofynnodd Enoc
iddo ei hun.) "Hwyrach," ychwanegodd y Capten, "na fyddwn
ymhell o fy lle pe dywedwn mai Pwll-y-gwynt ydyw asgwrn
cefn y gymdogaeth hon mewn ystyr fasnachol, a hwyrach na
chyfeiliornwn pe dywedwn hefyd eich bod chwi, ymysg eraill,
wedi manteisio nid ychydig oddi wrth y Gwaith. Wel, syr,

ffordd hir ydyw honno nad oes tro ynddi, fel y dywed y Sais, ac, fel yr wyf eisoes wedi egluro i Mr. Denman, orau y gallwn i, cyn i chwi ddod i mewn, nid peth amhosibl, nac, yn wir, annhebygol, y gwelwch chwi a minnau y dydd, er ein bod yn gobeithio'r gorau, pan fydd Pwll-y-gwynt, mewn ffordd o siarad, â'i ben ynddo – nid am nad oes yno blwm, ac nid – er mai fi sydd yn dweud hynny – am nad ydyw'r Gwaith yn cael edrych ar ei ôl – cyn belled ag y mae yn bosibl edrych ar ei ôl pan mae dyn dan reolaeth estroniaid, nid yn unig o ran iaith, ond o ran profiad a gwybodaeth ymarferol, fel y gŵyr Mr. Denman. Mi welaf ar eich gwedd, Mr. Huws, eich bod wedi eich cymryd *by surprise*, fel y dywedir, a hynny'n ddigon naturiol. Ond cofiwch nad ydwyf yn hysbysu hyn i chwi fel mater o ffaith; yn wir, yr wyf yn gobeithio na chymer hynny le yn eich oes chwi a minnau. Ond, fel y dywedais cyn i chwi ddod i mewn, fyddai ddim yn rhyfedd gennyf – yn wir, mae gennyf sail i ofni mai i hynny y daw hi – fyddai ddim yn rhyfedd gennyf bydae'r Saeson yna – a chwi wyddoch, Mr. Huws, mai Saeson ydyw'r oll o'r cwmpeini, oddieithr Mr. Denman a fy hunan, fel mae'r gwaethaf, ac fe ŵyr Mr. Denman pam yr wyf yn dweud 'fel mae'r gwaethaf', – fyddai ddim yn rhyfedd gennyf, meddaf, bydae'r Saeson yna'n rhoi'r Gwaith i fyny cyn pen mis, er y byddai hynny yn un o'r pethau ffolaf ar wyneb daear, ac yn groes iawn i fy meddwl i – nid yn unig am y dygai hynny deuluoedd lawer i dlodi, ac y teimlai'r gymdogaeth oddi wrtho yn dost, ond am y byddai yn sarhad, i raddau mwy neu lai, ar fy ngharitor i yn bersonol, oherwydd fy mod ar hyd y blynyddoedd, fel y gwyddoch, yn dal i ddweud, ac mi ddaliaf eto i ddweud, fod ym Mhwll-y-gwynt blwm, a phlwm mawr, pe cymerid y ffordd iawn i fynd ato. ('Beth sydd a wnelo hyn i gyd â Susi a finnau?' gofynnodd Enoc iddo ei hun.) Nid oes amser heno, Mr. Huws, i fynd i mewn i fanylion, ac nid oes eisiau i mi ddweud fod hyn i gyd *in confidence*, ar hyn o bryd, beth bynnag. Ond y tebygolrwydd ydyw y bydd diwedd buan ar Bwll-y-gwynt, a phryd bynnag y cymer hynny le – hwyrach y cymer le ymhen y mis, neu ymhen y flwyddyn – ond pa bryd bynnag y cymer le, fe ellir crynhoi y rheswm amdano i hyn – fel y gŵyr Mr. Denman – *am na allaf gael fy ffordd fy hun,* a bod y Saeson sydd yn byw yn Llunden yn meddwl y gwyddant sut i weithio Pwll-y-gwynt yn well nag un sydd wedi treulio hanner ei oes dan y ddaear. I mi, Mr. Huws, ei roi i chwi mewn cneuen, mae'r cwbl yn dod i hyn – *na allaf gael fy ffordd fy hun o drin y Gwaith.* Fy ffordd *i* fuasai cario'r Gwaith ymlaen, a hynny ar ddull hollol wahanol i'r ffordd y cerir ef ymlaen yn awr, nes dod o hyd i'r plwm, sydd yno mor sicr â'ch bod chwi a minnau yma yn awr. Ond ffordd pobl Llundain fydd, mae arnaf ofn, rhoi'r Gwaith i fyny, am nad oes ganddynt amynedd i aros. Mi welaf, Mr. Huws, y bydd raid i mi brysuro, er y buasai'n dda gennyf fynd i fewn yn fanylach i'r pethau. Y pwnc ydyw hwn: 'does dim yn well na bod yn barod ar gyfer y gwaethaf." (Yr oedd Enoc yn dechrau canfod i ba gyfeiriad yr oedd y gwynt yn chwythu, ac yr oedd ef wedi oeri gryn raddau.) "Rhag ofn mai'r gwaethaf a ddaw — rhag ofn mai â'i ben ynddo y cawn Bwll-y-gwynt, a hynny ar fyrder, ac er mwyn, os cymer hynny le, gwneud rhyw ddarpariaeth ar gyfer y degau o deuluoedd sydd yn dibynnu'n hollol ar y Gwaith, ac, yn wir, er mwyn masnachwyr ac eraill, yr wyf wedi sicrhau – nid gyda golwg ar hunan-les, cofiwch, oblegid mi gaf fi damaid, tybed, am yr ychydig sydd yn weddill o fy oes i, ac fe ddylai pob dyn yn fy oed i fod uwchlaw angen – nid er mwyn fy hun, meddaf, yr wyf wedi sicrhau y *virgin ground* – neu, mewn geiriau eraill, lle y gallwn, gydag ychydig gynhorthwy, agor Gwaith newydd – nid ar yr un *scale,* mae'n wir, â Phwll-y-gwynt – ond Gwaith, gydag ychydig gannoedd o bunnau o gost, a ddeuai i dalu amdano ei hun mewn byr amser, ac, yn y man, a roddai foddion cynhaliaeth i rai ugeiniau o weithwyr, a gwell na'r cwbl, yn fy ngolwg i, Gwaith na fyddai gan Saeson na phobl Llunden ddim i ddweud wrtho, a lle gallwn gael fy ffordd fy hun o'i ddwyn ymlaen; ac fe wŷr Mr. Denman pe cawswn i fy ffordd fy hun gyda Phwll-y-gwynt ym mha le y buasem erbyn hyn. Yn awr, Mr. Huws, fe ddarfu i Mr. Denman a minnau benderfynu rhoddi'r cynigiad cyntaf i chwi oddi ar yr egwyddor 'nes pen-elin nag arddwrn!' Os gallwn wneud lles i rywrai yr oeddem yn ystyried y dylem roddi'r cynnig cyntaf i'n pobl ni ein hunain. Beth meddwch chwi, Mr. Huws? A ydych yn barod – oblegid mi wn fod y moddion gennych – a ydych yn barod er eich mwyn eich hun – er mwyn y gymdogaeth – ac yn bennaf oll er mwyn achos crefydd – i ymuno â Mr. Denman a minnau i gymryd *shares* yn y Gwaith newydd? Yr ydych – os na ddarfu i mi eich camddeall – eisoes wedi datgan eich parodrwydd, os gallwn lwyddo i ddangos y byddai hynny er eich lles personol a lles y gymdogaeth yn gyffredinol. Ond peidiwch ag addo yn rhy fyrbwyll – cymerwch noswaith i gysgu dros y mater, oblegid ni ddymunwn am ddim ar a welais arfer dylanwad amhriodol arnoch – yn wir, byddai'n well gennyf i chwi wrthod, os na fedrwch ymuno â ni yn yr anturiaeth hon o wir-fodd eich calon."

Tra oedd y Capten yn llefaru'r rhan olaf o'i araith yr oedd Enoc Huws mewn tipyn o benbleth yn ceisio galw i'w gof bob gair a ddywedasai ef ei hun yn ystod yr ymddiddan, ac a oedd ef wedi ei fradychu ei hun, a rhoddi ar ddeall mai am rywbeth arall y meddyliai ef tra oedd y Capten yn sôn am waith mwyn. Teimlai Enoc yn sicr ei fod wedi dweud rhywbeth am fod yn "barod i entro i *arrangement* â chynigion y Capten" cyn gwybod pa beth oeddynt, a phan ddeallodd ei fod ef a'r Capten un o bobtu'r gwrych, teimlai anhawster mawr i'w esbonio ei hun a dod allan o'r dryswch. Yr oedd anrhaethol wahaniaeth, meddyliai Enoc, rhwng cymryd *shares* mewn gwaith mwyn, a chymryd merch y Capten yn wraig. A theimlai'n enbyd o ddig wrtho ei hun am na ddeallasai rediad ysgwrs y Capten yn gynt. Arbedasai hynny iddo hanner llesmeirio, ac, yn sicr, ni fuasai wedi dweud ei fod yn barod "i entro i unrhyw *arrangement* rhesymol", nac wedi sôn am "berthynas agosach", a phethau ffôl felly, pe gwybuasai am ba beth y siaradai'r Capten. Pan ofyn-nodd y Capten y cwestiwn yn syth iddo, nid oedd Enoc yn gweld ei ffordd yn glir i ddod allan o'r dryswch, ac er mwyn cael amser i fyfyrio, anogodd y Capten i'w egluro ei hun yn fanylach, yr hyn a wnaeth y gŵr hwnnw mewn brawddegau hirion, baglog a chwmpasog am ystod chwarter awr arall. Yna ebe Enoc – a theimlai ei fod yn torri ar ei arferiad gyffredin, oblegid ei arfer fyddai dweud y gwir yn syth a gonest –

"Yr oeddwn yn dyfalu o'r dechrau, Capten Trefor, mai Gwaith *mine* oedd gennych mewn golwg, ac, fel y dywedais, pan fydd pwnc o fusnes ar y bwrdd, yr wyf bob amser yn barod i entro i unrhyw *arrangement* rhesymol – hynny ydyw, os bydd rhywbeth yn ymddangos yn rhesymol, ac yn debyg o droi allan yn llwyddiannus – ni byddaf yn ôl o'i daclo. Ond y mae'n rhaid i'r peth ymddangos i mi yn rhesymol cyn yr ymyrraf ag ef. Hyd yn hyn, gyda busnes, nid ydwyf wedi gwneud llawer o gamgymeriadau, ac ni fûm erioed yn euog o roi naid i'r tywyllwch. Ar y llaw arall, y mae rhyw gymaint o dywyllwch ynglŷn â phob anturiaeth (cofiai Enoc o hyd am Susi), oblegid heb hynny ni fyddai'n anturiaeth o gwbl; ac weithiau, mae'r tywyllwch ym meddwl yr anturiaethwr ac nid yn yr anturiaeth ei hun. Gall y 'fentar' yr ydych yn sôn amdani fod yn dywyll iawn i mi, nid, hwyrach, am ei bod felly ynddi ei hun, ond am nad wyf fi'n meddu llygaid Capten Trefor i'w gweld yn ei holl rannau. Hwyrach, pan ddown i berthynas agosach, os byth y daw hi i hynny, fel y dywedais o'r blaen, y bydd y 'fentar' yn ymddangos yn olau i minnau. Wrth gwrs, y mae gwaith mwyn yn beth hollol ddieithr i mi, ac felly y bu i ugeiniau o fy mlaen, mi wn, cyn iddynt ymgydnabyddu â'r peth. Mi gymeraf eich cyngor, Capten Trefor, mi gysgaf dros y mater a chawn siarad am hyn eto. Mae'n ddrwg iawn gennyf glywed am sefyllfa Pwll-y-gwynt, ac y mae'n bwysig i mi, ac i eraill, fod rhywbeth yn cael ei ddarparu ar gyfer y gwaethaf, fel y dywedasoch."

"Mae'n dda gennyf eich clywed yn siarad fel yna, Mr. Huws," ebe'r Capten. "Mae'n well gennyf eich clywed yn dweud yr ystyriwch y mater na phe buasech yn datgan eich parodrwydd i gymryd *shares* cyn deall pa beth yr oeddech yn ei wneud. Pan welaf ddyn amharod i roi naid i'r tywyllwch, fel yr ydych yn eich ffordd hapus eich hun yn ei eirio, ond sydd â'i glust yn agored i wrando ar reswm, mi fyddaf yn teimlo mai *dyn* sydd gennyf i ymwneud ag ef, ac nid hyn a hyn o bwysau o gnawd, ac mi wn, y pryd hwnnw, sut i fynd o gwmpas fy ngwaith. Pa beth a roeswn i heno, syr, pe buasai pobl Llundain, neu, mewn geiriau eraill, pe buasai Cwmpeini Pwll-y-gwynt, o'r un ysbryd ac ansawdd meddwl â chwi, Mr. Huws, hynny ydyw, yn agored i wrando ar reswm? Mi roddwn fy holl eiddo, syr, ffrwyth fy llafur caled am lawer o flynyddoedd, pe byddai'n bosibl eu cael i'r un dymer meddwl â chwi, Mr. Huws. Ond ni a adawn y mater yn y fan yna heno."

Ac felly y gwnaethpwyd, er i'r Capten lefaru cryn lawer tra oedd Enoc yn rhoi ei het am ei ben ac yn paratoi i fynd ymaith. Galwodd y Capten ar Susi "i ddangos Mr. Huws allan", a phan wnaeth hi ei hymddangosiad, ysgydwodd y Capten ddwylo gydag Enoc, a chiliodd yn ôl i orffen y busnes gyda Mr. Denman.

XIII

CARWR TRWSTAN

"YR oedd yn noswaith oer a niwlog, fel y dywedwyd ddwy-
waith o'r blaen, a phan agorodd Miss Trefor ddrws y ffrynt i
ollwng Enoc allan, teimlai'r olaf yr awel fel pe buasai'n cymryd
croen ei wyneb ymaith.

"Cymerwch ofal rhag cael annwyd, Mr. Huws, ac 'rydw i'n
gobeithio eich bod, erbyn hyn, wedi dod atoch eich hun yn
reit dda," ebe Miss Trefor.

"Cystal ag y bûm erioed," ebe Enoc, a meddyliodd fod y cyf-
leustra wedi dod iddo ddweud tipyn o'i feddwl iddi. "Mi wn, o
hyn allan, lle i ymorol am y doctor os digwydd i mi fynd yn
sâl. Wn i ddim be ddaeth drosto' i – hwyrach mai hyrio gor-
mod ddaru mi. Cymerwch chwithe ofal, Miss Trefor, a pheid-
iwch dod allan i'r awyr oer – mi fedraf ffeindio'r *gate* yn burion."

"O," ebe Miss Trefor, gan gerdded o flaen Enoc ar hyd
llwybr yr ardd – "'dydw i ddim yn *delicate.*"

Teimlodd Enoc y colyn, ac ebe fe'n gyflym –

"'Dydw innau ddim chwaith, fel rheol, ond faddeuwn i
byth i mi fy hun pe cymerech chwi, Miss Trefor, annwyd wrth
ddod i agor y *gate* i mi."

"Gobeithio," ebe Susi, "na chewch chwi byth achos i fod
mor anhrugarog atoch eich hun. Os ydw i heb yr un fonet,
mae gen i ben caled, wyddoch, Mr. Huws."

"Gobeithio na ellir dweud yr un peth am eich calon, Miss
Trefor," ebe Enoc, gan geisio torri'r rhew.

"Fydd 'y nghalon i, Mr. Huws, byth yn gwisgo bonet –
achos 'dydi hynny ddim wedi dod i'r ffasiwn eto," ebe Susi.

"Nid y fonet oedd yn fy meddwl, Miss Trefor, ond y
c'ledwch," ebe Enoc.

"Mae hynny'n bur resymol, Mr. Huws, achos y mae'n haws dychmygu am g'ledwch yn y meddwl nag am fonet yn y meddwl," ebe Susi.

"Un arw ydach chi, Miss Trefor," ebe Enoc, heb atebiad arall yn ei gynnig ei hun i'w feddwl.

"*Thank you*, Mr. Huws, 'un arw' fyddwn ni, yn Sir Fflint, yn galw un fydd yn nodedig o hyll – neu wedi ei marcio yn drom gan y frech wen – tebyg i Marged, eich *housekeeper* chwi," ebe Susi.

"Digon gwir, Miss Trefor," ebe Enoc, "ond chwi wyddoch fod i rai geiriau ddau ystyr, ac nid yr ystyr …"

"Dau ystyr, Mr. Huws?" ebe Susi, cyn i Enoc gael gorffen y frawddeg – "dywedwch fod i bob gair hanner dwsin o ystyron gennych chwi, y dynion, achos 'dydach chwi byth yn meddwl y peth ydach chwi'n ddeud, nac yn deud y peth ydach chwi'n feddwl, pan ddaw'ch geiriau a chwithau i wynebau eich gilydd."

"Mi ddywedaf hyn," ebe Enoc, gan alw hynny o alantri oedd yn ei natur i weithrediad, "mai angel ydach chi, Miss Trefor."

"Hyh!" ebe Susi, "angel syrthiedig, wrth gwrs, ydach chi'n feddwl, achos y mae dau ystyr i'r gair. Wel, bydaswn i'n gwybod y basech chwi, Mr. Huws, mor gas wrtho' i, chawsech chwi ddiferyn o frandi – ac mi gawsech farw ar y soffa, y dyn brwnt gynnoch chwi. Nos dawch, Mr. Huws," a rhedodd Susi i'r tŷ.

"Wel, yr hen jaden glyfar! A bydase hi heb ei gloywi hi, wn i ddim be faswn i'n fedrud ddweud mewn atebiad iddi," ebe Enoc wrtho ei hun, fel y cerddai'n brysur tua chartref, a'i syniadau yn uwch am Miss Trefor nag y buont erioed. Ni feddyliodd ef am neb na dim ond amdani hi nes ei fod o fewn decllath i'w dŷ, pryd y croesodd Marged ei ddychymyg. Fel bachgen drwg wedi aros allan yn hwyr heb ganiatâd ei fam, teimlodd Enoc yn anghyffordddus wrth feddwl am wynebu Marged, a dechreuodd ddychymgu am ryw air melus i'w rhoi mewn tymer dda.

Dianghenraid yw dweud nad oedd dwy awr o gysgu wrth y

tân wedi lliniaru na phrydferthu dim ar Marged. Pan fyddai hi wedi cael awr neu ddwy o gyntun wrth y pentan, glynai ei hamrantau wrth ei gilydd fel pe buasent wedi eu sicrhau gan gŵyr crydd, a byddai raid iddi ddefnyddio ei migyrnau yn egnïol am ennyd cyn y gallai agor ei llygaid. Wedi mynd trwy'r oruchwyliaeth, a ffroenochi'n anwydog am amser, meinhaodd Marged ei llygaid, crychodd ei thalcen, ac edrychodd ar y cloc, ac ebe hi –

"Wel, yn eno'r rheswm annwyl, mistar, lle buoch chi tan 'rŵan? Be bydaswn i ddim wedi rhoi digon ar tân, on' fase ma le cynnes i chi! A wn i ddim be naeth i mi feddwl am neud tân da, achos feddylies 'rioed y basech chi allan dan berfedd y nos fel hyn."

"Yr ydach chi bob amser yn feddylgar iawn, Marged," ebe Enoc. "Yn wir, mae'n biti mawr, Marged, na fasech chi wedi priodi – mi neuthech wraig dda, ofalus."

Edrychodd Marged yn foddhaus, a thybiodd Enoc ei fod wedi gwneud *good hit*, ond buasai'n well iddo dorri ei fys a dioddef ei thafod drwg na siarad fel y darfu. Teimlai Enoc yn y dymer orau y buasai ynddi ers llawer blwyddyn. Yr oedd, o'r diwedd, wedi llwyddo i gael rhoi ei big i mewn yn Nhyn-yr-ardd, a chredai na byddai dim dieithrwch rhyngddo ef a Miss Trefor mwyach, ac yr oedd mwyneidd-dra Marged yn dwysáu ei ddedwyddwch nid ychydig. Awyddai'n fawr am i Marged fynd i'w gwely er mwyn iddo gael mwynhau a gloddesta ar ei feddyliau mewn unigrwydd, ac adeiladu castell newydd sbon. Ond nid oedd Marged landeg yn troi cymaint â chil ei llygaid at y grisiau. Yn hytrach, eisteddodd fymryn yn nes at ei meistr nag a wnaethai hi erioed o'r blaen, a dangosodd duedd digamsyniol i ymgomio'n garuaidd. Ni allai Enoc amgyffred y cyfnewidiad sydyn a dymunol a ddaethai dros ysbryd Marged. Meddyliodd fod ffawd yn dechrau gwenu arno, a bod dyddiau dedwydd eto'n ei aros. Parod iawn fuasai ef i wneud heb gwmni Marged, ond nid oedd hi yn gwneud osgo at fynd i glwydo. Yn union deg aeth Enoc i'w wely, er i Marged ddweud "nad oedd hi ddim yn rhyw hwyr iawn, wedi'r cwbl, a bod y cloc dipyn o flaen y dre".

XIV

PEDAIR YSTAFELL WELY

RHIF I. – "Na, 'dydi hi ddim mor *unapproachable* ag oeddwn i'n meddwl. 'Dydi o ddim ond rhyw ffordd sydd ganddi. Yn wir, y mae hi'n garedig – mi weles ddigon heno i brofi hynny. Ac mae hi'n glyfar hefyd – yn *sharp*. Wel, on' fûm i'n ffwlcyn! Tybed ddaru'r Capten ddallt mai am Miss Susi yr oeddwn i'n meddwl tra oedd o'n siarad am waith *mine*? Mi fu *just* i mi henwi hi fwy nag unweth. Y fath lwc na ddaru mi ddim! Y fath *joke* fase'r peth! Y fath *joke ydi*'r peth! Be bydae rhai o'r *chaps* yma ddim ond yn cael gwynt ar y stori! Y fath wledd fydde hi! Ac eto 'dydw i ddim yn hollol dawel fy meddwl – fedra i ddim peidio ofni fod yr hen dderyn wedi spotio 'mod *i* yn meddwl am Miss Trefor, tra oedd *o* yn sôn am waith *mine*. Ac mor debyg! Ond pwy, tu yma i'r haul, fase'n dallt at be 'roedd o'n dreifio – efo'i 'yn wir', ac 'mewn geiriau eraill', ac 'fel mater o ffaith'? Mae pob brawddeg ganddo cyd â blwyddyn, ac yn cymryd gwynt dyn yn lân. Mae un peth yn 'y mlino i'n sobor. – 'Peidiwch â chrio, Mr. Huws bach,' medde hi. Ymhell y bo nyna! Crio! dyn yn f'oed i yn crio am ei fod o'n sâl! Dyna ddaru hi feddwl, mi wn. Dario nyna! Ond y felltith brandi hwnnw 'naeth i'r dagrau ddod i fy llygaid i! Bydaswn i'n marw fedrwn i mo'u stopio nhw. Wel, on'd oedd o cyn boethed â lwmp o dân uff –, mi gymra fy llw! a hithe'n meddwl mai rhyw fabi'n crio am ei fam oeddwn i. Os lladdiff rhywbeth fi yn ei golwg hi – y crio neiff. Rhaid i mi gael egluro nyna iddi eto. Ymhell y bo! mi fase'n well gen i na chan punt dase'r crio yna heb hapno. Mi gymra fy llw ei bod hi'n edrach arna i fel rhw lwbi-labi! Ond aros di, Enoc, yr wyt ti 'rŵan ar delerau efo'r teulu i fynd yno yn ôl a blaen, ac mae o fel breuddwyd gen i.

Ond fe fydd raid i mi gymryd *shares* yn y fentar newydd, neu mi fyddaf yn yr un fan ag o'r blaen. Bydase'r fentar yn Jericho mi fase'n dda gen i! I be yr a' i i daflu 'mhres i ffwrdd ar rywbeth na wn i ddim amdano? *Swindle* ydi'r rhan fwya o'r gweithfeydd *mines* yma. Ac eto, mae'r Capten yn dad i Susi, ac yn ddyn gonest ac anrhydeddus – am – wn – i. Bydae o'n deud mai yn y lleuad y mae o am fentro – fe fydd raid i mi gymryd rhyw ychydig o *shares*. Ond mi dreiaf fod yn wyliadwrus yn dechre, nes cael gweld a fydd rhyw obaith i mi am Susi. Heb Susi – dim mentro; Susi – ac mi fentraf yn *Jupiter* – byth o'r fan yma."

RHIF II. – "'Rydw i'n bump-ar hugain oed – a 'dydi'r gŵr bonheddig ddim wedi dŵad eto! Ddaw o ddim bellach, ne mi fase wedi dŵad cyn hyn. Hwyrach fod nhw wedi dallt, o 'mlaen i, fod 'y nhad yn dlawd. O'r brenin annwyl! y fath syc! Sobor! Pam na fase fo'n deud yn gynt, yn lle cadw Mam a finne yn t'w'llwch? A gadael i ni gario 'mlaen ar hyd y blynyddoedd! Ond y mae 'nhad bob amser mor glòs. Be ddeudiff pobol? a be nawn ninne? Wel, fe gewch *chi* fynd i gadw 'rŵan – wisga i monoch *chi* eto, gan mai tlawd yden ni. '*Humbug*', fel y bydde Wil, druan, yn deud, ydi *ymddangos* heb ddim byd ond ymddangos. A 'dydw i ddim am neud hynny, waeth gen i be ddeudiff 'y mam. Os tlawd yden ni – tlawd y dylen ni ymddangos. Mi wisga ffroc gotyn – neiff pobol ddim ffeindio cymin o fai pan ddaw'n tlodi ni i'r golwg. Mae gen i flys lluchio'r *watch* aur yma allan drwy'r ffenestr. Dim chwaneg ohonoch *chi, bracelets* a *gold brooch*! 'Dydach chi ddim yn gweddu i bobol dlawd. Ac eto, 'rydach chi'n bur bropor! a dyma i chi gusan o ffarwel! Gorweddwch yn eich *wadding* nes y bydd raid eich gwerthu i gael bwyd! Y pethe bach tlws! Un gusan eto, a dyna'r caead dros – eich – wyneb! Oh! – yr ydwy i – fel 'roedd 'y nhad yn deud, wedi rhoi *airs* i mi fy hun. Ond dim chwaneg. Yr ydw i am fod yn eneth gall – heb ddim *humbug*, chwedl Wil. Ond faswn i ddim wedi cario 'mlaen bydase 'nhad wedi deud yn gynt mai tlawd oedden ni. Sut y drycha i,

tybed, mewn ffroc gotyn? Mae 'ma un i fod yn rhywle. Mae hi
dipyn allan o'r ffasiwn erbyn hyn, ddyliwn, ond mi fedraf ei
haltro. Lle mae hi? Weles i moni ers gwn i pryd. Mi treiaf hi i
weld tebyg i be fydda i'n edrach. *Sealskin?* Wel, rhaid dy droi
dithau yn bres rhw ddiwrnod, ddyliwn. Lle mae'r hen ffroc
yma? Ddylies i 'rioed fod gen i gymin o ddillad! Mi fydda'r
cwsmer gore a gafodd Mr. Lefiticus, y *pawnbroker*, ers blyn-
yddoedd! Yn eno'r annwyl, ddaru mi rhoi hi i rwfun? Na, dyma
hi! Wel, yr hen ffroc, *should old acquaintance be forgot?* Mae
'nhad yn leicio 'nghlywed i yn canu honyna – ond dim
chwaneg o ganu i mi! Wyt ti'n 'y nghofio i, yr hen ffroc? 'Rwyt
ti'n edrach yn go rinclyd, ond yfory mi dy rown di ar gefn
cader o flaen tân, i dynnu'r rhincyls ohonot. Be ddyliet, yr hen
ffroc, o gael mynd i'r capel unweth eto? 'Rwyt ti wedi dy am-
ddifadu o foddion gras ers talwm, on'd wyt ti? Rheswm an-
nwyl! p'run ai fi sy'n dewach ai ti sy wedi rhedeg i fewn? Wel,
erbyn i mi fyw ar frywes, ac i tithe gael dy ollwng allan, mi
ddown at ein gilydd eto. Rheswm! mae 'ma le i mi fyw yn dy
lewys di, ac mae dy wasg di tua milltir rhy hir? Ond sut na fot-
ymet ti? On'd oes golwg sobr arna i! Ond na hidia, Susi, os
ydi'r *glass* yna'n deud y gwir, 'dwyt ti ddim yn *perfect fright* eto!
Ond dyna, yr hen ffroc, lle'r wyt ti'n 'y nghuro i – pan a' i'n
hen, fydd o ddim diben fy rhoi i ar gefn cader o flaen tân i
dynnu'r rhincyls o 'ngwyneb i! Yr *idea*! Ie, 'y nhad yn sôn am i
mi gymryd *miner* cyffredin. Na 'na byth! na 'na'n dragywydd!
bydawn dloted â Job. Be oedd y *baboon* gan Enoc yn feddwl
wrth ddeud mai angel oeddwn i? Oedd o'n meddwl rhywbeth?
Ond dda gen i mo'r sant – mae o'n rhy dduwiol – yn rhy
lonydd. Bydase fo'n hanner dyn, mi fase'n trio cael cusan gen i
wrth y *gate*; ond bydase fo'n gneud hynny, mi faswn yn rhoi
slap iddo yn ei wyneb. On' rois i ddos iawn i'r hen *Rechabite*!
Mi fu agos iddo dagu! Y *baboon*! A finne'n deud – 'peidiwch â
chrio, Mr. Huws, bach'. Hwyrach 'mod i'n ddrwg; ond mi
fyddaf yn leicio deud rhwbeth i flino hen lanciau – rhwbeth,
bydawn i'n medrud, a dynne waed o'u calon nhw. Ond mae
Enoc yn well na '*miner* cyffredin'. *Poverty has no choice*, bydae

85

hi'n dŵad i hynny. Mae gynno fo bres, lot, maen nhw'n deud.
Dyna un *good point*. Ond mae o mor hen ffash! Ac mae hi
wedi dŵad i hyn, Susi? Wel! wel! Fy *idea* i wastad oedd – os na
phriodwn i er mwyn arian – oedd bod dros 'y mhen a 'nghlustie
mewn cariad efo rhwfun, a thaflu fy hun drwy'r ffenest i'w
freichiau dri o'r gloch y bore, a rhedeg i ffwrdd i briodi efo
special licence! 'Does gen i ddim 'mynedd efo rhai sy'n priodi'n
sad yn y capel – mae'n gas gen i gweld nhw. Ac eto, hwyrach
mai felly y bydd hi hefo finne. Efo '*miner* cyffredin'? Byth
bythoedd! bydae raid i mi foddi fy hun! Be oedd 'y nhad isio,
tybed, efo Enoc? 'I sycio fo i fewn, ddyliwn, 'run fath â Hugh
Bryan, druan! A Mr. Denman. Ond mae'n rhaid gwneud rhyw-
beth rhag llwgu. 'Dydw i ddim yn cofio'r munud yma a
ddeudes i 'mhader? Pa ots – y pader gore i mi heno ydi *good cry*
yn 'y ngwely!"

Rhif III – "Ydach chi'n effro, Sarah? neu, mewn geiriau eraill,
ddaru chi gysgu?"

"Yh?"

"Sarah, deffrowch, deffrowch. Mae gen i eisiau cael siarad â
chwi."

"Be ydi'r gloch, Richard?"

"Wel, mae hi tua hanner nos, neu, efallai, dipyn gwell. Fel
mae'r amser yn mynd! Ydach chi'n effro, Sarah? Mae gen i –
ydach chi'n effro? Ho. Wel. Mae gen i ofn 'y mod i wedi'ch
synnu a'ch brifo heno, Sarah. Ond y mae gen i gymaint wedi
bod ar 'y meddwl yn ddiweddar – mae y *pressure* wedi bod mor
fawr, mewn ffordd o siarad, nes oeddwn i'n ofni i'r *boiler*
fyrstio, ac yr oedd yn rhaid agor y falf yn rhywle, a pha le y
gallwn i wneud hynny ond yn fy nheulu? Wrth bwy y gallwn
ddeud fy helynt ond wrthoch chwi a Susi? Ond erbyn i mi
ailystyried pethau – peidiwch â chrio, Sarah, peidiwch, 'rwyf
yn crefu arnoch – erbyn i mi ailystyried pethau, fel y dywedais,
hwyrach fy mod – yn wir, yr wyf yn sicr fy mod – wedi gor-
liwio ein sefyllfa, a'i gosod allan, dan gynhyrfiad y foment, yn
waeth nag ydyw. Fase raid i chwi ddim, Sarah, redeg i'ch gwely

mewn digalondid. Na, gyda bendith y Brenin Mawr ni a gawn damaid eto. Yn wir, efallai y bydd hi'n well arnom nag y bu hi erioed. Hyd yn oed bydae pethau yn dod i'r gwaethaf, mae gen i olwg ar rywbeth, ac y mae gen i eisiau i chwi, Sarah, roi Susi dan ei warnin i beidio sôn gair wrth neb am ddim a ddywedais i heno mewn tipyn o fyrbwylltra. Wedi i chwi fynd i'r gwely fe fu Mr. Huws, Siop y Groes, yma. Gŵr ieuanc rhagorol iawn ydyw Mr. Huws – wedi gwneud yn dda – ac yr wyf yn meddwl, yn wir, yr wyf yn siŵr, y bydd ef yn foddlon i ymuno efo ni yn y fentar newydd. Un neu ddau eraill fel Mr. Huws, ac ni fyddwn yn *all right*. Mae o'n wan – yn wan iawn – wedi gor-weithio ei hun yn ddiamau. Wnewch chwi ddim siarad, Sarah?"

"I be y gna i siarad? 'Does gen i 'ddim synnwyr'."

"Dyna ddigon, dyna ddigon, Sarah, peidiwch â sôn am hyn-yna eto. Yr oeddwn yn ofni fy mod wedi eich brifo, Sarah, ac mae'n ddrwg gen i am hynny, neu, mewn geiriau eraill, yr wyf yn edifarhau, ac mae'r Gair yn dweud, 'Na fachluded yr haul ar eich digofaint', ac fe ddylem, yn wir, yr wyf yn gostyngedig feddwl eich bod chwi a minnau, hyd yn hyn, wedi ceisio, hyd yr oedd ynom, gadw at reolau'r Gair, a hyd yn oed yn yr am-gylchiad hwn, er mor anhyfryd ydyw, i mi yn neilltuol, yr wyf yn meddwl y gellwch gadw at y rheol a grybwyllwyd, yn gymaint â bod yr haul *wedi* machludo cyn i chwi ddigio, ac na chaiff, mi obeithiaf, fachludo *ar* eich digofaint. A ydach chwi wedi maddau i mi, Sarah, yn ôl fel y mae y Gair yn annog?"

"'Dydw i ddim wedi madde i chi, Richard, am 'y nghadw i yn t'w'llwch sut yr oedden ni'n sefyll yn y byd. A be ddeudiff pobol pan ddôn nhw i wybod am ein tlodi ni, a ninne wedi cario 'mlaen fel ryden ni?"

"Wel, chwi wyddoch, Sarah, mai dyna ydyw fy natur i – 'dallai i ddim wrtho. Mae o ynof erioed er yn blentyn – sef gordynerwch – *gor*-dynerwch. Fedrais i erioed ladd hyd yn oed wibedyn, ac yr ydw i'n cofio'n burion pan – welsoch chwi mo 'nghap nos i, Sarah? O, dyma fo! – yr ydwyf yn cofio'n dda, meddaf, pan fyddai 'nhad yn lladd cyw iâr, neu, yr hyn oedd waeth, yn lladd mochyn, y byddwn yn gorfod mynd oddi

cartref nes i'r creulondeb fynd trosodd, ac er nad oedd a fynnof
fi, yn uniongyrchol, ddim â lladd y mochyn, mi fyddwn yn
teimlo rhyw fath o euogrwydd am wythnosau, ac nid heb lawer
o gymell o ochr fy mam y gallwn gymryd dim o'r *bacon* pan
ddeuai yn gymwys i'w fwyta. Chwi wyddoch eich hun, Sarah,
fel y crugais pan laddwyd Job Jones, druan! ym Mhwll-y-
gwynt. Fe ddywedid y pryd hwnnw fod tipyn o esgeulustra,
ond 'dallwn i ddim wrth hynny, er mai dan fy ngofal i yr oedd
yr holl waith, ac fy mod, yn wyneb y gyfraith, yn gyfrifol,
mewn ffordd o siarad, am farwolaeth Job, druan! Chwi wydd-
och, Sarah, fel y darfu i mi grugo, meddaf, ac mi ddeudaf i
chwi beth na ddeudais erioed o'r blaen, sef i mi fod fwy nag
unwaith ar fin cyflawni hunanladdiad, neu, mewn geiriau
eraill, *comittio suicide*, a hynny yn cael ei gynhyrchu gan ordris-
twch am farwolaeth y llanc. Ac, mewn rhan, mi roddais y
bwriad hwnnw mewn gweithrediad, oblegid, chwi wyddoch i
mi, yn yr amgylchiad hwnnw, golli mwy na deugain pwys yn
fy mhwysau. I ba le yr aeth y deugain pwys hynny, yr hyn
oedd yn rhan wirioneddol ohonof fi fy hun? Wel, mewn ffordd
o siarad, fe ellir dweud fy mod wedi *comittio suicide* arno, neu,
mewn geiriau eraill, wedi ei offrymu ar allor calon drist neu *or-
dynerwch*. A, hwyrach, y bydd yn anodd gennych fy nghredu,
Sarah, ond y gwir yw – ni fyddaf byth yn cyfarfod â mam Job
heb ddweud ynof fy hun – 'Dyma fam y bachgen ddarfu i mi
ei ladd!' Yr ydych cyn hyn, Sarah, wedi bod yn fy ngheryddu
am nad ydwyf yn mynd i'r seiat ond anfynych, gan awgrymu
fy mod yn dirywio yn fy nghrefydd; ond, a wyddoch chwi
mai'r prif reswm am hynny ydyw tynerwch fy nghalon, ac am
na allaf edrych ar fam Job heb deimlo rhyw fath o euogrwydd,
er bod y peth yn afresymol i'r eithaf. A ydych yn gweld erbyn
hyn, Sarah, paham y darfu i mi gadw oddi wrthych ein gwir
sefyllfa? *Gor*-dynerwch ydyw'r rheswm am y cwbl. Yn hytrach
na'ch gwneud chwi'n anhapus, yr oedd yn well gennyf gadw'r
holl bryder a'r helynt i mi fy hun – hyd yr oedd yn bosibl. Nid
am nad oedd gennyf ymddiried ynoch chwi, Sarah, y buasech
yn ei gadw i chwi eich hun, ac nid am fy mod yn anghofio'r

cyfarwyddyd ysbrydoledig y dylem ddwyn beichiau ein gilydd, ond er mwyn arbed eich teimladau a pheidio torri ar eich dedwyddwch. Ond y mae gennyf hyn i'w ddweud – fod gennyf gydwybod dawel, ac fy mod wedi gwneud fy nyletswydd."

"Sut yr ydach chi wedi gneud eich dyletswydd, Richard, a chithe'n gwybod nad oedd ene ddim llond eich het o blwm ym Mhwll-y-gwynt?"

"Y mae dyletswydd a dyletswydd, Sarah. Fy nyletswydd i, fel Capten, oedd gweithio dros y Cwmpeini, a rhoi prawf teg a gonest ar y gwaith a oedd yno blwm ai peidio. *Yrŵan* yr wyf yn gallu dweud nad oes llond fy het o blwm ym Mhwll-y-gwynt, ond o drugaredd, ni wyddwn hynny flynyddau yn ôl. Mae busnes, Sarah, yn beth dieithr i chwi, ac ofer fyddai i mi geisio ei egluro. Ni a adawn y peth yn y fan yna heno. Ond y mae gennyf eisiau sôn gair wrthych am beth arall, er fy mod yn teimlo'n bur gysgadlyd. Chwi wyddoch fod Susi yn dechrau mynd i oed, ac fe ddylasai'r eneth fod wedi priodi cyn hyn. Ydych chwi ddim yn meddwl, Sarah, y buasai Mr. Enoc Huws yn gwneud purion gŵr iddi? Sarah?"

"Peidiwch â boddro, da chi!"

"Wel, fe ddylai'r eneth feddwl am rywun erbyn hyn, ac y mae perygl iddi aros yn rhy hir. Os nad ydyw fy ngolwg i'n dechrau pylu, yr wyf yn meddwl na fyddai gan Mr. Huws – hynny ydyw, Sarah, fe ddylech chwi grybwyll y peth wrth yr eneth – lle'r fam ydyw gwneud hynny. Beth meddwch chwi? Sarah? Sarah?"

"Cysgwch, a pheidiwch â chodlo, da chi."

"Wel, mae'n ddrwg gennyf eich blino, ac mae'n bryd i ni feddwl – hwyrach am orff – a chysgu – ŷch – chŷ – ŷch – chŷ."

"Dene, chwyrnwch 'rŵan fel mochyn tew. Ond fe geir taw bellach arnoch chi, tybed. O diar mi! mae rhw gath yng nhwpwrdd pawb, fel y clywes i Mam yn deud. Ond ddylies i 'rioed y base hi'n dŵad i hyn. Mi fase'n dda gan 'y nghalon i daswn i 'rioed wedi priodi."

Rhif IV. – "Wel, Denman! Denman! sut mae gynnoch chi wymed i ddŵad i'r tŷ 'radeg yma ar y nos?"

"Oeddech chi'n disgwyl i mi ddŵad heb yr un wyneb?"

"Oes gynnoch chi ddim c'wilydd, mewn difri, Denman, fod yn colma hyd dai pobol dan berfedd y nos? Fyddwch chwi'n gweld rhwfun arall yn gwneud hynny?"

"Lot."

"Lot? Pwy ydyn nhw, ys gwn i? Ydyn nhw yn rhwfun â rhyw gownt ohonyn eu hunen?"

"Ydyn."

"Ydyn, ddyliwn, rhwfun 'run fath â chi'ch hun. Ydyn nhw yn rhwfun yn hidio rhwbeth am eu gwragedd a'u teulu?"

"Ddaru mi ddim gofyn iddyn nhw."

"Naddo, ddyliwn, mi wn hynny heb i chi ddeud i mi. Ydach chi'n meddwl 'y mod i'n mynd i aros dan berfeddion arnach chi ddŵad i'r tŷ?"

"Ddaru mi 'rioed ofyn i chi neud hynny."

"Naddo, a bydaech chi'n gofyn, 'dydw i ddim am neud."

"Purion."

"Symol purion. Oes gynnoch chi 'run tŷ'ch hun i fod ynddo'r nos?"

"Eighty-two, High Street."

"Diar mi! Mor dda 'rydach chi'n cofio'r *number*! Fyddwch chi ddim yn misio'r tŷ weithie?"

"Fum i 'roed mor lwcus."

"'Lwcus'? Ydach chi'n deud yn 'y ngwymed i, Denman, fod chi wedi blino arna i?

"Blino ar un mor ffeind â chi?"

"Ie, deudwch yn blaen, Denman, achos mi wn mai dyna ydi'ch meddwl chi – deudwch yn blaen nad ydach chi'n hidio dim amdana i. 'Dydw i dda i ddim ond i slafio, fel 'rydw i wiriona. Welsoch chi *fi* rw dro yn mynd i dai'r cymdogion i golma?"

"Erioed; fuoch chi 'roed yn nhŷ Mrs. Price dan un ar ddeg o'r gloch y nos! Diar mi, naddo!"

"Am unweth – unweth yn y pedwar amser – yr eis i dŷ Mrs.

Price i gael paned o de. Ydach chi'n edliw hynny i mi, Denman? Ydach chi am i mi fod â 'mhen wrth y post ar hyd y blynydde?"

"Dim o gwbl; mi faswn yn leicio i chi fynd i edrach am Mrs. Jones, y Siop, hanner dwsin o weithiau yn y mis, ond fyddwch chi byth yn mynd."

"Ydach chi'n edliw hynny i mi hefyd, Denman? Mi gymra fy llw na fûm i ddim ond dwywaith yn nhŷ Mrs. Jones ers pythefnos. Os a' i i rywle, mi a ga hynny ar draws fy nannedd yn syth!"

"Draws ych dannedd?"

"Llai o'ch speit chi, Denman, 'roedd gen i gystal dannedd â chithe hyd yn ddiweddar. A be ddisgwyliech chi i fam i bump o blant? Ydach chi'n disgwyl i mi fod yn ferch ifanc o hyd? Ond 'does gynnoch chi ddim parch i *mi* – mae hynny'n ddigon plaen. A lle 'rydach chi wedi bod heno, Denman? Lle – buoch – chi?"

"Efo 'niod, wrth gwrs, ydech chi ddim yn 'y ngweld i wedi meddwi?"

"Na, mi wn na fuoch chi ddim efo'ch diod, ond fase waeth i chi fod efo'ch diod na bod efo'r hen Gapten y felltith ene, achos mi wn o'r gore mai yno y buoch chi. Ai nid yno buoch chwi, Denman?"

"I be 'rydach chi'n gofyn, a chithe'n gwbod?"

"Mi gymra fy llw mai yno buoch chi. Deudwch y gwir, Denman, ai nid yno y buoch chi?"

"Twbi shŵar, ddaru chi 'rioed gymryd llw drwg."

"On' wyddwn i gystal â daswn i efo chi mai efo'r hen felltith Gwaith mein ene 'roeddech chi. 'Rydw i wedi deud a deud, nes mae 'nhafod i'n dwll ..."

"Be? eich tafod yn dwll?"

"Beiwch chi fel y mynnoch chi, yr ydw i wedi deud digon, os digon ydi llawer, am i chi roi pen ar yr hen fentro felltith ene. Os ydi pobl erill sydd yn eu sidane yn medrud rifflo'u pres ar fentro 'does dim isio i chi – dyn ar ei ore – hel pob ceiniog a'u taflu nhw i Bwll-y-gwynt na welwch chi byth wymed y delyn ohonyn nhw. Ac rydach chi wedi'n gneud ni cyn dloted nad oes gynnon geiniog i ymgrogi. Be *ydach* chi'n feddwl, Denman? Pryd ydach chi'n meddwl stopio hel pob ceiniog i'r hen Gapten y felltith ene? A dyma chi 'rŵan yn dŵad i'ch gwely heb fynd ar ych glinie! Crefyddwr braf yn wir!"

"Hwdiwch, ddynes, os gwnewch chwi addo cadw'r tafod yna'n llonydd am ddau funud mi af yn ôl i ddeud 'y mhader?"

"O, 'dydw i, ddyliwn, i gael deud dim! Rhaid i *mi* fod yn ddistaw a diodde'r cwbwl, fel bydawn i garreg. Wel, mae hi wedi dŵad i rwbeth! ydi; 'dydw *i* neb, nag ydw, neb, er 'y mod i'n fam i bump o blant. Ie'r plant, druen! 'Does neb yn hidio dim amdanyn nhw. Mae'n dda fod gynnyn nhw fam, ne be ddeuthe ohonyn nhw? Mae rhw bobol yn gallu bod yn ddigon diofal, fel bydaen nhw'n perthyn dim byd iddyn nhw! Wel, fe ddaw rhwbeth ar ôl hyn, daw, daw, ond mi wn hyn, na fydda *i* ddim yma'n hir. Wrth hir guro ar y garreg mae hi'n siŵr o dorri, bydae rhwfun yn hidio am hynny! Ond hwyrach y gwelan nhw 'ngholli i, er saled ydw i! Mae Rhwfun yn gwbod y cwbl, ac mi geiff pawb gyfiawnder yn y diwedd. Caiff, caiff! Mae rhw-rai yn gallu cysgu gynted y gorweddan nhw fel bydae ddim byd yn eu blino nhw. Mi fase'n dda gen *i* fedrud gneud hynny. Ond y Brenin Mawr a ŵyr – ie, y Fo sy'n gwbod – uff, uff."

XV

EGLURHAD

NID oedd Capten Trefor yn perthyn i'r dosbarth hwnnw o ddynion na wyddant yn y bore beth a ddigwyddodd y noson gynt. Y mae dynion felly; y rhai, dan ddylanwad y foment, neu rywbeth cryfach na'r foment, a faldordda ac a raffa'r hyn a fu'n cronni am amser yn eu meddyliau, ac erbyn y bore na wyddant tu nesa i lidiart y mynydd pa beth a ddywedasant na pha beth a ddigwyddodd. Yr unig beth a feddant i sicrwydd ydyw rhyw ymwybyddiaeth gymysglyd, amhenodol, eu bod wedi dweud rhywbeth na ddylasent, a bod rhywbeth wedi digwydd na ddylasai ddigwydd. A phan adroddir wrthynt hanes y noson gynt ni fydd ganddynt ddim i'w wneud ond ysgwyd eu pennau, cyfaddef eu hanwybodaeth, eu galar, a chydnabod eu bod fel a'r fel, ac felly, mewn ystyr, nad oeddynt yn gyfrifol. Na, ni pherthynai Capten Trefor i'r dosbarth yna. Er ei fod, ar adegau, yn caniatáu i'w geg a'i fola ymgyfathrachu gryn lawer â'r gwirodydd, yr oedd ei feddwl, mewn dull o ddweud, yn llwyrym-wrthodwr ac yn cadw *at a respectable distance* oddi wrth Syr John. Nid peth anadnabyddus ydyw fod llwyrymwrthodwr ac aelod eglwysig yn cadw tafarndy – mae'n talu rhent, yn gwerthu'r nwydd, ond nid yw ef ei hun yn cyffwrdd ag ef. Yr oedd rhyw berthynas gyffelyb rhwng corff a meddwl Capten Trefor. Yr oedd ei gorff "mewn ffordd o siarad", chwedl yntau, yn gwneud defnydd helaeth o *Scotch Whiskey*, ond yr oedd ei feddwl yn llwyrymwrthodwr, os nad yn areithio ar ddirwest. Gorchwyl anodd fuasai dod o hyd i'r ochr ddall iddo ef. A hyd yn oed yn ei funudau mwyaf llawen, yng nghwmni cym-deithion a dueddai weithiau i yfed mwy nag oedd lesol iddynt, yr oedd meddwl y Capten yn cadw *sentry*, megis, ac yn abl, drannoeth ar ôl y gyfeddach, i roddi cyfrif manwl am bopeth a ddigwyddodd.

Y bore, ar ôl y noson a grybwyllwyd, deffrôdd y Capten yn lled blygeiniol, a'i ben, nid yn unig yn rhydd oddi wrth gur, ond yn berffaith glir. Yn wir, buasai'r Capten yn galw ei ben i gyfrif, ac yn ystyried ei hun yn *highly insulted,* pe buasai'n dioddef oddi wrth eiliw o gur fel canlyniad i yfed dim ond rhyw ddwsin o laseidiau o chwisgi. Nid oedd cur yn y pen, yn ôl syniad y Capten, ond rhywbeth a flinai'r rhai a etifeddai *organic disease,* ac y dylai'r cyfryw ymgadw'n hollol oddi wrth y gwirodydd, oblegid clywsai fod y clefyd hwnnw – sef cur yn y pen – yn beth digon annymunol. Ac yn hyn yr anghytunai'r Capten â'r meddygon, a ddywedai fod *alcohol* yn hollol ddi-angenrheidiol i bobl gryfion, ond y gallai wneud peth daioni i'r gweiniaid. Credai'r Capten yn hollol wahanol. I bobl gryfion yn unig, meddai ef, y bwriadwyd diod gadarn, ond am y rhai yr oedd cyfranogi ohoni'n effeithio ar eu coesau a'u pennau – mai eu dyletswydd oedd ymgadw ymhell oddi wrthi. Fel darpariaeth ar gyfer y dosbarth hwn, ystyriai'r Capten y Gymdeithas Ddirwestol yn sefydliad rhagorol iawn, ac edmygai tu hwnt sêl ei hyrwyddwyr. Yn sicr, ni buasai ef yn petruso, pe gofynasid iddo, gymryd y gadair mewn cyfarfod dirwestol, a chredai na buasai ef ar ei ben ei hun mewn sefyllfa felly, a medd-yliai y gallai enwi mwy nag un o ddynion cyfrifol oedd wedi bod mewn sefyllfa' felly a heb ystyried eu hunain yn euog o unrhyw anghysondeb.

Yr oedd y Capten ar ei draed yn blygeiniol, fel y dywedwyd, ac adolygai yn ei feddwl ddatguddiedigaethau'r noson flaenorol gyda llawer o foddhad, oblegid yr oedd ef, ers llawer o amser, yn canfod ei bod yn tywyllu ar ei amgylchiadau, ac wedi bod ar fedr fwy nag unwaith i ragbaratoi meddwl ei wraig a'i ferch gogyfer â hynny. Yr oedd y gorchwyl hwnnw bellach drosodd, ac nid oedd ef mwyach yn gwisgo mwgwd yn ei deulu. Yr oedd wedi penderfynu, pa bryd bynnag y gwnâi ef y datgudd-iad i'w deulu, osod allan ei sefyllfa yn y wedd dduaf oedd yn bosibl. Tybiai mai hon oedd y ffordd ddoethaf, yn hytrach na'i dadlennu'n raddol. Wrth bortreadu ei sefyllfa fydol i'w wraig a'i ferch yn y wedd fwyaf anobeithiol, credai'r Capten y gallai ailddechrau ei ddedwyddwch teuluol, ac mai gwella a wnâi pethau yn hytrach na gwaethygu. Yr oedd ef hefyd yn argyhoeddedig ers tro fod y rhyddid a'r gefnogaeth ddistaw a roisai ef i'w wraig a'i ferch i "gario 'mlaen" wedi creu ynddynt syniadau uchel a thwyllodrus – syniadau a ymylai ar fod yn aristocrataidd. Canfyddai yn eglur mai ef ei hun oedd wedi eu harwain i goleddu'r syniadau hyn, a chredai, erbyn hyn, mai ei ddyletswydd oedd eu didwyllo, a hynny, nid yn raddol, ond ar unwaith – nid trwy dorri brigau'r pren, ond trwy gymhwyso'r fwyell yn syth at ei fôn. Gwyddai o'r gorau yr achosai hyn gryn gynnwrf a thrwst yn Nhyn-yr-ardd – y byddai yno dipyn o synedigaeth, o grio ac o fonni, ond wedyn, byddai'r cwbl drosodd mewn un noswaith. "Mewn ffordd o siarad," chwedl yntau, yr oedd y Capten wedi torchi ei lewys at y gorchwyl amryw weithiau: ond wrth feddwl am ei effeithiau pallai ei wroldeb. Ond yn awr, yr oedd yr ystorm drosodd, a'i wraig a'i ferch yn gwybod am ei sefyllfa cystal ag yntau. Serch hynny, meddyliai'r Capten ei fod, wrth roi'r datguddiad, wedi gwneud un camgymeriad; a hwnnw oedd y darluniad cywir a roddasai ef o'i fywyd twyllodrus. Nid oedd wedi rhagfwriadu gwneud y fath beth, ac nid oedd yr amcan ganddo mewn golwg yn gwneud hynny'n angenrheidiol. Gwyddai'r Capten yn burion yr edrychai Mrs. Trefor arno fel cynllun o ddyn da, anrhydeddus, a phe digwyddasai iddo farw'n sydyn, heb adael tystiolaeth ar ei ôl, na buasai hi'n petruso, nid yn unig ei roi yn y Nefoedd, ond yr edrychasai ar y lle gogoneddus a hyfryd hwnnw wedi ei freintio ag addurn ychwanegol. Pa ŵr, yn meddu ymwybyddiaeth gyffelyb, nad ymfalchïai yn ei wraig? Ond, erbyn hyn, teimlai'r Capten ei fod wedi andwyo'r gyfaredd honno, ac nid oedd y fath gamgymeriad, cyfaddefai wrtho ei hun, yn deilwng o Capten Trefor. Nid addefai am eiliad fod a wnelai'r chwisgi ddim â'r camgymeriad, er ei fod wedi ei gael o le newydd. "Na," ebe'r Capten wrtho ei hun, "mae'n rhaid mai cael blas a ddaru mi ar wneud *clean breast*. Yr oedd y peth mor amheuthun i mi! A pheth garw ydyw dechrau *splitio*. Yr un fath â gwraig wedi dechrau glanhau'r tŷ, a chael blas – rhaid iddi gael gorffen. Ond mi wnes *mistake*."

Pan ddaeth y Capten, y bore hwnnw, at y bwrdd i gael brec-wast, yr oedd ynddo ymwybyddiaeth boenus ei fod yn greadur newydd yng ngolwg Mrs. Trefor; a phe na buasai'n ymwybod-ol o hynny, yr oedd y ffaith yn rhy amlwg yn ei hwyneb, a or-doid gan dristwch anobeithiol, yn lle bod, fel yr arferai, yn tywynnu gan serch ac edmygedd. Nid cysurus oedd hyn gan y Capten; ac oherwydd hynny gwisgodd y wên fwyaf dymunol a fuasai ar ei wyneb ers blynyddoedd, fel rhagbaratoad priodol i iawn-ddealltwriaeth rhyngddo ef a Mrs. Trefor. Tra oedd Mrs. Trefor yn tywallt y coffi i'r cwpanau mewn distawrwydd prudd, a'i hwyneb fel cwmwl ar fin glawio, gorffwysai'r Capten ei ddau benelin ar y bwrdd, a'i ddwylo ymhleth, yn lefel efo'i drwyn, gan wylio am gyfleustra i ofyn bendith – yr hyn na wnaethai ef o'r blaen ers tro byd. Ac, ebe fe, gan annerch y forwyn –

"Chwi ellwch chwi, Kitty, fynd yrŵan, mi wnawn y tro yn burion." Yna, wedi ychydig ddistawrwydd, gan droi wyneb hawddgar at Mrs. Trefor, ychwanegodd – "Sarah, mi wn ar eich gwedd eich bod wedi cymryd yr hyn a ddywedais neithiwr yn ormodol at eich calon. Ni a ddylem gofio fod y teuluoedd gorau a'r Cristionogion mwyaf gloyw, weithiau, yn cyfarfod â phethau chwerwon yn eu hamgylchiadau. Yn wir, y mae gen-nym enghreifftiau o hynny yn yr Ysgrythur Lân – yn enwedig yn yr Hen Destament – a hynny mewn cyfnod pryd y golygid fod Rhagluniaeth yn ffafrio duwiolion – megis Jacob, Job, a Dafydd. Ac yr wyf wedi bod yn meddwl, Sarah, y gall fod rhywbeth ynom ni'n galw am yr oruchwyliaeth hon, ac y bydd, yn y diwedd, er ein lles ysbrydol. 'Dydw i fy hun, mi wn, ddim wedi bod hanner digon diolchgar am y daioni a'r llwydd-iant y gwelodd Rhagluniaeth yn dda ei gyfrannu i mi am gynifer o flynyddoedd, ac yr wyf yn tueddu i feddwl mai cerydd oddi wrth yr Arglwydd ydyw hyn i'm dwyn i roi mwy o bris ar bethau ysbrydol nag ar bethau daearol. Beth meddwch chwi, Sarah?"

Torrodd Mrs. Trefor allan i grio, ac yn y cyfamser helpodd y Capten ei hun gydag ychydig ychwaneg o *bacon*. Wedi gwneud hyn, ebe fe –

"Sarah, Sarah, peidiwch, peidiwch ag ymollwng yn eich ysbryd. Mi wn fod y peth yn gryn *shock* i chwi, ac, erbyn hyn, mae'n ddrwg gennyf i mi eich acwaintio mor sydyn am ein hamgylchiadau, yn lle gadael i chwi eu gwybod yn raddol, fel yr oeddwn i fy hun yn dod i'w gwybod; ond buasech felly wedi eich gwneud yn druenus ers llawer o amser, a'r trueni hwnnw heb fod yn gwella dim ar yr amgylchiadau, ond yn hytrach yn eu gwaethygu. 'Dydw i yn beio dim arnoch, Sarah, am grio – mi fyddwch yn well ac ysgafnach. Nid ydyw natur, ysywaeth, wedi fy nghynysgaeddu i â'r *outlet* hwnnw i fy nheimladau – yr wyf yn gorfod cadw fy ngofid i gyd oddi mewn, yr hwn sydd yn fy mwyta'n raddol, ond yn sicr. Pa fodd bynnag, Sarah, rhaid i chwi wneud ymdrech i ymgynnal, a rhoi eich hyder ar Dduw, a minnau gyda chwi."

"'Rydach chi wedi 'nhwyllo i, Richard," ebe Mrs. Trefor, gan sychu ei llygaid.

"Sut felly, Sarah? Yr wyf wedi eich arbed, mi wnaf addef, ond y mae twyllo yn air cryf," ebe'r Capten.

"Fel hyn," ebe Mrs. Trefor, gan wneud ymdrech i'w meddiannu ei hun – "yr ydach chi wedi peri i Susi a finne gredu eich bod yn dda arnoch – 'rydach chi wedi gadel i ni gael popeth oeddan ni'n ddymuno – 'rydach chi wedi'n dysgu ni – nid mewn geiriau, mi wn, ond yn ych ymddygiad – i edrach i lawr gyda thosturi ar dlodion, a hyd yn oed ar bobol well na ni'n hunen, a gneud i ni feddwl yn bod ni'n rhwbeth mwy na chyffredin – 'rydach chi wedi'n *encouragio* ni i gymdeithasu â phobol uchel eu sefyllfa, ac i gadw oddi wrth bobol erill, a dyma chi, yn y diwedd, heb i ni feddwl dim byd, yn deud yn bod ni'n dlawd, a bod y cwbwl drosodd. 'Rydach chi wedi bod yn greulon efo ni, Richard."

"Yr oeddwn yn meddwl, Sarah," ebe'r Capten, "fy mod, neithiwr, wedi rhoddi i chwi reswm digonol am fy ymddygaid – a hwnnw oedd tynerwch fy nghalon, a'r awydd oedd ynof i beidio amharu dim ar eich dedwyddwch. Ac eto dyma chwi'n galw hynny yn greulondeb! Mae hyn yn wendid ynof, mi wn, sef gorawydd am wneud eraill yn hapus, serch i hynny gostio'n ddrud i mi fy hun. Mae o ynof erioed. Ond y mae hyn o gysur gennyf, sef nad ydwyf ar fy mhen fy hun yn hyn o beth. Oni chlywais i chwi eich hun, Sarah, yn dweud, a hynny yn eithaf priodol, mor ddoeth a da ydyw'r Brenin Mawr yn ei waith yn cadw oddi wrthym ragwybodaeth am ddyddiau tywyll, ac amgylchiadau anghysurus? Mae'n rhyfedd, Sarah, fod yr hyn a ystyriwch yn ddoethineb yn y Llywodraethwr Mawr, yn greulondeb yn ei greadur gwael. Mae'r pethau sydd o'n blaen, megis dydd ein marwolaeth, yn anhysbys i ni. Ai trugaredd ai creulondeb fu'n trefnu hynny?"

"Mi wyddoch o'r gore, Richard, nad ydi'r Brenin Mawr yn twyllo neb, ac os ydi O'n ein cadw yn t'w'llwch am bethe sydd i ddŵad, mae O wedi ein rhybuddio i fod yn barod ar eu cyfer. 'Ddaru *chi* ddim gneud hynny."

"Naddo, Sarah, naddo; am y rheswm da nad ydwyf fi, mwy na rhyw greadur meidrol arall, yn gwybod dim am y dyfodol. Pe buaswn yn sicr, dyweder flwyddyn yn ôl, mai fel hyn y diweddai pethau, a ydych yn meddwl, Sarah, na fuaswn yn eich rhybuddio? Mae yn wir fy mod yn ofni iddi ddod i hyn ers talwm; ond yn ystod fy nghysylltiad â Phwll-y-gwynt, pa sawl gwaith y bûm yn ofni i bethau ddod i'r pen, ac, wedi'r cwbl, fy holl ofnau yn troi allan yn ddi-sail a diachos? Pe buaswn, ar hyd y blynyddau, wedi hysbysu fy ofnau i chwi, Sarah, buasech – gan mor wahanol i fy ofnau yr oedd pethau yn troi allan – wedi mynd i gredu mai *nervous character* oeddwn, ac ni fuasech yn credu fod y peth sydd, erbyn hyn, yn ffaith, sef ein bod yn dlawd, a bod Pwll-y-gwynt ar ddarfod amdano."

"Wyddoch chi, Richard," ebe Mrs. Trefor, "nid y meddwl yn bod ni'n dlawd sy'n 'mlino fwya, er y bydd hynny'n *change* mawr i ni ar ôl yr holl gario 'mlaen; na, mae'n gwell ni wedi dŵad i dlodi cyn hyn. Trefn Rhagluniaeth ydi peth felly. Yr hyn sy'n torri 'nghalon i ydi'r peth ddaru chi ddeud amdanoch ych hun. Mi wyddwn ych bod chi'n cymyd diod – ond rhaid i mi ddeud na weles i 'rioed arwydd diod arnoch chi – mi wyddwn ych bod chi'n dŵad i gysylltiad â phob math o ddynion; ond 'roeddwn i bob amser yn credu ych bod chi yn ddyn gonest, geirwir, a duwiol, a dene oedd cysur penna 'mywyd i. Ond ar ôl y pethe ddaru chi ddeud neithiwr, fedra i ddim meddwl felly amdanoch 'rŵan."

"Rhaid i mi gydnabod, Sarah," ebe'r Capten, "mai chwi, o bawb, ac eithrio'r Hollwybodol, sydd yn fy adnabod i orau, a phe na bawn yn adnabod fy hun, mi wn at bwy yr awn i gael syniad cywir pa fath un ydwyf. Yr ydych, am hanner oes, wedi cael y cyfleustra gorau i fy adnabod, allan ac allan, fel y dywedir, ac o dan bob amgylchiadau. Ac mae'n rhyfedd meddwl, Sarah, fel y syniad oedd gennych amdanaf – syniad a gymerodd hanner oes, fel y dywedais, i'w ffurfio a'i gadarnhau, wedi ei ddymchwelyd mewn un awr – yn wir, mewn hanner awr, os nad llai na hynny. Yr wyf yn dueddol, mi wn – mae o ynof erioed er yn blentyn – i ddibrisio fy hun, ac i osod allan fy meiau – neu, os mynnwch, fy mhechodau – mewn gwedd, a dwued y lleiaf, dipyn yn eithafol. Mewn geiriau eraill, y mae mwy o'r *publican* ynof nag o'r Pharisead. Ac eto, Sarah, yr wyf yn credu y gwnewch *admitio*, a hynny'n rhwydd, nad ydyw cyfaddefiad o feiau yn beth dieithr i dduwiolion. Yn wir, yr wyf yn meddwl y gellir dweud – a chadw fy hun allan o'r cwestiwn yn y wedd yma – y gellir dweud fod cyfaddefiad bai yn arwydd o ac yn nod o dduwioldeb. Heb i mi nodi mwy nag un – mi gymeraf dipyn ychwaneg o fara, Sarah – *thank you* – heb i mi nodi mwy nag un enghraifft Ysgrythurol – er bod amryw yn dod i fy meddwl – pe meddyliem am Dafydd, pêr-ganiedydd Israel. Pa syniad a ffurfiai ambell ddyn annuwiol – neu, fel y dywedir weithiau – ddyn heb feddu'r ddirnadaeth ysbrydol – am ŵr fel Dafydd pan ddarllenir rhai – *rhai*, meddaf, o'i Salmau? Fe gredai mai'r dihiryn gwaethaf yn y byd ydoedd, pryd, mewn gwirionedd, mai gŵr wrth fodd calon Duw ydoedd Dafydd. Fel y dywedais neithiwr, Sarah, wrth edrych yn ôl ar fy mywyd, tra, ar y cyfan, yn ceisio cadw cydwybod ddirwystr, mae'n rhaid i mi gyfaddef nad ydwyf wedi bod yn berffaith. Ac eto, wrth ystyried nifer crochanau'r byd drwg presennol, yr wyf, o angenrheidrwydd – nid o ddewisiad – wedi troi yn eu mysg, mae'n syndod cyn lleied o'u parddu sydd wedi glynu ynof. Wyddoch *chwi*, Sarah, y nesaf peth i ddim am demtasiynau'r byd, y cnawd, a'r diafol. Yr ydych chwi yma megis mewn *private life* yn gallu myfyrio ar y pethau, a heb lychwino dim ar eich ysbryd, tra wyf fi yn gorfod troi ymhlith pob math o ddynion, ac, fel yr Apostol, yn gorfod gwneud fy hun yn bopeth i bawb, nes y byddaf, weithiau, yn teimlo, fel yr oeddwn neithiwr, wrth gymharu fy mywyd â'ch bywyd chwi, yn edrych arnaf fy hun fel rhagrithiwr twyllodrus, er nad wyf yn un felly. Ond pwy ŵyr na chedwir finnau! Wnaed mohonom i gyd i fyw bywyd *private*, ac mi fyddaf yn meddwl fod yn yr Efengyl ddarpariaeth ar gyfer pob dosbarth ohonom, a bod ei Hawdwr yn cymryd i ystyriaeth ein gwahanol amgylchiadau."

"Mae'n dda gan 'y nghalon i'ch clywed chi'n siarad fel ene, Richard," ebe Mrs. Trefor, wedi iacháu gryn lawer. "'Doeddwn i prin yn credu mai chi oeddach chi neithiwr. Mi ddaru chi 'nychrynu i yn arw, Richard, a mi feddylies yn siŵr mai dyn digrefydd oeddech chi, a bod chi wedi 'nhwyllo i ar hyd y blynydde."

XVI

GŴR A GWRAIG

TEIMLAI'R Capten yn llawen iawn ei fod unwaith eto wedi ennill ymddiried trylwyr ei wraig, ac ebe ef –

"Nid oeddwn heb ofni, Sarah, eich bod wedi ffurfio syniad anghywir amdanaf – a hynny mewn tipyn o frys. Mewn llawer o bethau yr ydym ni bawb yn llithro. Ond er bod dyn yn aml, fel y mae gennym amryw o enghreifftiau, yn *cael* crefydd mewn noswaith, nid oes gennym, hyd yr wyf yn cofio, sôn am neb yn ei *cholli* mewn noswaith. Mae *pressure* amgylchiadau, weithiau, yn peri i ddyn siarad amdano ei hun mewn gwedd na fynnai ei harddel yn ei funudau mwyaf tawel. Yn wir, y mae gennym enghreifftiau o ddynion gorau'r byd – dan bwys gofalon mawr, gofidiau, a themtasiynau'r byd drwg presennol – yn siarad amdanynt eu hunain fel dihirod, er na fynnai neb o'u cydnabod eu hystyried felly. Mi wn fy hun, Sarah, am fwy nag un dyn da wrth roi ffordd yn ormodol i beth fel hyn, a gyflawnodd hunanladdiad mewn hunanffieiddiad. Perygl pob dyn meddylgar, fel fy hunan, ac ymwybodol o'i ddiffygion ydyw, fel y dywed y Sais, bod yn *morbid*. Ond dyna oeddwn yn mynd i'w ddweud, Sarah, mi wn fy mod neithiwr wedi siarad amdanaf fy hun dipyn yn eithafol, er nad yn anysgrythurol, oblegid y mae'r galon yn fwy ei thwyll na dim – yn ddrwg diobaith. Ond yr wyf yn hyderu, Sarah, ein bod, erbyn hyn, yn deall ein gilydd, ac er eich bod chwi, am foment, megis, wedi fy ngholli yn y fintai, yr wyf yn hyderu, meddaf, eich bod yn argyhoeddedig, erbyn hyn, mai'r un ffordd yr ydym ein dau yn ei cherdded. Ond, fel y mae yn digwydd yn rhy fynych, yn y fuchedd hon, rhaid i ni adael y pethau gwir bwysig – hynny ydyw pethau yr ysbryd, a dod i lawr i ystyried ein hamgylchiadau bydol. Mae gorthrwm y presennol, fel y dywed y Sais, yn beth digon anhyfryd, ond ni allwn ymysgwyd oddi wrtho. Y ffaith ydyw, Sarah, fel y dywedais neithiwr, fe fydd diwedd buan ar Bwll-y-gwynt; ac felly, o angenrheidrwydd, ar fy incwm innau. Mi ddywedais wrth Kitty am beidio galw ar Susi i godi er mwyn i mi gael hamdden i siarad gair â chwi, Sarah. Nid ydyw pobl ifainc ddibrofiad bob amser yn gall, ac er nad oes fawr berygl iddi wneud, yr wyf eisiau i chwi, Sarah, roi Susi ar ei siars i beidio sôn gair am ddim a ddywedais neithiwr, a'i chyfarwyddo, yn eich ffordd eich hun, yn yr eglurhad yr wyf wedi ei roi i chwi, Sarah, hynny ydyw, am yr amgylch-iadau a fy ymddygiad innau neithiwr. Yr adeg yma ddoe yr oedd y dyfodol yn ymddangos i mi yn dywyllwch perffaith; ond erbyn bore heddiw yr wyf yn credu, Sarah, fy mod yn gweld cwmwl megis cledr llaw gŵr, er nad ydyw'r gymhariaeth, hwyrach, yn briodol, ond yr ydych yn deall fy meddwl, Sarah. Mae'r posibilrwydd i mi allu cadw cartref cysurus yn dibyn-nu'n hollol ar a allaf fi ddechrau gwaith *mine* newydd, ac mae'r posibilrwydd hwnnw'n dibynnu i raddau mawr ar Mr. Enoc Huws, Siop y Groes. Os ymuna Mr. Huws â ni, ac yr wyf yn mawr gredu y gwna, mae gennyf obaith am fywoliaeth gysurus eto; ond os gwrthoda Mr. Huws, nid oes gennyf, ar hyn o bryd, neb arall mewn golwg. Mae gennyf bob lle i gredu fod gan Mr. Huws lawer o arian, ac y mae cael un o'i fath ef i gychwyn gwaith yn well na chael cant o dlodion. Mewn gair, mae fy ngobaith am gael dod allan o fy nryswch presennol yn dibynnu'n hollol ar Mr. Huws. Os try ef ei gefn arnaf, Rhag-luniaeth fawr y Nef a ŵyr beth ddaw ohonom. Yn awr, Sarah, mi ddaru mi grybwyll wrthych neithiwr, mewn byr eiriau, am beth arall. Mae'r cwestiwn yn *delicate*, mi wn, ond, fel y gwydd-och, mae Susi yn dechrau mynd i oed, ac fe ddylasai'r eneth fod wedi priodi cyn hyn, a gwneud cartref iddi hi ei hun, oblegid 'does neb ŵyr beth all ddigwydd i mi, yn enwedig gan nad ydyw fy rhagolygon – er nad ydynt yn ddiobaith – mor ddisglair ag y buont. Wel, yr wyf yn meddwl, Sarah, fy mod yn adnabod dynion yn weddol – hynny yw 'does dim eisiau i neb

eu sillebu i mi – mi fedraf eu darllen. Os nad wyf yn cam-
gymryd – ac yr wyf yn meddwl y cewch fy mod yn iawn, amser
a ddengys – yr wyf yn credu fod gan Mr. Huws feddwl am
Susi. Hwyrach nad ydyw Mr. Huws ddim y peth y darfu i ni
un tro feddwl i Susi ei gael – hwyrach nad ydyw'r peth y buasai
hi ei hun – heb ei chyfarwyddo – yn gosod ei bryd arno. Ond
y mae'r amgylchiadau wedi newid, a hyd yn oed pe na buasent
wedi newid, yr wyf, o'm rhan fy hun, yn methu gweld pam na
wnaethai Mr. Huws burion gŵr i'r eneth. Beth ydych yn
ddweud am hyn, Sarah? Yr ydych yn dallt fy meddwl?"

"Ydw, Richard," ebe Mrs. Trefor, "yr ydw i'n dallt ych
meddwl chi'n burion; ond ddymunwn i ddim *fforsio'*r eneth i
gym'yd neb. A pheth arall, hwyrach, pan ddoiff Mr. Huws i
ddallt yn bod ni'n dlawd na feddyliff o ddim chwaneg am
Susi.

"Yr ydych yn dallt calon *merch*, Sarah," ebe'r Capten –
"'does neb, hyd y gwn i, yn ei dallt yn well, ond 'dydach chi
ddim yn dallt calon *dyn*. Yr ydych yn cofio'n burion, Sarah,
pan ymserchais i ynoch chwi, i minnau fod dan yr argraff eich
bod yn meddu tipyn o arian – yn wir, eich bod yn gyfoethog;
ond – maddeuwch y crybwylliad – 'ddaru mi ddim sôn am y
peth o'r blaen, hyd yr wyf yn cofio, ond unwaith, a hynny'n
gynnil – chwi wyddoch, meddaf, faint o eiddo a gefais i hefo
chwi, ond a ddarfu i hynny leihau un *iota*, fel y dywedir, ar fy
serch i atoch? Dim, Sarah, dim. Yn wir, erbyn hyn, mae'n dda
gennyf gofio na chefais i ddim gyda chwi, ond yr hyn oedd
ynoch chwi eich hun – ac yr oedd hynny'n ddigon. Cofiwch,
Sarah, fy mod yn crybwyll hyn gyda'r unig amcan o ddangos i
chwi pan fydd gŵr ieuanc wedi gosod ei fryd ar ferch ieuanc,
na wnaiff dod i wybod nad ydyw gwrthrych ei serch yn meddu
ar gyfoeth, beri iddo newid ei fwriadau tuag ati, na lleihau dim
ar ei serch, ond yn hytrach i'r gwrthwyneb. O leiaf, dyna ydyw
fy mhrofiad i, ac yr wyf finnau wedi fy ngwneud o'r un
defnydd â'r hil ddynol yn gyffredin. Heblaw hynny, yr wyf yn
methu gweld paham y rhaid i Mr. Huws, na neb arall, gael
gwybod ein bod yn dlawd, ar hyn o bryd, fodd bynnag."

"Mae gen i ofn, Richard," ebe Mrs. Trefor, "na fydd gan Susi feddwl yn y byd o Mr. Huws. 'Does gen i fy hun ddim yn y byd i'w ddweud am y dyn – mae o'n riol, am wn i – ond mi fydd yn od gen i os leiciff Susi o."

"Dyletswydd rhieni, Sarah, fel y gwyddoch," ebe'r Capten, "ydyw cyfarwyddo eu plant, a dyletswydd plant ydyw ufudd-hau, heb ofyn cwestiynau. A sôn am 'leicio' – a leiciff hi, tybed, fynd i wasanaeth? A leiciff hi olchi'r lloriau efo pob math o Mary Ann a Mary Jane, ac ymgymysgu hefo pob *sort* o strwt? Mae'n rhaid i chwi, Sarah, egluro iddi, mewn iaith na all ei chamgymryd, nad oes dim ond *menial work* o'i blaen, os na bydd hi'n gall a synhwyrol yn yr amgylchiad hwn. Pa fodd bynnag, mae'n rhaid i mi ofyn hyn gennych chwi a chan Susi, sef rhoddi pob parch a chroeso a sylw dyladwy i Mr. Huws pan ddaw o yma. Mae ein bywoliaeth, fel teulu, yn dibynnu ar ei ie neu ei nage ef. Ydach chwi'n dallt fy meddwl, Sarah? Ond dyma Susi yn dod i lawr y grisiau, a dyma finnau'n mynd i'r Gwaith. Cofiwch, Sarah, fy mod yn disgwyl y byddwch wedi gwneud pethau'n *straight* cyn i mi ddod yn ôl."

"Mi 'na 'ngore, Richard," ebe Mrs. Trefor.

"*Very good*," ebe'r Capten, ac ymaith ag ef cyn i Susi gyr-raedd gwaelod y grisiau.

XVII

Y FAM A'R FERCH

WEDI treulio blynyddoedd mewn llwyddiant a llawnder – wedi hanner oes o fwynhau cysuron bywyd yn ddibrin ac yn ddibryder, peth digon annymunol ydyw bod yr amgylchiadau yn dechrau cyfyngu – y cysuron yn graddol leihau, a hyd yn oed dlodi – er nad yn ymyl – eto'n ein haros acw yn y fan draw. Ond mwy gofidus, gallwn feddwl, ydyw tybied ein bod mewn clydwch a digonedd, fod i ni etifeddiaeth deg, ac y byddwn farw yn ein nyth, ac ar unwaith ddod i ddeall ein bod yn dlawd a llwm. Y mae fel crwydryn a fai'n breuddwydio ei fod mewn gwledd ddanteithiol, ac yn mwynhau rhialtwch ac ysbleddach, ac yn deffro'n sydyn i gael ei hun ar ei gythlwng ac yn anniddos.

Druan oedd Susan Trefor! Gyda'r eithriad o'r tipyn helynt a fu rhyngddi hi a'i thad ynghylch Wil Bryan, ni wyddai hi, hyd yn hyn, ddim am brofedigaeth a chroeswynt gwerth sôn amdano. Yr oedd wedi byw gan mwyaf ar "*ideas*" a gogoniant dyfodol, heb arni na phryder na phoen. Pa beth bynnag oedd ddiffygiol yn ei chymeriad, yr oedd ei rhiaint mor gyfrifol amdano, os nad yn fwy felly, na hi ei hun. Nid oedd hi, yn naturiol, yn amddifad o dalent, a phe cawsai well magwraeth, diau y buasai hi'n eneth bur wahanol i'r hyn ydoedd yr adeg yr ydwyf yn sôn amdani. Yr wyf yn meddwl fy mod wedi dweud o'r blaen yr ystyrid Susan Trefor yn ferch ieuanc hynod o brydferth. Trwy eu trwynau cydnabyddid hi felly gan y rhai nad oeddynt yn ei hoffi. Yr hyn a amharai fwyaf ar ei phrydferthwch oedd y ffaith amlwg ei bod hi ei hun yn rhy ymwybodol ohono. Ni byddai Susan byth yn esgeuluso gwneud defnydd o bopeth i ymharddu. Fel y rhos, yr oedd Susan cyn dwtied a dymunol yr olwg yn y bore cyntaf ag yn yr hwyr, a chan nad pa mor gynnar yr eid i Dyn-yr-ardd ni ellid dal Susan yn ei *déshabillé*. Yr oedd bob amser yn barod i gael tynnu ei llun, ac yr wyf yn mawr gredu, pe na buasai llygaid i edrych arni, mai ychydig fuasai'r gwahaniaeth yn ei hymddangosiad, oblegid gwisgai, debygid, yn fwy i foddhau ei hun nag i foddhau neb arall.

Ond y bore y cyfeiriwyd ato yr oedd cyfnewidiad yn ym-ddangosiad Susan Trefor – cyfnewidiad mor amlwg nes tynnu sylw ei mam y foment yr edrychodd arni. Ymwisgasai'n nod-edig o blaen, a'r "hen ffroc gotyn" yn hongian ar ei braich. Amlwg ydoedd fod hynny o gysgu a gawsai wedi ei wasgu i'r ychydig oriau cyn codi, yr hyn a barai i'w llygaid ymddangos yn chwyddedig a chlwyfus. Cyn gynted ag y daeth Susi i'r ystafell, cymerodd yr ymgom ganlynol le rhyngddi hi a'i mam:

"Be ydi nene sy gynnat ti dywed? Wyt ti'n mynd i'w rhoi hi i rwfun?"

"Nag ydw, Mam; 'rwyf am ei haltro i mi fy hun."

"Hon ene! Be sy arnat ti, dywed, wyt ti'n gwirioni?"

"Hwyrach 'y mod i, wir, Mam. Mi wn 'y mod i wedi bod yn ddigon gwirion am lawer o flynyddoedd, ond 'dydi hi ddim yn rhy hwyr i mi dreio gwella."

"Am bewt ti'n sôn? 'Dydw i ddim yn dy ddallt di."

"Ddim yn 'y nallt i ar ôl y peth ddeudodd 'y nhad neithiwr? 'Rydw i, erbyn hyn, yn dallt fy hun yn burion – mai *humbug* ydw i wedi bod ar hyd y blynyddoedd, yn rhoi *airs* i mi fy hun, fel y deudodd 'y nhad. Ond 'dydw i ddim am fod yn *humbug* ddim chwaneg. Os geneth dlawd ydw i, fel geneth dlawd 'rydw i am wisgo."

"Paid â moedro, 'ngeneth bach i. 'Doedd dy dad ddim yn meddwl hanner y pethe oedd o'n ddeud neithiwr. 'Roedd o wedi cynhyrfu, wyddost, achos ma gynno fo gimin o bethe ar ei feddwl."

"Bydase fo wedi deud tipyn o'i feddwl i ni yn gynt, mi fase ganddo lai ar ei feddwl. 'Dydw i ddim yn ystyried fod 'nhad wedi bod yn onest efo ni – os bu o'n onest efo rhwfun."

"Susi! Rhaid i mi ofyn i ti beidio siarad fel ene am dy dad –

wyddost di ddim byd am fusnes nac am y profedigaethe y mae dy dad wedi bod ynddynt. Yn wir, erbyn i mi gysidro pethe, mae'n syn gen i sut mae wedi gallu cadw'i grefydd. Mae'n rhaid fod o wedi cael help oddi uchod. Ac mor geind yno fo! yn cadw'r helynt i gyd iddo fo'i hun rhag yn gwneud ni'n anghyfforddus."

"Sut bynnag, mi wyddom yrŵan, Mam, am ein gwir sefyllfa – mi wyddom ein bod wedi twyllo ein hunain a thwyllo ein cymdogion – mi wyddom ein bod yn dlawd, ac y byddwn yn dlotach yn y man, a 'dydi o ddim ond *humbug* i ni ymddangos fel arall. Mae'n well gen i gael deud fy hun wrth bobol ein bod yn dlawd nag iddyn nhw ddeud wrtho' i."

"Dim ffasiwn beth! paid â gwirioni, eneth! On' ddeudes i nad oedd dy dad ddim yn meddwl hanner y pethe oedd o'n ddeud neithiwr? Wedi cynhyrfu 'rodd o, a 'does dim isio i ti sôn gair am y peth wrth neb. Mi wyddost mor glyfar ydi dy dad, yn wir, rhy glyfar ydi o, a dene sut mae pobol ddim yn ei ddallt o. A bydae Pwll-y-gwynt yn darfod, mi fedr dy dad ddechre gwaith arall ar unwaith. Yn wir, y mae o'n *mynd* i ddechre un rai o'r dyddie nesa 'ma, fel y cei di weld, ac mi fydd cystal arnom ni ag y bu hi 'rioed."

"Wyddoch chi, Mam? 'rydw i'n teimlo'n rhyfedd – fedra i ddim deud mor rhyfedd 'rydw i'n teimlo. 'Rydw fel bydawn i wedi bod yn breuddwydio ar hyd f'oes, ac newydd ddeffro i realeisio sut y mae pethe. Wrth feddwl sut yr ydw i wedi byw, sut yr ydw i wedi ymddwyn at bobol gan mil gwell na fi fy hun, ac am fy *airs*, chwedl fy nhad, wn i ddim sut i ddangos 'y ngwyneb i neb, ac mae gen i'r fath gwilydd nes ydw bron â marw! Meddyliwch be ddeudiff pobol! Y fath *sport* wnân nhw ohonom ni! A fedra i byth eu beio nhw am hynny. Chysges i winc dan saith o'r gloch y bore, ac 'rydw i'n credu 'y mod wedi meddwl mwy neithiwr am bethe y dylaswn i fod wedi meddwl am danyn nhw o'r blaen nag a feddylies drwy fy holl oes, ac 'rydw i'n gobeithio 'y mod i yn dipyn callach nag y bûm i 'rioed."

"Mae'n dda gen i dy glywed di'n siarad fel ene, Susi. 'Roedd gen i ofn mai rhyw ymollwng a thorri dy galon a faset ti. Yn

wir, mae dyn yn cael help yn rhyfedd, ond 'rydw i'n ofni dy
fod di wedi cymyd atat yn ormod o lawer y peth a ddeudodd
dy dad neithiwr. Mi ddeudiff dyn yn ei ffrwst bethe na ddyle
fo ddim, ac mae'r calla'n colli weithie. Erbyn i dy dad 'sbonio i
mi neithiwr a bore heddiw, 'dydw i ddim yn gweld y bydd raid
i ni – yn ôl fel mae pethe'n edrach – newid dim ar yn ffordd o
fyw, achos mae isio i ni gofio pwy yden ni o hyd, a bydaen ni'n
altro mi 'naen ddrwg i dy dad ac i ni'n hunen, ac mi âi pobol i
siarad yn bethma amdanon ni. 'Does ene *harm* yn y byd bod
yn gall, fel 'roeddet ti'n sôn, a hwyrach y dylen ni dreio peidio
bod cweit mor strafigant, ond, hyd y gwela i, 'does dim isio i ni
altro yn ein ffordd o fyw, eto, beth bynnag."

"Pa ole ydach chi wedi gael, Mam, ar y pethe ddeudodd 'y
nhad neithiwr? A sut 'roedd o'n 'sbonio am fod mor gas hefo
chi? Ai swp o glwydde oedd y cwbl ddeudodd o?"

"Nage; nid dyn i ddweud celwydd ydi dy dad, a phaid â gadel
i mi dy glywed di'n siarad fel ene eto. Mi wyddost o'r gore
'mod inne wedi cael 'y nychrynu a 'mrifo efo'r peth ddeudodd
o. Ac mae amgylchiade, weithie, yn newid mewn 'chydig
oriau. Pan oedd dy dad yn siarad neithiwr 'roedd bron wedi
drysu efo cymin ar ei feddwl. Ac mi fûm yn synnu lawer
gwaith fod o heb ddrysu, a rhaid fod ganddo synnwyr mwy na
dyn i fedru dal y cwbwl. Ie, fel 'roeddwn i'n deud, 'roedd hi'n
edrach yn ddu iawn arno fo. Ond mi ddôth Mr. Huws, Siop y
Groes, yma, ac mae Mr. Huws am *joinio* dy dad i gael gwaith
mein newydd, ac mae gen i barch calon iddo, ac mi dreia
ddangos hynny hefyd. 'Rydw i bob amser yn deud mai dyn
clên iawn ydi Mr. Huws, ac erbyn i mi feddwl, 'rydw i'n synnu
bod ni wedi gwneud cyn lleied ohono fo. Ddaru mi fawr
feddwl mai Mr. Huws fase ffrind penna dy dad. Er i mi glywed
mai fo ydi siopwr gonesta'r dre, 'ddaru mi rywsut 'rioed ddelio
efo fo, ond yno 'rydw i am ddelio'r cwbwl o hyn allan, wired â
'mod i'n y fan yma. Erbyn meddwl, mae'n rhyfedd fod Mr.
Huws heb briodi, achos 'roedd dy dad yn deud fod o'n gefnog
iawn. Ond ddyliwn na ddaru'r dyn ddim meddwl am briodi,
ne, mi wn, y base'n dda gan ambell un ei gael o'n ŵr."

"'Rydw i'n methu gweld, Mam, os bydd gan ddyn lawer ar ei feddwl pam y dyle hynny neud iddo siarad yn gas ac *insulting* efo neb. 'Roedd 'y nhad yn ffiedd o gas efo chi a finne neithiwr, ac 'roeddwn i'n credu ei fod o'n feddw ne'n drysu yn ei synhwyre. Ond 'doedd o ddim yn feddw, ne fase fo ddim yn gallu mynd dros hanes ei fywyd mor fanwl."

"'Rydw i'n cyfadde, Susi, na chlywes 'rioed mo dy dad yn siarad 'run fath, ac ar y pryd mi ddaru 'mrifo i'n arw. Ond 'rydw i'n madde'r cwbwl iddo ar ôl ei glywed o'n 'sbonio'i hun. Yn wir, mi fase'n werth i ti glywed o bore heddiw'n deud ei deimlad – *rodd* yn ddrwg gynno fo. Wydde fo ddim be i neud iddo fo'i hun. Chlywes i neb erioed – hyd yn oed yn seiat – yn deud ei brofiad yn fwy rhydd a melys. Wrth sôn am y seiat, mi fase'n dda gen i bydase dy dad yn fwy rhydd yn seiat, fel 'rydw i wedi deud wrtho lawer gwaith. Mae ganddo ddawn at hynny, ac mi fydde'n drêt ei glywed o, ac mae isio mwy o hynny yn y dyddie yma, yn sicir ddigon."

"Mi fydde gan 'y nhad brofiad rhyfedd."

"Bydde, wel di, ac mi fydde. Mae o wedi gweld cymin, ac wedi cymysgu cymin efo pobol annuwiol, ac wedi cael ei demtio gymin gan y byd, y cnawd, a'r diafol, fel 'roedd o'n deud, ac eto wedi cael nerth i ddal trwy'r cwbwl."

"Be bydae o'n digwydd deud y profiad a gawson ni ganddo neithiwr, Mam?"

"Paid â siarad yn wirion, da ti. Mi wyddost o'r gore nad oedd dy dad ddim fel y fo'i hun neithiwr, ac 'rydw i'n fecsio 'nghalon na faset ti'n ei glywed o'n rhoi rheswm am bopeth. 'Roedd yn biti gen i glywed o mor edifeiriol, ac 'roedd ganddo 'Sgrythur ar bopeth. Ond dene oeddwn i'n mynd i ddeud – rhaid i ni neud yn fawr o Mr. Huws, achos 'roedd dy dad yn deud y bydde'r cwbwl yn dibynnu arno fo wrth gychwyn y gwaith newydd, gan fod Mr. Huws mor gefnog. Ond mi ofaliff dy dad, mi wn, i Mr. Huws gael ei arian yn eu hôl gydag *interest*."

"Os oes gan Enoc Huws arian, fel y mae'n ddiame fod, mi faswn i yn ei gynghori i gymryd gofal ohonynt, Mam."

"Llawer wyddost di am fusnes. Be ddôi o'r byd, fel y clywes i dy dad yn deud, bydae pawb yn cadw eu harian a neb yn mentro. Ac wyt ti'n meddwl fod dy dad a Mr. Huws mor wirion â dechre gwaith newydd a gwario'u harian, oni bai bod nhw'n siŵr y cân' nhw'u harian yn ôl a llawer chwaneg?"

"Mi wn hyn, Mam, nad oes gan 'y nhad, yn ôl ei eiriau ei hun, ddim arian i'w gwario na'u colli, ac os bydd Enoc Huws yn ddigon dwl i godlo efo gwaith mein y bydd yntau'n fuan yr un fath, neu mae'n rhyfedd gen i."

"Be sy arnat ti, dywed? On'd oes ene lawer wedi'u gneud yn fyddigions wrth fentro?"

"Oes, dyna Hugh Bryan a William Denman!"

"Nage, nid Hugh Bryan a William Denman, er mor *sharp* yr wyt ti! Rhaid i rwfun golli, ne mi fydde pawb yn fyddigions. Ac mi glywes dy dad yn deud nad oedd gan Hugh Bryan ddim busnes i fentro."

"Ie, ar ôl iddo wario'r cwbwl."

"Arno fo 'roedd y bai am hynny; a be wydde dy dad faint oedd ei gwbwl o?"

"Gwydde o'r gore."

"Dyma ti, Susi; bydae dy dad yn dy glywed di'n siarad fel ene, mi gnocie dy ben di yn y pared!"

"Mi gnocie beth digon gwag yn y pared, byd a'i gŵyr."

"Wyddost di be, Susi, 'rwyt ti'n siarad fel ffŵl!"

"*Thank you*, Mam," (Susan yn crio'n hidl).

"Susi, mae'n ddrwg gen i 'mi arfer y gair ene. Paid â chrio a bod yn wirion. Ond yn wirionedd mae rhw gyfnewidiad rhyfedd wedi dod drostot ti: Chlywes i 'rioed monot ti o'r blaen yn siarad yn amharchus am dy dad. Mi wyddost na fu rioed glyfrach tad na gwell tad, ac mae o'n 'y mrifo i fwy nag a fedra i ddeud dy glywed di'n siarad fel ene. Gweddïa am ras i weld dy ffolineb, 'y ngeneth bach i. Mi wn fod gynnot ti flys gwastad, bydae ti'n gwbod sut, rhoi Hugh Bryan ar draws dannedd dy dad, ac 'rydw i'n meddwl y gwn i'r rheswm am hynny, ond 'roeddwn i'n credu fod ti bron anghofio'r gwiriondeb hwnnw."

"Anghofia i byth mono, Mam. Ac erbyn hyn 'rydw i wedi cael gole newydd ar y cwbwl. Mi wn na ddaru mi 'rioed gymeryd *interest* ym Mhwll-y-gwynt – wyddwn i ddim amdano ond fel 'roeddwn i'n digwydd gwrando ar ambell air a ddywedai 'nhad wrth bobol eraill. Ond 'roedd 'y nghalon bron torri pan dorrodd Hugh Bryan i fyny ar ôl colli'i arian i gyd yn y Gwaith. Ond 'roeddwn i'n credu nad oedd dim bai ar fy nhad. Ond be ddeudodd o neithiwr? Ddeudodd o ddim fod o'n gwybod o'r dechrau nad oedd ene ddim plwm yn Mhwll-y-gwynt? Ac eto 'roedd o'n gallu edrach ar Hugh Bryan yn taflu ei arian i ffwrdd nes iddo golli'r cwbwl, ac mae o'n dal i adael i Mr. Denman neud yr un peth o hyd. Ydi peth fel hyn yn onest, Mam?"

"Mi wela, fy ngeneth, fod tithe fel finne wedi cam-ddallt dy dad, ac mi wn mai ni ddaru gam-ddallt, ac nid y fo gam-ddeud. *Yrûan* y mae o'n gallu deud nad oes ene ddim plwm ym Mhwll-y-gwynt, ond wydde fo mo hynny hyd yn ddiweddar. Sut y galle fo wybod? Rho dy reswm ar waith. Er mor glyfar ydi o 'does dim rheswm i neb ddisgwyl i hyd yn oed dy dad wybod be sydd ym mherfedd y ddaear nes iddo fynd yno i chwilio a chwilio'n fanwl. Ac er bod gynno fo *idea* go lew – gwell na neb arall mi wn – lle mae plwm i'w gael, mae dyn fel fo yn misio weithie."

"Peth rhyfedd iawn, Mam, i ni'n dwy gam-ddallt 'y nhad. Ond mae'n dda gen i glywed mai fel yna 'roedd hi – *os* fel yna 'roedd hi hefyd."

"'Does dim *os* amdani, Susi, on'd oedd dy dad yn deud â'i dafod ei hun mai fel yna *yr* oedd, a sut y medri di feddwl fel arall? Bydae pawb yn y byd 'ma mor onest â dy dad, fe fydde golwg arall ar bethe'n bur fuan, ac mi fydde. 'Does gynnon ni, mwy na neb arall, wyddost, ddim lle i ddisgwyl cael popeth fel yden ni isio. Ac yn y *long run* fydde fo ddim er ein lles. Cheir mo'r melys heb y chwerw, medde'r hen air, ac mae'r cwbwl er ein lles ysbrydol, fel 'roedd dy dad yn deud. Os cei di fyw i f'oed i ..."

Ar hyn daeth y forwyn i mewn.

XVIII

CURO'R TWMPATH

"Iᴇ ," ebe Mrs. Trefor, wedi i'r forwyn fynd allan, "os cei di fyw
i f'oed i – ac 'rydw i'n gobeithio y cei di, ac yn llawer hŷn – mi
gei lawer o bethe na leici di monyn nhw."

"Yr ydw i wedi cael llawer o'r rheiny heb ddŵad i'ch oed
chi, Mam."

"Wyddost di mo d'eni eto, wel di, yn enwedig erbyn y dôi
di i ddechre byw, hynny ydi, pan ddaw gofal tŷ a theulu arnat
ti. Ac yn wir, Susi, mi leiciwn dy weld di wedi setlo i lawr –
wedi priodi a gneud cartre i ti dy hun, achos, yn ôl trefn natur,
fydd dy dad a finne ddim efo ti am byth, wyddost. 'Rydw i
wedi meddwl llawer am hyn yn ddiweddar."

"Dydi'r *prospect* ydach chi wedi'i dynnu ddim yn ddymunol
iawn, Mam, ac os peth fel yna ydi 'setlo i lawr', mae'n well gen
i beidio gwybod 'y ngeni. A ddaru chi 'rioed o'r blaen, mi
wyddoch, Mam, siarad yn y dôn yna am setlo i lawr. Ddaru
chi 'rioed sôn am ofal tŷ a theulu ac am wybod 'y ngeni, a
phethe felly. Ai nid am beidio taflu fy hun i ffwrdd – am
beidio edrach ar neb ond rhai gwell na fi fy hun – am gofio
pwy oeddwn – am ddal 'y mhen i fyny – ac aros fy amser, ai
nid am bethe felly y byddech chi byth a hefyd yn siarad?"

"Mae tipyn o wir yn y peth wyt ti'n ddeud, Susi, ond mi
wyddost mai dy les di oedd gen i mewn golwg bob amser, a
'does gen i ond deud 'run fath â dy dad – nad ydw inne ddim
wedi bod yn berffaith efo popeth. Ac mi rof eto yr un cyngor i
ti – '*does* dim isio i ti dywlu dy hun i fwrdd, fel y byddan
nhw'n deud. Mi 'na addef nad ydi pethe ddim yn edrach cweit
mor bethma efo ni ag y buon nhw, a hwyrach na chei di ddim
gŵr mor *respectable* ag y baswn i'n dymuno i ti gael. Ond

bydaet ti'n rhoi dy feddwl ar hyny, a bod yn gall, a pheidio, hwyrach, cadw cweit mor ddustant efo rhai tebyg i ti dy hun, a bod yn ffri, mae digon eto, wel di, o ddynion da i'w cael."

"Ymhle, Mam? Wn i am neb mor wirion. A be wnawn *i* yn wraig i 'ddyn da'? Rhyw ddol fel fi! Heb erioed arfer gwneud dim ond segura, gwisgo, a dangos fy hun? Pe cawn i'r cynnig fydde gen i mo'r gydwybod i dwyllo un dyn da. 'Rydw i wedi newid 'y meddwl am bopeth, Mam, er neithiwr."

"Ddyliwn i wir! Mae gen i ofn fod gormod o natur dy dad ynot ti – meddwl rhy fach ohonot dy hun. Felly mae dy dad; fel y deudes i wrtho lawer gwaith, a ddyliwn fod tithe'n mynd ar ei ôl o. A be ydi dy feddwl di'n galw dy hun yn ddol? Mi fase'n o arw gynnot ti glywed neb arall yn deud hynny, mi dy wranta."

"Dim o gwbwl, Mam. Be ydw i ond dol? Mi wyddoch o'r gore na ddaru mi 'rioed bobi, na golchi, cwcio, na smwddio, cynnau'r tân na golchi'r llestri. Ches i 'rioed 'y nysgu i neud pethe felly, ond codlo efo miwsig – gwneud *slipper tops* – *antimacassars*, a rhw faw felly, a chael rhoi ar ddeall i mi o hyd fod rhywun mawr i ddŵad i neud *lady* ohono' i, ac yn y diwedd 'y nhad yn deud y bydde raid i mi ddŵad i lawer beg neu ddau, a chym'yd rhwfun y medrwn i gael gafael arno – *miner* cyffredin ne rwfun! O, Mam, mae gen i g'wilydd ohonof fy hun – 'rydw i'n *libel* ar yr enw merch!"

"Wyddost ti be? 'roeddat ti'n deud gynne fod ti'n ofni fod dy dad yn d'rysu'n ei synhwyre, ond yr ydw i agos yn siŵr fod *ti*'n d'rysu. On'd oes ene gannoedd o ferched sy wedi'u magu yn *respectable* na wyddan nhw ddim am y pethe wyt ti'n sôn amdanyn nhw? Gwaith morwyn ydi'r pethe ene, er nad oes dim *harm* fod pawb yn eu medryd nhw *in case* y bydd *raid* eu gneud nhw. A siŵr ddigon pwy bynnag briodi di na chei di forwyn?"

"'Dydi *miners* ddim yn cadw morwynion, Mam."

"Paid â chyboli, da ti, a phaid â harpio ar y gair ene ddeud-odd dy dad yn ei wylltineb neithiwr. Mi fydde'n o arw gen i dy weld di'n priodi meinar, ac mi fydde hefyd. On'd oes ene

113

ddigon o ddynion mewn busnes y bydde'n dda gynnyn nhw dy gael di – geneth fel ti sydd wedi cael ediwceshyn. Ac, yn wir, bydawn i'n mynd yn ferch ifanc yn f'ôl, mi fydde'n well gen i gael dyn mewn busnes yn ŵr na'r peth maen nhw'n alw yn ŵr bonheddig. Mwya ydw i'n ei weld ohonyn nhw sala yn y byd ydyn nhw yn 'y ngolwg i. Ond y mae dyn o fusnes *yn* ddyn o fusnes a llai o lol o'i gwmpas o. Er enghraifft 'rwan, dene rwfun fel Mr. Huws, Siop y Groes; mi fase'n well o lawer gen i briodi rhwfun fel fo na lot o'r rhai sy'n galw eu hunen yn fyddigions."

"At be 'rydach chi'n dreifio, Mam? I beth 'rydach chi'n sôn am Enoc Huws wrtho' i? Ydach chi'n meddwl gneud *match* rhyngo' i ac Enoc Huws? Be ydi'r dyn i mi? Be waeth gen i am Enoc Huws, bydae o gan mil mwy cefnog? Mae'r dyn yn eitha, am wn ni, ond dda gen *i* mono, a dyna ben ar hyn yna."

"Be haru ti, dywed; be 'naeth i ti feddwl 'mod i'n treio gneud *match* rhyngot ti a Mr. Huws? 'Doeddwn i ddim ond yn ei enwi o fel enghraifft. A phaid â bod mor binco! Mae'n debyg arw na dryche Mr. Huws ddim arnat ti! Mi feder dyn fel fo sy'n dda arno gael y neb a fynno. Paid â meddwl! 'dydi gwragedd ddim mor brin â hynny, ŵyr dyn! Mae'n arw o beth na feder un sôn am rwfun fel Mr. Huws heb i ti fynd i feddwl fod un isio gwneud *match*. Dim ffasiwn beth, 'y ngeneth i! ymgroesa! Mae ene ddigon o ferched cystal â tithe y bydde'n dda gynnyn nhw gym'yd Mr. Huws, heb i ti roi pont dy ysgwydd o'i lle! Oes yn eno'r annwyl! Mi fase rhwfun yn meddwl ar dy siarad di 'rwan *just* fod ti am wisgo sachliain a lludw. Ond sefwch o'r gole, pwy ond y ni!"

"'Dydw i'n deud dim, Mam, am Enoc Huws. Mae'r dyn yn eitha – yn ganwaith gwell na fi. Deud yr ydw i na dda gen *i* mono."

"Pwy sy'n hidio pwy sy'n dda gynnot ti a phwy sy ddim ? A rhaid i mi gael gynnot ti beidio galw'r dyn yn Enoc ac yn Enoc o hyd. Mae'i sefyllfa, tybed, yn haeddu iddo gael ei barchu a'i alw'n Mistar cystal ag wyt tithe'n haeddu cael dy alw'n Miss."

"Yn llawer mwy, Mam. 'Dydach chi ddim yn 'y nallt i. Mae

Enoc Huws – neu Mistar Huws, fel yr ydach chi'n dymuno'i alw – yn anhraethol well na fi, ond dda gen *i* mo'r dyn. A be ydach chi'n sôn am i *mi* briodi? 'Does gen i ddim eisiau priodi, a 'dydw i ddim *am* briodi, pe cawn i'r cynnig, nes bydda i'n ffit i briodi. Chaiff yr un 'meinar cyffredin' na 'dyn o fusnes' achos i edifarhau yno' i byth, Mam."

"O, felly! Be bydae Mr. Huws yn newid ei feddwl ac yn gwrthod *joinio* dy dad gyda'r fentar newydd? A leiciet ti fynd i wasanaeth?"

"Leiciwn, Mam, os cawn i felly dysgu *gneud* rhywbeth, a pheidio bod yn *humbug*. A 'dydw'n hidio dim pa un ai newid ei feddwl ai peidio a wneiff En – Mr. Huws. Er ei fwyn ei hun, mi fydde'n well iddo newid ei feddwl, mi gymra fy llw."

"Be sy'n dy gorddi di, dywed? Wyt ti wedi glân hurtio? Os nad oes gynnat ti barch i ti dy hun, oes gynnat ti ddim parch i dy dad a minne? Susi, weles i 'rioed monot ti'n dangos yr ysbryd ene o'r blaen. Mae gen i ofn, 'y ngeneth i, nad wyt ti ddim wedi d'ail eni. Gweddïa am ras, 'y ngeneth bach i, a *chymer* ofal na chlyw dy dad monot ti'n dangos yr ysbryd ene, ne' mi fydd yn y pen arnat ti. A chofia – gwrando be 'dwy i'n ddeud 'rŵan – cofia ddangos pob parch i Mr. Huws pan ddaw o yma, a bod yn suful efo fo, ne' fydd yn fychan gan dy dad dy roi di ar tân."

'Bydae o'n gneud hynny, fydde ene fawr o *fat* nac o golled i neb. Ond peidiwch â phryderu, Mam. O hyn allan, yr ydw i am barchu pawb, ac 'rwyf yn gobeithio na chewch chi na 'nhad le i gwyno 'y mod i'n amharchus o un creadur byw. 'Rydw i am lyfu'r llwch."

"'Rwyt ti am fod yn rhwbeth digon gwirion, mi dy wranta. Ond ddaru mi 'rioed ddisgwyl dy glywed di'n siarad fel hyn, Susi. 'Rwyt ti wedi fy ypsetio i'n arw, a 'rwyt ti bron gneud i mi gredu na wyddost di ddim am ddylanwad crefydd ar dy galon. Yr ydw i wedi deud lawer gwaith wrth dy dad y dylase fo fod wedi cym'yd mwy o drafferth efot ti i dy ddysgu di mewn egwyddorion crefydd, ac mae hynny'n ddigon amlwg erbyn hyn. A beth i feddwl ohonot ni wn i ddim. Ond y mae hyn yn ddigon plaen: er cymin o siamplau da wyt ti wedi weld, fod dy ysbryd di yn ddiarth iawn i bethau crefydd, ne' faset ti byth yn siarad fel 'rwyt ti wedi gneud."

"Yr ydach chi *quite right,* Mam. Wn i ddim am ddylanwad crefydd y Beibl. Os ydw i'n dallt y Beibl – hunanymwadiad, cariad at Dduw, gostyngeiddrwydd, a gweithredoedd da ydi crefydd, ac mae 'mywyd i, hyd yn hyn, wedi bod mor ddieithr i bethe felly â bywyd *Lucifer* ei hun. A deud fy meddwl yn onest wrthoch chi, Mam, 'does dim mwy o debygrwydd rhwng y grefydd a ddysgwyd i mi a chrefydd y Beibl, nag sydd rhwng Beelzebub a Gabriel."

"Susi, be sy arnat ti, dywed? Wyt ti mewn sterics, dywed, i fod yn tyngu ac yn rhegi ac yn enwi'r pethe hyll ene? Ydi'r ysbryd drwg *wedi* dy feddiannu di, dywed?"

"'Dydw i ddim yn tyngu nac yn rhegi, ac am sterics, wn i ddim beth ydi hwnnw."

"Wel, be ydi – dy – feddwl – di – dywed?"

"Fy meddwl i ydi hyn – os gwêl yr Arglwydd yn dda i mi gael byw, na fydda i byth eto yn *humbug.* Er neithiwr, Mam, yr ydw i wedi cael gole newydd ar bopeth, ac mae gen i g'wilydd ohonof fy hun."

"Felly gelli di, os gwn i be ydi be. Er clyfred ydi dy dad, naeth o 'rioed fwy o fistêc na sôn am ei helyntion yn dy glyw di neithiwr, achos wyddost di ddim byd am fusnes, a 'does dim posib rhoi dim yn dy ben di, a feder neb dy droi di os byddi di wedi cym'yd at rwbeth. Mae gystal gen i ag wn i ddim be nad ydi dy dad yn dy glywed di. Ac 'rwyt ti wedi f'ypsetio i gymin fel na wn i yn y byd mawr sut i fynd cyn belled â'r London House, ac eto mae'n rhaid i mi fynd, achos 'roeddan nhw'n deud y bydde'r ddres yn barod i'w ffitio bore heddiw. A bydase tithe yn rhwbeth tebyg i ti dy hun faswn i'n hidio dim ag ordro dres newydd i tithe, er nad oes yr un mis er pan gest un o'r blaen. Ond ni gawn weld tebyg i be fyddi di pan ddo i'n ôl. Gobeithio y byddi di wedi dod o dy stymps, ac y ca i weld tipyn o edifeirwch ynot ti. 'Rydw i'n mynd 'rŵan, Susi – Susi, 'rydw i'n mynd!"

"Purion, Mam."

Exit Mrs. Trefor.

"Rheswm annwyl! be ydan ni fel teulu? Mae Mam neu fi wedi glân ddrysu. Wela i yn 'y myw ddim ond tlodi a gwarth o'n blaene ni. Mae'n rhaid 'y mod i wedi bod yn breuddwydio hyd heddiw. 'Roedd yn gas gen i bob amser glywed sôn am 'fusnes', y 'farchnad', y 'cwmpeini', a phethe felly. 'Roedd yn boen i mi feddwl amdanynt. Pethe i ddynion oeddan nhw, yn ôl 'y meddwl i. 'Y mhwnc i bob amser oedd byw, mwynhau fy hun, a gwisgo a chodlo. Mi wyddwn fod 'y nhad yn glyfar, ac 'roeddwn i'n wastad yn credu ei fod yn gyfoethog. 'Rydw i wedi byw mewn *balloon*, ac wedi dŵad i lawr fel carreg. Ddaru mi 'rioed feddwl – ie, dyna lle 'roedd y drwg – ddaru mi 'rioed *feddwl* am bethe felly, na meddwl fod isio i mi feddwl. Ddaru 'meddwl i erioed ddeffro dan bore heddiw. Ond diolch i Dduw, yr ydw i'n credu fod gen i *feddwl* eto, fel rhw eneth arall. A rhyfedd na faswn i wedi'i golli o a finne heb ei ddefnyddio am g'yd o amser! Ydi 'nhad yn ddyn gonest? Ddaeth y cwestiwn erioed i'm meddwl i o'r blaen, a 'dydi o ddim wedi dŵad i feddwl 'y mam eto. Tybed ai fi sy ddim yn dallt? Ai'r peth oeddwn i'n arfer alw anonestrwydd ydi'r peth y mae eraill yn alw yn fusnes? Wn i ddim beth ydi busnes. 'Roedd gen i *idea* mai rhywbeth syth, *above board* – rhywbeth na fedrai neb ei edliw oedd gonestrwydd. A dene be ydi o hefyd, neu 'rydw i'n *idiot*. 'Roeddwn i'n meddwl fod 'y nhad yn berffaith onest, ac mi fydde'n well gen i farw na ffeindio nad ydi o ddim. Ond y mae rhywbeth yn 'y nghorddi i, chwedl 'y mam – mae meddyliau drwg lond 'y nghalon i. Gobeithio 'y mod i'n methu. Ddaru mi gam-ddallt? Gobeithio. Ond mi wnes un *mistake* – mi feddylies fod 'y nhad a mam wedi bod yn planio gneud *match* rhyngo i ac Enoc. Wn i ddim o ble daeth 'y meddwl i mi os nad o fy *vanity*. O, *vanity* felltith! os ca i fyw, mi dy groga di gerfydd corn dy wddw, mi gymra fy llw! Beth bynnag ddaw ar ôl hyn – beth bynnag fydd ein hamgylchiadau ni – fydd ene ddim chwaneg o *humbug* yn Susan Trefor. Na, dim *humbug*, chwedl Wil, druan."

XIX

PWLL-Y-GWYNT

YMHLITH amrywiol ragoriaethau Capten Trefor, nid y lleiaf, yn ddiamau, oedd ei allu i ragweld digwyddiadau pwysig. Ac ni thrawodd ef yr hoel yn ei phen yn fwy cywir nag yn ei broffwydoliaeth am Bwll-y-gwynt. Oblegid cyn nemor o wythnosau yr oedd yr hen Waith yn sefyll yn llonydd, neu, yng ngeiriau disgrifiadol proffwydoliaeth y Capten – yr oedd "Pwll-y-gwynt â'i ben ynddo". Nid yn unig nid oedd y "bydle yn fywiog", "a'r troliau yn cario'r plwm i Lannerchymôr" (yr hyn na ddigwyddodd erioed ym Mhwll-y-gwynt), ond nid oedd hyd yn oed yr "*engine* yn chwyrnu". Yng nghymdogaeth Pwll-y-gwynt yr oedd distawrwydd yr *engine* yn boenus i'r trigolion. Yn sŵn *engine* Pwll-y-gwynt yr oedd llawer o'r plant wedi eu geni a'u magu – wedi bod yn chwarae – yn mynd i'r ysgol ddyddiol ac i'r capel, yn sŵn yr *engine* yr oedd rhieni a phlant wedi arfer gweiddi wrth siarad er mwyn gwneud eu hunain yn glywadwy. Yr oedd Bob Mathews, y *bird catcher,* yn cael chwe cheiniog y pen ychwaneg am bob nico a ddaliai yng nghymdogaeth yr *engine*, am ei bod yn ffaith sicr fod yr adar yn canu'n uwch a chliriach nag adar o gymdogaethau eraill. Sul, gŵyl a gwaith, yr oedd trwst yr *engine* wedi bod yn rhan mor wironeddol o fywyd yr ardal ag ydyw trwst yr afon neu'r rhaeadr gwyllt lle digwyddo natur fod wedi eu cyfleu. Wedi i'r Gwaith sefyll, ymdeimlai'r bobl oedd wedi arfer byw yn ei ymyl fel pe buasent wedi newid eu trigfod; am amser, nes iddynt gynefino, teimlent yn rhyfedd, gan ymholi o hyd am yr achos o'r teimlad. Edrychai'r gwragedd ar y cloc – a oedd wedi sefyll? Am ysbaid, teimlai'r trigolion anhawster i gysgu'r nos. Yr oedd *engine* y Gwaith wedi gwasanaethu fel crud iddynt, a phan beidiodd y crud â rhoncian, agorodd pawb ei lygaid yn effro iawn. Ond nid oedd hyn ond peth bychan a dibwys mewn cymhariaeth. Buan y sylweddolodd y trigolion wir ystyr y distawrwydd. Ystyriai fod ugeiniau o ddynion oedd yn bennau teuluoedd allan o waith – ugeiniau oedd wedi arfer byw o'r llaw i'r genau, heb ddim ganddynt iddynt hwy a'u teuluoedd ar gyfer y dyfodol, ac nid yn unig hynny, ond nad oedd y gorffennol yn lân a dialw arnynt, fel y gallasai ambell lyfr siop dystiolaethu. Tu allan i gylch y gymdogaeth, peth bychan oedd fod Pwll-y-gwynt wedi sefyll. Prin y cyrhaeddodd y newydd i gyrion y sir. Dichon, ar ddamwain, i'r newydd ddisgyn ar glyboedd rhywrai a drigai ddeng milltir oddi yno, a dichon iddynt ddweud, "Piti mawr!" ond ni ddarfu iddynt byth feddwl am y peth wedyn. Ond i'r mwynwyr truain oedd wedi arfer dibynnu'n hollol ar Bwll-y-gwynt am eu cynhaliaeth, yr oedd i'r Gwaith sefyll yn amgylchiad prudd a chwerw iawn. Yr oedd eu cyflogau, ŵyr dyn, ar hyd y blynyddoedd wedi bod yn druenus o fychain, prin yn bedwar swllt ar ddeg yr wythnos, ond yr oedd y gorau y gallai Capten Trefor, dan yr amgylchiadau, ei fforddio iddynt. Wrth lunio'r gwadn fel bo'r troed, yr oeddynt hwythau wedi gallu byw ar hynny. Trigent tu allan i gylch y bwrdd lleol, ac felly, er bod y cut yn fynych o fewn llai na phum llath i'r tŷ, yr oeddynt yn gallu cadw mochyn, a dalai'r rhent pan ddeuai'n barod i'r gyllell. Yr oedd Thomas Bartley wedi pregethu iddynt am lawer o flynyddoedd – yn enwedig ar ddiwrnodau ffair, ar y buddioldeb i ddyn tlawd gadw mochyn, ac yr oedd ffrwyth amlwg i'w weinidogaeth ymhlith mwynwyr Pwll-y-gwynt. Er mai rhyw ddau, neu dri fan bellaf, o foch a brynai Thomas yn ystod y flwyddyn, yr oedd ei bresenoldeb ym mhob ffair yn anhepgorol. Anfynych y rhyfygai neb o'r cymdogion brynu porchell neu 'storyn mewn ffair heb ymgynghori â Thomas Bartley, ac os gwnaent, ond odid na chanfyddent yn fuan eu bod wedi gwneud bargen ddrwg. Yr oedd Thomas fel hyn yn colli chwe diwrnod clir mewn blwyddyn i wasanaethu ei gymdogion heb un geiniog o dâl. Paham y grwgnacha beirniaid Eisteddfod eu bod yn beirniadu am y nesaf peth i ddim *unwaith* yn y flwyddyn? Rhaid i mi gydnabod y byddai Thomas, ar adegau, yn sylweddoli gymaint o amser yr oedd ef yn ei golli i wasanaethu pobl eraill, ac yn penderfynu weithiau nad âi byth i ffair ond pan fyddai gwir angen arno am brynu mochyn iddo ef ei hun. Ond pan ddeuai diwrnod ffair dechreuai ei gydwybod ei gyhuddo, ac yn y rhagolwg am y posibilrwydd i rai o'i gymdogion wneud bargen ddrwg, dywedai – "Barbra, fedra i yn 'y myw las fod yn gyfforddus heb fynd i'r ffair," ac i'r ffair yr âi yn sionc ddigon.

Tra oeddwn yn sôn wrth Thomas un diwrnod am y buddioldeb o gadw mochyn ebe fe –

"Mi glywi rw bobol yn deud mae'r peth gwriona ar chwyneb y dduar ydi cadw mochyn. A 'rydw i wedi notishio wastad ma pobol ddiog, ddi-sut at fyw, ydi'r rheini sy'n deud felly. Doe diwaetha'n y byd rodd yr hen Feti William yn gofyn i mi – 'Thomas Bartle,' medde hi, 'ydach chi'n meddwl fod cadw mochyn yn talu i chi?' a be finne – 'Bydae pawb yn talu cystal â'r mochyn mi 'naen y tro, Beti. Weles i yrioed fochyn na thale fo, ond mi weles ambell wraig na thale hi byth.' 'Rodd arni ddeuswllt i mi am drwsio pâr o sgidie es gwn i bryd, wyddost, a mi ges *chance* i roi pwyth i'r hen feuden, a welest ti yrioed mor chwim y trodd hi'r stori. Ond rhyngot ti a fi – a siarad yn byticilar, 'dydw i ddim yn meddwl *fod* cadw mochyn *yn* talu, os ei di gyfri popeth a rhoi pris ar bob peth wyt ti'n 'neud. I ddechre, 'dydi o ddim yn talu i ddyn sy'n rhy falch – no 'ffens, cofia, – i nôl baich o wellt ac i garthu'r cut. A 'dydi o ddim yn talu i ddyn heb gydwybod i roi bwyd priodol iddo fo; achos ma'n rhaid i'r mochyn, wyddost, fel rhw ddyn arall gâl bwyd priodol cyn y daw o byth yn ei flaen. On' dyma ydw i'n ddeud – ac mi deuda fo tra bydd chwythod yno' i – i ddyn tlawd – dyn wrth ei ddiwrnod gwaith – na neiff o byth ddim byd gwell na chadw mochyn, yn enwedig os bydd tipyn o foron y maes a dalan poethion yn tyfu'n agos i'w dŷ o – *champion* o bethe i fochyn. Fel hyn yr ydw i'n edrach ar y peth – ma cadw mochyn yn debyg anwedd i'r sefins banc. Ddeudet ti byth – a siarad yn byticilar – fod y sefins banc yn talu – achos be ydi tw an a hâff,

ddyn glân? 'Dydi o ddim gwerth i ddyn hel ei dipyn pres yno
– hynny ydi er mwyn yr interest. Ac eto ddeude 'run dyn yn ei
sens nad ydi o'n beth da rhoi arian yn y sefins banc. Yn ôl 'y
meddwl i – ac rydw i, o ddyn cyffredin, wedi magu cymin o
foch â neb yn y wlad ma – ma cadw mochyn yn talu'n well o
lawer na'r sefins banc. Achos fel hyn rŵan, dyma ti'n meddwl
am ddyn yn pendrafynu byw yn gynnil a rhoi ei arian yn y
sefins banc. *Very good.* Dwed fod o'n safio swllt yr wsnos. O'r
gore. Ond ambell wsnos mi fydd yn *binch* ar y dyn – mi fydd
wedi colli diwrnod – ne' mi geiff ei demtio i brynu rhwbeth na
fydd o mo'i isio, ac mi geiff y sefins banc gym'yd ei siawns, a
weles di yrioed lai fydd yn y banc erbyn diwedd y flwyddyn.
Ond, bydase gan y dyn fochyn a chydwybod i'w ffidio'n dda,
mi fase'n bownd o 'morol am fwyd iddo dros iddo fod ar lai ei
hun. Mi ddeuda ti beth arall – 'dydi dyn ddim yn leicio mynd
â rhw dreifflach i'r banc, ac os treiff o'u cadw nhw yn tŷ nes
iddyn nhw ddŵad yn dipyn o swm, mae rhw aflwydd o hyd yn
dŵad i'w cym'yd nhw i ffwrdd. Glywest di am Ned Jones es
talwm yn trio cadw arian yn tŷ? Naddo? Wel, i ti, mi bendrafyn-
odd Ned, un tro, roi'r baco heibio a hel tipyn o bres heb yn
wbod i'r wraig fel tase. Deuddeg swllt odd ei gyflog o, a than
bost y gwely rodd Ned yn cadw'i gelc. Rodd o wedi bod wrthi
am bymtheg wsnos, ac wedi casglu – bygse fo – saith a chwech
– hanner coron dan dri phost y gwely. Ond un diwrnod, rôl
dŵad o'i waith, fe syspectiodd Ned fod y wraig wedi bod yn
gnau'r llofft – rhw unweth yn y flwyddyn y bydde hi'n gneud
hynny, wyddost – a phan gafodd o gefn y wraig fe bywdrodd
Ned i'r llofft i edrach odd ei gelc o'n saff. Wel, i ti, fe rôth ei
ysgwydd dan y gwely – y fo'i hun glywes i'n deud y stori – ac
mi godod un post, 'Ho,' ebe Ned, 'ma'r hanner coron ene
wedi mynd,' ac mi a'th at y post arall, ac rodd hwnnw wedi
gloywi hi, ac felly rodd y tri, a welodd Ned byth eu lliw na'u
llun nhw. Rodd yn dda gan y wraig gâl gafel ynyn nhw, mi
wranta. Ond mi fu 'no dipyn o row, fel y gelli di feddwl, ac
maen nhw'n deud i mi na fuon nhw byth 'run fath fel gŵr a
gwraig, a bod Ned yn smocio mwy nag yrioed. Anodd iawn

ydi i ddyn tlawd gadw arian yn tŷ. Aros di, lle roeddwn i arni? O ie, – 'dydi dyn, rwsut, ddim yn leicio mynd hefo rhw dreifflach i'r banc, achos wrth ei weld o'n mynd yno'n amal mi eiff pobol i ddeud fod o'n werth ei filoedd, ac mi fydd pawb yn mynd ato i ofyn benthyg, ac os daw hi'n *binch* ar y dyn ei hun fydd ene ddim cydymdeimlad â fo. Ond dyma ddyn yn cadw mochyn mae o'n hel rhw dipyn i'w fol o deirgweth yn dydd o leie, a 'dydi o'n gwbod fawr odd wrtho, ac o dipyn i beth mae o'n dŵad yn rhwbeth yn y diwedd, wyddost. Maen nhw'n deud i mi ma dene sut y mae'r Gwyddelod ene'n hacio byw, ag y bydde'n well gynnyn nhw fod heb hôm riwl na heb gut mochyn, ac mi greda hynny'n hawdd. Ond yr ydw i wedi notishio fod llai o fagu moch gan bobol dlawd nag a fydde, yn enwedig yn y trefydd. A'r rheswm am hynny meddan nhw, ydi – nid fod pobol yn fwy respectol, ond am fod y Locol Bord yn eu stopio nhw, ac am fod bacyn y Merice mor rhad. Dene'r felltith fwya ddâth yrioed i'n gwlad ni ydi'r Locol Bord a bacyn y Merice – yn ôl 'y meddwl i. Ma'r Locol Bord yn trefydd yn stopio'r tlodion i gadw mochyn, ac oherwydd hynny 'dydi'r tlodion, rŵan, byth yn meddwl am blannu tatws yn y cae. Achos i be y plannan nhw datws os na chân nhw gadw mochyn? A dyne lle maen nhw sychglemio ar hyd y flwyddyn, ac yn rhedeg i'r siop i nôl cnegwaeth o facyn y Merice a chnegwaeth o datws – yn lle bod, fel y bydde pobol es talwm, a dwy hog o datws yn 'rardd a mochyn yn nhop y tŷ. Wn i ar chwyneb y dduar sut mae'r tlodion yn câl tamed yn trefydd ene. A llun garw sydd arnyn nhw meddan nhw. A'r cwbwl o achos y Locol Bord. 'Dwn am ddim sydd yn porthi diogi gymin â'r Locol Bord. Achos, es talwm, mi fydde dyn, ar ôl dod o'i waith, a molchi, a châl ei de, yn mynd i'r cae tatws i roi *twtch* o chwynnu ne' fforchio, ne' ynte'n mynd i nau tan y mochyn. Ond i'r tafarne y ma'r bobol yn mynd rŵan. A chlwi di byth sôn y dyddie yma am 'swper tir tatws'. A'r cwbwl i gyd o achos y Locol Bord. Fu yrioed shwn beth! Be ddeudest di? – er mwyn cadw'r ffefars i ffwrdd? Lol i gyd! Maen nhw'n deud os bydd cut y mochyn o fewn y pum llath i'r tŷ y bydd y ffefar yn bownd o ddŵad, ond os bydd y cut bum llath a dwy fodfedd odd wrth y tŷ y bydd pawb yn saff! Glwest di erioed siarad gwirion-ach yn dy fywyd? Mi 'na i gyfadde fod llai o'r frech wen yrwân nag a fydde es talwm; ond nid i'r Locol Bord yr yden i ddiolch am hynny, ond i'r Brenin Mawr a'r nocylashon. Wyst di be, 'nawn i ddim sefyll yn sgidie'r Locol Bord ene am y byd 'ma! Mi fydd gynnyn nhw gownt mawr i'w roi rhw ddiwrnod. Ond diolch 'y mod i allan o'u bache nhw."

Ond yr wyf yn crwydro. Y ffaith oedd fod agos bob un o weithwyr Pwll-y-gwynt yn magu mochyn ac yn plannu tatws yn y cae. Mae'n syndod meddwl ar gyn lleied o arian y mae llawer o weithwyr Cymru wedi gallu byw a magu teuluoedd llu-osog. Mewn llawer amgylchiad yr oedd nifer y geneuau ymron yn gyfartal i nifer y sylltau a enillid yn wythnosol gan y penteulu. Nid oeddynt yn llwgu, nid oeddynt yn noethion. Yn wir, yr oeddynt *fel teulu* yn gallu dod yn daclus i'r capel; ac nid hynny'n unig, ond yr oeddynt yn gallu *rhoi* ychydig at yr achos. Pa fodd yr oeddynt yn gallu gwneud hynny – y nefoedd fawr a ŵyr! Mae'n rhaid dod i'r penderfyniad fod eu hanghenion an-hepgorol yn fychain iawn, a'n bod ni y dyddiau hyn yn gwario llawer o arian am bethau y gellir gwneud hebddynt. Gyda chyf-logau truenus o fychan, yr oedd mwynwyr Pwll-y-gwynt wedi gallu byw, magu plant, a rhoi ychydig o ysgol iddynt – ond pa sut – wel, ni allaf ddychmygu. Eglur yw na allai'r rhai mwyaf darbodus ohonynt roddi dim o'r neilltu ar gyfer diwrnod glawog. Fel yr aderyn sydd yn byw o ddydd i ddydd heb ganddo ddim darpariaeth ar gyfer yfory, felly yr oeddynt hwythau yn byw o *sist* i *sist*, a phan safodd Pwll-y-gwynt yr oedd eu tlodi a'u trueni yn fawr arnynt. Pe buasai Pwll-y-gwynt yn arfer talu deg punt y mis i bob un o'r gweithwyr, prin y gallasai eu gofid a'u galar fod yn fwy dwys pan safodd y Gwaith. Er bod y cyfyngder wedi dod ar y nifer mwyaf o'r gweithwyr yn hollol ddiddisgwyl, nid oedd rhai o'r hen ddwylo yn amharod o ran eu meddyliau i gyf-arfod yr amgylchiad. Gwelent yn eglur na allai unrhyw Gwmni ddal i wario arian yn barhaus heb dderbyn ond y nesaf peth i ddim yn ôl. Heblaw hynny, yr oedd gan Capten Trefor ei

123

gymeriad a'i enw da i'w gadw, ac yr oedd ef wedi cymryd rhai o'r gweithwyr mwyaf profiadol i'w gyfrinach ers tro. Perthynai i Bwll-y-gwynt wr o'r enw Sem Llwyd, gwr, heblaw ei fod yn grefyddwr ac o gymeriad dichlynaidd, a ystyrid yn oracl ar y dull gorau o weithio gweithfeydd mwyn. Cyndyn iawn fyddai Sem i ddweud ei farn ar unrhyw beth os na fyddai'n siwr o'i fater. Pan benderfynid gyrru mewn cyfeiriad newydd yn y Gwaith, cadwai Sem ei farn am lwyddiant tebygol yr anturiaeth hyd nes y ceid prawf teg, ac yna datganai ei syniad yn ddifloesgni, a fyddai, wrth gwrs, bob amser yn gywir. Ni wybuwyd erioed i Sem wneud camgymeriad yn ei farn. Pan wasgid arno gan Capten Trefor, am ei syniad ymlaen llaw ar unrhyw anturiaeth, gofalai Sem am roi digon o *os* o'i gwmpas, a byddai'r *qualifi-cations* mor helaeth fel, pa fodd bynnag y trôi'r anturiaeth allan, byddai barn Sem yn iawn! Oherwydd hynny, fel y dywedwyd, ni wybuwyd erioed i Sem fethu yn ei farn. Ynglŷn â gweithiad Pwll-y-gwynt ni phetrusai Sem ddweud ei farn yn groyw a diamwys ar un peth, a da y gwyddai Sem nad oedd y peth hwnnw o fewn terfynau posibilrwydd i'r Cwmni byth ei gario allan. Pan gyfarfyddai'r gweithwyr yn dwr i gael mygyn – yr hyn a wnaent yn fynych oblegid nid oeddynt yn credu mewn gorweithio, ac yr oeddynt oll yn gydnabyddus â'r pennill –

"Y mae chwech o oriau'n ddigon
I bob un o'r *miners* mwynion,
I fod rhwng y dyrys greigiau
Mewn lle myglyd yn llawn maglau" –

pan gyfarfyddent felly, meddaf, mynych y rhoddai Sem y wedd fwyaf doeth ar ei wyneb, ac y datganai ei farn yn glir i wran-dawyr llawn edmygedd ar yr hyn y *dylasai* Cwmni Pwll-y-gwynt fod wedi ei wneud os oeddynt wedi breuddwydio i'r Gwaith fod yn llwyddiannus. Yr oedd Sem Llwyd yn un o'r rhai a gymerasai'r Capten i'w gyfrinach, ac nid oedd ef yn anhysbys o ddrychfeddyliau gwyllt Sem. Pan gâi'r Capten Sem ar ei ben ei hun, rhedai'r ymddiddan rywbeth yn debyg i hyn –

"Wel, Sem, beth ydyw eich barn am yr hen Waith yma, erbyn hyn?"

"Yn wir, Capten, mae'n anodd deud, a bod yn siŵr."

"Yr wyf yn credu, Sem, eich bod chwi a minnau yn synio'n lled debyg am Bwll-y-gwynt. Pe cawswn i fy ffordd fy hun, mi fuaswn wedi gwneud fel hyn ac fel hyn." Ac yna awgrymai'r Capten ryw gynlluniau cyffelyb i'r rhai y clywsai fod Sem yn eu gwyntio. "Ond waeth tewi, Sem, mae gen innau fy meistar, ac os fel hyn y mae'r Cwmni yn dewis gwneud, eu *look out* nhw ydyw hynny. Ond mi ddywedaf hyn, nad oes dim posib cario 'mlaen fel hyn yn hir."

"Ddaru chwi 'rioed, Capten, ddeud mwy o wir, ac 'rydw i wedi deud 'run peth laweroedd o weithiau, mae'r dynion yn gwybod. Ac mae o'n andros o beth, Capten, na châi dyn fel chwi, sy'n gwybod sut i weithio mein, ei ffordd ei hun."

"Sut bynnag, Sem, felly mae pethau'n bod."

Ar achlysuron penodol, proffwydai Sem yn ddoeth am ddiwedd buan Pwll-y-gwynt, ac eglurai'r rheswm am hynny – sef na allai'r Capten gael ei ffordd ei hun. Pan safodd Pwll-y-gwynt nid oedd neb yn rhoi'r bai am hynny wrth ddrws Capten Trefor. Dywedai Sem Llwyd, ac eraill, erbyn hyn, fod y Capten wedi eu rhybuddio, a phe cawsai'r Capten ei ffordd ei hun o drin y Gwaith y buasai yr "*engine* yn chwyrnu, y bydle yn fywiog, a'r troliau yn cario'r plwm i Lannerchymôr". Y Cwmni yn Llunden oedd achos yr holl ddrwg. Ac fel hyn yr oedd y Capten, er ei fod wedi colli ei gyflog, wedi llwyddo i gadw ei enw da ymhlith ei gymdogion. Credai'r ardalwyr yn lled gyffredinol pe cawsai'r Capten ei ffordd ei hun y buasai Pwll-y-gwynt yn fforddio gwaith cyson i'r mwynwyr am oes neu ddwy o leiaf. Awgrymai'r Capten wrth y rhai y digwyddai ymddiddan â hwy ar y pwnc fod "dialedd o gyfoeth" wedi ei adael yn yr hen Waith, ac o dipyn i beth yr oedd y mwynwyr eu hunain, oedd wedi bod yn chwilio am flynyddau am y plwm ac wedi methu ei gael, wedi dod i gredu'r un peth, ac ymhen ychydig amser tystiai ambell un o'r hen weithwyr fod ym Mhwll-y-gwynt "blwm fel gwal", yn gorwedd, erbyn hyn, dan y dŵr! Edrychid ar Capten Trefor fel merthyr Cwmni Pwll-y-gwynt, ac oni bai fod y mwynwyr mor dlawd buasent yn gwneud tysteb iddo. Gan na allent roi mynegiad o'u teimlad yn y ffordd o dysteb, bu raid iddynt foddloni ar felltigo Cwmni Llunden, a rhoi eu goglyd a'u gobaith am y dyfodol yn nhiriondeb, gallu, a dyfeisgarwch Capten Trefor. Chware teg i'r Capten, nid oedd yntau'n fyr o drwsio lampau eu gobaith. Prin y gallai fynd o'i dŷ na chyfarfyddai ef ryw weithiwr neu'i gilydd a drôi lygad pryderus ato, gan ddisgwyl rhyw air y gallai hongian ei obaith arno. Edrychai'r Capten arno gyda llygad tosturiol – cymerai afael yn gartrefol yn lapel ei gôt a dywedai'n fwyn –

"Wel, Benjamin bach, mae pethau'n ddifrifol on'd ydynt? Ond mi wyddwn ers tro mai i hyn y dôi hi. Beth arall oedd i'w ddisgwyl, gan na chawn fy ffordd fy hun o drin y Gwaith yn y modd gorau? Ond peidiwch rhoi'ch calon i lawr, Benjamin, mi droiff rhywbeth i fyny rai o'r dyddiau nesaf yma. Gawsoch chwi fwyd, Benjamin, heddiw? Wel, wel – rhoswch – cymerwch y *note* yma ac ewch at Miss Trefor," a thynnai'r Capten ddarn o bapur o'i boced ac ysgrifennai arno mewn *lead pencil* – *"Dear Susi – give this poor devil a bite of something to eat."* Digwyddai peth fel hyn ymron yn ddyddiol. Ymdrechai'r Capten yn feunyddiol godi ysbryd cystuddiedig y gweithwyr, ac anfynych y methai loywi gobaith ambell un oedd ar ddarfod amdano. Sicrhâi'r Capten y byddai i rywbeth droi fyny yn fuan i roddi gwaith i'r mwynwyr, er nad oedd ef yn pwyntio at ddim pendant. Mynych y cyferchid ef gan y masnachwyr oedd wedi ac yn "trystio'r" gweithwyr am ymborth – "Capten Trefor, ydach chi'n meddwl fod gobaith i Bwll-y-gwynt ailgychwyn?" "Syr," atebai'r Capten, "ni fynnwn er dim a welais greu gobeithion gau. Nid peth amhosibl ydyw i Bwll-y-gwynt ailgychwyn, ond y mae hynny'n bur annhebygol. Os ailgychwynnir y Gwaith ni fydd a wnelwyf fi ddim ag ef ond ar un amod – sef y caniateir i mi gael fy ffordd fy hun, a chwi wyddoch, Mr. Jones, mor anodd ydyw i ddyn – pan na fydd ond gwas i'r Cwmpeini – gael ei ffordd ei hun er i'r ffordd honno fod yr un orau. Fel mater o ffaith, syr, pe cawswn i fy ffordd fy hun, fe fuasai Pwll-y-gwynt heddiw nid yn unig yn mynd, ond hefyd yn talu'n dda i'r Cwmpeini. Ond rhyngoch chwi a fi – 'daiff o ddim pellach *just* yrŵan, Mr. Jones? – rhyngoch chwi a fi, mae fy llygad nid ar Bwll-y-gwynt, ond ar rywle arall. Cewch glywed rhywbeth rai o'r dyddiau nesaf. Mewn cymdog-aeth fel hon, sydd mor gyfoethog mewn mwynau, fe egyr Rhag-luniaeth rhyw ddrws o ymwared yn fuan. Mewn ffordd o siarad, nid ydyw hynny, i mi yn bersonol, nac yma nac acw. Ar ôl yr holl helynt, y pryder a'r siomedigaethau, mae'n bryd i mi gael gorffwys. Ond sut y medraf orffwyso tra na allaf fynd allan o'm tŷ heb gyfarfod degau o ddynion truain yn segura, ac nid hynny'n unig ond yn dioddef angen. Na, syr, er fy mod wedi cyrraedd yr oedran hwnnw pryd, mewn ffordd o siarad, yn ôl trefn natur, y dylai dyn gael gorffwys a chael hamdden i feddwl am bethau pwysicach ac ymbaratoi ar gyfer y siwrnai fawr sydd yn ein haros oll – pa fodd y medraf orffwyso? Nid wyf yn anghofio, syr, eich bod chwi, ac eraill sydd yn y cyffelyb amgylchiadau, sydd, o'ch caredigrwydd, wedi coelio'r gweith-wyr, druain, â digon o ymborth i gadw corff ac enaid wrth ei gilydd – nid wyf yn anghofio, meddaf, fod arnoch eisiau eich arian – hynny ydyw, nid am na ellwch wneud hebddynt – ond am fod yn iawn i chwi eu cael. Na, syr, gyda thipyn o ysbryd anturiaethus ar ran y rhai sydd wedi llwyddo tipyn yn y gym-dogaeth, a bendith Rhagluniaeth, fe fydd golwg arall ar bethau ymhen ychydig wythnosau, Mr. Jones."

Fel hyn, yn wyneb yr amgylchiadau cyfyng a'r tlodi mawr oedd yn yr ardal, yr oedd y Capten yn cadw'r mwynwyr ac eraill ar flaenau eu traed mewn disgwyliadau am rywbeth i droi i fyny. Yn y cyfamser, ymwelai Enoc Huws yn fynych â Thyn-yr-ardd, ac ni chaeodd y cymdogion eu llygaid rhag gweld hyn. Sylwyd fod Enoc mewn byr amser wedi ymdwtio ac ymloywi gryn lawer. Yr oedd y gŵr difrifol, y masnachwr cefnog, ond diofal ynghylch ei wisgiad, wedi sythu, ymhoywi, ac ymdecáu nid ychydig. A rhyfeddach fyth, gwelwyd fod Miss Trefor, hithau wedi dofeiddio, sobreiddio, ac wedi taflu ymaith ei holl addurniadau. Pa gasgliad arall y gallai'r cymdogion ddod iddo heblaw fod Enoc Huws a Miss Trefor yn eu cymhwyso eu hunain i'w gilydd? Am ddyddiau rai ni fu'r fath fynd a dod i yfed te ymhlith y cymdogesau er mwyn cael cyfleustra i drin yr achos. Dechreuid pob ymdrafodaeth a fu ar achos Enoc drwy gymryd yn ganiataol ei fod ef a Miss Trefor wedi eu dyweddïo. Cydolygid yn gyffredinol fod Miss Trefor yn llawer mwy ffortunus yn ei dewisiad nag Enoc. Cyfaddefid gydag un-frydedd fod Enoc yn gefnog, ac yn un tebyg o wneud gŵr da, tra na feddai Miss Trefor ddim i'w ganmol ond prydferthwch canolig, yr hyn, wedi'r cwbl, nad oedd o un gwerth tuag at *fyw*, a hefyd "*ideas*" ffôl – neu mewn geiriau eraill – falchder penwan. Pryderai'r boneddigesau hyn – ac nid ydyw o un diben, un amser, dweud wrth y rhyw hwn am edrych ar ôl eu busnes eu hunain – pryderai'r boneddigesau hyn a allai diwyd-rwydd ac ymroad a llwyddiant masnachol Enoc gadw i fyny – am gadw ar y blaen yr oedd hynny'n amhosibl – â drychfedd-yliau Miss Trefor. Ysgydwai ambell hen ferch anobeithiol ei phen yn arwyddocaol a phroffwydoliaethol, "er nad oedd *hi* yn dweud dim, nac yn hidio dim pwy a gymerai Enoc Huws yn wraig iddo". Ni phetrusai ambell fam, gyda thyaid o ferched anfarchnadol, ddatgan ei meddwl yn groyw "ei bod wedi ei siomi yn fawr yn Enoc Huws – ei bod wedi arfer edrych arno fel dyn o farn, ac yn sicr fel dyn oedd yn grefyddol. Ond mai felly y digwydda yn aml – y rhai yr oeddid yn meddwl fwyaf ohonynt oedd yn ein siomi fwyaf." Dywedid fod rhai o'r mamau hyn hyd yn oed wedi newid eu barn am y te a werthid gan Enoc, ac yn protestio y byddai raid iddynt "dreio rhyw siop arall". Ond *te* a werthid gan Enoc, serch hynny, ac nid deiliach wedi eu hel o din y gwrychoedd yn China! Yr oedd Enoc wedi gwneud enw iddo ei hun am de da, ac wedi i'r mamau "dreio rhyw siop arall" a chael allan nad oedd effeithiau'r te lawn mor ddawn-gynhyrchiol, dychwelasant o un i un i Siop y Groes gyda'u ffyddlondeb arferol, er bod eu trwynau fymryn yn fyr-rach. Gan nad pa faint o wir oedd yn yr ystori fod Enoc a Miss Trefor yn "*engaged*", tramwyodd y newydd trwy'r gymdogaeth gyda'r fath gyflymdra a ddygasai wrid cywilydd i wyneb y gwefrhysbysydd, a chan nad pa faint o gywreingarwch sydd yn y darllenydd am wybodaeth gywir am wir ragolygon Enoc, rhaid i mi am ychydig droi at faterion eraill.

XX

DOETHINEB SEM LLWYD

MI gredaf fod Sem Llwyd cystal teip o'r mwynwr ag a gyfar-
fûm i erioed. Yr oedd yn fyr ac eiddil o gorffolaeth – ei wyneb
yn felynlwyd a thenau – ei gefn yn crymu tipyn – ei frest yn
bantiog, a'i anadl yn brin ac afrwydd – yn pesychu'n dost – yn
ysmocio o getyn byr – yn bwysig, gwybodus, a hunan-ddoeth,
ac yn hen ŵr, o ran yr olwg, cyn cyrraedd ei drigain mlwydd
oed! Yr oedd gan Sem doreth o wallt llwytgoch na phrofodd,
gellid tybio, erioed fin y siswrn, er nad oedd yn llaes, ond a
ddeifid bob gaeaf gan y gwynt a'r rhew, yr un fath â'r gwrych-
oedd. Yr oedd ei lais yn grasgryf, anghymesur, fel pe na buasai
yn perthyn iddo ef ei hun, neu fel pe buasai wedi ei etifeddu
yn ôl ewyllys rhyw berthynas ymadawedig, yr un fath â'r got a
wisgai ar y Saboth, oedd yn rhy fawr iddo o lawer. Oni bai y
gwyddid i sicrwydd beth oedd oedran Sem, buasid yn tybied
mai rhywun ydoedd o'r cynoesoedd a adawyd gan angau fel un
rhy ddiwerth i'w gynhaeafu. Cofus gennyf fod rhyw syniad ffôl
yn fy meddwl mewn perthynas i Sem – sef na fyddai ef farw, ac
mai adfeilio o dipyn i beth a wnâi nes cyrraedd diddymdra. Yr
oedd Sem yn hoff iawn o gymdeithas – nid yn gymaint er
mwyn derbyn ag er mwyn cyfrannu addysg, ac, fel pawb o'r hil
ddynol, hoffai ymweld â'r teuluoedd a chymdeithasu â'r bobl a
edmygai fwyaf ei ddoethineb. Tra oedd Pwll-y-gwynt "yn
mynd", nid oedd Sem yn brin o gyfleusterau dyddiol i ysgafn-
hau ei fynwes, er, fel y dywedwyd yn y bennod o'r blaen, y
byddai ef, ymhlith ei gydweithwyr, yn wyliadwrus iawn pa
beth a pha fodd y llefarai, ac yn rhoi ar ddeall bob amser ei fod
yn gwybod mwy o lawer nag a adroddai. A pho fwyaf fyddai'r
newyn am wybodaeth, dyfnaf yn y byd y ceisiai Sem wneud yr

argraff fod digon o ŷd yn ei Aifft ef ei hun. Byddai hyn, weith-
iau, yn brofoclyd iawn, oblegid pan amlygid cywreingarwch
mwy na chyffredin am wybod rhywbeth, rhoddai Sem awgrym-
iad digamsyniol y gallai ef, pe buasai yn dewis, roddi'r holl
wybodaeth a ddymunid, ac yna syrthiai i ddistawrwydd doeth,
gan dynnu mwy o fwg o'i getyn a throi clust fyddar at bob cais
a chwestiwn. Wedi i Bwll-y-gwynt sefyll, deuai ambell i fwynwr
o eithafion y gymdogaeth – fel y daeth brenhines Sheba gynt
at Solomon – i wrando doethineb Sem, ac er na ddychwelai'r
mwynwr gyda'r un argraff ag a adawyd ar feddwl yr hen chwaer
o Sheba, gwn nad oedd ymwybyddiaeth Sem Llwyd o ddi-
derfynolrwydd adnoddau ei wybodaeth a'i ddoethineb fymryn
yn llai na'r eiddo Selyf.

Yr annedd nesaf i dŷ Sem Llwyd oedd y Twmpath, preswyl-
fod hen gydnabod y darllenydd, sef Thomas Bartley, ac nid
wyf yn sicr na theimlai Thomas yn y ffaith hon raddau o'r un
peth ag a welais yn chwyddo brest ambell un digon diddim yn
Y Bala, yn yr ymsyniad ei fod yn byw yn yr un dref â chawr y
genedl Gymreig. Drwy fod Sem, erbyn hyn, yn segur, nid
anfynych yr anrhydeddai ef y Twmpath â'i bresenoldeb. Gall-
asai gŵr heb fod mor syml â Thomas Bartley briodoli amcan-
ion hunanol i ymweliadau Sem. Yr oedd Thomas, fel y cofia'r
darllenydd, yn ŵr diddysg, difeddwl-ddrwg, ond hynod gyd-
wybodol a darbodus. Ar yr olwg gyntaf gadawsai argraff ar y
dieithr nad oedd ef "yno i gyd". Ond yr oedd yn Thomas
Bartley ryw fath o graffter anymwybodol a diffuantrwydd eglur
i bawb a'i hadwaenai. Yr wyf yn meddwl mai ei nodweddion
mwyaf arbennig oedd cariad at yr hyn oedd syth, union, a
theg, a charedigrwydd di-ben-draw. Mewn gair byr, yr oedd yn
Thomas anhepgorion "cymydog". Dichon y buasai penglog-
ydd yn dweud ar ôl ei chwilio mai'r ermig fwyaf amlwg ynddo
oedd yr *"organ of wonder"*. Yr hyn oedd yn Thomas a ddeuai
allan, ac nid oedd ganddo ddim stoc wrth gefn, fel y *tybid* fod
gan Sem Llwyd. Yn wir, anfynych y gallesid cael dau ŵr mor
wahanol, fel y gwelir oddi wrth yr ymddiddan canlynol, a
gymerodd le yn ystod un o'r ymweliadau y cyfeiriwyd atynt. Yr

oedd Thomas, pan ddaeth Sem i mewn, newydd orffen rhoi clem ar esgid, ac yn prysur roddi *black ball* arni, gan wasgu sawdl yr esgid yn erbyn ei gylla, ac yn rhwbio'n egnïol nes oedd gwythiennau ei dalcen cyn dewed â bys. Gan godi ei ben a chau un llygad, a dal ymyl yr esgid rhyngddo a'r gannwyll, ebe Thomas –

"Wel, Sem, lle buoch chi'n cadw, ddyn? 'Rydw i wedi bod yn ych disgwyl chi drw'r dydd. A chithe ddim yn gweithio, fase waeth i chi roi'ch clun i lawr yma na phendwmpian gartre. Ewch at y tân, Sem, mi fydda wedi gorffen yr esgid yma mewn dau funud, ag ono mi gawn smogen a mygòm."

"Raid i ddyn sy'n medru darllen, er ei fod o allan o waith, ddim pendwmpian, Thomas," ebe Sem.

"Twbi shŵar," ebe Thomas, "'rydw i'n rhy at o feddwl fod pawb 'run fath â fi fy hun. Os na fydda i'n gweithio, ne'n smocio, ne'n byta, mi fydda'n cysgu; dyna *just* y pedwar peth ydw i'n 'neud yn yr hen fyd yma."

"Rhw fyd go sâl fydde fo bydae pawb 'run fath â chi, Thomas," ebe Sem.

"Siampal!" ebe Thomas, "ac eto, 'rydw i reit cyfforddus, a 'dydw i ddim yn gweld y rheini sy'n sgolars yn rhw helynt o bethe – 'rydw i lawn cystal fy off â'r rhan fwya ohonyn nhw – diolch i'r Brenin mawr am hynny. Achos os ceiff dyn fwyd a diod ac iechyd, be chwaneg sy gynno fo isio?"

"'Rydach chi'n anghofio, Thomas," ebe Sem, "fod gan ddyn feddwl ac enaid, ac y mae isio porthi'r enaid cystal â'r corff."

"Twbi shŵar, ydach ddim yn meddwl 'y mod i mor ddwl â hynny, Sem? Achos i be yr yden ni'n mynd i'r capel, blaw i gael *profigwns* i'r ened? Deud yr ydw i, Sem, na feder dyn ddim byw ar ddoethineb. Achos dyma chi a finne, 'rŵan, y fi yn ddyn dwl a chithe'n sgolor, ac er 'y mod i'n blwc hŷn na chi, mi gymra fy llw y pwysa i ddau ohonoch chi, Sem, er ych holl ddoethineb, achos 'rydach chi'n edrach mor dila, ddyn, â byd-aech chi'n byw ar bot pâst," ebe Thomas.

Yn y fan hon goddiweddwyd Sem gan bangfa ofnadwy o besychu, a chyn i'r bangfa fynd drosodd yr oedd Thomas wedi rhoi ei waith o'r neilltu ac wedi eistedd gyferbyn â Sem yr ochr arall i'r tân ac yn edrych arno yn syn, ac ebe fe – "Wyddoch chi be, Sem? 'daswn i ddim yn ych nabod chi, a gwbod bod chi 'run fath ddeng mlynedd yn ôl ag ydach chi 'rŵan, faswn i'n rhoi'r un ffyrling am ych bywyd chi? Wel, on'd ydach chi'n pesychu, ddyn, fel bydaech chi'n mynd i farw! Cym'rwch smogen, Sem, gael i'r pwl fynd drosodd. Barbra, gwna paned o goffi i ni, a thipyn o facyn i iro tipyn ar du mewn Sem yma, ne' chawn ni ddim byd ohono fo, gei di weld. Sem, wyddoch chi pwy rôth y blwch baco ene i mi? 'Llenwch y peth sydd ar y caead."

"Mi wela," ebe Sem, gan ddarllen yr argraff ar y caead –

(Presented to)
Thomas Bartley, Esq.,
By his humble admirer,

W. Bryan.

"Pry garw oedd y bachgen hwnnw," ebe Thomas, "ys gwn i lle mae o 'rŵan? Sem, 'rydw i wedi meddwl gofyn i chi gantodd o weithie, ond 'y mod i'n anghofio – pwy ddusgyfrodd baco? Ddyliwn fod *chi*'n gwbod, Sem."

"Indigo Jones," ebe Sem.

"Ai e!" ebe Thomas. "Rhw enw go od hefyd, mae fel bydae ei hanner o'n Gymro. Ai Cymro oedd o, Sem?"

"Ie, debyg," ebe Sem.

"Wel, bendith ar ei ben o, medda i! Oes gynnoch chi rhw aidî, Sem, faint o amser sy er hynny?" gofynnodd Thomas.

"Rhw aidî? – ddyliwn fod gen i – tua phymtheg cant o flynyddoedd yn ôl," ebe Sem.

"Dyn fo'n gwarchod!" ebe Thomas, "ac mae cymin â hynny, Sem? Wyddoch chi be, mae ambell i smogen wedi ei chael er hynny!"

"Oes, Thomas, y mae. Ie, tuag amser batel Waterlŵ y dusgyfrwyd y baco," ebe Sem.

"Hoswch chi, Sem, ydach chi'n peidio â'i phonsio hi 'rŵan?

133

On'd oedd brawd i 'nhad ym matel Waterlŵ pan oeddan nhw'n ymladd yn erbyn Boni?"

"Hwyrach hynny," ebe Sem, "sôn yr ydw i am y fatel yn erbyn Polion, bymtheg cant o flynyddoedd yn ôl."

"Ho, deudwch chi hynny," ebe Thomas, "chlywes i 'rioed sôn am y fatel honno. Pwy aeth â hi, Sem?"

"Y ni, debyg," ebe Sem.

"Ie, ddyliwn," ebe Thomas. "Ond gan ein bod ni efo'r pwnc, ai gwir ydi'r stori, Sem, fod gwas Indigo Jones 'ma, pan welodd o'i fistar yn smocio'r tro cynta, wedi tywlu bwceded o ddŵr am ei ben o?"

"Mae traddodiad felly'n bod, Thomas," ebe Sem, "ond welis i 'run hanesydd o ymddiried yn sôn am hynny."

"Mi greda hynny'n hawdd," ebe Thomas, "achos pwy fase'n ffasiwn ffŵl? Peth arall ydw i isio ofyn i chi, Sem, ym mhw wlad y daru'r Indigo Jones 'ma ddusgyfro'r baco? – ddyliwn mai yn rhai o'r gwledydd tramor ene?"

"Ie, Thomas, yn Bristol," ebe Sem.

"Ho, felly," ebe Thomas, "dene sut mae cymin o sôn am faco Bristol, ond 'dydw i'n hidio fawr amdano fo – well gen i fy hun faco Caer, ond pawb at ei ffansi, fel y deudodd y dyn wrth roi cusan i'r gaseg. Ond dene ddigon ar nene. Y gwaetha arna i ydi ar ôl i mi gael gwybodaeth i sicrwydd ar bethe fel hyn, 'y mod i'n eu hanghofio nhw'n union. Ond deudwch i mi, – mae o'n taro i 'meddwl i – oedd ene ddim rhw saer maen go glyfar es talwm o'r enw Indigo Jones, ddaru neud tŵr Llunden, Pont Llanrwst, Castell Rhuddlan, Castell Carnarfon, a lot o bethe fel ene, mae rhw aco gen i glywed am ddyn tebyg arw i'r Indigo Jones 'ma?"

"Mae'r pethe ydach chi'n sôn amdanyn nhw, Thomas," ebe Sem, "wedi'u gneud cyn y cyfnod Cristionogol – o dan yr hen oruchwyliaeth – rai miloedd o flynyddoedd cyn i Indigo Jones gael ei eni, ac felly 'does dim sail i gredu'r hanes."

"Gwarchod pawb!" ebe Thomas, "ac fel y clywch chi bobol yn siarad sy ddim yn sgolors, nac yn gwbod dim am hanesydd-iaeth! Ond dowch i ni ddŵad yn nes gartre, Sem, achos yr ydw i wedi sylwi pan aiff pobol i sôn am bethe sy cyn co dyn nad ydyn nhw ddim yn byticlar yt ôl am rhw fil neu ddwy o flynyddoedd. Deudwch i mi, oes ene rw sein i Bwll-y-gwynt ene ailgychwyn?"

"Dim, Thomas, cyn belled ag y gwn i, ac yr ydw i'n gwbod cymin â neb ar y pen ene," ebe Sem.

"Nag oes, ddyliwn," ebe Thomas, "y syndod ydi fod o wedi dal cyd. Wyddoch chi be, Sem, mae'n rhaid fod yr hen Waith ene wedi costio dialedd o arian i rwfun, ac mi wranta fod lot ohonyn nhw, erbyn hyn, yn rhegi'u manars yn braf ac yn barod i dywlu'r hen Drefor i lawr y *shafft*, achos mi gymra fy llw mai fo sy wedi'u boddro nhw."

"Eu boddro nhw, Thomas? be 'dach chi'n feddwl? Bydase'r Capten wedi cael ei ffordd ei hun – a fy ffordd inne hefyd, o ran hynny – mi fase Pwll-y-gwynt yn talu'n iawn, achos y mae yno wlad o blwm, bydasen nhw'n mynd ato yn y ffordd iawn," ebe Sem.

"Gwlad o blwm, Sem? Peidiwch â siarad nonsens, ddyn glân. Os oes yno wlad o blwm, pam na fasech chi'n dod â thipyn ohono fo i'r lan? Wyddoch chi be, Sem, 'dydw i ddim yn meddwl fod lot o bobol mwy twyllodrus na meinars ar chwyneb y ddaear. Weles i 'rioed waith mein na ddeude'r meinars fod yno wlad o blwm, ond bod nhw heb fynd ato, ne' fod y dŵr yn eu rhwstro nhw, ne' rhw godyl fel ene. Ac os bydd Gwaith wedi stopio, mi fydd y bai ar bawb blaw nhw eu hunen, fforswth. Wyddoch chi be, Sem, mi fydd gynnoch chi'r meinars 'ma aped mawr i'w roi rhw ddiwrnod. Ac 'rydw i'n credu yn 'y nghalon fod yr hen Drefor ene, er ei fod o'n aelod efo ni, waethed sort â 'run a welis i, ond ei fod dipyn yn respectol. Creuddwch at y bwyd, Sem."

"Pob parch i chi yn ych tŷ'ch hun, Thomas," ebe Sem, "ond wyddoch chi fawr am waith mein. Hwyrach y synnwch chi, Thomas, pan ddeuda i fod meinars yn amal yn gwbod i sicrwydd fod digon o blwm yn y fan a'r fan, ond na fedran nhw ddim mynd ato, ac yn amal er y gwyddan nhw y *gallan* nhw fynd ato, na chân nhw mo'u ffordd eu hunen i fynd ato gan rwrai eraill sy'n eu rheoli nhw, a'r rhai hynny'n amal na wyddan nhw ddim mwy na chithe am waith mein. A chyda golwg ar Capten Trefor mi ddeuda hyn: na welis i neb erioed – ac rydw *i* wedi gweld llawer – sydd gystal meistr ar ei waith. Fe ŵyr i'r dim sut i weithio gwaith mein, pe câi o'i ffordd ei hun, ac mae'r Capten a finne bob amser o'r un meddwl."

"Mae'n well gen i," ebe Thomas, "i *chi* fod o'r un meddwl â fo, na fi. Rhyngoch chi a fi, leicies i 'rioed mo'r dyn. Nâth o 'rioed ddim byd *i* mi, ond edrach dipyn yn sgiwedd arna i, ond dda gen i mono, waeth gen i bydae ei ddwy glust o'n clywed. Rhw ŵr bonheddig heb 'run stad ydw i'n ei weld o. Mi weles ambell un o'i sort yn f'oes – dynion yn mynd ar gefn ceffylau ar gost y cwmpeini, ac yn dŵad i'w *clogs* yn y diwedd. Peth arall, leicies i 'rioed mo'r dyn yn y capel; mae o'n dŵad yno fel bydae o'n gneud ffafar i'r Brenin mawr, ac, fel bydae, y torre'r Brenin mawr i fyny bydae *o*'n cadw oddno. Dda gen i mo'r sort, Sem. Mae isio i ni gyd fod 'run fath yn y capel, a phawb i'w le ar ôl mynd allan. A pham na weddïe'r dyn? Dyn gwbodus a thafodog fel fo? Ond welis i 'rioed mo'r dyn ar ei linie, ac mae hynny'n ddigon o brŵff gen i fod rhwbeth y mater efo cydwybod y dyn, achos 'dydi o ddim yn nerfws, mi ŵyr pawb hynny. Gewch chi weld, Sem, os byddwn ni byw ac iach, y cawn ni weld y dyn ene wedi colli'i blu."

"Thomas," ebe Sem, "'rydw i'n synnu atoch chi'n siarad fel ene am ddyn parchus fel y Capten – dyn sy wedi gwneud cymin i'r ardal yma. Be ddeuthe ohonom ni blaw am ddynion fel Capten Trefor? Mi fasen wedi llwgu."

"Llwgu ne' beidio, Sem," ebe Thomas, "'rydw i'n mawr gredu y base'n gwlad ni'n well *off* o'r hanner heb rhw wag ladron fel ene sy'n byw ar foddro a thwyllo poblach ddiniwed ar hyd y blynyddoedd. Ond mi rown *stop* arni yn fan ene, Sem, ne' mi awn i ffraeo. Deudwch i mi, oes ene rw wir yn y stori fod merch y Capten ac Enoc Huws yn codlo rhwbeth?"

"Wel," ebe Sem, "hwyrach y medrwn i roi tipyn o oleuni ar hynny bydawn i'n dewis, ond y mae pobol yn amal yn siarad dan eu dwylo, Thomas."

"Ac mae rhwbeth yn y peth ynte?" ebe Thomas.

"Ddeudes i mo hynny," ebe Sem.

"A chelwydd ydi'r cwbwl ynte?" gofynnodd Thomas.

"Ddeudes i mo hynny chwaith," ebe Sem.

"Wel, be *ydach* chi'n ddeud, ddyn? Wyddoch chi be, Sem, 'rydach chi'r meinars 'ma wrth siarad am y pethe mwya sumpyl yn trio'u gneud nhw cyn dwlled â bol y fuwch ddu, na wŷr neb ar chwyneb y ddaear lle 'rydach chi o'i chwmpas hi."

"'Dydi'r pethe sy'n ymddangos yn sumpyl i rai pobol ddim yn sumpyl i bawb, Thomas," ebe Sem. "A 'dydi dyn ddim yn sypôsd i ddeud popeth a wŷr o, ne' mi fydde pawb galled â'i gilydd. A heblaw hynny, Thomas, y mae i bethe eu hamser ac i amser ei bethe."

"Wel, wyddoch chi be, Sem, yr *ydach* chi'n un doeth hefyd! Mi fydda inne, fel ffwlcyn, yn deud popeth wn i'n ffrwt, ac mi fûm yn synnu lawer gwaith na faswn i wedi dŵad i scrâp cyn hyn," ebe Thomas.

"Thale hi ddim i *bawb* fod felly, Thomas," ebe Sem. "Pe baswn i'n un felly mi fase ambell i gynllun wedi'i andwyo cyn iddo addfedu. Mi fydd ambell un yn trio tynnu oddi arna i, ond mi fydda'n cymyd pwyll, ac yn cadw'r cwbwl i mi fy hun nes daw'r amser priodol."

"'Rydach chi felly, Sem," ebe Thomas, "yn meddwl fod rhwbeth yn y stori am ferch y Capten ac Enoc Huws, ond fod yr amser heb ddŵad i ddeud hynny?"

"Ddeudes i ddim ffashwn beth, Thomas," ebe Sem, "ond mi ddeuda hyn, fod o'n biti o beth pan ddeudiff rhwfun rwbeth wrthoch chi *in confidence*, na fasech chi wedi dysgu'i gadw fo i chi'ch hun. Ond mae hynny i'w briodoli, yn ddiame, i ddiffyg addysg ym more'ch hoes."

"Digon tebyg, wir, Sem, achos pan ddeudiff rhwfun rwbeth wrtha i, ac yn enwedig os deudan nhw wrtha i am beidio deud hynny wrth neb arall, mae o'n dechre llosgi yn 'y mrest y munud hwnnw."

"Piti mawr ydi hynny, Thomas," ebe Sem. "A chyda golwg ar y peth yr yden ni wedi hintio ato, mi ddeuda hyn: mai'r rhai sy'n gwbod leiaf am y peth sydd yn siarad yn fwya ffri yn ei gylch, a'r rhai sy'n gwbod y cwbwl sy'n deud dim."

"Ho!" ebe Thomas.

"Be bydaen ni'n deud fel hyn, 'rwan," ebe Sem. "Mae Enoc Huws yn un sydd wedi gwneud llawer o arian, ac mae arno angen am wraig. Mae Miss Trefor yn ferch ifanc sydd wedi cael addysg dda, a fydde raid i neb fod g'wilydd ohoni. Purion. Be bydae'r ddau yn priodi, be fydde gan neb i ddeud am hynny? Ne' be bydaen ni'n deud fel hyn: na ddaru Enoc Huws erioed feddwl am Miss Trefor na thithe amdano yntau. Be fydde hynny i neb arall? Ydach chi'n 'nallt i, Thomas?"

"Digon prin yr ydw i'n ych canlyn chi, Sem. Ai deud yr ydach chi nad oes dim byd yn y peth?" gofynnodd Thomas.

"Ddeudes i ddim ffashwn beth, Thomas," ebe Sem.

"Ho," ebe Thomas, "deud yr ydach chi, ynte, fod rhwbeth yn y stori?"

"Ddeudes i ddim o'r fath, Thomas, a pheidiwch â deud wrth neb 'y mod i wedi deud ffashwn beth," ebe Sem.

"*Give it up*, ynte," ebe Thomas. "Ond deud y gwir yn ych wyneb chi, Sem, yr ydw i'n leicio'ch sgwrs chi yn anwedd bob amser, ond yr ydw i'n medru dallt pawb, 'rwsut, yn well nag ydw i'n ych dallt chi, Sem. Wn i ddim be ydi'r achos o hynny, ond dene'r gwir amdani. Mi wn 'mod i'n ddwl, siampal."

"Wel," ebe Sam, "be bydaen ni'n edrach ar y peth fel hyn, ynte: mae gan Enoc Huws arian – 'does neb yn ame hynny. Mae gan Capten Trefor wybodaeth a phrofiad; a be os ydi'r ddau yn consyltio â'i gilydd gyda golwg ar ryw fentar new-ydd."

"Ai gesio 'rydach chi, Sem?" gofynnodd Thomas yn wyliad-wrus.

"Gesio? nage, fydda i byth yn gesio, Thomas, a dda gen i mo'r bobol sydd yn gesio heb sail yn y byd am y pethe maen nhw'n ddeud," ebe Sem.

"Ac mae hi'n ffact, ynte, fod y Capten ac Enoc ar gychwyn mentar newydd?" ebe Thomas.

"Ddeudes i ddim fod o'n ffact, Thomas," ebe Sem, "pan

mae rhywbeth yn ffact 'does dim isio'i ddeud o – mae o'n eglur i bawb. Ond y mae rhw bethe nad oes neb ond y rhai sy'n gallu gweld ymhellach na'u trwynau yn eu gwybod nhw. Mi wyddoch hyn, Thomas, nad oes neb yn gwybod cymin o feddwl y Capten â fi. Ydach chi'n 'y nallt i, Thomas?"

"Wel, ydw, os ydw i hefyd," ebe Thomas. "Ych meddwl chi ydi hyn, Sem – fod y Capten o'i chwmpas hi yn trio sycio Enoc Huws i mewn i gychwyn rhw fentar newydd?"

"Dim ffashwn beth, Thomas, a chymerwch ofal na ddeudwch chi wrth neb 'mod i'n deud hynny," ebe Sem.

"Mae'n dda gen i glywed hynny, Sem," ebe Thomas, "achos y mae gen i barch calon i Enoc Huws. 'Rydw i'n credu bob amser mai dyn syth a gonest ydi Enoc Huws. Mae o'n fachgen sy wedi dŵad yn ei flaen yn ods, a hynny mewn ffordd gyfiawn. Wyddoch chi be? Yr ydw i wedi prynu dialedd o fwyd moch gan Enoc, a weles i 'rioed ddim o'i le arno. Maen nhw'n deud i mi, Sem, y medre Enoc Huws fyw ar ei arian pan fynne fo. A dene sy'n od – mae o'n un o'r rhai gore yn y capel. Wn i ddim sut mae hi efo chi, y Sentars acw, ond efo ni, os bydd dyn yn dŵad yn ei flaen dipyn efo'r byd 'ma, welwch chi gip arno yn y capel, ond tipyn ar y Sul. Ond am Enoc, anamal mae o'n colli moddion. Gobeithio'r annwyl nad ydi o ddim yn mynd i ddechre mentro, achos er mor dda mae o wedi gwneud, fydde'r hen Drefor fawr o dro yn lluchio'i bres o i gyd i lawr shafft gwaith mein, na wele fo byth eu lliw na'u llun nhw, 'run fath ag y gnath o efo pres Hugh Bryan, druan. Wyddoch chi be, Sem, 'rydw i'n cofio Hugh cystal *off* â neb yn y fan yma, cyn iddo fynd i grafanc yr hen Drefor."

"Peth garw iawn, Thomas," ebe Sem, "ydi i ddyn siarad am rwbeth allan o'i lein. 'Dydw i'n ame dim, Thomas, nad y chi ydi'r crydd gore yn y wlad yma, ac fel *judge* ar fochyn, mi wn na churiff neb monoch chi. Ond y mae gwaith mein allan o'ch lein chwi, mi newch adde hynny, Thomas?"

"Be haru chi ddyn?" ebe Thomas, gan godi tipyn ar ei lais. "On'd oedd gen i chwarter owns o waith y Top, ag on' waries i bump punt ar hugen yno na welis i byth wymeb y delyn ohonyn

nhw, heblaw be waries i am ddiod! On' fedde gynnon ni gyf-
arfod yn y *Brown Cow* bob nos Lun cyntaf o'r mis i edrach
dros bethe ac i dalu'r arian, a hyd i'r noswaith ddwaetha yr
oedd y meinars yn dweud ar eu gwir fod yno well 'golwg' ar y
Gwaith nag a fu 'rioed, ag y bydden ni gyd yn fyddigions, a
finne fel ffŵl yn talu am lasus rownd wrth feddwl mor gyf-
oethog fyddwn i. Yr hen geriach!"

"Thomas," ebe Sem, gan godi ar ei draed i ymadael,
"ddeudes i ddim gantodd o weithie na chaech chi ddim plwm
yng Ngwaith y Top?"

"'Doeddach *chi*, Sem," ebe Thomas, "ddim yn gweithio yn
y Top nac yn cyfarfod yn y *Brown Cow*. Bydasech chi'n un
ohonyn nhw, 'does neb ŵyr be fasech chi'n ddeud. Ond 'dawn
ni ddim i ffraeo. Ydach chi ddim am ei chychwyn hi mor
gynnar, ydach chi, Sem?"

"Ydw, Thomas, mae hi'n dechre mynd yn hwyr," ebe Sem.

"Wel, brysiwch yma eto," ebe Thomas, gan agor y drws, ac
wedi edrych allan, ychwanegodd, "Be neiff hi heno, ddyliech
chi, Sem, ai rhewi?"

"Nage, os na throiff y gwynt yn fwy i'r gogledd, ac eto,
hwyrach mai rhewi neiff hi," ebe Sem.

"Thomas," ebe Barbara, wedi i Sem fynd ymaith – a hwn
oedd y gair cyntaf iddi yngan er pan ddaeth Sem i'r tŷ –
"Thomas," ebe hi, "be ddeudodd Sem am y siarad sy am ferch
y Capten ac Enoc Huws?"

"Y nefoedd fawr a ŵyr," ebe Thomas. "Mi ddeudodd barsel
o bethe y ddwy ochor fel dase, ac eto wn i ddim ar chwyneb y
ddaear *be* ddeudodd o. Mi ddyffeiwn Eutun y twrne i wbod be
fydd Sem wedi ddeud a bod yn siŵr. Ond y mae gan Sem, wel
di, lawer yn ei gropa."

"Mae gynno fo lawer o facyn yn ei gropa heno, beth byn-
nag. A waeth gen i heb ddyn na wyddoch chi ddim be fydd o
wedi ddeud," ebe Barbara.

"Waeth i ti befo," ebe Thomas, "mi fydda i'n cael llawer o
ddifyrrwch wrth drio gesio beth fydd o'n ddeud. Mae Sem yn
ddyn gwbodus iawn. Welest di mor handi 'roedd o'n rhoi

hanes y baco i ni. Ond yr ydw i wedi anghofio'n barod sut deudodd o. Be oedd enw'r dyn ddusgyfrodd y baco dywed?"

"Wn i ddim, na waeth gen i chwaith," ebe Barbara.

"'Rydw i'n meddwl yn siŵr mai Bendigo Jones y galwodd Sem o, dae fater am hynny. Y peth gore i ni 'rŵan ydi 'nhuddo'r tân a mynd i gadw," ebe Thomas.

XXI

"VITAL SPARK"

MAE cariad neu gas pobl at bob sefydliad yn cael ei ennyn fynychaf gan ei hyrwyddwyr, a'r rhai a fydd yn dal y cysylltiad agosaf ag ef. Gorchwyl anodd i'r lliaws ydyw edrych ar sefydliad neu drefn ar wahân i bersonau. Bydded y peth mor dda ag y bo, rhaid i'w fodolaeth a'i lwyddiant ddibynnu i raddau mawr ar gymeriad y bobl fydd ynglŷn ag ef. Ac y mae yn hyn gyfaddefiad, gan nad pa mor bwysig y gall egwyddor fod ynddi ei hun, fod mwy o bwys yn yr ymarferiad ohoni. Gellir mynd ymhellach, a dweud yr edrychir gyda goddefiad – ac weithiau gyda chymeradwyaeth – ar ambell sefydliad sydd ynddo ei hun yn anghyfiawn a chamwrus, a hynny oherwydd cymeriad rhinweddol y rhai fydd ynglŷn ag ef. Yn wyneb yr Ysgrythur y mae cysylltiad yr Eglwys â'r Wladwriaeth yn gamwri dybryd. Ond pe buasai holl Offeiriaid, Esgobion, ac Archesgobion y Sefydliad, yn ddieithriad, yn ddynion bucheddol, gweithgar a duwiolfrydig, mae'n amheus a fuasai yng Nghymru heddiw Ymneilltuaeth gwerth sôn amdani. Ychydig o bobl sydd, mewn cymhariaeth, mi debygaf, ag sydd wedi ymgydnabyddu â'r Beibl, a llwyddiant crefydd ysbrydol yn agos at eu calon, nad ydynt yn cymeradwyo bugeiliaeth eglwysig o ran yr egwyddor. A pha beth sydd yn fwy naturiol a rhesymol? Tra pery dynion mewn angen am eu haddysgu, eu hyfforddi, a'u porthi ag ymborth crefyddol, rhoddir pris ar y neb a all gyflenwi'r angen – gan nad pwy a wnelo'r gwaith – ai blaenor ai pregethwr. A pha beth sydd yn fwy rhesymol nag ymddiried y gwaith i'r mwyaf ei dalentau, ei addysg, a'i ymgyflwyniad? A pha beth sydd yn fwy rhesymol, os bydd dyn wedi ymgysegru i'r gwaith, na thalu iddo am ei waith? Mae deddfau cymdeithas yn pennu tâl am wasanaeth, ac, yn sicr, nid ydyw'r Efengyl yn fwy dianrhydeddus na chymdeithas. Mae rhywrai, ysywaeth, yn ystyried eu hunain yn rhy dduwiol i dalu am wasanaeth crefyddol. Talu i ddyn am wneud ei ddyletswydd? meddant. Ie, debyg, ai nid am wneud ei ddyletswydd y telir, neu y dylid talu, ym mhob amgylchiad?

Ond at hyn yr oeddwn yn cyfeirio: mae'r gwrthwynebiad a ddengys rhyw ddosbarth o grefyddwyr i fugeiliaeth eglwysig i'w briodoli gan amlaf i un o ddau beth – naill ai i gybydd-dod neu ragfarn a grewyd gan fugeiliaid clerigol ac annheilwng. Gadawodd bugeiliaeth Rhys Lewis argraff dda ar feddwl yr eglwys a'i galwodd i'w gwasanaethu. Ac ni allai lai; oblegid heblaw ei fod yn ŵr ieuanc galluog ei feddwl a grasol ei galon, meddai ystôr helaeth o synnwyr cyffredin – nwydd anhepgorol i fugail, ac, yn wir, i bob un y bydd a wnelo â thrin dynion o wahanol fathau. Ni fu ei wendid corfforol o nemor, os bu o ddim, anfantais i'w ddylanwad. Hwyrach i'w wendid maith ddiarfogi treisni y rhai oedd wrth naturiaeth dipyn yn bigog, ac ennyn cydymdeimlad cywir a chynnes eraill. Beichiodd ei hun â chymaint o waith ag a allai ei ysgwyddau ddal, a rhyfeddai llawer, wrth ystyried nad oedd ef yn esgeuluso ymweld â'r cleifion a'r anffyddloniaid, a mynd ar ôl y crwydriaid, heblaw bod yn gyson yn yr holl gyfarfodydd, a chyflawni amryw oruchwyliaethau eraill – pa fodd yr oedd ef yn gallu paratoi pregethau mor rhagorol. Yr oedd peiriant ei feddwl – os goddefir i mi ddweud felly, yn ysgogi mor nerthol a phenderfynol fel na pheidiodd fynd yn ei flaen pan ballodd ei iechyd. Fel y bydd y môr yn ymrolio ac yn tonni am amser wedi i'r gwynt gilio, neu fel y gwelir y trên yn mynd yn ei flaen wedi i'r ager gael ei droi ymaith, felly yr oedd Rhys Lewis, am amser, wedi i'w nerth gael ei ostwng ar y ffordd, yn mynd ymlaen yr un fath gyda'i waith. Parodd hyn i'w farwolaeth ymddangos yn sydyn i laweroedd, er nad oedd felly, ac er ei fod, iddo ef ei hun, fel peth wedi digwydd yn y gorffennol – cyn iddo gymryd lle. Ond daeth y diwedd; a phan sibrydwyd y gair fod Rhys Lewis wedi marw, aeth ton ddistaw o brudd-der dros galon ei gydnabyddion, ac, fel rhai wedi bod yn dyfal wylio machludiad haul ar hwyrddydd haf ac yn aros yn fyfyrgar i syllu ar ei belydrau ymadawol, ysgydwent eu pennau mewn trist-ddedwyddwch.

Wedi marw Rhys Lewis ymgysurai'r eglwys fod ganddi un dyn synhwyrol a chrefyddol, ac abl i'w harwain ym mherson Dafydd Dafis. Hynny ydyw, yr oedd Dafydd Dafis yn un a allai "gadw seiat" cystal â nemor bregethwr. Dilys fod y darllenydd yn cofio fath ŵr oedd Dafydd Dafis. Dyn yr un llyfr, ymron, oedd ef. Anfynych y byddai'n gweld newyddiadur, ac ni fyddai'n ceisio dilyn yr amseroedd; ond yr oedd ef yn dilyn y Cyfarfodydd Misol a'r Cymanfaoedd gyda chysondeb. Ni welid Dafydd byth mewn cyngerdd nac Eisteddfod, ond, hyd y gallai, byddai ym mhob cyfarfod gweddi a seiat. Nid ymyrrai â gwleidyddiaeth, ac ar adeg etholiad rhoddai ei bleidlais, mewn ffydd, i'r un a gefnogid yn fwyaf cyffredinol gan grefyddwyr. Yn ei olwg ef nid oedd bywyd yn dda i ddim ond i fod yn grefyddol, ac yn grefyddol yn yr ystyr a roddai ef i grefydd. Yr oedd ef yn gul ryfeddol, ac ar yr un pryd yr oedd rhyw fath o ddyfnder ynddo. Ffarmwr digon gweddol oedd ef, ac os nad oedd Dafydd yn grefyddol, nid oedd yn ddim yn y byd, y truanaf o'r holl greaduriaid ydoedd. Y ffarm, y ffair, y Cyfarfod Misol, y Sasiwn, y dyddiadur, yr almanac, y *Drysorfa*, Esboniad James Hughes, y Beibl, a'r capel, yn enwedig y ddau olaf – dyna oedd ei holl fyd a'i fywyd. Yr oedd ef yn gul, fel y dywedwyd, ond nid yn sarrug. Yr oedd ei grefydd wedi ei wneud yn *sad* mewn mwyneidd-dra. Ni welais mohono erioed yn chwerthin ond gyda deigryn yn ei lygaid; a hynny o dan y pwlpud. Nid wyf yn meddwl y gallasai holl ddigrifwch y byd beri iddo chwerthin, ond mi wn y gwyddai Dafydd Dafis yn dda, fel y gwyddai mab Jesse, am ddigrifwch y ddeheulaw. Nid oedd ef i'w gymharu o ran gallu ac amaethiad meddyliol ag Abel Hughes, ond yr oedd wedi yfed yn helaeth o grefyddolder y gŵr hybarch hwnnw, ac nid am ddim y treuliodd flynyddau yn ei gwmni. Yr oedd ei lwyrfrydedd yn y peth yr oedd ef yn hynod ynddo, wedi sicrhau iddo fwy o barch nag o edmygedd, yn enwedig ymhlith y bobl ieuainc. Galarai'r aelodau oedrannus a berthynai i eglwys Bethel, y rhai oedd ymron gorffen ymladd â'r byd, ac wedi blino ar ei brofedigaethau, galarent na fuasent wedi byw yn debycach i Dafydd Dafis, a gwaredai'r ieuainc, er eu bod yn parchu ei dduwioldeb, rhag edrych arno fel patrwm i'w ddilyn. Fel yr wyf yn heneiddio, ac yn fy oriau mwyaf prudd, byddaf ymron meddwl mai bywyd fel yr eiddo Dafydd Dafis ydyw'r unig fywyd gwerth ei fyw. Pan mae tennyn dyn wedi mynd mor gwta fel nad ydyw'n *rhoi* dim wrth ei dynnu, a phan deimla mai'r unig beth *mawr* sydd o'i flaen yn y byd hwn ydyw marw, nid all dim ei demtio i chwerthin yn debyg i'w ffolineb ef ei hun yn yr amser aeth heibio – y pris *a fu* yn ei roi ar sefyllfa, ar barch, ar dipyn o swydd, ar wleidyddiaeth, neu arian. Pan mae nos einioes wedi dal dyn, y fath wegi yr ymddengys yr holl fustachu sydd yn y byd! Pa bwys, erbyn hyn, ai bwthyn ai palas fydd ein trigfod? Pa bwys pwy fydd y Prif Weinidog? Ffaith heb ei chyffelyb ydyw honno ynghylch y Parch. John Hughes, Pontrobert. Pan aeth brawd i ymweld ag ef pan oedd ar ei wely angau gan ddisgwyl cael gair o'i brofiad, a phan ofynnodd, "Wel, John Hughes bach, sut mae hi arnoch chi heddiw?" ei ateb oedd, "Symol; be maen nhw'n neud tua'r *Parliament* ene, y dyddiau yma, deudwch?"

Yn fy oriau *prudd*, meddaf, byddaf yn edrych ar fywyd Dafydd Dafis gydag eiddigedd, ond i'r dyn â'r meddwl iach, effro, dichon mai bywyd hunanol yr ymddangosai un fel yr eiddo Dafydd Dafis. Hen lanc oedd ef, ac efallai fod yr elfen hunanol yn ymddatblygu yn ddiarwybod i'w pherchennog ym mywyd dyn sengl. Ran hynny, onid hunan sydd yn llywodraethu pob dyn, ond ei fod yn gwisgo gwahanol weddau. Mae'n wir, mai un o anhepgorion crefydd ydyw hunanymwadiad, ond y mae yr un mor wir, nad oes dim fel crefydd am ddatblygu hunan a rhoi gwerth ar bopeth sydd ynglŷn â hunan. Beth fel crefydd a all ddwyn dyn i deimlo ei unigolrwydd, ei gyfrifoldeb, ei ddyfodol? Nid yw'r pethau hyn ond gweddau ar hunan. Mae'r dyn gostyngedig, yn arbennig, yn dangos yn eglur fod hunan wedi cael rhan helaeth o'i fyfyrdodau.

Ond yr wyf yn crwydro. Cysurus gan Eglwys Bethel oedd cofio na châi'r cyfarfodydd wythnosol, megis y seiat a'r cyfarfod gweddi, ddioddef rhyw lawer tra byddai Dafydd Dafis yn fyw. Nid oedd y blaenor arall, sef Alexander Phillips (*Eos Prydain*), ond anfynych yn rhoi ei bresenoldeb yn y cyfarfodydd hyn. Yn ei gylch ei hun fel dechreuwr canu, ac fel un oedd yn gofalu am lyfrau'r eglwys, yr oedd yr Eos yn gampus. Ond prin y gwelid ef unwaith yn y chwarter yn y seiat a'r cyfarfod gweddi. Pan ddeuai'r Saboth yr oedd fel un yn lladd nadroedd, neu'n bwrw pridd ar gorff, fel y dywedir. O'r braidd y byddai'n cymryd hamdden i fwyta, ac yr oedd y *pitch-fork* yn amlach rhwng ei ddannedd na'r llwy a'r fforc gig. Byddai ganddo gyfarfod canu am un o'r gloch y prynhawn, ac am bump o'r gloch, ac un wedyn ar ôl oedfa'r nos, ac yr oedd mwy o *sŵn* yn ei dŷ nag oedd yno o lestri gweigion. Un o'r pethau a roddai fwyaf o foddlonrwydd meddwl a thawelwch cydwybod i'r Eos wrth edrych yn ôl, oedd y ffaith ddarfod i gôr Bethel o dan ei arweiniad ef ganu *Vital Spark* yn effeithiol ar ôl marw Rhys Lewis. Os rhaid dweud y gwir, yr oedd Eos Prydain a'i gôr, gyda rhagwelediad canmoladwy, wedi bod yn ymarfer *Vital Spark* rai misoedd cyn marwolaeth y gweinidog. Nid yn y capel, wrth gwrs, y cymerai'r *practices* le – buasai hynny'n rhy awgrymiadol, ond yn nhŷ ardrethol yr Eos ei hun. O ganlyniad, pan gymerodd y digwyddiad galarus le, yr oedd yr Eos a'i gôr yn barod gyda *Vital Spark*. Byth wedi hyn yr oedd yr Eos – yn ymwybodol o'i fod ef ei hun a'i gôr yn barod i ganu dernyn rhagorol o gerddoriaeth, ond dernyn na allent gyda phriodoldeb ei ganu ond ar achlysuron neilltuol – yr oedd yr Eos, meddaf, nid yn anfynych pan fyddai'r pregethwr yn llefaru, yn cymryd *stock* o'r gynulleidfa i edrych a oedd rhyw arwyddion yng ngwedd rhywun fod y gelyn diwethaf wedi ei farcio. Os byddai pawb yn edrych yn iach a hoyw, trôi'r Eos ei fyfyrdod at y dôn oedd i'w chanu ar ddiwedd yr oedfa, a hawdd oedd gweld ar ei geg ei fod yn ei chwibanu yn ei frest. Ni waeth i mi wneud y cyfaddefiad – bûm am amser yn aelod o gôr detholedig yr Eos, a dyna sut yr wyf yn gwybod yr holl fanylion. Yr oedd yn ddealledig yn ein plith ni ein hunain, ac ymhlith neb arall, os byddai rhywun o aelodau cynulleidfa Bethel yn gwaelu o ran ei iechyd, fod *private practice* i'w gynnal yn nhŷ Eos Prydain bob nos Saboth, ond os byddai pawb yn iach câi *Vital Spark* lonydd am dymor. Yr oedd gennym rai mân reolau dealledig, y rhai ni wnaf eu henwi yma. Ein pwnc mawr oedd bod yn barod ar ddiwrnod o rybudd gyda *Vital Spark*. Weithiau byddem yn cael *practice* pan fyddai rhyw bosibilrwydd – megis ynglŷn â gwragedd priod, er na sonnid am y peth fel y cyfryw. Os cymerid rhywun yn wael yn yr oedfa, ac yn enwedig os byddai raid ei gario allan, byddem yn tyrru i dŷ yr Eos i gael *practice*. Yr wyf yn cofio'r Eos mewn penbleth mawr un tro. Perthynai i gynulleidfa – nid i eglwys Bethel – ŵr hynaws, call, a chlyfar yn ei ffordd ei hun, o'r enw Tom Jones. Byddai Tom yn gyson iawn fel gwrandawr, ond yr oedd yn herwheliwr enbyd. Buasai Tom "o flaen ei well" fwy nag unwaith. Un noson daliwyd Tom gan gipars y Plas yn herwhela ar yr ystad. Nid oedd Tom yn foddlon colli ei ysglyfaeth, ac aeth yn ysgyffyl rhyngddynt. Llwyddodd i ddod yn rhydd o'u gafaelion; ond oherwydd ei fod wedi gorfod ymladd yn erbyn dau, dioddefodd ysigiad tost, a bu Tom druan farw. Yn awr, y cwestiwn a flinai'r Eos oedd a oddefid – nid a ddylid – canu *Vital Spark*. Fodd bynnag, cawsom *practice*, a rhoddwyd y cwestiwn o flaen Dafydd Dafis. Penderfynodd Dafydd y cwestiwn mewn eiliad, a gofidiai'r Eos na fuasai Tom farw dan amgylchiadau gwahanol. Tra oeddwn yn aelod o gôr yr Eos, llawenhawn nad oedd Wil Bryan gartref, oblegid gwyddwn na fuasai ef fawr o dro'n dod o hyd i'n *practices* ni, ac na buasai'n arbed dadlennu ein hymbygoliaeth.

Gwrthgiliais o gôr yr Eos, ac fel hyn y bu. Cymerwyd fi yn wael gan y *slow fever*. Trigai'r Eos yn y tŷ nesaf ond un i'n tŷ ni. Oddeutu deg o'r gloch, y nos Saboth cyntaf o'm hafiechyd, yr oeddwn yn wael iawn, a neb ond fy mam yn fy ngwylio. Yr oedd yn noswaith dawel, ac, erbyn hyn, nid oedd neb yn tramwy'r heol. Darllenai fy mam ei Beibl iddi hi ei hun. Yn y man clywn sŵn canu, ac er na allwn glywed y geiriau, gwyddwn ar y gerddoriaeth mai –

"Lend, lend your wing,
  I mount, I fly;
  O grave! where is thy victory!
  O death! where is thy sting!"

oedd y geiriau a genid.

"Oes rhwun o bobl y capel yn sâl heblaw fi?" gofynnais i'm mam.

"Nag oes, 'ngwas i, pam 'rwyt ti'n gofyn?" atebodd fy mam.

"O, dim," ebe fi. Ond truenus iawn fu hi arnaf y noswaith honno, oblegid gwelwn fod yr Eos a'i gôr am fy nghladdu ar unwaith. Yr oedd arwyddion gwellhad arnaf cyn y Saboth dilynol, ac er i mi wrando'n ddyfal, ni chlywn ddim o *Vital Spark*. Pan ddeuthum o gwmpas dychmygwn fod yr Eos yn edrych yn siomedig am na fuaswn wedi marw, ac nid euthum byth wedyn yn agos i'w gôr.

XXII

Y BUGAIL

AT hyn yr wyf yn cyfeirio ers meitin, ond fy mod fel ci Gwilym Hiraethog yn rhedeg ar ôl pob pry ac aderyn a ddaw ar draws fy llwybr. Gadawodd bugeiliaeth Rhys Lewis argraff mor dda ar feddyliau aelodau eglwys Bethel, fel, yn fuan iawn ar ôl ei farwolaeth, y dechreuasant anesmwytho am gael bugail arall. Ac nid hir y buont cyn syrthio ar y gŵr. Cymerodd y peth le yn hynod naturiol. Digwyddodd ddod pregethwr na fuasai yno erioed o'r blaen ar gyhoeddiad Sabboth i lenwi pwlpud Bethel, a oedd hefyd – sef y pregethwr, nid y pwlpud – newydd-ddyf-odiad i'r sir. "Pasiodd" y gŵr yn rhagorol iawn. Yr oedd ganddo ddawn ymadrodd rhwydd a thinc dymunol yn ei lais. Gydag Eos Prydain y digwyddai'r pregethwr dieithr letya – ei "fis" ef ydoedd i dderbyn y llefarwyr. Cyn mynd i'r gwely y nos Saboth hwnnw, ar ôl bod maith ymgom, gwnaeth yr Eos yn hy ar y gŵr dieithr, a gofynnodd iddo a oedd ef yn barod i dderbyn "galwad" pe buasai un o eglwysi'r sir yn meddwl amdano fel bugail? Wedi petruso ychydig, a hymio a haio ennyd, atebodd y gŵr ei fod ef yn hollol yn llaw Rhagluniaeth, os yn y cymeriad o fugail y dymunai hi iddo weithio dros ei Arglwydd, ei fod yn eithaf parod i ymgyflwyno'n hollol i'r gwaith; mewn gwirionedd, mai dyna oedd dymuniad pennaf ei fywyd. Dywedodd yr Eos wrth y gŵr dieithr fod gwir angen ar eglwys Bethel am fugail, a bod yr eglwys, dybiai ef, yn lled aeddfed i chwilio am olynydd teilwng i Rhys Lewis, ond ei fod yn rhoddi'r cwestiwn i'r gŵr dieithr, wrth gwrs, yn hollol ar ei gyfrifoldeb ei hun. Ar yr un pryd, rhoddai'r Eos ar ddeall i'r pregethwr ei fod yn tybied fod ganddo farn, ac y gwyddai beth oedd barn yr eglwys, ac mai purion peth oedd gwybod pwy

149

oedd yn agored i dderbyn galwad a phwy oedd heb fod felly erbyn yr eid at y gwaith o ddewis.

Rhag i neb feddwl fod yr Eos wedi arfer prysurdeb annoeth drwy grybwyll cwestiwn o'r fath wrth ŵr nad oedd erioed wedi ei weld o'r blaen nac yn gwybod dim amdano, priodol ydyw hysbysu'r darllenydd fod y gŵr dieithr wedi gwneud sylwadau hynod o ffafriol ar ganu cynulleidfaol Bethel, ac wedi dangos yn eglur, yn nhyb yr Eos, y gwyddai ef y gwahaniaeth rhwng *crotchet* a *demi-semi-quaver*. Yn awr, yr oedd hyn, ym mryd yr Eos, yn *acquirement* na cheid ond yn anfynych mewn pregeth-wr, ac ni allai lai na meddwl y fath gaffaeliad fuasai i eglwys Bethel gael gweinidog, nid yn unig yn gwerthfawrogi cerddor-iaeth, ond yn gerddor hefyd. A chyda'r rhagolwg hwn yn llosgi yn ei fynwes, ni fu'r Eos yn brin yr wythnos ganlynol i gryb-wyll y mater wrth nifer luosog o aelodau Bethel, yn enwedig y dosbarth ieuanc ohonynt. Cyn y Saboth dilynol yr oedd Obediah Simon – canys dyna oedd enw'r gŵr – wedi ei bwyso a'i fesur ar aelwydydd yr aelodau, ac nid yn anffafriol. Cydnab-yddid yn lled gyffredinol ei fod yn bregethwr rhagorol, a derbynnid tystiolaeth yr Eos yn grediniol fod yn Mr. Simon ogoniant mwy nag a amlygwyd eto. A mwyaf y meddylid amdano, gorau oll a chymwysaf oll yr ymddangosai Mr. Simon i fod yn olynydd teilwng i Rhys Lewis. Yr oedd Mr. Simon yn ddibriod, heb fod yn ddirmygus o ran ymddangosiad, ac erbyn clustfeinio siaredid yn hynod ffafriol amdano gan ferched ieuainc Bethel a chan amryw o'r mamau (nid yn Israel). Bu oedran Mr. Simon yn destun cryn drafodaeth ymhlith y dos-barth a enwyd, a chytunid yn lled unfrydol ei fod dan ddeg ar hugain oed. Tueddai'r gwŷr ieuainc mwyaf meddylgar a chraff i gredu ei fod yn nes i ddeugain oed, ond addefent yn rhwydd y gallai mai'r merched ieuainc oedd yn eu lle, yn gymaint â bod astudiaeth galed yn peri i ddyn edrych yn hŷn nag ydyw mewn gwirionedd, ac amlwg ydoedd fod Mr. Obediah Simon wedi bod yn fyfyriwr ymroddgar, canys gwisgai ysbectol.

Ond yr oedd yn eu plith un o'r enw Thomas, a arferai ysgrif-ennu i'r wasg, ac a adnabyddid wrth y ffugenw "Didymus"; ni chredai hwn y buasai Mr. Simon yn fyfyriwr caled, a phrotestiai mai bochau tatws laeth oedd ganddo, ac na welodd ef erioed fyfyriwr caled gyda bochgernau mor wridog. Ond rhoddwyd y diffoddydd ar Didymus gan un o'r frawdoliaeth, gyda'r sylw pert canlynol, sef fod yn y bochau dynol wmbreth o *recuperative power*, ond unwaith y rhoddai Lladin a Groeg eu bys yn llygad dyn, mai caffael ohonof fy ngolwg fyddai gwaedd y dyn hwnnw byth wedyn. Ffaith hynod ydoedd fod enw y Parchedig Obediah Simon wedi ei droi a'i drafod yn nheuluoedd naw o bob deg o aelodau eglwys Bethel, fel gŵr tebygol o wneud bugail rhagorol, cyn i Dafydd Dafis glywed na siw na miw am y peth. Ac mewn Cyfarfod Misol y clywodd Dafydd gyntaf am y sôn.

"Ai gwir ydi'r stori, Dafydd Dafis," ebe brawd o flaenor wrtho, "ych bod chi'n debyg o alw Mr. Obediah Simon yn fugel acw?"

"Chlywes i neb yn sôn am y fath beth," ebe Dafydd.

"Peidiwch â bod mor slei, Dafydd Dafis," ebe ei gyfaill, "achos yr oedd Mr. Simon ei hun yn deud wrtho' i ddoe dwaetha'n y byd fod ei achos o'n debyg o ddod o flaen eglwys Bethel yn fuan."

Trawyd Dafydd â mudandod a phoenwyd ef yn fawr. Pan ddaeth Dafydd adref, pwy oedd yn ei dŷ yn ei ddisgwyl ond y Didymus y cyfeiriwyd ato'n barod, a gyfrifid gan rai o'r brodyr fel gŵr o ymadroddion celyd. Pan ddeallodd Didymus fod y sôn oedd ymhlith yr aelodau am y Parch. Obediah Simon yn ddieithr i Dafydd Dafis, adroddodd iddo yr oll a wyddai am yr helynt. Cafodd Dafydd waith peidio llesmeirio. Yr oedd ymron yn anhygoel ganddo y gallasai'r siarad fod mor gyffredinol ar bwnc mor bwysig, a'r cyfan, megis, tu ôl i'w gefn ef. Arferai dybied fod ei wasanaeth fel blaenor yn cael ei werthfawrogi gan yr eglwys, ac er na choleddai syniadau uchel am ei alluoedd, yr oedd ganddo ymwybyddiaeth nad oedd yn ôl i neb am ffyddlondeb ac o wneud ei orau yn ôl y ddawn a rodded iddo. Pruddhaodd, ar y pryd, wrth wrando ystori Didymus, a dechreuodd feddwl nad oedd iddo le ym marn na serch ei gydswyddog, nac yn eiddo'r eglwys.

"Beth a ddywed y cyfeillion sydd yn meddu barn ar y mater?" gofynnodd Dafydd i Didymus.

"Chwi wyddoch," ebe'r anghredadun, "y gellwch gyfrif y rheiny ar fysedd un o'ch dwylo, a chwi ydyw'r cyntaf ohonynt i mi gael siarad ag ef ar y mater."

"Bydae'r achos yn dod o flaen yr eglwys, be ydi eich barn chi, Thomas, am y gŵr?" gofynnodd Dafydd.

"Fy marn i ydyw," ebe Didymus, "fel y byddan nhw'n dweud mewn 'Steddfod, nad ydi o ddim yn deilwng o'r wobr, ac mai gwell ydyw gadael y pwnc i ymgeisio arno eto, os ydach chi'n dallt fy meddwl i. Beth ydyw eich barn chwi, Dafydd Dafis?"

"Tueddu yr ydw i i synio 'run fath â chi," ebe Dafydd. "Ond hwyrach ein bod ein dau yn gwneud cam â'r gŵr. Nid yw'n iawn barnu dyn wedi ei glywed ddim ond unwaith. Dichon fod Mr. Simon yn ŵr rhagorol, ac na allwn gael ei well, ond, a dweud y lleiaf, yr wyf yn meddwl fod Phillips wedi bod yn rhy brysur – yn rhy brysur o lawer. Nid chware plant ydi galw dyn i fugeilio eglwys. Mae isio cymryd pwyll mawr, a gweddïo mwy na mwy am gyfarwyddyd. Gwell ydi'r drwg a wyddom na'r drwg nas gwyddom. Ddaru'r dyn ddim gneud argraff neilltuol ar fy meddwl i, ond hwyrach mai arna i 'roedd y bai. Mi wn 'y mod i'n rhy dueddol i sylwi ar bethe bychain, ddaru mi ddim leicio ei weld o'n gwisgo modrwy am ei law. Ddaru chi sylwi ar hynny?"

"Do, debyg," ebe Didymus. "Yr oedd y wisg orau wedi ei dwyn allan, ac yr oedd y fodrwy am ei law, ac oni bai i mi ddarganfod fod y llo pasgedig yn fyw a heb ei ladd, mi faswn wedi dod i'r casgliad mai Mr. Simon oedd y Mab Afradlon, y clywsom ni gymaint o sôn amdano."

"Wn i ddim a ydw i'n ych dallt chi," ebe Dafydd yn ei ddiniweidrwydd, "ai'ch meddwl chi ydi wrth ddeud fod y llo pasgedig heb ei ladd, mai pregethu'n sâl yr oedd Mr. Simon?"

"Nid hynny'n unig," ebe Didymus, "ond eglur yw na allasai fo bregethu bydase fo wedi ei ladd oblegid, mi gymra fy llw, nad yw Mr. Simon yn *awr*, ac na fydd o *byth*, yn un o'r rhai hynny y dywedir amdanynt eu bod wedi marw yn llefaru eto."

"'Rydach chi'n rhy at o fod yn llawdrom, Thomas," ebe Dafydd. "Mae'n bur amlwg fod y dyn wedi pasio'n dda yma gyda'r bobol, os ydi'r siarad amdano mor ffafriol ag yr ydach chi'n deud. Ac mae o wedi'i ordeinio hefyd – rhaid fod rhwbeth ynddo, ne' chawse fo mo'i ordeinio.

"Chwi wyddoch, Dafydd Dafis," ebe Didymus, "fod llawer sgil i gael Wil i'w wely. Nid yw'r ffaith fod Mr. Simon wedi ei ordeinio yn profi ei fod na Phôl na Pholos. Mi wn am ambell un digon dienaid a gysegrodd flynyddoedd, ac a aberthodd bob peth, o'r aderyn to at y bustach, i ennill y corn olew, ac wedi ei gael, na wnaeth ddim ond dibynnu ar gorn gwddw; ac un o'r rheiny ydyw Obediah Simon – dyn yn dibynnu ar nerth corn gwddw. Ond, wrth gwrs, mae'r dyn yn dibynnu ar y peth gorau sydd ganddo. Ac am gael ei ddwyn o flaen yr eglwys, y mae hynny cystal ag wedi cymryd lle, oblegid y mae'r Eos wedi seinio ei glodydd yng nghlust pob aelod o'r eglwys, ac wedi glân ddrysu arno, a'r rheswm am yr holl sêl ydyw fod Obediah Simon yn gerddor. Os dyna'r *sort* o ddyn yr ydym eisiau yn Bethel, wel, pam nad aiff y creadur i fewn am gael Sims Reeves i fugeilio'n heglwys? Dafydd Dafis, os na rowch chi'ch wyneb yn benderfynol yn erbyn y symudiad yma, mi af i i berthyn i Seintiau'r Dyddiau Diwethaf."

Prin yr oedd y gair olaf allan o enau Didymus, pan wnaeth Eos Prydain ei ymddangosiad. Ni byddai ef un amser yn mynychu'r Cyfarfodydd Misol, ond, fel Methodist teyrngarol ac ymwybodol o'i rwymedigaethau fel diacon, byddai'n arferiad dieithriad ganddo dalu ymweliad â Dafydd Dafis bob mis, er mwyn cael hanes y Cyfarfod Misol. A diamau mai gyda'r amcan hwn y daethai ef i dŷ Dafydd Dafis y noson hon. Ni wyddai ef, wrth gwrs, fod Didymus yno o'i flaen, onide, hwyrach, y buasai'n aros hyd nos drannoeth. Cafwyd ymgom mor ddiddorol, hynny yw, yng nghyfrif yr ysgrifennydd, gan nad beth ddywed y darllenydd, fel y mae'n rhaid i mi gymryd pennod gyfan i'w chroniclo, a phennod led faith hefyd, mae arnaf ofn.

XXIII

DIDYMUS

GWEDDUS ydyw hysbysu nad oedd llawer o gariad brawdol yn cael ei wastraffu rhwng Eos Prydain a Didymus. Nid oedd Didymus yn orfanwl yn ei foesgarwch tuag at ei uwchafiaid mewn swyddi. Tybid yn lled gyffredinol fod ei ddeall yn gryfach na'i deimlad, a'i dalentau o radd uwch na'i ledneisrwydd. Pan ymddangosai llythyr pigog, cyrhaeddgar, ond dienw, yn y newyddiadur lleol, tadogid ef ymron yn wastad ar Didymus. Yn wir, yr oedd cryn lawr o'r ysbryd "waeth gen i befo neb" yn nodweddu Didymus. Ar yr un pryd yr oedd yn arwraddolwr o'i gorun i'w sawdl, ac nid oedd neb mor fawr yn ei olwg â phregethwr mawr. Edmygai hefyd "yr anghyffredin", serch na byddai'n fawr. Nid oedd neb yn edmgyu mwy ar Thomas a Barbara Bartley na Didymus. Yn ei du mewn chwarddai'n fynych ar ambell sylw o eiddo Dafydd Dafis; ond pe buasai raid, gwn y rhoisai ef ei fywyd i lawr dros Dafydd, am y credai fod Dafydd, yn yr hyn ydoedd, yn *real*. Yr oedd Didymus yn elyn anghymodlon i'r hyn a olygai ef yn "hymbygoliaeth", ond nid bob amser yr oedd ef yn gywir gyda golwg ar y pethau y dylid eu rhestru dan y pennawd hwnnw. Fel yr awgrymwyd yn barod, ni roddai Didymus bris uchel ar alluoedd yr Eos. Yr oedd yr Eos yn ymwybodol o hynny, a bu raid iddo ar fwy nag un achlysur ddioddef yn ddistaw ambell i grafiad, a rhoi ambell air cas yn ei logell. Buasai'n well gan yr Eos le Didymus na'i bresenoldeb yn nhŷ Dafydd Dafis y noswaith yr wyf yn sôn amdani; ac eto ysgydwodd ddwylo'n garedig ag ef oddi ar yr egwyddor – "Dawch, mistar, rhag eich ofn". Ceisiai'r Eos, druan, fod ar delerau da â phob dyn, ac yr oedd ef yn naturiol o dymer hynaws. Nid ymddangosai Dafydd Dafis mor gyfeillgar ag arferol y noson hon, a rhwng popeth, nid oedd yr Eos mor gysurus ei feddwl ag y dymunasai fod. Pa fodd bynnag, ceisiai ymddangos ac ymddwyn fel pe buasai yn y dymer orau, ac ebe fe –

"Fath Gyfarfod Misol gawsoch chwi, Dafydd Dafis?"

"Rhagorol iawn," ebe Dafydd yn sychlyd.

"Felly'n wir; oedd yno rwbeth neilltuol?" gofynnodd yr Eos.

"Oedd," ebe Dafydd, "'roedd ysbryd doethineb a phwyll yn nodweddu pob ymdrafodaeth, a gwedd wyneb yr Arglwydd ar y weinidogaeth."

"Felly'n siŵr," ebe'r Eos. "Hyfryd ydi clywed hynny. Fu yno rw sylw ar y gymanfa ganu?"

"Naddo," ebe Dafydd, "hyd yr ydw i'n cofio, ac os bu, ddaru mi ddim sylwi."

"Felly," ebe'r Eos. "Mae'n rhyfedd fod y naill Gyfarfod Misol ar ôl y llall yn mynd heibio heb sylw yn y byd yn cael ei wneud ar beth mor bwysig â'r gymanfa ganu. Pa bryd, tybed, y daw cerddoriaeth i gael y sylw a ddylai gan y Cyfarfod Misol?"

"Yr wyf wedi bod yn meddwl lawer gwaith, Dafydd Dafis," ebe Didymus, "nad *idea* ddwl fyddai cael côr heb neb yn perthyn iddo ond aelodau Cyfarfod Misol – *male voices*, wrth gwrs. Nid peth amhosibl fyddai hynny. Peth hawdd fyddai gwneud rheol na dderbynnid neb yn aelod o'r Cyfarfod Misol os na fyddai wedi ennill y *certificate* uchaf yn y Sol-ffa. Yr wyf yn siŵr na roddai dim fwy o bleser i mi na gweld rhes o hen gonos fel chi, Dafydd Dafis, yn canu *alto* ac 'rwyf yn siŵr, pe ffurfid côr felly, y caech chwi weld *lot* o flaenoriaid cerddorol nad ânt byth yrŵan i Gyfarfod Misol, yn cyrchu i'r cyfarfodydd gyda chysondeb. A hwyrach y gallai'r côr gipio ambell wobr mewn 'Steddfod, a drychwch chwi fel y codai hynny'r achos yn y sir."

Bu agos i Dafydd Dafis chwerthin wrth feddwl am res o rai tebyg iddo ef ei hun yn canu *alto*, ac ebe'r Eos braidd yn sur –

"Rhaid i chi, Thomas, gael gneud gwawd o bopeth yn wastad. Ond waeth i chi heb siarad, 'does dim posib cael gan bregethwyr gymryd diddordeb mewn canu cynulleidfaol, ac o'u rhan nhw mi fase'r canu wedi mynd i'r cŵn ers talwm."

155

"Mae'n rhaid i mi gyfaddef," ebe Didymus, "fod pregethwyr y Methodistiaid yn y blynyddoedd diwethaf wedi dirywio'n fawr yn eu canu. 'Rwyf yn cofio'r amser y gallai ymron bob un ohonynt ganu, ac na allai'r cynulleidfaoedd oddef pregethwr, os na fyddai'n gantwr. Ond erbyn hyn y mae ein gweinidogion fel rheol yn ymfoddloni ar draethu i ni wirioneddau mawr yr Efengyl heb fod ar gân. Wrth gwrs, y mae gennym rai *honourable exceptions*. Dyna wythnos i'r Saboth diwethaf, yr oedd gennym bregethwr oedd hyd yn oed yn canu'r bennod."

Ni wnaeth yr Eos sylw o eiriau Didymus, a chan gyfeirio at Dafydd Dafis, ebe fe eilwaith –

"Ddyliwn fod sylw wedi bod ar y fugeiliaeth, achos y mae'r pwnc hwnnw mewn blas gan y pregethwyr bob amser?"

"Wel, naddo; fu yno yr un gair o sôn am y fugeiliaeth yn *gyhoeddus*," ebe Dafydd.

"Pam yr ydych yn pwysleisio'r gair 'cyhoeddus'?" ebe Didymus.

"Mi ddeudaf i chi'r rheswm," ebe Dafydd. "Fe ofynnwyd cwestiwn i mi yno ddaru fy synnu a fy mrifo. Fe ofynnodd brawd i mi, ai gwir oedd yr hanes fod Mr. Obediah Simon yn debyg o gael ei alw'n fugail ar eglwys Bethel, ac ni chredai'r brawd pan ddwedes na chlywais i air o sôn am hynny. Ond erbyn dod gartre, a holi tipyn, 'rwyf yn dallt fod cryn siarad wedi bod am y gŵr heb yn wybod i mi."

"Yr ydych, fel finne, dipyn ar ôl eich hanes," ebe Didymus. "Ond efo hyn yr wyf dipyn o'ch blaen chwi, ac wedi clywed ers dyddiau fod amryw o aelodau eglwys Bethel wedi syrthio mewn cariad â Mr. Simon. Chwi wyddoch, Dafydd Dafis, fod cariad yn ddall, ac yn yr achos hwn, yn ddallach nag erioed, a phe buasai eich golwg chwithau dipyn byrrach, hwyrach y buasech chwithau wedi syrthio mewn cariad â'r gŵr. Sut bynnag, er mai hen lanc ydych, mi fuaswn yn disgwyl i chwi, fel hen gyfaill Bethel, wybod yn un o'r rhai cyntaf pwy oedd hi'n garu a phwy oedd hi ddim yn garu."

"'Does neb, tybed, a faidd wadu," ebe'r Eos, "nad ydym mewn gwir angen am fugail? Mae'n bryd i rywun symud yn y mater. Yr ydym wedi sôn a siarad digon, ac mae'n bryd i ni weithredu bellach. Ac fel 'rydach chi wedi hintio, y mae yma lawer o sôn wedi bod am Mr. Simon er pan fu o yma'n pregethu – mae pawb wedi ei leicio. Yn wir yr oeddwn i'n hoffi'r dyn yn fawr fy hun, a welais i 'run dyn cleinach na fo yn tŷ erioed. Ddyliwn i y gallem ni ystyried ein hunen yn lwcus iawn bydaen ni'n llwyddo i gael Mr. Simon yma fel gweinidog. Dyna fy meddwl i."

"Ddymunwn i," ebe Dafydd, "ddweud dim am y gŵr i awgrymu nad ydi o'n bopeth sydd arnom eisiau. Ac am fod yma angen am weinidog, 'does dim yn fwy amlwg. Yr wyf wedi blino ar fy sŵn fy hun yn seiat, a 'dydach chithe, Phillips, ddim yno ond rhyw unwaith bob deufis i roi help llaw. Mae'n bryd gwneud rhywbeth. Ar yr un pryd y mae eisiau cymryd pwyll mawr, a gweddïo llawer am gyfarwyddyd ysbryd Duw. 'Dydi dewis bugail ddim yn rhywbeth i ruthro iddo fel buwch i gogwrn."

"'Does neb yn meddwl rhuthro, Dafydd Dafis," ebe'r Eos. "'Does neb yn meddwl setlo'r cwestiwn yfory na thrennydd. Ond y mae'n bryd dod â'r peth o flaen yr eglwys. Tybed nad ydym, er yr amser y bu Rhys Lewis farw, wedi cael digon o amser i gymryd pwyll ac i ofyn am gyfarwyddyd? Os na ofalwn, fe aiff un oes heibio tra ydym ni'n sôn am gymryd pwyll."

"Phillips," ebe Dafydd, "os da 'rwyf yn cofio, gyda chi yr oedd Mr. Simon yn aros pan fu yma. A ddaru i chi roi rhyw le i'r gŵr feddwl y byddai i'w enw gael ei ddwyn o flaen yr eglwys, ac a wyddoch chi rywbeth o hanes y gŵr?"

"Y cwbwl a wnes i," ebe'r Eos, "oedd siarad yn gyffredinol am ein sefyllfa fel eglwys, ac am yr angen yr oeddem ynddo am rywun i'n bugeilio. Ac mi ddigwyddais hefyd ofyn i Mr. Simon a oedd ef yn agored i dderbyn galwad pe buasai un o eglwysi'r sir yn meddwl amdano."

"Ddaru chi ddim comitio'ch hun, na rhoi un math o addewid ynte, Phillips?" gofynnodd Dafydd.

"Dim o'r fath beth," ebe'r Eos.

"Mae'n dda gen i glywed hynny," ebe Dafydd.

"Mae'n dda gen innau," ebe Didymus, "achos ddyliwn mai'r rheol ydyw, os bydd blaenor wedi rhoi ei air i bregethwr, y dewisir ef yn fugail, fod yr eglwys, fel mater o anrhydedd, yn rhwym o gynnal i fyny air y blaenor, ac nid oes dim *harm* yn cael ei wneud wrth roi'r peth i lais yr eglwys, er mwyn dangos unfrydedd yr alwad. Ac y mae hynny'n eithaf rhesymol; oblegid os ymddiriedir i'r blaenor ddewis pregethwr ar gyfer pob Saboth, ac os yw'r eglwys a'r gynulleidfa, wrth ddod i wrando'r pregethwr, megis yn codi eu llaw i ddangos eu cymeradwyaeth o'i ddewisiad, paham hefyd na ellir ymddiried i'r blaenor ddewis y bugail? Y blaenor ydyw cynrychiolydd yr eglwys, ac os na saif yr eglwys yn gadarn dros air y blaenor, nid ydyw'n deilwng o'r enw eglwys. Ar yr un pryd yr wyf yn credu y dylai'r blaenor, wrth ddewis bugail, fod *in touch* efo pob chwaeth yn yr eglwys. Fy mhwnc i fy hun ydyw i'r bugail fod yn *bregethwr* da – pwnc un arall ydyw, iddo fedru cadw seiat. Ond nid dyna bwnc pawb. Er nad wyf yn gerddor fy hun, nac yn hidio rhyw lawer am gerddoriaeth, ni allaf gau fy llygaid, ac yn enwedig fy nghlustiau, fod cerddoriaeth yn bwnc swnfawr gan ddosbarth helaeth o'n heglwys. Yn awr, a chaniatáu fod Mr. Simon yn ŵr ymadroddus, ac yn fedrus ar gadw seiat, nid wyf yn meddwl y rhown i fy *vote* iddo, os nad yw'n gerddor gweddol."

Edrychodd yr Eos am foment yn wyneb Didymus, i sicrhau ei hun a oedd ef yn peidio cellwair, a chan nad oedd gewyn yn symud i arwyddo dim angen na'r difrifwch mwyaf, atebodd yr Eos yn hoyw –

"Cerddor gweddol! – gallaf eich sicrhau fod Mr. Simon yn gerddor campus. Cefais ymgom hir efo fo ar gerddoriaeth gysegredig, ac ni welais *bregethwr* erioed mor gyfarwydd yn y pwnc. Yr oedd canu Bethel wedi ei foddhau'n fawr, ac yr oedd yn dweud ei fod wedi bod yn help iddo bregethu, a ches ambell awgrym ganddo sut i'w wella eto. Pe buasai *pob* pregethwr yn cymryd cymaint o ddiddordeb mewn cerddoriaeth â Mr. Simon, fe fuasai gwedd wahanol ar ganu cynulleidfaol ein gwlad."

"Siŵr iawn," ebe Didymus. "Gresyn na fuasai'r pregethwyr a

phawb ohonom yn gerddorion. Yr oeddwn yn edmygwr mawr o Rhys Lewis, ond yn ôl ei gyfaddefiad ef ei hun ni wyddai fwy am gerddoriaeth na brân. Ac er bod ei weinidogaeth ef wedi bod yn hynod lwyddiannus, ni allwn beidio gweld y buasai'n fwy felly o lawer pe buasai'n gerddor. (Siriolai wyneb yr Eos, ac ni chlywsai ef Didymus erioed yn siarad mor gall.) Y gŵr gorau, yn ddiau, fel bugail, ydyw'r un y byddai'r nifer fwyaf o ragoriaethau yn cydgyfarfod ynddo. Gwell ydyw i fugail fod yn dipyn o bopeth nag yn un peth mawr. Mae'n perthyn i eglwys Bethel nifer bychan – a gresyn na fuasai'n fwy – o wŷr ieuainc a thipyn o chwaeth ynddynt at lenyddiaeth, a da fyddai i'r bugail fod yn dipyn o lenor. Tybed oes tuedd yn Mr. Simon at lenyddiaeth?"

"'Rwyf yn siŵr ei fod yn llenor," ebe'r Eos, "er na ddaru o ddim dweud hynny wrthyf. Yn ddamweiniol fe ddywedodd ei fod eisiau mynd adre'n gynnar, am fod ganddo waith beirniadu rhyw draethawd mewn tipyn o 'Steddfod oedd i'w chynnal yr wythnos honno."

"Ddaru Mr. Simon, mae'n debyg," ebe Didymus, "ddim digwydd dweud wrthych beth oedd testun y traethawd? Fe fuasai hynny'n fantais i ni ddeall ym mha gangen o lenyddiaeth yr ystyrir Mr. Simon yn feirniad."

"Do, neno dyn, os medra i gofio fo," ebe'r Eos. "Rhwbeth am y Dilyw, ac ar y cwestiwn a oedd yr Eliffant yn yr arch ai nad oedd – rhwbeth fel ene."

"Testun rhagorol, a dyrys hefyd," ebe Didymus, "'rwyf wedi pondro llawer ar y pwnc yna fy hun. Ond gresyn na fuasent wedi ychwanegu – pa un a oedd y *whale* yn yr arch ai nad oedd. Mae cryn ddryswch ynghylch y cwestiwn yna hyd yn hyn, a phe gellid ei benderfynu, taflai lawer o oleuni ar faint yr arch, a'r hyn a feddylir wrth 'gufudd'. Ond hyn sydd eglur – yr ystyrir Mr. Simon yn ei gartre yn naturiaethwr ac yn hanesyddwr, os nad yn ddaearegwr hefyd. Faint oedd y wobr gynigid ar destun fel yna, tybed? Ddaru Mr. Simon ddim digwydd sôn hwyrach?"

"Fe ddangosodd i mi'r program, ac os ydw i'n cofio'n dda, pum swllt oedd y wobr," ebe'r Eos.

"Dyna *mistake* eto," ebe Didymus, "ar destun o'r natur yna, fe ddylase'r wobr fod yn saith a chwech. Sut y gellir disgwyl i'n llenorion gorau gystadlu ar destun o'r fath, pan na chynigir ond pum swllt o wobr? Ond mae'n amlwg fod pethau'n gwella. Mae'n dda gen i ddeall fod Mr. Simon yn llenor, ond fasen ni ddim yn gwybod hynny oni bai i chwi sôn."

Yr oedd Dafydd Dafis yn fud, ac ni allai ddyfalu amcan Didymus yn siarad yn y modd yma, pryd yr ychwanegodd Didymus –

"Mantais fawr ydyw cael *ymddiddan* â gŵr fel Mr. Simon i gael allan dueddiadau ei feddwl a'i ragoriaethau personol. Yn y pwlpud y mae dyn megis *at a distance*, a dim ond y pregethwr yn dod i'r golwg, ac yn aml nid ydych yn canfod hwnnw. Rhaid dyfod *at* ddyn a chymdeithasu ag ef, i gael allan adnoddau ei feddwl. Ac oddi wrth y pethau yr ydym wedi eu clywed gennych chwi, Phillips, mae'n rhaid i mi gyfaddef fod Mr. Simon yn amgenach dyn nag y darfu i mi feddwl ei fod wrth ei wrando'n pregethu. Mae'n ddrwg gen i na ddois i acw i gael ymgom ag ef."

"Mae'n ddrwg gen innau hefyd, ac yr oeddwn yn eich disgwyl o hyd," ebe'r Eos.

"'Dydi o ddim diben rhoi coel ar *first impressions*," ychwanegodd Didymus. "A oedd Mr. Simon yn gwneud argraff arnoch, Phillips, ei fod wedi troi tipyn mewn cymdeithas – hynny yw, a oedd o'n dangos fod ganddo barch iddo ef ei hun – yn ofalus am ei ymddangosiad – ac a allech chwi ymddiried yn ei ymddygiad mewn cymdeithas *respectable*? oblegid, erbyn hyn, y mae peth felly'n bwysig, ac nid gwiw i ni feddwl am fugail diofal, henffasiwn, slyfenllyd – mae'r dyddiau hynny drosodd – mae'r byd wedi newid, a phwys yn cael ei roi ar ymddygiad a *manners*."

"Wel," ebe'r Eos, "'roeddwn i braidd yn meddwl fod Mr. Simon yn rhy *mannerly* ..."

"'Does dim posib i ddyn fod yn *rhy mannerly* yn y dyddiau hyn," ebe Didymus, cyn i'r Eos orffen y frawddeg.

"Hwyrach hynny, wir," ebe'r Eos, "ond dyna oeddwn i braidd yn ofni, fod Mr. Simon yn rhy foneddigaidd i ni – pobl Bethel."

"'Does dim *rhy* foneddigaidd i fod," ebe Didymus drachefn.

"Wel, dyna ydw i'n feddwl wrth ddweud ei fod yn rhy fon-eddigaidd – yr oedd o rywfodd yn diolch gormod gen i. 'Daswn i ddim ond yn estyn y pot mwstard iddo, neu yn ei helpio i roi ei got ucha amdano, yr oedd o'n deud, '*Thank you*'," ebe'r Eos.

"*Very good* – arwydd o *good breeding*," ebe Didymus. "Ddaru chwi ddim sylwi, Phillips, i Mr. Simon roi rhywbeth yn llaw'r forwyn cyn mynd i ffordd?"

"Weles i mono'n rhoi dim iddi," ebe'r Eos.

"Mi wyddwn hynny," ebe Didymus, "naiff yr un bon-heddwr adael i neb ei *weld* yn rhoi dim i'r forwyn, ond gofyn-nwch chwi iddi pan ewch gartref, ac mi gewch, 'rwy'n siŵr, ei fod wedi rhoi chwech neu swllt iddi."

"Synnwn i ddim," ebe'r Eos. "A chyda golwg ar y peth arall oeddach chi'n ofyn – a oedd o'n ofalus o'i ymddangosiad – yr oedd, meddai, yn shafio bob bore Sul, ac 'rydwi'n cofio, wrth i ni fynd i oedfa'r nos, pan oeddan ni wedi mynd cyn belled â siop Start, y *druggist*, i Mr. Simon gofio ei fod wedi gadael ei fenig ar y bwrdd yn y tŷ, ac er ein bod dipyn ar ôl yr amser, fe fynnodd fynd yn ôl i'w cyrchu. 'Roeddwn i braidd yn ddig wrtho am hynny. Ac yr ydw' i'n cofio hefyd iddo wneud y sylw, fod un diffyg yn festri'n capel ni – sef nad oedd yno yr un *glass*, crib, a brwsh gwallt."

"Dafydd Dafis," ebe Didymus, "gwnewch *note* o nyna – 'dydw i ddim wedi nodi'r diffyg yna ers talwm? Ond gadewch i ni fynd ymlaen. Mor hawdd ydyw camfarnu dyn, *at a distance*! Mae Mr. Simon yn amgenach dyn o lawer nag y tybiais i ei fod. Yr ydych chwi, Phillips, ar ôl cael y fraint o fod yn ei gym-deithas, wedi cael mantais i'w 'nabod yn drwyadl. Goddefwch i mi ofyn cwestiwn neu ddau arall yn ei gylch – a chadw mewn cof, fel y dwedais o'r blaen, amrywiol nodweddion a thueddiadau aelodau a chynulleidfa Bethel – a ydyw Mr. Simon – ag i chwi roi barn onest – yn hoff o *parties*? A oes ganddo lygad i wneud arian? A fedr o chware *cricet*? A fedr o chware cardiau? A fedr o chware *billiards*? Neu, mewn gair, a ydi o'n *perfect humbug*?"

Neidiodd yr Eos ar ei draed, gafaelodd yn ffyrnig yn ei het, a chan edrych yn ddirmygus ar Didymus, ebe fe –

"Yr *humbug* mwya adwaenes i ydach chi, Thomas. Ŵyr neb lle i'ch cael chi, a phan mae rhwfun yn meddwl ych bod chi'n fwya difrifol, yr adeg honno yr ydach chi'n cellwair fwya. 'Rydach chi'n trin pobol cystal a gwell na chi'ch hun, fel bydaen nhw blant, ac yn meddwl ych hun yn rhwfun. Mi gymra fy llw bydasen ni'n meddwl am gael yr Apostol Paul yn fugail i Bethel, y buasech chi'n gneud gwawd o'r *idea*. ('*Certainly*,' ebe Didymus.) 'Rydach chi'n sôn llawer am hymbygoliaeth, ond ers pan ydw i'n flaenor, 'does neb wedi fy hymbygio i fel chi, a dalltwch, 'dydw i ddim am ddiodde dim chwaneg o hynny, ac os ydi Dafydd Dafis am ddal i'ch cefnogi chi – wel, boed felly–" a rhuthrodd yr Eos allan o'r tŷ, a chwarddodd Didymus yn uchel.

"Thomas," ebe Dafydd Dafis, "wn i beth i feddwl ohonoch chi. Mae gen i feddwl uchel o'ch galluoedd chi, ac mi wn ych bod chi'n llawer mwy craff na fi, ac y gallech chi fod yn llawer mwy defnyddiol gyda'r achos bydaech chi'n dewis – er ych bod chi'n ddefnyddiol iawn yrŵan efo'r Ysgol Sul. Ond rywfodd yr ydach chi'n chware efo popeth – yn chware efo'r pethe mwya difrifol, ac mi wn eich bod wedi brifo Phillips yn dost heno. Yr ydach chi ar fai, Thomas."

"Chware, Dafydd Dafis?" ebe Didymus, "onid chware y mae pawb? Onid chware ydyw popeth y bywyd yma?"

"Na ato Duw!" ebe Dafydd yn gyffrous. "Nid chware ydi popeth, ne' be ddaw ohono' i! Ydach chi ddim yn meddwl deud mai chware ydi crefydd, mai chware ydi'r byd mawr sydd o'n blaen? 'Rwyf yn synnu atoch chi, Thomas, yn siarad fel yna."

"Yr wyf yn meddwl fy mod mor ddifrifol â'r rhan fwyaf ohonom y dyddiau hyn," ebe Didymus, "ond fod llai o ragrith ynof. 'Rwyf wedi laru ar hymbygoliaeth pobol. Mi gymraf fy llw fy mod gystal Methodist, ac mor deyrngarol i'r Hen Gorff â neb sydd yn fyw. Pan oedd fy mam yn fyw, a minnau'n grwmffast o hogyn, fe fu Henry Rees, ar noson waith, yn lletya yn ein tŷ ni, ac 'rwyf yn cofio i mi lanhau ei esgidiau, ac mi rois bolish iawn arnynt – mi fasech yn gallu gweld eich llun ynddynt. A 'does dim ag yr wyf yn teimlo mor falch ohono'r funud hon, ag i mi gael y fraint i lanhau esgidiau Henry Rees. Ac y mae degau o'n pregethwyr – anhraethol lai ym mhob ystyr na Henry Rees, ag y teimlwn hi'n anrhydedd gael glanhau eu hesgidiau. Rhowch i mi bregethwr – waeth gen i pa mor fychan fydd o ran ei alluoedd – ond iddo fod yn onest, selog, unplyg, difalch, yn meddwl mwy am iachawdwriaeth pechaduriaid nag am ei fi fawr ei hun, ac mi dynnaf fy het iddo, ac a lanhaf ei esgidiau. Ond alla i ddim dioddef *humbugs*. Ddyn annwyl! ddeng mlynedd ar hugain yn ôl, nodweddion pregethwr oedd – gostyngeiddrwydd, sêl, duwioldeb, ac awydd angerddol am achub pechaduriaid – ond yn awr, yr *uniform* ydyw'r nodwedd, ac y mae pechaduriaid yn eu hadnabod ac yn ffoi oddi wrth eu gwisgoedd. Pan fydd eisiau dal lladron a mwrddwyr, nid gŵr y got las, yn gyffredin, a ddanfonir at y gwaith, ond *detective in plain clothes*. Yn siŵr i chwi, Dafydd Dafis, y mae eisiau mwy o'r *detectives in plain clothes* yn ein pwlpudau y dyddiau hyn, a warant a sêl y Llywodraeth ganddynt i ddal dynion. Yr wyf yn sicr mai un o ddynion yr *uniform* ydyw Mr. Simon, a thra bydd ef yn edmygu ei fenig, a'i frethyn, a'i drimins, y bydd pechaduriaid yn dianc. Pa gymhwyster i fod yn fugail ydyw dawn gerddorol, os na bydd ei ysbryd wedi ei drwytho gan yr Efengyl, a'r awydd i achub pechaduriaid yn bennaf peth yn ei gymeriad?"

"Mae llawer o wir yn y peth ydach chi'n ddeud, ond 'dydi pob gwir ddim i'w ddweud bob amser," ebe Dafydd.

"Athrawiaeth gyfeiliornus yw honyna, Dafydd Dafis," ebe Didymus, "ond athrawiaeth ffasiynol iawn y dyddiau hyn. Mae ofn deud y gwir – y gorofal am beidio brifo teimladau *humbugs* a merchetos yn magu eiddilwch moesol – yn codi to o ragrithwyr – yn gwneud rhagrith yn beth *respectable*, ac fe fydd ffeindio dyn *gonest* yn y man yn gymaint camp â ffeindio rhosyn yn tyfu o big y tegell. Ddoe diwethaf yn y byd yr oeddwn yn siarad efo un o flaenoriaid Salem ynghylch y gŵr ifanc sydd wedi cael caniatâd i ddechrau pregethu yno, ac ebe fe – 'Wyddoch chi, Thomas, 'rwyf yn siŵr na fwriadodd Duw i'r bachgen yna bregethu.' 'Ddaru chwi ddwcud hynny yn seiat pan oedd achos y bachgen yn cael ei drin?' gofynnais innau, ac ebe fo – 'Wel, naddo, welwch chi, achos bydaswn i'n deud hynny, mi faswn yn tynnu pobol yn 'y mhen, ac yn wir, yn gneud niwed i mi fy hun, achos y mae rhai o deulu'r bachgen yn delio yn y siop acw.' *Humbug*, Dafydd Dafis, ydw i'n galw dyn fel yna, ac y mae mwy o'r sort nag o ddynion gonest."

"Wn i beth am hynny," ebe Dafydd. "Ac mi ddeuda beth arall, 'does gan yr un blaenor hawl i ddeud be mae Duw wedi fwriadu. Mae eisiau cymryd pwyll cyn rhoi caniatâd i fachgen ddechrau pregethu, ac y mae eisiau gofal hefyd rhag rhwystro un o'r rhai bychain hyn. Ac er mai dyletswydd dyn, yn ddiau, ydyw dweud ei feddwl yn onest, a bod yn ddoeth wrth wneud hynny, gwell gen i fyddai methu ar yr ochr dyneraf."

"Mae methu ar yr ochr dyneraf agos â bod yn adnod erbyn hyn," ebe Didymus. "Mae pobol yn od o dyner y dyddiau hyn. Mae un yn cael ei oddef, er y gwyddys ei fod yn cymryd dropyn gormod, rhag brifo teimladau'r wraig, ac un arall yn cael ei oddef i gyflawni mân driciau yn ddisylw rhag brifo teimladau'r teulu, a chan fod rhai'n cael eu goddef, fe oddefir i'n pobl ifanc wneud y peth a fynnont. A wyddoch chi be, pe deuai rhyw Ioan Fedyddiwr i'n plith, i ddweud y gwir, fyddai dim eisiau gwasanaeth na Herod na Herodias – fe fyddai crefyddwyr am y cyntaf i ddwyn ei ben ar ddesgl i ffrynt y sêt fawr!"

"Thomas, Thomas!" ebe Dafydd. "Yr ydach chi'n mynd yn fwy eithafol bob dydd. Mae arnaf ofn fod gormod o'r ysbryd torri pennau ynoch chwithe, Thomas bach. Mae goddef ein gilydd mewn cariad, yn gymaint dyletswydd â dweud y gwir. Ond yr ydan ni wedi crwydro oddi wrth y pwnc ers meitin. Mae gen i ofn oddi wrth siarad Phillips y bydd o, fel 'roeddach chi'n dweud, yn dwyn enw Mr. Simon o flaen yr eglwys."

"Mae hynny cystal ag wedi cymryd lle," ebe Didymus.

"Wel," ebe Dafydd, "os i hynny daw hi, gofalwch, Thomas, am fod yno, a dwedwch eich meddwl yn rhydd ac mewn ysbryd llednais."

"Ddof fi ddim ar y cyfyl, Dafydd Dafis, gwnaed eglwys Bethel ei photes," ebe Didymus.

"Dyna hi yn y pen," ebe Dafydd, "'rydach chi isio i bobl fod yn onest a dweud y gwir, a phan ddaw hi i'r pwsh yr ydach chi am droi'ch cefn."

"Chwi wyddoch, Dafydd Dafis," ebe Didymus, "pe deuwn i yno, mai'r gwir a ddywedwn heb flew ar fy nhafod. Ond nid y gwir a fyddai o 'ngenau i yng ngolwg mwyafrif eglwys Bethel. Mi wn mai dafad ddu ydwyf yng nghyfrif llawer ohonynt, a phe bawn yn dweud fy meddwl yn onest, edrychid arnaf fel un yn rhegi Israel."

"Gadewch i hynny fod," ebe Dafydd. "Dowch chi yno, a dwedwch eich meddwl yn onest ac mewn ysbryd priodol. A da chi, Thomas, peidiwch ysgrifennu dim ynghylch y peth i'r papur newydd. 'Tydw i byth yn gweld y papur fy hun, ond maen nhw'n dweud i mi eich bod yn ysgrifennu pethe hallt iawn weithiau."

"Mae ysgrifennu i'r papur," ebe Didymus, "yn rhan o 'musnes i, fel y mae hau maip yn rhan o'ch busnes chwithau, a phobl gignoeth sydd yn dweud fy mod yn ysgrifennu pethau hallt – 'dydi'r croeniach yn cwyno dim."

"Waeth i chi befo, Thomas," ebe Dafydd, "'dydi codi godre crefyddwyr ddim yn waith ag y baswn i'n hidio am ei wneud. Mae digon yn barod at y gwaith hwnnw heb i ni ei wneud o."

"Mae llawer, hefyd," ebe Didymus, "yn ddigon parod i roi clog dros bopeth. Ond hwyrach – fyddaf fi ddim yn cyfaddef fy meiau wrth bawb – hwyrach i mi fod yn ddigon annoeth lawer gwaith wrth ysgrifennu i'r papur newydd. Mae fy natur dipyn yn arw, mi wn; ond eto 'rwyf yn credu fy mod yn teimlo gwir ddiddordeb yn yr achos yn Bethel. 'Rwyf yn siŵr o hyn – na byddaf yn cael cymaint pleser yn unlle ag yn y capel, ac er bod gennyf fy syniad am Mr. Simon – rhyw fath o *presentiment* na allaf ei ysgwyd ymaith, yr wyf yn credu yr un pryd na allaf fi, na chwithau, na'r Eos lywodraethu'r amgylchiadau yr ydym ynddynt yrŵan, a bod rhyw law anweledig yn eu llunio ac yn eu llywio er ein gwaethaf, a hynny, yn ddiamau, i ryw ddiben da. Ac 'rŵan, dyma fi'n dweud nos dawch i chwi."

"Mae'n rhyfedd," ebe Dafydd wrtho ei hun, "fod y dyn yna'n cael ei ddrwgleicio gymaint gan y cyfeillion. Mi fydda i'n gallu gneud yn burion efo fo. Os ydi o dipyn yn arw, mae ganddo rywbeth dan ei ewin bob amser. Os daw'r cyfeillion i ddeall fod Thomas yn erbyn Mr. Simon, maen nhwthe'n siŵr o fynd yn selog o blaid y gŵr. Ond gobeithio y cawn ni'n harwain."

XXIV

DAFYDD DAFIS AR Y SEIAT BROFIAD

YR wyf dan demtasiwn i sôn tipyn eto am Dafydd Dafis. Wedi
clywed Didymus yn adrodd hanes yr ymgom a groniclwyd yn
y bennod ddiwethaf, tybiais y buasai Dafydd yn teimlo yn
friwedig, ac eto yr oedd rhywbeth yn ei olwg a oedd yn peri i
mi feddwl am yr oes o'r blaen, a phan feddyliwn am rai o'i syn-
iadau, yr oedd yn ymddangos i mi fel un wedi ei adael yn rhy
hir yn y byd i allu bod yn gyfforddus ynddo. Yr oedd yn dal i
wisgo brethyn cartref – gwlân ei ddefaid ei hun – ac oni bai
am ei nith, Mary, buasai wedi glynu wrth y clos a'r getars.
Drwy hir berswadio gallodd hi lwyddo gael ganddo wisgo
llodrau o liw pupur a halen, ac erbyn hynny yr oedd ef yn
teimlo'n ddigon cartrefol ynddynt. Yr wyf yn bur sicr cyn y
gwisgasai Dafydd lodrau o'r lliw a'r toriad a wisgid gennyf fi, y
dioddefasai ferthyrdod. Cyn i'w foelni ei luddias, arferai roi
mynegiad i'w brotest yn erbyn balchder yr oes drwy wisgo ei
wallt fel bondo yn gymwys efo'i aeliau trymion. Ar fore Saboth,
wrth hwylio i'r capel, byddai Mary, ei nith, ar ôl rhoi cwlwm ar
ei gadach, yn tynnu'r crib drwy ei wallt ac yn rhoi lletro iddo,
pan dybiai fod ei hewythr dipyn yn absennol ei feddwl. Ond
nid oedd o un diben; oblegid y peth cyntaf a wnâi ef yn y
capel, ar ôl tynnu ei het befar ac eistedd, oedd tynnu ei law
dros ei ben, gan ddechrau yn y corun a diweddu ar y talcen, a
byddai'r lletro wedi mynd a gwneud llafur Mary yn ofer. Ond
bellach yr oedd Dafydd wedi ei amddifadu o'r cyfleustra hwn i
brotestio yn erbyn balchder, oblegid yr oedd ei ben mor foel –
oddieithr rhyw hem gul efo'i odreon – ag ydoedd y chwysigen
llawn lard a hongiai yn nhop y gegin, ac, yn wir, nid yn an-
nhebyg.

Er nad oedd Dafydd yn deall ond y nesaf peth i ddim o Saes-
neg, camgymeriad fuasai ei alw'n ddyn dwl. Nid wyf yn sicr na
fu ei anfedrusrwydd yn yr iaith Saesneg o beth mantais iddo,
yn enwedig gyda'i fistar tir. Pan fyddai angen ar Dafydd roi
cosfa i'w fistar tir, neu'r stiward, byddai Mary wrth law i gyf-
ieithu rhyngddynt; ond pan wyddai Dafydd fod y mistar yn
dod yno i'w "drin" yn anghyfiawn, byddai Mary, fel y dywed
Robert Roberts, Caergybi, am ambell ddiffyg ar yr haul – "yn
anweledig yma". Pan fyddai Dafydd yn teimlo ei fod yn
gwneud ei ddyletswydd yn ôl ei gydwybod, ni ofalai ef beth a
ddywedai'r *landlord* yn Saesneg. "Mae'i araith o, weldi," ebe fe
wrthyf, "fel cawod o law ar gefn c'lagwydd." Mi wn fod Dafydd
yn well Sais nag oedd y mistar tir o Gymro. Un tro – yr oedd
hyn cyn bod sôn am "ryfel y degwm" – yr oedd Dafydd wedi
bygwth y Person na thalai ef y degwm. Wrth wneuthur hynny,
gwyddai y cynhyrfai lid y mistar tir, ac y byddai'n sicr o dalu
ymweliad ag ef rai o'r dyddiau nesaf i'w ddwrdio. Nid oedd
Dafydd eisiau ymddadlau na ffraeo ag ef, ac yr oedd ef ar y
watch amdano. Ac un bore dacw *my lord* yn dod yn ysbardunog
a brochus ar gefn ei geffyl glas. Gwelodd Dafydd ef yn dod, ac
ebe fe wrth ei nith –

"Mary, cerdd i'r llofftydd yna i edrach weli di rwbeth isio'i
wneud, a phaid â dŵad i lawr nes y gweli di'r gŵr acw'n troi
pen ei geffyl tua chartre," ac allan ag ef i gyfarfod y mistar tir.

Ymholiad cyntaf y mistar oedd am Mary i gyfieithu, a dywed-
odd Dafydd ei bod wedi mynd i rywle ar i fyny, yr hyn, wrth
gwrs, ni ddeallai'r mistar tir, a dechreuodd dywallt ffrwd o Saes-
neg ar ben yr hen ffarmwr. Yr oedd y gair *tithe* yn cael ei
fynychu'n ddi-dor, a phan gafodd Dafydd le i roi ei big i
mewn, atebodd yn hamddenol –

"'Dydw i'n gwybod dim byd, syr, am eich 'tai' chi oddieithr
y Tŷ Coch yma, ac mae hwn, byd a'i gŵyr, isio ripârs yn
enbyd."

Deallodd y *landlord* fod Dafydd yn sôn rhywbeth am *repairs*
tra mai ei bwnc ef oedd y *tithe*, a chrafodd ei du mewn am
hynny o Gymraeg a feddai, a gwaeddodd yn ffyrnig –

"Pam chi Sasneg, Dafydd?"

"Pam chi Cymraeg, syr?" atebodd Dafydd, yn union ddigon, oblegid pa fwy o raid oedd ar Dafydd i fedru Saesneg, nag i'r mistar tir fedru Cymraeg? Pan welodd y *landlord* nad oedd un gobaith am yr un –

"Siôn Robin Rolant o Ben Isa'r Dre
I ddod yno i gyfieithu pob gair yn ei le,"

ac mai ofer oedd iddo faldordd iaith na ddeellid gan ei denant, ysbardunodd ei geffyl glas ac ymaith ag ef, a dychwelodd Dafydd i'r tŷ yn ddigyffro. Gwaeddodd yng ngwaelod y grisiau – "Mary, tyrd i lawr at y 'menyn yma, nei di?" Pan ddaeth Mary lawr, a hithau wedi bod yn gwrando drwy dwll yn y ffenestr – 'roedd ffenestri'r Tŷ Coch yn dyllog iawn – ychwanegodd Dafydd – "Be 'roedd y dyn yn sôn am ei dai wrtho' i? be wn i am ei dai o?"

"Nid 'tai' oedd o'n ddeud, f'ewyrth, ond '*tithe*' – y degwm, wyddoch," ebe Mary.

"Oh!" ebe Dafydd, "ond hidia befo."

Dywedais mai camgymeriad fuasai galw Dafydd Dafis yn ddyn dwl; ond yr oedd dodrefn ei feddwl nid yn annhebyg i ddodrefn yr annedd yr oedd ef yn byw ynddi. Nid oedd dim *modern furniture* yno. Yr oedd y "pethau" heb ond ychydig gyfnewidiad yno ers oes – yr hen setl wrth y tân – yr hen dreser a'r plâts piwtar arni – yr hen gadeiriau, a'r bwrdd mawr wrth y ffenestr, yr oll yn dderw cadarn. Pan fyddai Betsi, y forwyn, wedi bod yn rhoi tipyn o olew penelin arnynt, byddai rhyw swyn mawr i mi yn nodrefn Dafydd Dafis. Yr unig ddernyn ag yr oedd *amser yn dweud arno* oedd yr hen gloc wyth niwrnod. Pan fyddai'n taro neu'n warnio, dangosai'n rhy amlwg ei fod yn dioddef gan *chronic bronchitis*, ac erbyn hynny, yr oedd "tipyn o natur colli ynddo", meddai Dafydd. Rhywbeth yn lled gyffelyb ydoedd meddwl Dafydd – nid oedd fawr o ôl *modern thought* arno. Ac eto, yr oedd ef wedi darllen yn llwyr y llyfrau a enwyd gennyf o'r blaen. Wrth ystyried mor henffasiwn oedd

ef, bûm yn synnu lawer gwaith mor ffafriol ydoedd i'r fugeil-
iaeth eglwysig, Ond ei bwnc mawr ef oedd seiat – yr un a
fedrai "gadw seiat" yn dda, dyna'r dyn i Dafydd Dafis.

Fel y dywedais, yr oeddwn yn ofni fod Didymus wedi ei
ddigalonni, ac euthum yno. Noswaith seiat ydoedd, ac yr
oeddwn yn y Tŷ Coch cyn i Dafydd ddychwelyd o'r cyfarfod.
Canfûm ar ei olwg nad oedd sail i'm hofnau, oblegid yr oedd
ef mewn ysbryd rhagorol, ac er mwyn taro ar ei hoff bwnc,
dywedais –

"Mi welaf, Dafydd Dafis, eich bod yn parhau i fynd i'r
seiat."

"Ydw, debyg, ac mi fydde'n burion i tithe ddod yno'n amlach
nag wyt ti," ebe fe.

"Chwi wyddoch," atebais, "am fy amgylchiadau – mai
anodd iawn i mi, yn enwedig ym misoedd yr haf, ydyw gadael
y siop am saith o'r gloch a mynd i'r capel, heb wneud cam â mi
fy hun. Hawdd iawn ydyw i chwi, y ffermwyr, fynd i'r seiat a'r
cyfarfod gweddïo, ond byddai raid i ni, y siopwyr, golli'r *race*
yn fuan, pe baen yn mynd yn gyson i gyfarfodydd canol yr
wythnos."

"Pa ras wyt ti'n cyfeirio ati?" gofynnodd Dafydd.

"Wel, y *race* efo'r byd – *race* masnach," ebe fi.

"Ho," ebe fe, "ai dyna ydi dy ras di? Ai am y cynta efo'r byd
ydi dy bwnc mawr di?"

"Dyletswydd pawb, Dafydd Dafis," ebe fi, "ydyw edrych ar
ôl ei fywoliaeth."

"Gwir," ebe Dafydd, "ond y mae dyletswydd fwy na honno'n
bod. Rhaid i ddyn edrych ar ôl ei fywoliaeth; ond fe ddylai
edrych mwy ar ôl ei fywyd. Mae arnaf ofn, mai pwnc pobol y
dyddiau yma ydyw bywoliaeth ac nid *bywyd*."

"'Dydach chi ddim yn dweud, Dafydd Dafis, fod mynd i'r
seiat yn anhepgorol i gael bywyd tragwyddol?" gofynnais.

"Na, 'dydw i ddim cweit mor ddwl â hynny. Mae miloedd a
miliynau, mi obeithia, wedi cael bywyd tragwyddol na fuont
erioed mewn seiat, fel y deellir seiat ymhlith Ymneilltuwyr
Cymru. Mi glywais ambell i ffarmwr yn dweud y gallai ef

170

wneud yn burion heb fynd i'r ffair a'r farchnad; ond ychydig o raen a welais i ar neb ohonyn nhw. Mae rhywbeth tebyg iawn, mae arnaf ofn, wedi meddiannu meddwl llawer o grefyddwyr y dyddiau hyn – maent yn tybio y gallant fyw yn grefyddol heb fynd i foddion gras canol yr wythnos. Os ydynt yn gallu gwneud hynny, yr wyf yn cenfigennu atynt – rhaid eu bod yn well pobol na ni sydd yn ceisio dilyn y moddion yn weddol gyson – oblegid mi wn mai profiad y rhai sydd yn dilyn y moddion ydyw, mai pell iawn ar ôl y maent yn cael eu hunain – nid yn unig yn yr hyn y dylent fod o ran eu bywyd ysbrydol, ond hefyd yn yr hyn y dymunent fod. Dyna fel y bydda i'n clywed pobol y seiat yn siarad, a dyna ydyw fy mhrofiad i fy hun. Ond y mae'r nifer mwyaf o grefyddwyr y dyddiau hyn yn gallu byw'r bywyd ysbrydol, ac ar delerau da â hwy eu hunain – yn berffaith hunanddigonol a hapus eu meddyliau – heb ddangos eu hwyneb unwaith yn y flwyddyn mewn cyfarfod gweddïo na seiat. Ac y mae amryw ohonynt wedi cyrraedd yr ystad honno o berffeithrwydd fel y gallont, heb deimlo niwed na cholled, hepgor oedfa bore Sul. Ac os cynyddant mor gyflym yn y dyfodol – ac y mae pob lle i gredu y gwnânt – gallant yn fuan iawn wneud heb unrhyw foddion o gwbl – yn unig anfon eu cyfraniadau efo Sali'r forwyn. Yr wyf yn cenfigennu atynt!"

"Yr ydych yn siarad yn gas, Dafydd Dafis," ebe fi. "Mi wn fod dau feddwl i'ch geiriau. Ond arhoswch; yr wyf yn bur sicr fy meddwl fod amryw o'r rhai y cyfeiriwch atynt yn gofidio'n fawr am na allant ddilyn moddion canol yr wythnos."

"Wel," ebe fe, "gan dy fod yn un ohonyn nhw, yr wyt yn debycach o wybod eu meddyliau na fi."

"Arhoswch! 'does bosib," ebe fi, "eich bod yn fy rhoi i ymhlith y dosbarth yr oeddech yn ei ddarlunio yrŵan? Mi fyddaf fi yn mynd i'r seiat yn achlysurol, ac ni bûm erioed mewn seiat ac edifarhau am fynd. Ond goddefwch i mi ofyn cwestiwn i chwi, a pheidiwch â meddwl fy mod yn awgrymu dim wrth ei ofyn – a chymryd pob peth i ystyriaeth – cyfnewidiadau yr amseroedd – y cynnydd sydd wedi cymryd lle mewn manteision addysg – mewn diwylliant a moesoldeb – gymaint mwy gwybodus yw ein cynulleidfaoedd, a chymaint uwch yw sefyllfa fydol llawer o'n haelodau eglwysig – a ydych yn meddwl fod y seiat *y peth* i ni yn y dyddiau hyn?"

Edrychodd Dafydd Dafis arnaf mewn mudandod, fel pe buasai'n petruso a wnâi ef "fy rhoi i fyny" ai peidio, neu fel pe dymunasai gael *notice* o'r cwestiwn. Edrychodd arnaf drachefn a thrachefn, yna llwythodd ei bibell. Perthynai iddo'r gwendid hwnnw – yr oedd yn ysmygwr – a phan fyddai rhaid arno feddwl yn galed, trôi at y bibell am gynhorthwy, fel y gwna'r frawdoliaeth yn gyffredin. Ymsythodd ychydig yn ei gader, ac ebe fe –

"Mae'r amseroedd, chwedl tithe, wedi cyfnewid yn fawr hyd yn oed o fewn fy nghof i fy hun – er gwell mewn llawer o bethau, ac er gwaeth mewn pethau eraill. Mae addysg wedi cynyddu'n ddirfawr, ac y mae hogiau bach erbyn hyn yn gwybod mwy am bethau cyffredin nag a wyddai dynion mewn oed ers talwm. Ond hyd yr ydw i'n dallt, 'does yr un Datguddiad newydd o bethau ysbrydol wedi ei gael. 'Chlywais i am yr un proffwyd wedi ei anfon oddi wrth Dduw i gyhoeddi fod y cyfarfod eglwysig yn afreidiol. 'Glywaist di? A chyda golwg ar y seiat fel sefydliad ag y gwnaed ac y gwneir lles dirfawr drwyddi i eneidiau dynion, nid wyf yn meddwl fod angen ei hamddiffyn; ond yn unig fel yr amddiffynnir yr Efengyl ei hun yn wyneb ymosodiadau dynion annuwiol. A hyd yn oed pe buasai'r seiat ar yr un tir â'r Ysgol Sul, sef heb yr un esiampl na gorchymyn ysgrythurol o'i phlaid, buasai rhesymoldeb a naturioldeb ei sefydliad yn cael cymeradwyaeth calon a deall pob Cristion goleuedig. A glywaist di ryw dro am ryw symudiad, neu ryw deimlad cryf ag yr oedd llawer yn cyfranogi ohono, na fyddai'n diweddu mewn seiat, lle y gallai pobol drin a thrafod eu pethau – cydymgynghori a chyfnewid meddyliau? Dyna'r teimlad cenedlaethol sydd wedi ei ddeffro yrŵan; yr wyt ti'n un ohonyn nhw, mi dy wranta. Ond wnewch chi ddim byd ohono heb eich seiat. Ac yr ydach chi wedi dallt hynny, ac yr ydach chi, fel yr ydw i'n clywed, yn sefydlu eich seiadau ym mhob cwr o'r wlad. Os fel yna y mae hi gyda phethau cyffredin bywyd, oni ddylai crefydd gael ei seiat, ac oni ddylai pob cref-yddwr fod yn aelod selog ohoni?"

"Pa nifer, Dafydd Dafis," gofynnais, "sydd o'r rhai y mae eu henwau ar lyfr yr Eglwys gyda ni yma, sydd yn rhoi eu presen-oldeb yn seiat?"

"Oddeutu un rhan o dair, neu ychydig bach gwell," ateb-odd.

"Yna," ebe fi, "pa fodd yr ydych yn rhoi cyfrif am am-hoblogrwydd y seiat?" Wedi meddwl tipyn, ebe fe –

"Os nad wyf yn camgymryd, mae ein seiat ni, y Methodist-iaid, cyn hyned â Methodistiaeth ei hun. Sefydlwyd hi pan oedd ein cenedl mewn dygn anwybodaeth, ond eto wedi ei deffroi gan ddynion wedi eu hanfon gan Dduw – dynion yn llawn o'r Ysbryd Glân. Yr wyf yn meddwl fod i'r seiat, ar ei chychwyniad, ddau amcan o leiaf – sef profi gwirionedd ar-gyhoeddiad y dychweledigion, a'u cyfarwyddo mewn gwybod-aeth o bethau ysbrydol. Yr oedd yr amcanion hyn yn dda a gwerthfawr. O ran ffurf, nid rhyw lawer o gyfnewidiad sydd wedi cymryd lle yn ein cyfarfodydd eglwysig. Byddaf yn meddwl fod ar yr Ysgol Sul fwy o ôl cyfnewidiadau yr amseroedd – y cynnydd sydd wedi ei wneud mewn addysg fydol – diwylliant a moesoldeb. Ond ysgafn a dibwys, mi gredaf, mae cyfnewid-iadau allanol wedi cyffwrdd â ffurf ein seiat, a hwyrach fod a wnelo hyn rywbeth â'i hamhoblogrwydd. Seiat brofiad y gelwid hi ar y dechre, ac am brofiad yr ymofynnir eto, ac anfynych y mae i'w gael. Yr wyf yn credu fod i'r gair profiad ystyr ar y dechre na cheir mohono ond yn anaml yn awr. Ar y dechre yr oedd yn meddwl dirdyniadau'r enaid dan argyhoeddiad dwfn o bechod, neu ynte lawenydd mwynhad cymod â Duw. Mi gredaf hefyd fod i'r gair ystyr ychydig yn wahanol gan y Wesleyaid ragor y Methodistiaid Calfinaidd. 'Profiad' yn yr ystyr Wesleyaidd ydyw – pa mor agos y mae dyn wedi mynd i'r nefoedd, ac yn yr ystyr Galfinaidd, pa mor bell y mae o'r lle dedwydd hwnnw. Profiad y Wesley ydyw, fel y bu iddo goncro'r diafol, a phrofiad y Calfin, yn rhy fynych ydyw, fel y bu i'r diafol ei goncro ef, neu ynte nad oes ganddo ddim neilltuol ar ei feddwl. Nid oes un ohonynt, 'ddyliwn i, yn iawn, ac eto, y mae'r ddau yn iawn. Mae gan bob dyn brofiad bob dydd o'i fywyd, oblegid profiad ydyw'r hyn y mae dyn yn ei brofi – gwir 'stad ei feddwl a'i galon gyda golwg ar bethau ysbrydol. Mae lle i ofni mai temtasiwn y Wesley ydyw, *gwneud* profiad dymunol, nad ydyw, mewn gwirionedd, yn ei fwynhau, ac mai temtasiwn y Calfin ydyw, gosod ei hun yn y bocs, o flaen y fainc, a hynny mewn ffug, am y gŵyr mai yno y dylai fod. Temtasiwn un ydyw, ceisio hedeg yn uchel heb esgyll, a themtasiwn y llall ydyw perswadio ei hun ei fod yn llyfu'r llwch, ac yntau yr un pryd yn ddigon cefnsyth. Pechod parod i amgylchu'r naill a'r llall ydyw peidio bod yn onest.

"Mi ddwedais fod gan bob dyn brofiad, ond rhaid i mi alw'r geiriau yn ôl. Mae'n wir mewn un ystyr, ond nid yn wir yn yr ystyr grefyddol i'r gair. Os gall dyn fyw am wythnos heb deimlo gofid oherwydd ei bechod a'i ddiffygion – heb fod mewn ymdrech ag amheuon – heb i ddirgelwch ac amcan ei fodolaeth groesi ei feddwl – a heb i ofnadwyaeth y dyfodol ymyrryd dim â'i fyfyrdodau – prin y gellir dweud fod gan y dyn hwnnw brofiad o gwbl, mewn ystyr grefyddol – mae'n perthyn i'r un dosbarth â'r bydol-ddyn di-Dduw. Ond fy mhwnc ydyw hyn – mae'r seiat, yn ôl fy meddwl i, yn sefydliad hynod fanteisiol, nid yn unig i wrando profiad, ond hefyd i'w greu a'i feithrin. Yr un peth ydyw argyhoeddiad o bechod yn awr ag ydoedd gant a hanner o flynyddoedd yn ôl. Mae'r un gwahaniaeth hanfodol yn bod yn awr, fel bob amser, rhwng dyn duwiol a dyn annuwiol. Hwyrach nad yw'r gwahaniaeth lawn mor amlwg ag y bu. Mae'r dyn digrefydd wedi dod i fucheddu'n debycach i'r dyn crefyddol, a'r dyn crefyddol, yn rhy fynych, yn bucheddu'n debycach i'r dyn anghrefyddol. Mae lle i ofni, mewn llawer amgylchiad, fod rhyw fath o fargen wedi ei tharo rhwng y byd a'r eglwys. Mae tröedigaethau hynod, ysywaeth, erbyn hyn, yn anaml, a bod o fewn ychydig i fod yn Gristion yn ffasiynol. Mae hyn, o angenrheidrwydd, wedi rhoi gwedd wahanol ar ein cyfarfodydd eglwysig. Rhai wedi eu dwyn i fyny er yn blant gyda chrefydd ydyw

mwyafrif mawr ein haelodau, a chan amlaf, rhai na allant gyf-
eirio at unrhyw hanner dydd ar y ffordd i Demascus. Ac y mae'r
rhai a ddychwelir o'r byd, oherwydd eu bod yn flaenorol, fel
rheol, ymhlith ein gwrandawyr cyson, ac yn ddynion buch-
eddol, yr un mor analluog i ddatgan dim mwy nag argyhoedd-
iad graddol nes cyrraedd rhyw bwynt o berswadiad i'w cynnig
eu hunain i'r eglwys. Beth y mae hyn yn ei ddysgu i ni? Wel,
mi allwn feddwl, ei fod yn dysgu na allwn ddisgwyl, ond yn
anfynych, am brofiadau cyffrous a thanllyd fel a geid ers
talwm; ond, yn sicr, fe ellir disgwyl am brofiad dwfn a distaw.
Heblaw hynny, y mae'n ein dysgu mai prif amcan ein cyfar-
fodydd eglwysig, erbyn hyn, a ddylai fod creu meddylgarwch,
myfyrdod ac ymchwiliad beunyddiol i wirioneddau ysbrydol, a
hynny yn y fath fodd ag a greai ddiddordeb ym mhob
dosbarth o'n haelodau. Ni ddylem adael y cyfarfod mwyaf
cysegredig a feddwn i siawns a damwain. Dylai'r mater sydd i
fod dan sylw, fod yn hysbys i'r aelodau cyn mynd i'r cyfarfod.
Mae toreth o faterion teilwng at ein galwad – maent yn hen,
ond bob amser yn newydd i'r rhai sydd yn teimlo pryder am
eu cyflwr – megis y rhai canlynol: – Pa rai ydyw nodau gwir
argyhoeddiad? Ym mha bethau y mae'r eglwys a'r byd yn debyg
ac yn annhebyg? Pa rai ydyw arwyddion cynnydd a dirywiad
ysbrydol? Pa fodd y gellir cyrraedd sicrwydd gobaith bywyd
tragwyddol? a llu o faterion cyffelyb. Nid wyf yn credu mai'r
ffordd orau i gadw seiat ydyw trwy ymgystadlu adrodd am y
mwyaf o bregethau y Saboth. Os adroddir rhywbeth o'r
pregethau, adrodded y brawd sylw aeth yn syth i'w galon ef ei
hun – sylw wnaeth iddo symud yn ei sêt – ac nid adrodd llarp
hir, yn llawer mwy annhaclus nag yr adroddwyd ef gan y preg-
ethwr. Cwestiwn o bwys ydyw, pa beth yw'r achos fod nifer
mor fychan yn mynychu'r seiat? Un rheswm, yn ddiamau,
ydyw'r ofn sydd ym mynwesau rhai gwylaidd eu hysbryd, y
gofynnir iddynt ddweud rhywbeth. Pe câi'r dosbarth hwn sic-
rwydd y caent fod yn wrandawyr yn unig, deuent yn lled
gyson, hwyrach, i'r seiat. O'm rhan fy hun, tra buaswn yn rhoi
cyfleustra ac anogaeth i bawb ddweud yr hyn fyddo ar ei

feddwl, ni fuaswn yn gwasgu am brofiad na dim arall gan y rhai y gwyddys mai gwell ganddynt fod yn ddistaw, oddieithr fod rhyw reswm neilltuol yn galw am hynny. Rheswm arall, mae'n debyg, ydyw diffyg gwroldeb ynom ni, y swyddogion, i wneud ein dyletswydd tuag at yr aelodau. Dylid rhoi ar ddeall y disgwylid i bob aelod, hyd y mae ynddo ef, roddi ei bresenoldeb yn y seiat o leiaf yn achlysurol os nad yn gyson, ac nad ystyrid y rhai sydd yn esgeuluso yn wirfoddol, mwyach yn aelodau o gwbl. Ond y rheswm pennaf, yn ddiau, fod cyn lleied yn dod i'r cyfarfod eglwysig ydyw, diffyg chwaeth grefyddol, os nad diffyg hollol o grefydd. Mae'r byd rywfodd, erbyn hyn, wedi cael y llaw uchaf arnom. Yr ydym wedi ffurfio a llunio ein hamgylchiadau fel nad ydyw'n bosibl i grefydd gael chware teg. Rhaid ydyw edrych ar ôl yr amgylchiadau fel yr oeddit ti'n dweud, ond yr wyf yn meddwl fod yn bosibl eu trefnu'n well. Mae nifer o'n pobol ifainc dan gaethiwed oriau masnach, fel na allant ddod i foddion canol yr wythnos pe dymunent. Ni ddylai'r pethau hyn fod felly. Crefyddwyr, mewn enw, yw'r nifer mwyaf o fasnachwyr trefi Cymru; a phe byddai tipyn o ynni ynddynt, gallent gael gan bawb gau eu siopau fan hwyraf am saith o'r gloch. Ond nid oes un ymdrech, gwerth sôn amdano, wedi ei wneud ganddynt yn y ffordd honno. Yr ydym yn rhy fydol i ddweud nos dawch wrth y byd am saith o'r gloch, a thra parhao pethau fel hyn, nid yw'n bosibl i gyfarfodydd crefyddol gael chware teg. Mae lle i ofni mai'r byd biau llawer ohonom ag y mae enw crefydd arnom – ei bobl ef ydym a defaid ei borfa. A phwy bynnag a ddaw yma fel bugail, pa un ai Mr. Obediah Simon ai rhywun arall, os na all ddwyn oddi amgylch ddiwygiad yn y peth yma, fe fydd ei lafur yn ofer."

Ni chynigiais un wrthddadl yn erbyn yr hyn a ddywedai Dafydd Dafis, am nad oeddwn yn dewis ei flino, a hefyd am fy mod yn cyd-weld â llawer o'r hyn a ddywedai.

XXV

ENOC A MARGED

MAE sefydlu bugail ar eglwys, erbyn hyn, yn beth mor gyff-
redin – er, hwyrach, pe buasai'n fwy cyffredin, mai da fuasai
hynny i lawer o eglwysi – a'r seremoni mor unrhywiol, fel nad
wyf yn bwriadu blino'r darllenydd gydag adroddiad manwl o'r
amgylchiad. Dywedaf hyn, fel awgrym i feddwl amdano eto –
er mwyn darllenwyr newyddiaduron Cymreig, ac er mwyn cyf-
arfod tuedd y natur ddynol at amrywiaeth, a hefyd er dangos
i'r oes a ddêl mor agored ydyw tymheredd y meddwl dynol i
gyfnewidiadau, ac fel y mae ychydig flynyddoedd, ac weithiau
ychydig fisoedd, yn troi dynion tugwrthwyneb allan – mai
buddiol fyddai cael mwy o seremoni ynglŷn â *dad*sefydliad
bugeiliaid. Heb amgylchu môr a thir, waeth dweud ar fyr eir-
iau, sefydlwyd y Parchedig Obediah Simon yn fugail ar eglwys
Bethel. Ar ôl yr ymgom yn nhŷ Dafydd Dafis, ni chollodd Eos
Prydain un cyfleustra i osod allan ragoriaethau Mr. Simon ger-
bron pob aelod o eglwys Bethel y digwyddodd gyfarfod ag ef.
Nid y rheswm lleiaf a ddefnyddiai'r Eos gyda'i gyfeillion dros
iddynt alw Mr. Simon yn fugail oedd, fod arnynt eisiau rhywun
a fedrai roi taw ar Didymus. Am ryw reswm neu'i gilydd, yr
oedd Didymus yntau wedi penderfynu mynd i lawr ei lewys a
bod yn fud yn yr amgylchiad. Wrth weld fod y teimlad yn gryf
a chyffredinol ym mhlaid Mr. Simon, ni fynegodd Dafydd
Dafis ei deimlad personol, yn unig anogai bawb i weddïo'n
ddyfal am gael arweiniad. Ymhen tri mis yr oedd Mr. Simon
yn weinidog Bethel.

Prin yr oedd Mr. Simon wedi troi yn eu plith bythefnos pryd
y taenwyd y newydd galarus fod gwaith Pwll-y-gwynt wedi
sefyll. Yr oedd hyn yn ddigwyddiad anffortunus iddo ef ac i

eglwys Bethel, a phe gwybuasid yn gynt fod y fath anffawd wrth y drws, mae'n fwy na thebyg y buasai'r rhai mwyaf selog o bleidwyr Mr. Simon yn petruso nid ychydig cyn cymryd y cam a wnaethant, yn gymaint â bod nifer mawr o aelodau Bethel yn dibynnu'n hollol ar Bwll-y-gwynt am eu cynhaliaeth, ond felly y bu; a phwy a all rag-weld digwyddiadau o'r fath? Yr oedd y cwrs wedi ei gymryd, a mwyach nid oedd dim i'w wneud ond y gorau ohono. Ond yr oedd yno rai gwrthfugeilwyr bron ag awgrymu nad oedd yr holl anffawd ond barn ar eglwys Bethel am yr hyn a wnaeth. Tipyn o beth, hefyd, oedd fod eglwysi eraill, a hyd yn oed Eglwys Loegr, yn gorfod dioddef oddi wrth y *farn* a ddaeth ar eglwys y Methodistiaid!

Ni fuasai Capten Trefor, oherwydd amgylchiadau anorfod, yn bresennol yn y cyfarfodydd eglwysig ers rhai misoedd, ac felly yr oedd yr eglwys wedi gorfod mynd trwy'r argyfwng o ddewis bugail heb gynhorthwy ei farn ef. Cyflenwid y Capten â holl fanylion trafodaethau'r seiat gan Mrs. Trefor, oedd yn hynod ffyddlon yn y moddion. Nid anfynych y gresynai Mrs. Trefor na allai'r Capten gynorthwyo'r brodyr yn y trafodaethau hyn, ond atebai y Capten –

"Chwi wyddoch, Sarah, er bod amgylchiadau bydol, mewn ffordd o siarad, yn cymryd fy holl amser, oherwydd fod bywoliaeth llawer teulu'n dibynnu arnaf, chwi wyddoch, meddaf, fod fy nghalon gyda chwi – 'rwyf yn bresennol gyda chwi yn yr ysbryd, er yn absennol o ran y corff, ac 'rwyf yn meddwl na pherffeithir chwithau hebof finnau hefyd." Ac ychwanegodd y Capten, "oherwydd fy mod yn cyd-weld yn hollol â'r hyn y mae eglwys Bethel wedi ei wneud – sef dewis Mr. Simon i'n gwasanaethu, nid wyf yn gweld, meddaf, y buasai'r *result* yn wahanol, hyd yn oed pe buaswn yn bresennol yn yr holl gyfarfodydd, oblegid fe wŷr pawb fy mod bob amser yn bleidiol i fugeiliaeth eglwysig, ac fy mod, ar fwy nag un achlysur, wedi dangos, gyda rhesymau teg ac anwrthwynebadwy, yr afresymoldeb i ni, mwy nag un enwad arall, fod yn amddifad o weinidog – cwbl rydd oddi wrth ofalon bydol – i edrych ar ôl lles ysbrydol yr aelodau a'r gymdogaeth yn gyffredinol."

Rhoddai'r mynegiad hwn a'r cyffelyb foddlonrwydd i Mrs. Trefor fod eglwys Bethel wedi cael ei chadw rhag gwneud camgymeriad, er nad oedd y Capten wedi ei helpu â'i gynghorion. I ddangos yn helaethach ei gymeradwyaeth o'r hyn a wnaed gan yr eglwys, ebe'r Capten, ryw ddiwrnod –

"Sarah, er nad yw'n hamgylchiadau y peth buont, nid gweddus i ni ddangos un math o oerfelgarwch tuag at ein gweinidog, a gwell fyddai i chwi ofyn i Mr. Simon ddod yma i gael tamaid o swper gyda Mr. Huws, Siop y Groes, a Mr. Denman."

Hyfrydwch gan Mrs. Trefor oedd gwneud hyn, ac nid annifyr gan Mr. Simon oedd cydsynio, oblegid clywsai fod Capten Trefor yn ŵr o ddylanwad yn y gymdogaeth, a, hyd yn hyn, ni feddai ond cydnabyddiaeth amherffaith iawn ag ef a'r teulu. Mae'n wir ei fod wedi *sylwi* ar Miss Trefor, ac wedi bod yn siarad unwaith neu ddwy gyda Mrs. Trefor.

Nid drychfeddwl yn unig, erbyn hyn, oedd y fentar newydd, sef gwaith Coed Madog. Na, yr oedd y Capten wedi gosod amryw ddynion ar waith i sincio, ac eisoes wedi tynnu allan y planiau o'r *office*, yr *engine-house*, &c., ac mewn gohebiaeth am *machinery*. "Oblegid," ys dywedai'r Capten, "yr oedd yn rhaid edrych ar y ffaith yn ei hwyneb wrth gychwyn, y byddai i'w hen elyn, sef dŵr, yn sicr o ddangos ei ddannedd, ac y byddai raid i gwmni Coed Madog ddangos iddo yntau fod dyfais dyn yn y ffurf o *machinery* yn drech nag ef. "Yn wir," meddai'r Capten, "lle bynnag y mae plwm mawr, y mae yno hefyd ddŵr mawr. Megis, yn fynych iawn, y mae'n rhaid mynd trwy dân – yn y ffurf o *gas* – i gael glo, felly y mae'n rhaid, ymron yn ddieithriad, fynd trwy ddŵr i gael plwm. Mae i bob trysor, syr," meddai'r Capten, "mewn natur a gras ei wyliwr eiddigus, a gwyliwr y plwm ydyw DŴR. Ond, gyda bendith a rhwydeb, ni a ddygwn y caffaeliad o law'r cadarn. Medrusrwydd, amynedd, ffydd, a chalon i fentro, ac nid oes gennyf ofn na'r amheuaeth leiaf na welir y gymdogaeth hon eto'n llwyddiannus, a dynion, oherwydd cyflawnder gwaith, ar ben eu digon."

Yr oedd Enoc Huws, erbyn hyn, yn ymwelydd cyson â

Thyn-yr-ardd, ac wedi gorchfygu llawer ar ei yswildod, a magu mwy o wroldeb nag y tybiasai ef ei hun un tro'n alluog ohono. Yr oedd yn iechyd i galon dyn sylwi ar y cyfnewidiad dymunol a ddaethai drosto. Yn lle – fel yr arferai – bod â'i holl fryd ar y siop – y cyntaf yn agor a'r olaf yn cau, ac wedi cau, yn ei lusgo ei hun yn flinedig yn ei ddillad blodiog i'r *office* i ysmygu o getyn byr i aros amser gwely – yr oedd ef yn awr, fel masnach-wr parchus ac annibynnol, yn gorchymyn cau'r siop cyn gynted ag y clywai ef y gloch wyth. Yna âi'n syth i'r llofft i eillio ac ymolchi – deuai i lawr y grisiau fel pin mewn papur – gosodai rosyn, os gallai gael un, yn nhwll lapel ei gôt – taniai ei sigâr – cymerai ffon a phen arian iddi yn ei law, ac âi am dro i Dyn-yr-ardd. Codai ei het yn foesgar foneddigaidd pan gyfarfyddai ferch ieuanc a adwaenai, ac yn ad-daliad, derbyniai wên gydnabyddgar, a aeddfedai i chwerthiniad wedi iddo ef fynd heibio. Er y dydd y daeth Enoc gyntaf i Siop y Groes, cydnab-yddid ef gan bawb fel gŵr ieuanc da, gwylaidd, a chrefyddol, ond yr oedd gorfoesgarwch yn rhywbeth cwbl newydd yn ei gymeriad. Nid ystyriai ei gymdogion y ffaith – a oedd ddigon adnabyddus erbyn hyn, sef fod Enoc yn bartner yn y fentar newydd – yn rheswm digonol am y cyfnewidiad sydyn a thryl-wyr a ddaethai drosto, ac nid oedd modd rhoddi cyfrif amdano – yn enwedig gan y merched – ond drwy ddweud fod Enoc yn ei baratoi ei hun i fod yn ŵr i ferch y Capten Trefor. Anghwanegid eu ffydd yn ddirfawr yn y grediniaeth hon gan ffaith amlwg arall – sef y cyfnewidiad cydamserol yng ngwisg, dull ac ymddygiad Miss Trefor. Yr oedd yr eneth, meddent, yn prysur adnabod ei hun, ac yn dechrau dod i fod fel rhyw eneth arall – nid oedd yn dangos "*airs*" – nid oedd yn dal ei phen mor uchel – yr oedd yn dod i'r capel yn gyson – yn sylwi ar bawb, tlawd a chyfoethog – yn weddus ei gwisgiad – yn ostyng-edig ei hysbryd. Amlwg, ydoedd, meddai ei chyfeillesau, ei bod wedi anobeithio cael bonheddwr yn ŵr, a'i bod yn ei chyf-addasu ei hun i fod yn wraig i fasnachwr, a'i bod yn paratoi magl i ddal Enoc Huws, druan ŵr. Eglur ydoedd, meddai'r un awdurdodau, mai egwyddor Miss Trefor oedd lefelio i lawr, ac egwyddor Enoc oedd lefelio i fyny, ac mai'r canlyniad naturiol fyddai yn y man – cyd-ddealltwriaeth – canu'r clychau – taflu *rice*, a gweiddi hwrê! Yr oedd y mater wedi ei setlo gan y cymdogesau – nid oedd dim arall yn bosibl.

Ar y cyfan yr oedd Enoc yn lled lon ei ysbryd – o leiaf yn ymddangos felly – ond da fuasai ganddo pe cawsai weledigaeth mor eglur â'i gymdogion. Prin yr âi diwrnod heibio heb i rywun neu'i gilydd ei longyfarch am ei ragolygon. Ar y dechrau, byddai hyn yn boenus iawn iddo, yn enwedig pan siaradai rhai o'i gwsmeriaid diseremoni am y peth yng ngŵydd ei gynorthwywyr yn y siop. Byddai enw Miss Trefor yn peri iddo deimlo fel torth newydd ddod o'r popty. Ond y mae dyn yn dod i ddygymod â phopeth ymron, ac o dipyn i beth teimlai Enoc yn siomedig os âi diwrnod heibio heb i neb gyfeirio at deulu Tyn-yr-ardd. Yr oedd rhai o'i gwsmeriaid – mwy gonest na chall – yn meiddio siarad yn anfwyn am wrthrych ei serch, ac er na ddywedai Enoc ddim (yr oeddynt yn gwsmeriaid da) tystiai ei wyneb nad hyfryd oedd ganddo glywed eu hymddiddan, ac, yn ei galon, yr oedd yn casáu pob un a sibrydai air amharchus am Miss Trefor. Deuai un wraig dafotrydd i Siop y Groes bob nos Sadwrn pan fyddent ar fin cau. Protestiai'r wraig hon fod Enoc a Miss Trefor yr un ffunud â'i gilydd, ac er bod Enoc yn cymryd arno ei fod wedi blino ar ei stori, sylwai'r cynorthwywyr y byddai ef bob amser yn rhoi *sweets* i blant y wreigan hon.

Er mor gyffredinol oedd y grediniaeth yng ngharwriaeth Enoc a Miss Trefor, yr oedd un na allai oddef sôn am y peth, ond fel chwedl ffôl a disynnwyr, a'r un honno oedd Marged, *housekeeper* Enoc ei hun. Cyfaddefai Marged fod ei meistr yn mynychu Tyn-yr-ardd yn lled gyson, ond yr oedd yn *gorfod* gwneud hynny, meddai hi, am ei fod wedi bod mor ffôl â dechrau "mentro". Ond nid oedd hi wedi bod yn Siop y Groes am gyhyd o amser heb wybod meddwl ei meistr, ac yr oedd sôn am i'w meistr hi briodi rhyw ddoli a ffifflen anfedrus fel Miss Trefor yn *insult* i synnwyr cyffredin yng ngolwg Marged. Byth ar ôl y noson y dywedasai Enoc wrth Marged y hi wraig ragorol, a'i fod yn resyn o beth ei bod heb briodi, yr oedd y ddau wedi byw ar delerau hynod o hapus. Yr oedd Marged mor dirion a chyweithas, ac mor ofalus am ei gysuron ac am gario allan ei ddymuniadau, a hyd yn oed ei awgrymiadau, fel na allai Enoc ddyfalu rheswm am y cyfnewidiad dymunol hwn yn ei hymddygiad, oddieithr ar yr ystyriaeth ei bod wedi ei breintio â synnwyr newydd sbon. Rhoddai Enoc y fath bris ar y gwelliant hwn yn ei gartref, fel y darfu iddo, un noswaith, ohono ei hun, grybwyll wrth Marged am godiad yn ei chyflog. Ond ni fynnai Marged glywed am y fath beth – yn wir, 'doedd ganddi hi, meddai, eisiau dim cyflog ond *just* ddigon i gael dillad symol teidi. Sylwasai Enoc, gyda phleser, fod Marged, yn ddiweddar, wedi ymdecáu gryn lawer. Tipyn o slyfen fuasai hi bob amser, a difyr gan Enoc oedd sylwi ar geisiadau Marged i fod yn fain ei gwasg ac yn fin-gaead. Ond er gwneud ei gorau yn y ffordd hon, lled aflwyddiannus fu ymdrechion Marged – yn enwedig gyda'r wasg – oblegid wedi tynnu a thynnu, nid oedd fawr well yr olwg na phe rhoesid gardas o gwmpas canol sached o datws. Ac ni allai Marged, gyda diogelwch, ychwanegu *bustle* neu *dress improver*, canys yr oedd y rhannau hynny a addurnir gan y cyfryw bethau eisoes o faintioli mor anghymedrol fel pe rhoesid unrhyw atodiad y tybiasai hynny'r angenrheidrwydd o ledu allan furiau Siop y Groes. Serch hynny, hyfryd odiaeth gan Enoc oedd gweld y gwelliant hwn yn niwyg ei *housekeeper*, oblegid yr oedd yr olwg aflawen fyddai arni, yn rhy fynych, yn yr amser a basiodd, wedi bod yn brofedigaeth fawr iddo fwy nag unwaith, ac wedi peri iddo ofni i bobl gredu nad oedd ef yn rhoi o gyflog iddi ddigon i gael dillad gweddus. Wrth weld Marged wedi ymdwtio cymaint, ni allai Enoc lawer pryd beidio â'i chanmol a'i llongyfarch ar ei hymddangosiad. Yr oedd Enoc Huws yn ŵr mor dirion a haelgalon, fel y bu i waith Marged yn gwrthod yn bendant godiad yn ei chyflog, achosi poen mawr iddo. Gresynai at ei diniweidrwydd, ac yr oedd ef yn ddyn rhy gydwybodol i gymryd mantais ar hynny. Ni allai Enoc gael tangnefedd i'w feddwl heb wobrwyo Marged mewn rhyw ffurf neu'i gilydd am ei gwasanaeth gwerthfawr – ei gofal di-baid amdano, ac am wneud ei dŷ yn rhywbeth tebyg i gartref.

Meddai Marged dymer mor rhyfedd, fel yr ofnai ei meistr gynnig anrheg o ddilledyn iddi; ac eto, pa ffordd arall y gallai ef ddangos ei werthfawrogiad o'i gwasanaeth? Mentrodd un diwrnod, gydag ofn, gynnig iddi anrheg o *broach*. Boddhawyd Marged yn ddirfawr – yn wir, gorchfygwyd hi gan ei theimlad-au, ac ni allai beidio â cholli dagrau. Wrth ganfod ei mawr foddhad, anrhegodd Enoc hi, o dro i dro, ag amryw ddarnau o ddilladau, cyfartal o ran gwerth i swm y codiad yn y cyflog y bwriadasai ef roddi iddi. Yr oedd llonder Marged ar dderbyn-iad yr anrhegion, a'r effeithiau daionus oedd yn dilyn, yn fforddio pleser mawr i Enoc. Un diwrnod, tybiai Enoc fod gwobr yn ddyledus i Marged – yn fwy felly, am ei bod wedi gwrthod yn benderfynol ei chwarter cyflog, gan ddweud wrtho am ei gadw hyd ryw dro arall. Gofynnodd Enoc i Marged beth fuasai hi'n ddymuno gael yn y ffurf o rodd; a synnwyd ef gan ei hatebiad, ac ni allai beidio â chwerthin yn ei lewys, "Wel, gan ych bod chi mor geind, mistar," ebe Marged, "mi faswn yn leicio'n anwedd gael modrwy, tebyg i honna sy gynnoch chi, ond heb fod mor gostus."

Yr oedd ffyddlondeb Marged mor fawr, ei diniweidrwydd plentynnaidd mor amlwg, fel na feiddiai Enoc wrthod ei chais, ac ebe fe, "Wel, gan mai dyna leiciech chi gael, ewch i siop Mr. Swartz i brynu un, a deudwch wrtho y dof i yno i dalu. Mi gewch fodrwy go lew, Marged, am rw bum swllt ar hugain." "Yr ydach chi'n bur garedig, mistar," ebe Marged, ac i siop Mr. Swartz hi a aeth heb golli llawer o amser. Ond er treio llawer ni feddai Mr. Swartz fodrwy ddigon ei hamgylchedd i fys Marged, a phe buasai ef yn fasnachwr anonest, anfonasai'n ddirgel i siop yr *ironmonger* am fodrwy cyrten gwely. Ond ni wnaeth hynny, eithr yn hytrach cymerodd fesur ei bys i gael gwneud modrwy'n arbennig iddi. Pan glywodd Enoc gan Marged am hyn, teimlai awydd angerddol i chwerthin, ond ni feiddiai. Pa fodd bynnag, yr oedd y ddau'n cyd-fyw yn "ffamws", a dech-reuai Eoc fwyngredu, os digwyddai iddo fod yn llwyddiannus i ennill llaw a chalon Miss Trefor – ei phriodi, a'i dwyn i Siop y Groes, na fyddai raid troi Marged i ffwrdd fel yr ofnasai. "Hwyrach," ebe Enoc, rhyngddo ac ef ei hun, "ei bod hithau, fel llawer eraill, yn meddwl fod popeth wedi ei wneud i fyny rhyngof fi a Miss Trefor, a'i bod yn ymbaratoi erbyn y bydd Miss Trefor yn Mrs. Huws; a diolch am hynny. 'Rwyf yn cofio'r amser pan fyddwn yn dychrynu wrth feddwl be ddeude Marged pe baswn yn sôn am briodi. Druan ydi Marged! Yr hen greadures ddiniwed a ffyddlon, mi leicie 'ngweld i wedi priodi a setlo i lawr."

Gan fod ymron bawb o'i gydnabyddion, yn eu tro, wedi crybwyll wrtho – rhai yn chwareus, eraill yn ddifrifol – enw Miss Trefor, synnai Enoc, weithiau, wrth feddwl na ddarfu i Marged erioed sôn amdani, nac awgrymu dim am y siarad oedd mor gyffredinol yn y gymdogaeth am ei garwriaeth. A llawer tro pan ddigwyddai iddo aros yn hwyr yn Nhyn-yr-ardd, y disgwyliai Enoc i Marged ledawgrymu rhywbeth at yr argoelion. Ond y cwbl a ddywedai Marged fyddai – "Sut mae'r gwaith mein yn dŵad ymlaen, mistar?" a dywedai Enoc ynddo ei hun – "'Dydi hi ddim yn leicio cymryd hyfdra arna i."

Aethai pethau fel hyn ymlaen yn hynod o gysurus yn Siop y Groes am amser. Yr oedd Enoc wedi gwario gryn lawer o arian i brydferthu ei dŷ, oddi mewn ac oddi allan, a phob teclyn newydd a ychwanegodd at y dodrefn wedi derbyn cymeradwyaeth wresog Marged, ac nid oedd ond un peth yn ôl yng ngolwg Enoc i wneud ei fywyd yn berffaith gysurus. Ond byr ei barhad yw dedwyddwch dyn syrthiedig ar y gorau, ac yn aml pan fydd y cwpan yn ymddangos ymron yn llawn at yr ymyl, a ninnau ar fedr drachtio gydag aidd, mae rhyw ffawd ddrwg yn ei thorri'n deilchion yng ngŵydd ein llygaid. A gorau bo'r dyn, tebycaf yn y byd ydyw i'r aflwydd hwn ddigwydd iddo, fel pe byddai'r nefoedd yn rhy eiddigus i ddyn fwynhau gormod ar y byd hwn, rhag i'w ddisgwyliadau yn y nesaf gael eu siomi. Gwirwyd hyn yn rhy fuan yn hanes Enoc a Marged – y ddau fel ei gilydd, fel y ceir gweld yn y bennod nesaf.

XXVI

TORRI AMOD

YR oedd terfyn i amynedd a hirymaros hyd yn oed Marged, *housekeeper* Enoc Huws. Ac un noson, tra oedd ei meistr yn aros yn hwyr yn Nhyn-yr-ardd, a'r nos i Marged – nid i Enoc – yn ymddangos yn hir a thrymaidd a digysur, penderfynodd yn ei meddwl y siaradai â'i meistr pan ddeuai gartref, oblegid yr oedd hi wedi blino byw fel hyn, a gwnaeth ddiofryd y mynnai ddealltwriaeth glir ar y mater. Ac wedi i Marged benderfynu ar rywbeth, dyna oedd i fod heb ail siarad. Mae'n wir y teimlai hi ei bod yn cymryd cam pwysig, a phan glywodd hi ei meistr yn canu'r gloch, pe buasai gan Marged *nerves*, buasai'n teimlo'n *nervous*, ond gan na feddai hi bethau felly, y peth tebycaf y gallai hi gymharu ei theimlad iddo oedd – pan fyddai ambell ddiwrnod yn methu penderfynu pa un ai pobi ai golchi a wnâi. Cyn gynted ag y daeth Enoc i'r tŷ canfu nad oedd Marged yn edrych lawn mor fywiog ag arferol, a thybiodd ei bod wedi hepian yn drymach na chyffredin, a'i bod heb ddeffro'n hollol. Am unwaith, er mawr ryfeddod i Enoc, ni ofynnodd Marged "pa fodd yr oedd y gwaith mein yn dod ymlaen," ond gyda ei fod wedi tynnu ei esgidiau, a hithau wedi estyn ei slipars iddo, edrychodd Marged ym myw llygad Enoc gyda chymaint o ddifrifwch, fel ag i'w atgofio am ei hen ffyrnigrwydd, ac ebe hi –

"Wel, mistar, be ydach chi'n feddwl neud?"

Edrychodd Enoc am foment braidd yn yswil, a meddyliodd fod Marged, o'r diwedd, yn *mynd* i sôn am Miss Trefor, ac nid annifyr oedd hynny ganddo, ac ebe fe, gyda gwên ar ei enau –

"At be yr ydach chi'n cyfeirio, Marged?"

"At be yr ydw i'n cyfeirio?" ebe Marged, "on' wyddoch chi

o'r gore at be yr ydw i'n cyfeirio. Isio gwbod ydw i be 'dach chi'n feddwl neud, achos y mae'n bryd i chi neud rhwbeth."

"Wel," ebe Enoc, dipyn yn wyliadwrus, "yr ydw i braidd yn gesio at be yr ydach chi'n cyfeirio, ac mi wnaf addef *fod* yn bryd i wneud rhywbeth, a gobeithio na fydd hi ddim fel hyn o hyd. Ond fedr dyn ddim cael ei ffordd ei hun bob amser, chwi wyddoch hynny, Marged."

"Be sy'n rhwystro i chi gael ych ffordd ych hun? 'Rydach chi wedi cael ych ffordd ych hun ers gwn i pryd, a be sy'n rhwystro i chi gael ych ffordd ych hun 'rŵan?" ebe Marged.

" 'Dydach chi ddim yn gwybod popeth, Marged," ebe Enoc.

"Mi wn hynny'n burion," ebe Marged, "mi wn nad ydw i'n dallt dim am fusnes; a ddaru chi weld rhwfun rw dro oedd yn gwbod popeth? 'Rydw i'n meddwl y gwn i sut i gadw tŷ cystal â neb a welsoch chi eto, beth bynnag."

" 'Rwyf bob amser yn dweud, fel y gwyddoch chi, Marged," ebe Enoc yn fwyn, "nad oes eisiau eich gwell fel *housekeeper*. Ydw i ddim wedi dweud hynny laweroedd o weithiau, Marged?"

"Be arall fedrech chi ddeud," ebe Marged, mwy na heb yn dawel.

"Gwir iawn," ebe Enoc. "Ond dyna oeddwn i'n mynd i ddeud: 'rydach chi wedi hintio 'y mod i'n hir yn gwneud rhywbeth, ac felly yr ydw i. Ond fedr dyn ddim gwneud popeth y mae'n ei ddymuno. Mi wn eich bod yn teimlo'n unig yn yr hen dŷ mawr yma ar eich pen eich hun, yn enwedig ers pan ydw i wedi dechrau mynd i Dy'n-yr-ardd, ac yn aros allan yn hwyr. Ac y mae hynny'n ddigon naturiol. Nid da bod dyn ei hunan, medde'r Beibl, ac nid da bod merch ei hunan chwaith. Ond pa help sy gen i am hynny? Mi wn eich bod wedi blino disgwyl i mi briodi. Ond y gwir amdana i ydi hyn – waeth i mi siarad yn blaen – 'dydw i ddim wedi sôn am hyn wrth neb arall – mae'n digwydd weithiau i ddyn fod am flynyddoedd cyn llwyddo yn ei gais, a'r gwir ydyw. 'Newch chi ddim sôn am y peth wrth neb, 'newch chi, Marged?"

"Nana, soniais i air wrth neb erioed," ebe Marged.

"Wel," ebe Enoc, "y gwir ydyw, 'dydw i damed nes efo Miss Trefor heddiw nag oeddwn i yn y cychwyn. Mae hi'n eneth anodd iawn i'w hennill. Yr wyf, mi wnaf addef, yn ei charu'n f..."

Nid ynganodd Enoc air arall. Dychrynwyd ef gan yr olwg oedd ar Marged. Y peth cyntaf a'i trawodd â syndod oedd ei llygaid, y rhai, yn gyffredin, oedd mor anfynegiannol â llygaid mochyn tew, ond y rhai, yn awr, a agorodd arno led y pen gan wreichioni tân fel llygaid teigres. Teimlai Enoc fod eu fflamau ymron â'i gyrraedd, a gwthiodd ei gadair yn ôl yn anymwybodol. Yna, gwelai ei gwefusau'n glasu, a'r glesni'n ymledu dros ei holl wyneb, ond ni symudai gewyn yn ei chorff. Yr oedd Enoc wedi ei syfrdanu yn gymaint fel na allai ofyn beth oedd yr anhwyldeb oedd arni, ond credai'n sicr fod Marged wedi gorffwyllo ac ar fin gwneud llam arno a'i dynnu'n gareiau, neu ynteu ar fin cael *stroke*, ac nid oedd mwyach nerth ynddo, pryd y rhoddodd Marged ysgrech annaearol, megis ysgrech mil o gathod gwylltion, ac y syrthiodd fel marw ar lawr. Mewn dychryn a fu agos â bod yn angau iddo, rhuthrodd Enoc at ddrws y ffrynt ar fedr ymofyn cynhorthwy, ond cyn agor y drws, cofiodd ei bod yn hanner y nos, ac y gallasai Marged druan farw tra byddai ef yn ceisio rhywun yno. Fel y brenin hwnnw gynt, crynai ei liniau ynghyd tra oedd yn cymhwyso dŵr oer at wyneb Marged, ac er cymaint oedd ei fraw, ni allai Enoc, wrth edrych yn ddiallu a syfrdanol ar ei gruddiau hagr, beidio â meddwl am y darlun hwnnw o Apolion oedd ganddo mewn argraffiad o *Daith y Pererin*. Yr oedd Enoc yn sicr yn ei feddwl – gan nad beth oedd clefyd Marged – na allai curiadau ei chalon fod yn gyflymach na'r eiddo ef ei hun, a meddiannodd, yn y man, ddigon o nerth i wneud cymhariaeth, a chafodd ei fod yn gywir. Tra oedd ef yn teimlo *pulse* Marged, yn hollol sydyn, hi a ddechreuodd gicio'n enbyd, a thaflu allan ei breichiau preiffion, a argyhoeddodd Enoc mai mewn ffit yr oedd Marged druan. Cadarnhawyd yr opiniwn hwn yn ei feddwl gan y ffaith ei bod yn rhincian ei dannedd yn gynddeiriog. Gwelsai Enoc o'r blaen rai yn yr un cyflwr, ac yr oedd ef yn gyfarwydd â'r moddion a ddefnyddid. Rhag iddi gnoi ei thafod, llwyddodd Enoc, ar ôl mawr drafferth, i roddi llwy yn ei safn (edifarhaodd wneuthur hyn), a ychwanegodd gryn lawer at ddiddordeb yr olygfa, pe buasai ef yn ddigon tawel ei feddwl i fwynhau'r amgylchiad, oblegid cydiodd Marged â'i dannedd yn y llwy fel y bydd hen ysmygwr danheddog yn cydio mewn cetyn pan fydd chwant mygu arno. Fel y sylwyd o'r blaen – o ran nerth corfforol (nid wyf yn awr yn sôn am ei feddwl) nid oedd Enoc ond eiddilyn; ond fel gwir ddyngarwr, yr oedd am wneud ei orau, yn ôl ei allu, i gael Marged yn iach o'r anhwyldeb, a dechreuodd yn egnïol – fel y gwelsai rai yn gwneud o'r blaen – guro cledrau ei dwylo. Gŵyr pawb pa mor gryfion yw pobl mewn ffit; a Marged, a oedd hynod o gref wrth natur, pan ddechreuodd Enoc guro cledrau ei dwylo, a luchiodd allan ei braich ddehau gyda dwrn caeedig, ac a drawodd Enoc ym môn ei drwyn nes oedd yn llechan ar lawr a'i waed yn llifo. Yn llawn tosturi at y dioddefydd, a heb falio dim yn yr ergyd a gawsai, neidiodd Enoc ar ei draed yn chwimwth, ond yr oedd y dyrnod wedi ei ddinerthu mor dost, a Marged hithau'n parhau i gicio a lluchio a baeddu, fel y gwelodd Enoc yn amlwg y byddai *raid* iddo ymofyn cymorth o rywle. Rhuthrodd allan, ac er ei lawenydd, pwy a ganfyddai, fel pe buasai newydd ddod i'r fan a'r lle, ond Jones y plismon.

"Dowch i mewn ar unwaith, Mr. Jones bach," ebe Enoc.

"Beth ydi'r helynt, Mr. Huws?" gofynnodd Jones yn araf a digyffro, "beth ydi'r gweiddi sydd yn eich tŷ chi?"

"Ond Marged yma sy mewn ffit, dowch i mewn, dowch i mewn ar unwaith," ebe Enoc.

Cerddodd Jones i mewn yn hamddenol a throed-drwm, ac wedi dod i'r goleuni, synnwyd ef yn fwy gan yr olwg oedd ar wyneb gwaedlyd Enoc, na chan yr olwg annaturiol oedd ar Marged gyda llwy yn ei safn. Yr oedd Marged wedi llonyddu, ac edrychodd Jones yn wyneb Enoc, ac ebe fe –

"Mae'n ymddangos, Mr. Huws, mai chwi sydd wedi cael y gwaethaf yn yr ysgarmes," a chyn i Enoc gael ateb neidiodd Marged ar ei thraed, a chan edrych yn ffyrnig ar Enoc, ebe hi –

"Y dyn drwg gynnoch chi –" ond gwelodd fod rhywun arall yn yr ystafell, a chan droi at y plismon, ebe hi'n eofn –

"Beth 'dach chi isio yma? be 'dach chi'n busnesu? ewch allan oddma mewn wincied, ne mi ro ole trwoch chi efo'r procor 'ma – ydach chi'n mynd?"

Gwenodd y plismon yn wybodus hynod, ac amneidiodd Enoc arno i fynd ymaith, a dilynodd ef at y drws.

"Yr hen *game*, Mr. Huws, yr hen *game*," ebe'r plismon wrth adael y tŷ, ac yr oedd Enoc yn rhy ddychrynedig i'w ateb.

Druan ŵr! yr oedd ymron llewygu, a'i wyneb, oddieithr y rhan a orchuddiwyd gan waed, yn farwol welw pan syrthiodd i'r gadair o flaen Marged eilwaith, a liniarodd am oddeutu pum eiliad wrth weld yr olwg resynus oedd arno, ac yna dechreuodd lefaru.

"Be oeddech chi isio efo'r syrffed ene yma? Oeddach chi'n meddwl 'y nghymryd i i'r rowndws? Mi dyffeia chi! Ydi o ddim yn ddigon i chi 'nhwyllo i a gneud ffŵl ohono' i, heb nôl plismon yma?"

"Marged," ebe Enoc yn grynedig, oblegid y munud hwnnw y canfu wir sefyllfa pethau, "Marged," ebe fe, "peidiwch â gwaeddi – yr wyf yn crefu arnoch." (Credai Enoc fod y plismon yn gwrando wrth y ffenestr.)

"Peidio gweiddi? peidio gweiddi?" ebe Marged yn nhop ei llais, "mi waedda faint a fynna i, a chewch *chi* mo fy stopio i. Oes gynnoch chi ofn i bobl glywed? oes mi wn! Ond mi geiff pawb glywed – mi'ch 'sposia chi i bawb a chewch chi ddim gneud ffŵl ohono' i – mi'ch dyffeia chi!"

"Sut yr ydw i wedi gneud ffŵl ohonoch chi, Marged?" ebe Enoc, a'i dafod cyn syched nes oedd ymron glynu yn nhaflod ei enau.

"Sut? sut? sut?" gwaeddodd Marged, "ym mhob sut! Ddaru chi ddim dweud fod yn biti 'mod i heb briodi, ag y baswn i'n gneud gwraig *splendid*? – ddaru chi ddim deud gantoedd o weithiau na fasech chi byth yn dymuno gwell *housekeeper*! "

"Do," ebe Enoc, "ac mi ddeudaf hynny eto, ond sut yr ydw i wedi gneud ffŵl ohonoch chi?"

"Y dyn drwg gynnoch chi," ebe Marged, "sut mae gynnoch chi wymed i ofyn ffasiwn gwestiwn i mi? Oeddach chwi ddim yn rhoi ar ddallt i mi bod chi'n meddwl amdana i? Ac os nad oeddach chi, pa fusnes oedd gynnoch i ddeud ffasiwn beth?"

Heliodd Enoc at ei gilydd gymaint o wroldeb ag a feddai, ac ebe fe –

"Marged, yr ydach chi wedi twyllo eich hun – rois i 'rioed sail i chi feddwl y fath beth, mi gymra fy llw, a feddylies i 'rioed fwy am eich priodi nag am briodi *boa-constrictor*."

"Wel y dyn melltigedig!" ebe Marged, "be yn y byd mawr oeddach chi'n feddwl wrth roi i mi yr holl bresantau, heblaw gneud ffŵl ohono' i? Ond y maen nhw gen i i gyd, ac mi ddôn i gyd i'ch gwymed chi eto! Peidiwch â meddwl y cewch chi'n nhrin i fel ene – mi wna i o'r gore â chi, ac mi *wna* i chi sticio at ych gair. Ac i be y baswn i'n gwrthod codiad yn 'y nghyflog 'blaw fod chi wedi cystal â deud mai fi fase'ch gwraig chi? Peidiwch â meddwl y cewch chi droi yn ych tresi fel ene! Ac am edliw i mi Boaz, y *conductor*, neiff nene mo'r tro, Mr. Huws. Mi wn, pan oeddwn i'n perthyn i'w gôr o, fod o wedi meddwl amdana i, ond dryches i 'rioed arno fo, a faswn i ddim yn edrach arnoch chithe 'blaw 'mod i'n dechre mynd dipyn i oed, achos yr ydw i wedi gwrthod ych gwell chi. Ond mi gewch chi sefyll at ych gair, syr, ne' mi fydd yn difar gynnoch chi. A deud yn 'y ngwymed i ych bod chi'n caru yr hen lyngyren ene o Dyn-yr-ardd? Y ffifflen falch, ddiddaioni! Mi ddeuda i iddi pwy a be ydi hi pan wela i hi nesa, ac mi wna! Ac mi geiff glywed ffasiwn un ydach chithe hefyd, y dyn twyllodrus gynnoch chi! Y chi'n galw'ch hun yn grefyddwr? Crefyddwr braf yn wir, pan fedrech chi dwyllo geneth myddifad a digartre! A ddyliwn ych bod chi wedi treio twyllo'r llyngyren ene o Dyn-yr-ardd? Oedd twyllo un ddim yn ddigon gynnoch chi? Ond rhoswch dipyn bach! Mi geiff pawb wybod ych hanes chi, ac mi gewch dalu'n ddrud am hyn! Os na sefwch chi at ych gair, mi fynna'ch torri chi allan o'r seiat, ac mi'ch gna chi cyn dloted â Job, na fydd gynnoch chi 'run crys i roi am ych cefn – ac mi wna – cyn y bydda i wedi darfod efo chi, y dyn dauwymedog gynnoch chi."

190

Nid yw dweud fod Enoc, ar y pryd, yn druenus, ond disgrifiad gwan o'i sefyllfa. Agorai mil o waradwyddiadau posibl a thebygol o flaen ei feddwl, a wnâi marw yn y fan a'r lle, ymron, yn fwy dymunol yn ei olwg na byw, ac yn berffaith ddiystyr o'r canlyniadau, a chydag ehofndra a dynoliaeth na ddangosodd erioed o'r blaen, ebe fe, gydag ynni a theimlad –

"Marged, mi fydde'n well gen i i chi blannu'r gyllell yna (yr oedd cyllell fara fawr ar y bwrdd yn ymyl Marged) yn 'y nghalon i na gwrando un gair amharchus am Miss Trefor. Deudwch y peth a fynnoch amdana i – neu trewch fi yn fy mhen â'r procar yna os leiciwch, ond peidiwch â deud yr un gair – yr un sill am Miss Trefor. Y hi ydi'r eneth orau a phrydferthaf yn y byd, mi gymra fy llw! Mae ei henw'n rhy bur i'ch anadl llygredig chi ei swnio, a difai gwaith i chi fyddai glanhau ei hesgidiau. A sôn 'y mod i wedi gneud ffŵl ohonoch chi! – Drychwch yma – gwrandewch be rydw i'n ddeud wrthoch chi – bydase neb ond y chi a finne ac un wran-wtang yn y byd, ac i mi orfod priodi un ohonoch, fe gawsech chi, Marged, fod yn hen ferch, a dalltwch 'dydw i ddim am ddiodde dim chwaneg o'ch tafod drwg chi, ac fe fydd raid i chi hel eich pac oddi yma ar unwaith!"

Pensyfrdanwyd Marged gan eiriau ac ehofndra Enoc. Yr oedd yn beth newydd hollol yn ei gymeriad a'i hanes, a chafodd effaith ddirdynnol arni. Gweithiai ei hwyneb i bob ffurf, lliw a llun – weithiau'n fygythiol, bryd arall yn athruddgar – agorodd ei genau i siarad a'i gau drachefn cyn dweud gair. Wedi mynd drwy gyfres o ystumiau annaearol ac ellyllaidd gollyngodd Marged ei hun i freichiau natur ddrwg – neu, mewn geiriau eraill – cafodd ail ymosodiad o'r hyn, mewn gwirionedd, nad oedd yn ddim amgen na *hysteria* – clefyd ag y mae merched nwydlyd ac annuwiol yn ddarostyngol iddo, a chlefyd, fel y clywais fy mam yn dweud – ac yr oedd hi yn gryn ddoctores – nad oes ond un feddyginiaeth anffaeledig ar ei gyfer – sef yw hwnnw – taflu bwceded o ddŵr oer i'r wyneb, ac un arall i lawr y cefn, a mynychu'r oruchwyliaeth nes daw'r dioddefydd ati ei hun, a ddigwydd yn gyffredin gyda'r ddau fwceded cynta.

Syrthiodd Marged ar ei chefn ar lawr, a dechreuodd gicio a bytheirio fel o'r blaen. Nid estynnodd Enoc unrhyw *help* iddi – ni ddychmygodd am roi llwy yn safn Marged. Yn hytrach, goleuodd gannwyll ac aeth i'w ystafell wely.

Byd a'i gŵyr! yr oedd Enoc Huws yn ddyn da, a chanddo galon mor dyner fel na ddarfu iddo erioed ladd gwybedyn neu gacynen yn ei siop heb deimlo pangfa yn ei gydwybod. Ond y noswaith honno, tra oedd ef yn esgyn y grisiau i'w ystafell wely, gobeithiai o waelod ei galon y byddai i Marged gnoi ei thafod yn yfflon cyn y bore!

XXVII

PENBLETH

NID cynt y cyrhaeddodd Enoc ei ystafell wely nag y daeth i
deimlo mai Enoc Huws oedd ef eto. Prin y gallai gredu ei fod
wedi bod mor eofn gyda Marged, ei *housekeeper*. Marged! Yr
un a ofnai ef yng ngwaed ei galon! Dechreuodd ei gydwybod
hefyd ei gyhuddo am ei gadael ar ei phen ei hun yn y fath
gyflwr. Meddyliodd mai ei ddyletswydd oedd mynd yn ôl a
cheisio gweinyddu rhyw ymgeledd iddi. Ond cofiodd am y
mileindra a welodd yn ei gwedd y noswaith honno – yr oedd
yn sicr yn ei feddwl fod mwrdrad yn llechu yng nghonglau ei
llygaid! Mae bywyd yn werthfawr, ac y mae gan ddyn afael dyn
ynddo. Dechreuodd Enoc ofni a chrynu, a phenderfynodd gloi
drws ei ystafell. Nid oedd y drws wedi ei gloi ers amryw flyn-
yddau; ac oherwydd hynny, pan aeth Enoc at y gorchwyl,
cafodd fod yr allwedd wedi rhydu yn y clo – ni allai ef ei
symud. Beth oedd i'w wneud? Ni fu erioed mor *nervous* oddi-
eithr y noswaith pan aeth ef gyntaf i Dyn-yr-ardd. Gosododd
ei focs dillad yn erbyn y drws, a hynny o gadeiriau oedd yn yr
ystafell. Ychwanegodd y *washing-stand* – a rhywbeth arall na
raid ei enwi yma, oblegid y mae pob tipyn yn help wrth bari-
cedio! Eto ni theimlai Enoc yn ddiogel rhag y gelyn. Yr oedd
ef yn berffaith ymwybodol nad oedd hyn oll ond megis dim o
flaen nerth herciwlaidd Marged. Fel cadlywydd deallgar, agor-
odd Enoc y ffenestr rhag ofn na fyddai'r atalgaer yn ddigonol
ac y byddai raid iddo ddianc. Yn gymaint â bod un pen i'w bren
gwely gyferbyn â drws yr ystafell, ac er mwyn cadarnhau'r am-
ddiffynfa, gosododd Enoc ei gefn yn erbyn y gwely a'i draed yn
erbyn y bocs dillad, ac arhosodd am yr ymosodiad. Yr oedd yn
edifar ganddo yn ei galon siarad fel y gwnaethai â Marged,

oblegid, meddyliai Enoc, nad oedd neb yn y byd a wyddai pa ddial a gynhyrchai ei eiriau yn ei chalon. Arhosodd Enoc yn hir yn y sefyllfa amddiffynnol, ac er nad oedd ymosodiad gweithredol, gwasgai ei draed â'i holl nerth yn erbyn y bocs. Mewn gwirionedd, yr oedd ef mewn *active service* yn absenol-deb y gelyn – yn gymaint felly nes oedd ei goesau, yn y man, yn gythgam! Teimlai'n sicr, yn ôl yr amser, mai rhaid oedd fod Marged allan o'r ffit ers meitin, a meddiannwyd ef gan y meddwl arswydus ei bod wedi rhoi'r procor yn y tân, a'i bod yn aros iddo fod yn eirias. Crebychai ei gnawd, a theimlai ei groen drosto fel croen gŵydd wrth feddwl am ias y procor yn ei ffrio!

Yn y man clywodd Enoc ryw gynhyrfiad yng ngwersyll y gelyn, ac yn ddiatreg clywodd y grisiau'n clecian dan bwysau Marged. Deallodd ei bod yn dod i fyny yn nhraed ei 'sanau, oblegid yr oedd ei throediad yn ysgafn ac araf, a chredai Enoc yn ei galon fod Marged yn bwriadu gwneud rhuthr annisgwyl-iadwy arno. Gan nad oedd drws ei lofft yn cau'n glòs, pan ddaeth Marged i'r troad uchaf yn y grisiau cyn cyrraedd y *landing*, gwelodd Enoc lewyrch ei channwyll trwy rigol y drws, a meddiannwyd ef gan y fath ddychryn fel y gadawodd ef ei amddiffynfa, ac y dihangodd i gyfeiriad y ffenestr. Gwnaeth ei geg ar ffurf O yn barod i weiddi "O Mwrdwr!" y foment yr ymosodai Marged ar ei amddiffynfa. Curai ei galon fel calon aderyn newydd ei ddal, a rhedai chwŷs oer gymaint â phys gleision i lawr ei wyneb. *Yr oedd Marged wedi cyrraedd drws ei ystafell!* – ond yn mynd heibio'n araf a distaw fel pe buasai'n ofni deffro plentyn! Pan glywodd Enoc – ac yr oedd ef yn glust i gyd – ddrws ystafell wely Marged yn cael ei gau gollyngodd ochenaid hir, ddiolchgar o waelod ei galon, a thaflodd ei hun ar y gwely i geisio'i adfeddiannu ei hun ychydig, heb, ar yr un pryd, esgeuluso cadw gwyliadwraeth. Wedi cyfnerthu fymryn, a chyfrif y dylasai Marged, o ran amser, fod bellach rhwng y cynfasau, cododd ac aeth at y drws, gan osod ei glust ar y rhigol. Yr wyf yn meddwl fy mod wedi dweud o'r blaen, yn nechrau'r hanes hwn, fod Marged yn chwyrnreg ddigyffelyb, a gwyddai Enoc o'r gorau os cysgai hi y gallai ef glywed ei hebychiadau hyd yn oed o'r seler. Yr oedd hyn wedi ei flino lawer tro, a rhag i mi anghofio dweud hynny eto, dyna oedd prif, os nad unig, reswm Enoc dros wrthod cymryd "mis pregethwyr", ond cadwodd y rheswm iddo ef ei hun. Gwrandawodd Enoc yn ddyfal am godiadau, ymchwyddiadau, a thagiadau *portable engine* Marged, a phan ddechreuodd y rhai hyn ddisgyn ar ei glyboedd, yr wyf yn sicr na chynhyrchwyd erioed gan y gerddoriaeth fwyaf seinber y fath deimladau boddhaus ag a gynhyrchwyd ym meddwl a chalon Enoc. Teimlai bellach radd o ddiogelwch, ac wedi ymddiosg a mynd i'r gwely, cafodd hamdden i ystyried "y sefyllfa".

Nid paradwys hollol fuasai ei fywyd yn flaenorol, a gallai alw i'w gof lawer bwlch cyfyng ac ambell amgylchiad profedigaethus y buasai ynddynt. Ond nid oedd yr oll gyda'i gilydd yn ddim o'i gymharu â'i sefyllfa bresennol. Yr oedd y drychfeddwl fod Marged wedi tybied ei fod ef wedi dychmygu gwneud gwraig ohoni yn atgas ac anghynnes ganddo. Ac eto gwelai nad oedd ganddo neb i'w feio am hyn, ond ef ei hun. Nid oedd neb yn adnabod consêt Marged yn well nag ef ei hun, ac er mwyn cymdogaeth dda a thangnefedd yn ei dŷ, yr oedd yntau wedi ei borthi ers llawer o amser. Deuai'r holl eiriau tyner a charuaidd a arferasai ef o dro i dro gyda Marged er mwyn ei chadw'n ddiddig – deuent yn ôl i'w gof yn awr fel ysguthanod i'w clwydi – geiriau, wrth eu defnyddio, na roddasai ef un pwys arnynt, ond a dderbynnid gan Marged, fel y gwelai ef yn awr, fel geiriau cariadfab. Ac, erbyn iddo ystyried, pa beth oedd yn fwy naturiol nag iddi roddi iddynt ystyr benodol. Da oedd ganddo gofio nad oedd gan Marged un tyst iddo arfer ymadroddion felly. Ond nid oedd hyn ond gwelltyn y dyn wrth foddi, ac ni allai Enoc feddwl am wadu ei eiriau. A dyna'r anrhegion: ni allai wadu'r rhai hynny – yr oedd ef ei hun wedi talu amdanynt, ac ni fyddai Marged yn brin o dystion i brofi hynny. Cofiai Enoc am y difyrrwch a gawsai wrth wrando Marged yn adrodd helynt Mr. Swarts yn cael modrwy i'w ffitio. Nid mater chwerthin oedd y digwyddiad hwnnw erbyn hyn. Yr oedd ganddo ryw atgof gwan hefyd glywed Marged yn galw'r fodrwy yn *"migag'd ring"*. Yr oedd y pethau hyn, wrth eu troi yn ei feddwl, yn anferthol o wrthun, ac ar yr un pryd yn ofnadwy o ddifrifol. Wrth fynd tros ac ail-fynd tros y pethau yn ei feddwl, trôi Enoc yn ei wely o'r naill ochr i'r llall fel anifail a'r cnoi arno.

Fel *background* i'w fyfyrdod, ac yn anferthu'r holl bethau hyn a redai trwy ei feddwl, safai Miss Trefor yn ei phrydferthwch a'i holl swynion di-ail – yr unig wrthrych daearol yn ei olwg yr oedd yn werth byw erddo! Wedi'r cwbl, ni buasai'n malio rhyw lawer am y darganfyddiad a wnaethai'r noson honno, oni bai amdani hi. Ni allai na ddeuai hi i wybod am yr holl helynt. Yn wir, meddyliai Enoc, yr oedd yn eithaf amlwg oddi wrth fygythion Marged, mai ef a'i amgylchiadau fyddai siarad y gymdogaeth ymhen ychydig ddyddiau os nad ychydig oriau. A chan nad pa mor wrthun ac annhebygol oedd y peth ynddo ei hun, yr oedd digon o bobl bob amser yn barod i gredu pob ystori o'r fath, a phan ddangosai Marged yr anrhegion, na allai ef eu gwadu – yr oedd yn ddigon posibl y credai pawb y chwedl ffôl. A gredai Miss Trefor? Pa un a gredai hi ai peidio, gwelai Enoc yn eglur y byddai i'r helynt beri iddi ei ddiystyru, os nad ei gasáu, a rhoi pen bythol ar brif amcan ei fywyd. Er mwyn ennill syniadau da, ac, os oedd yn bosibl, serch Miss Trefor, yr oedd ef eisoes wedi hunanymwadu gryn lawer, ac wedi gwario crynswth o arian. Mewn cydymffurfiad â chais Capten Trefor yr oedd Enoc yn barod wedi gwario cannoedd o bunnau ar Waith Coed Madog, ac nid oedd ond gwario i fod am beth amser o leiaf. Heblaw hynny yr oedd ef wedi prynu ceffyl a thrap a rhoi pris mawr amdanynt, ac wedi eu gosod at wasanaeth Capten Trefor i gymryd Mrs. Trefor – nad oedd yn gref iawn – allan yn awr ac yn y man am awyr iach. Ni fuasai ef yn dychmygu am roddi ei arian mewn gwaith mwyn, nac am geffyl a thrap – nad oedd arno eu heisiau – oni bai ei fod yn gobeithio y diweddai'r cwbl i ennill ffafr Miss Trefor, ac yr oedd yn barod i wneuthur aberthau mwy os gwelai fod hynny'n paratoi'r ffordd i wneud iddo le yn ei chalon hi. A thybiai, ar adegau, gyda boddhad anhraethol, ei fod yn canfod arwyddion gwan fod ei ffyddlondeb a'i ymgyflwyniad llwyr i'r amcan neilltuol hwn yn graddol sicrhau iddo fuddugoliaeth hapus. Ond och! dyma'r deml a adeiladodd yn dod yn bendramwnwgl am ei ben! a'r trychineb yn dod o gyfeiriad na freuddwydiodd ef erioed amdano! Ni allasai ysgorn y Jerichoaid fod yn fwy mingam wrth weld eu caerau ardderchog yn syrthio ddim ond trwy chwythu mewn corn hwrdd, na'r eiddo Enoc wrth feddwl fod ei ragolygon gwerthfawr yn cael eu gwneud yn chwilfriw gan lances o forwyn hagr, anwybodus ac anghoeth.

Nid unwaith na dwywaith y meddyliodd Enoc a fyddai'n bosibl, tybed, prynu Marged? A gymerai hi swm go lew o arian am atal ei thafod a mynd ymaith? Prin y gallai Enoc gredu fod hynny'n bosibl, oblegid yr oedd ei gwaith yn gwrthod ei chyflog yn dangos nad oedd hi'n rhoi pris ar arian – hynny ydyw, fel cydwerth â bod yn wraig iddo ef. Ar yr un pryd, meddyliai Enoc, hwyrach y buasai cynnig iddi hanner cant o bunnau yn peri iddi newid ei thôn. Ond buasai hynny'n ymddangos fel cyfaddefiad ddarfod iddo ei thwyllo. Eto buasai hon yn fargen rad pe buasai'n sicr y llwyddai. Yn wir, ni fuasai'n aros ar hyd yn oed gan punt ond cael setlo'r mater am byth. Yr oedd Marged yn anllythrennog – a hyd yn oed pe na buasai felly byddai raid cael tyst, a dygai hynny rywun arall i'r gyfrinach – rhywun, hwyrach, a daenai'r stori hyd y gymdogaeth, neu y byddai ef dan ei fawd tra fyddai byw. Ond beth arall oedd i'w wneud? Nid oedd un llwybr arall yn ei gynnig ei hun i feddwl Enoc i ddod allan o'r helynt. Gwelai'n eglur nad oedd yn bosibl osgoi dwyn *third party* i mewn. Rhedai ei feddwl dros restr ei gyfeillion, pryd y cofiodd gydag ing fod Jones, y plismon, eisoes wedi cael cip ar ei sefyllfa. A beth oedd y dyn yn ei feddwl wrth ddweud "yr hen *game*, Mr. Huws"? A oedd o'n awgrymu rhywbeth am ei gymeriad? "Mae'n sicr fod y dyn yn meddwl rhywbeth felly," ebe Enoc gyda dychryn, ac ymollyngodd yn ei ysbryd i anobaith truenus i allu byth ddod o'i brofedigaeth yn anrhydeddus. Er ei fod yn meddu ymwybyddiaeth o gydwybod bur, yr oedd yr ymddangosiadau o bob cyfeiriad yn ei erbyn, a phrin y gallai ddisgwyl i'w gyfeillion pennaf gredu yn ei ddiniweidrwydd. Teimlai Enoc yn dost hefyd oddi wrth beth arall, sef y byddai ef, oherwydd gwendid ei *nerve*, yn sicr o ymddangos yn llipa ac euog, er ei fod yn berffaith ddiniwed, ac ni allai beidio gofyn eilwaith pa ffawd ddrwg oedd yn ei ddilyn? Tybiai Enoc fod ambell un mewn amgylchiadau llai profedigaethus wedi cyflawni hunanladdiad. A ddaeth y syniad am roddi terfyn ar ei fywyd i'w feddwl? Do, yn sicr ddigon am foment, a chuddiodd Enoc ei ben dan ddillad y gwely – teimlodd ei hunan yn poethi drwyddo, ac yn oeri fel rhew y funud nesaf. Daeth y meddwl iddo, yn ddiamau, o uffern, o ba le y daw meddyliau felly yn gyffredin – mae arogl y lle arnynt – ond i Enoc bu o fendith. Hyd yn hyn yr oedd ei feddyliau wedi ymdroi o'i gwmpas ef ei hun a'i gymdogion; ond yn awr daeth Duw i'w feddwl. Yn wyneb yr amgylchiadau ynglŷn â'i gymdogion teimlai fel un oedd ar gael ei gamddeall a'i gamfarnu. Ond pan ddaeth y meddwl drwg i'w galon cafodd ei hun wyneb yn wyneb â Duw. Gwnaeth hyn i'w feddwl redeg ar linell newydd hollol, a dechreuodd holi ei hun onid oedd rhywbeth ynddo ef ei hun yn galw am farnedigaeth? oblegid yr oedd Enoc yng ngwraidd ei galon yn grefyddol yn anad dim. Dechreuodd ei gydwybod edliw iddo ei bechodau. Atgofiodd iddo yr amser pan – er holl brysurdeb masnach – nad esgeulusai un cyfarfod crefyddol canol yr wythnos – pan ddarllenai ac y myfyriai lawer ar y Beibl, ac y ceisiai wneud ei orau, yn ei ffordd, dros achos crefydd. A oedd ef wedi cadw ar y llwybr hwnnw? Na, yr oedd ei fyfyrdodau ymron yn gyfan gwbl ers misoedd wedi bod yn ymdroi ynghylch Miss Trefor, Gwaith Coed Madog a phethau felly. Pan fyddai'r capel a Thyn-yr-ardd yn croesi ei gilydd, yr oedd ers amser bellach yn ddieithriad yn ochri at Dyn-yr-ardd. Pan fyddai Miss Trefor a chrefydd yn y cwestiwn, Miss Trefor oedd wedi cael y flaenoriaeth. Nid hynny'n unig, ond yr oedd yn ymwybodol ei fod wedi colli llawer o'i ddiddordeb ym mhethau crefydd yn gyffredinol, ac oherwydd ei fod wedi gwario llawer ar ei dŷ,

Gwaith Coed Madog a phethau eraill, yr oedd wedi cwtogi ei gyfraniadau yn y capel ac at achosion elusennol. Nid oedd yn cael cymaint o ddifyrrwch yng nghwmni pobl grefyddol, ac erbyn iddo ystyried, nid oedd yn cael edrych arno gyda'r parch a'r hoffter y bu unwaith yn falch ohono. Yr oedd amryw o'i gyfeillion wedi pellhau oddi wrtho. Ar y Sabothau, yn y capel, yr oedd yn ddiweddar yn teimlo fod y gwasanaeth yn rhy hir, ac os byddai cyfarfod brodyr neu gyfarfod athrawon ni allai feddwl am aros ynddo. Y ffaith oedd – addefai Enoc wrtho ei hun yn ei wely y bore hwnnw – oni fyddai'r bregeth ar y Saboth yn hynod gynhyrfus, byddai ei feddyliau ef o ddechrau'r gwasanaeth i'w ddiwedd yn cyniwair ynghylch Miss Trefor, ac yr oedd yn rhoi mwy o bris ar gael cyd-gerdded â hi adref ar fore Sul – er nad oedd hyn ond *act of toleration* – nag ar y bregeth odidocaf.

Meddyliodd Enoc am yr holl bethau hyn, a meddyliodd yn ddwfn, ac wylodd ddagrau o edifeirwch pur. "Nid rhyfedd," meddai Enoc wrtho ei hun, "fod Duw wedi digio wrthyf a'i fod yn fy nghosbi'n llym yn ei ragluniaeth drwy fy ngwaradwyddo yng ngolwg fy nghymdogion a pheri iddynt edrych arnaf mewn gwedd nad wyf yn ei theilyngu." Ond y mae dyn da yn gallu ymgadarnhau yn hollwybodaeth Duw, ac er bod Enoc yn teimlo yn euog a phechadurus cafodd nerth i ymfoddloni ychydig yn y ffaith fod Duw yn gwybod y cwbl o'i hanes. Ni fyddai iddo Ef ei gamfarnu na rhoddi yn ei erbyn yr hyn nad oedd ef yn euog ohono. Canfyddai ynddo ei hun ddirywiad dwfn – dirywiad yr oedd ef wedi syrthio iddo yn hollol anfwriadol. Wrth garu Miss Trefor yn fawr nid oedd ef wedi bwriadu caru Duw a'i achos yn llai. Ac erbyn hyn, er ei fod yn llym deimlo ei fai – bai na allai beidio ag edrych arno ond fel gwrthgiliad ysbrydol – canfyddai fod y ffordd megis wedi ei chau i fyny iddo allu diwygio. Gwelai'r tebygolrwydd, ac ym-ron y sicrwydd, y byddai iddo gael ei ddiarddel. Yr oedd Marged wedi protestio y mynnai gael ei dorri o'r seiat. Byddai iddi yn ddiamau wneud *case* cryf yn ei erbyn. Credai'r holl ferched ei thystiolaeth noeth pe na buasai ganddi ddim arall yn ei erbyn. Ond gallai Marged ddwyn ymlaen amryw bethau eraill oedd, ar yr wyneb, yn cadarnhau ei chyhuddiad. Ni fyddai ganddo ef i wrthbrofi ei chyhuddiad ond ei air yn unig. A chaniatáu y byddai i ychydig o ddynion call ei gredu, yn sicr byddai'r mwyafrif o ddigon yn ochri gyda Marged. Byddai rhai yn fwy parod i gredu'r hyn a roddid yn ei erbyn am ei fod yn ddiweddar wedi dirywio yn ei ffyddlondeb yn y capel, gan briodoli fel rheswm am hynny gydwybod euog. Gwelai Enoc yn ei fyfyrdodau yr holl bethau hyn cystal ag wedi cymryd lle. Pa fodd i wynebu'r amgylchiadau ni wyddai, a suddai ei galon ynddo, a gofynnai, "A oes gofid fel fy ngofid i?" Pe buasai rhyw eneth ddeallgar, olygus a phrydferth yn ei gyhuddo o dorri amod â hi, buasai rhyw fymryn o gredyd ynglŷn â hynny serch na fuasai sail iddo; ond yr oedd y drychfeddwl fod Marged – wel, yr oedd hynny'n annioddefol.

Yn wyneb yr ystorm oedd o'i flaen – er ei fod yn teimlo'n euog ac edifeiriol gerbron Duw am lawer o esgeulusterau – ni allai Enoc gael bai ynddo ei hun am ymserchu ym Miss Trefor – yr oedd hyn yn beth na allai ddim oddi wrtho, a heb fod yn fater o ddewisiad o gwbl. Ond yn awr gydag ochenaid a fu agos â chymryd ei enaid ymaith ar ei hadenydd, ffarweliodd byth â'i hoff freuddwyd o wneud Miss Trefor ryw ddydd yn Mrs. Huws. Ond protestiodd ynddo ei hun – ac yr oedd ysbryd a nerth llw yn y protest – pa le bynnag y byddai ei drigfan – pa beth bynnag a ddigwyddai iddo – y carai ef hi hyd y diwedd, ac y bendithiai ef hi gyda'i anadl olaf. "Ie," ebe Enoc, "pa le bydd fy nhrigfan? Mae aros yn y gymdogaeth hon allan o'r cwestiwn — fedra i byth ddal y *disgrace*! Mae'r meddwl am fynd drwy'r holl helynt ymron â 'ngyrru i'n wallgof ! A pha *interest* fydd i mi yma ar ôl colli'r gobaith amdani *hi*? Dim! yr un llwchyn, mi gymra fy llw! Mi werthaf bob scrap sy gen i ar fy helw, ac mi af i rywle – waeth gen i i ble," a rhoddodd Enoc y canfed tro yn ei wely y noswaith honno.

XXVIII

JONES Y PLISMON

HEN lwynog oedd Jones y plismon, callach na'r cyffredin o
lwynogod; oblegid er bod ganddo gynffon hir a thusw braf
arni, yr oedd rywfodd yn medru ei chuddio fel na allai'r ŵydd
fwyaf craff a phrofiadol wybod mai llwynog oedd ef nes teimlo
ei chorn gwddf yn ei geg a'i chorpws wedi ei daflu ar draws ei
gefn. Yr oedd gan ei dad feddwl lled uchel am Jones er yn
hogyn, ac, yn rhag-weld y byddai iddo ryw ddydd, os câi fyw,
dorri ffigiwr nid anenwog yn y byd, ef a roddes dipyn o ysgol
iddo. A llawer tro y dywedodd ei dad na fyddai raid i'w fab ef
byth orfod gweithio "ond gyda'i ben". Er na ddarfu i Jones, tra
fu yn yr ysgol, gyflawni disgwyliadau ei dad yn hollol, eto
gwnaeth ei farc yno – yn y ffurf o graith ar wynebau amryw o'i
gydysgolheigion – canys yr oedd Jones yn hogyn cryf, esgyrn-
iog, ac yn meddu ffrâm gymwys iawn i roi cnawd arni pan
ddeuai cyfleustra iddo gael ei wala o fwyd a diod, na châi ef, y
pryd hwnnw, yn ei gartref. Meddai amryw oedd yn yr ysgol yr
un adeg â Jones atgofion melys amdano fel un na ddarfu iddo
erioed wrthod rhodd na sarhau neb drwy gynnig rhodd iddo.
Yn wir, cofiai ei gyfoedion ddarfod i Jones, yn yr ysgol, weith-
redu'n ewyllysgar fel trysorydd iddynt oll, ac ni wybuwyd i
ddim a ymddiriedwyd iddo adael ei ddwylo. Crydd, wrth ei
grefft, ydoedd tad Jones, ac er ei fod yn argyhoeddedig fod
Jones wedi ei fwriadu i alwedigaeth uwch, gorfodwyd ef gan am-
gylchiadau i ddod i'r penderfyniad y byddai raid i'w fab ddilyn
yr un grefft ag yntau. Ond pa gymdeithas sydd rhwng athrylith
a *lapstone*, a thalent o radd uchel a mynawyd? Ni allasai hynny
o gŵyr oedd yn siop ei dad gadw Jones wrth y sêt. Yr unig
adeg y gwelid Jones yn eistedd yn naturiol ar y sêt oedd pan

fyddai ef yn darllen y papur newydd. Hyn a wnâi ef weithiau am hanner diwrnod. Da gan ei dad fuasai gweld Jones yn cydio yn ei grefft nes i rywbeth gwell droi i fyny, ond er hynny difyr oedd ganddo glywed Jones yn darllen hanes mwrdradau a lladradau o'r papur newydd. Yr oedd annhueddrwydd Jones at waith yn cadarnhau syniad yr hen ŵr ei dad na fwriadwyd Jones i weithio "ond gyda'i ben", ac yn y grediniaeth hon yr oedd Jones ei hun hefyd yn llwyr argyhoeddedig. Bu cydoddefiad ei dad a dieithrwch Jones i bob caledwaith yn fantais fawr i'w "ddynol natur" ymddatblygu ar raddfa helaeth, heb yr arwydd lleiaf ynddi o grebachdod, a buan yr edrychid arno fel siampl ragorol o'r hil. I ddangos nad oedd ef yn tueddu at ddiogi nac yn anymwybodol o'i nerth, nid anewyllysgar fyddai Jones, ar adegau neilltuol, i gario llwyth o lo i dŷ bonheddwr, neu ynteu i ddadlwytho gwagenaid o flawd i rai o'r siopwyr, ac ni ddis-gwyliai un amser fwy na swllt am ei drafferth. Ac wedi cyf-lawni'r gorchwyl crybwylledig, i ddangos ymhellach nad oedd ef yn ariangar, âi Jones yn syth i'r *Brown Cow* i wacáu hanner peintiau hyd y parhâi'r swllt, ac os digwyddai fod yn y *Brown Cow* angen troi dyn afreolus a thrystfawr i'r heol, gwnâi Jones hynny hefyd am y gydnabyddiaeth isel o geiniog a dimai – neu yn hytrach eu gwerth mewn cwrw, oblegid nid oedd ef yn gofalu am bres. Ac er bod Jones yn fab i grydd, nid oedd dim balchder na ffroenuchelrwydd yn perthyn i'w gymeriad, a mynych y clywid ef yn tystio nad oedd ef yn *proud chap*. I brofi hyn, ni ddiystyrai ef ddal pen ceffyl y ffarmwr mwyaf distadl, er na allai efe ddisgwyl am ei wasanaeth – "yn wyneb sefyllfa isel amaethyddiaeth" – fwy na cheiniog yn dâl.

Amlygodd Jones yn fore fel hyn rinweddau dinesydd defnyddiol. Yn gymaint â'i fod yn ysgolhaig, gweithredai Jones fel dirprwywr a rhaglaw i'r *town crier* pan ddigwyddai'r swyddog hwnnw fod oddi cartref neu'n afiach. Ac mor rhag-orol y gwnâi ef y gwaith dirprwyol, fel yr anogwyd ef yn daer gan amryw wŷr dylanwadol i ymgymryd â'r busnes hwnnw ar ei wadnau ei hun. Pwyswyd mor drwm ar Jones un tro i ym-gymryd â'r busnes o *town crier*, fel na allai ef, ar ôl dwys ystyriaeth, droi clust fyddar at gais ei gyd-drefwyr heb fod yn euog o anfoesgarwch a dibristod o'u syniadau da amdano. Cydsyniodd. Ond wedi ailystyried, gwelodd Jones fod yr anturiaeth yn tybio suddo hyn a hyn o arian yn y busnes. Canfu y byddai raid iddo gael cloch, a honno'n un soniarus, a gostiai, o leiaf, wyth swllt. Gwyddai pawb nad oedd ef wedi bod yn ŵr ariangar, na hyd yn oed yn neilltuol o ddarbodus. Yr oedd Jones, fel y dywedwyd, yn ysgolhaig, a gwnaeth apêl ysgrifenedig at ei gymhellwyr am danysgrifiadau. Ni fu ei apêl yn ofer; ond wedi iddo hel saith swllt – trawyd ef gan ei gydwybod. A oedd ef yn mynd i ddisodli'r *town crier* cydnabyddedig, oedd yn ŵr priod ac amryw o blant bach ganddo? A oedd ef am gymryd ei fwyd oddi ar ei blât? "Na," ebe Jones, "nid y fi ydi'r dyn i neud peth felly," ac aeth yn syth i'r *Brown Cow* – rhoddodd lyfr yr apêl yn y tân a'r saith swllt mewn cylchrediad masnachol, ac aeth adref gyda chydwybod dawel.

Dywedai rhai mai i'w dueddiadau astronomyddol y gellid priodoli'r arfer oedd gan Jones i aros allan yn hwyr y nos. Ac yr oedd yr arferiad hwn wedi mynd yn fath o ail natur ynddo, fel na allai ymryddhau oddi wrtho hyd yn oed ar nosweithiau tywyll pryd na byddai sêr na lloer yn y golwg. Credai eraill a dybiai eu bod yn adnabod Jones yn dda, mai ei ofal am eiddo ei gymdogion a'i cadwai allan hyd oriau mân y bore, a'i fod fel gwir gymwynaswr i gymdeithas yn rhoddi ei wasanaeth yn rhad ac am ddim i geisio glanhau'r gymdogaeth oddi wrth garnladron oedd yn prowla yn y tywyllwch. Ni chymerai Jones y credyd hwn iddo ef ei hun, oblegid nid oedd ef un amser yn gwneud bost o'i wasanaeth ewyllysgar. Ar yr un pryd mae'n rhaid nad oedd ei gymdogion mwyaf cefnog yn anystyriol o'i wyliadwriaethau nosol, oblegid, er esiampl, ni fyddai Jones un amser yn brin o wningen, neu hwyaden dew i'w gwerthu am bris isel i'w gyfeillion, y pethau – sef y da byw – a roddid iddo, yn ddiamau, gan ŵr y Plas am y gwasanaeth a grybwyllwyd. Ar adeg etholiad profai Jones ei hun yn ŵr defnyddiol iawn fel arweinydd y bobl. Y pryd hwnnw yr oedd ef yn Dori rhonc, ac os digwyddai mewn cyfarfod cyhoeddus fod rhyw Radical yn aflonyddu ac yn gwrthod cymryd ei argyhoeddi gan resymau teg, a thybied o'r blaid Doriaidd mai allan oedd y lle gorau i'r aflonyddwr, nid oedd eisiau ond rhoi awgrym cil llygad i Jones a byddai'r gorchwyl wedi ei gyflawni. Yr oedd gwasanaeth Jones i'r blaid ac i labwystyddiaeth yn gyffredinol, ar adegau felly, yn amhrisiadwy. Creai'r gorchestion hyn, ac yn enwedig yr egni a arferai ef mewn ffordd o gymeradwyaeth leisiol i'r siaradwyr politicaidd, yn naturiol iawn, sychder annioddefol yng nghorn ei wddf, ac nid oedd y blaid un amser yn anystyriol o hynny.

Yr oedd yn Jones ymwybyddiaeth o alluoedd annatblygedig, a rhag cymryd cam cyfeiliornus, a thrwy hynny ddechrau ar gwrs o fywyd anfanteisiol i ddadenhuddiad ohonynt, a lluddias bwriadau Rhagluniaeth, bu Jones am dymor lled faith megis yn petruso pa alwedigaeth a ddilynai. Yn y cyfamser, rhoddai ei hun at wasanaeth pawb. Pa fodd bynnag, wedi hir gloffi, tybiodd Jones un diwrnod ei fod yn canfod yn eglur lwybr y bywyd a fwriadwyd iddo gymryd. Yr oedd bys Rhagluniaeth yn amlwg yn y peth, ac ni phetrusodd yn hwy. Cymerodd *agency* i werthu *German Barm,* neu, fel y mynegodd ef ei fwriad i'w dad – "Yr wyf wedi penderfynu, 'nhad, mynd yn *yeast merchant*." Anogodd ei dad ef i gymryd pwyll, a phwyso ac ystyried y mater yn briodol cyn ymgymryd â'r fath anturiaeth. Cydnabu Jones briodoldeb a rhesymoldeb y cyngor, ond yr oedd, meddai, wedi gweithredu arno cyn ei gael, ac wedi gwneud ei feddwl i fyny. Ymdaflodd Jones â'i holl enaid i fasnach – hynny ydyw – i werthu burum Germanaidd. Ond buan y canfu mai gwell fuasai iddo ef roi clust i gyngor ei dad, a rhoddi mwy o ystyriaeth cyn ymgymryd â'r fasnach. Yr oedd Jones wedi cwbl esgeuluso ystyried un wedd ar y fasnach furymol – sef mai yn y bore yr oedd eisiau burum, tra mai mwy dewisol ganddo ef ei hun fuasai trin y drafnidiaeth gyda'r nos. Teimlai Jones nad oedd y fasnach ac yntau yn clymu â'i gilydd yn dda. Heblaw hyn, tra oedd y nwydd a werthai, o dan amgylchiadau ffafriol, yn cynhyrchu *codiad,* ni allai Jones obeithio am *godiad* iddo ef ei hun. Rhoddodd Jones y fasnach i fyny. Ond ni fu ei gysylltiad â masnach heb ei gwersi iddo. Dysgodd Jones na fyddai unrhyw fasnach yr oedd codi'n fore ynglŷn â hi, yn gydweddol â'i dueddiadau ac â'i athrylith ef. Ni ofalai ffuen am aros i fyny drwy'r nos, ond yr oedd codi'n fore allan o'r cwestiwn. Daeth Jones i ddeall nad oedd neb yn gweithio dan y Llywodraeth yn arfer dechrau ar eu gorchwyl yn gynnar ar y dydd, a gwelodd y byddai raid iddo yntau yn y dyfodol droi ei lygaid i gyfeiriad y Llywodraeth. I dorri'r stori yn fer, yr ystyriaeth hon a barodd i Jones, yn y man, ymuno â'r *force*, neu mewn geiriau eraill fynd yn blismon, ac yr wyf yn meddwl y cydnebydd pawb a adwaenai Jones ei fod wedi ei dorri allan i'r gwaith. Heblaw fod proffwydoliaeth ei dad wedi ei chyflawni, sef na fyddai raid i Jones byth weithio ond gyda'i ben, yr oedd Jones ei hun yn teimlo'n hollol yn ei elfen. Yn y lle cyntaf yr oedd Jones yn ddwy lath a dwy fodfedd yn nhraed ei sanau, a chyn sythed â phost llidiart. Yr oedd ei ysgwyddau yn llydain ac ysgwâr fel top drws, a'i frest yn taflu allan fel ceiliog – yn gymaint felly fel mai'r peth cyntaf a wnâi Jones pan gâi gob newydd oedd tynnu allan y wadin o'r leinin. Ni chredai Jones mewn plismon wedi ei wneud o wadin. Mor gadarn a nerthol oedd ef fel yr oedd yn gallu hepgor cario *staff* a *handcuffs*. Diystyrai Jones betheuach felly. *Handcuffs* Jones oedd ei figyrnau, a'i *staff* oedd ei ddeheulaw, a'r un a anturiai alw am eu gwasanaeth oedd mor saffed o'i gael ei hun yn y carchar a phe buasai holl awdurdod a nerth cyfraith Lloegr wedi eu crynhoi ym mlaenau bysedd Jones. Ffaith adnabyddus ydoedd fod Jones, un tro, wedi cymryd y straffwr mwyaf yn y dref i'r carchar yn erbyn ei law. Pan ddangosai'r straffwr unrhyw wrthwynebiad, gwasgai Jones ei law nes oedd y dyn yn gweiddi fel porchell, a chlywais y dyn ei hun yn dweud ar ôl hynny mai gwell fuasai ganddo roi ei law dan olwyn gwagen goed na'i rhoi yn llaw Jones y plismon.

Gwelir oddi wrth y byr nodion hyn fod Jones, o ran corff, wedi ei gymhwyso gan natur i fod yn blismon, ac y mae'r darllenydd eisoes, mi gredaf, wedi gwneud ei gasgliadau ei hun beth ydoedd o ran galluoedd ei feddwl. Yr wyf yn meddwl y gellir nodi – at lawer o rinweddau eraill oedd yn Jones – ei fedr i ddod o hyd i hanes pobl, yn bersonol, teuluol, a chymdeithasol, a hefyd, lle byddai angen, ei ffyddlondeb mewn cadw cyfrinach. Yr oedd ei fynwes yn ystordy o gyfrinachau, a'r cwbl dan glo. Oherwydd hyn yr oedd Jones yn boblogaidd iawn, yn enwedig ymhlith y rhai a ddylasai ei ofni fwyaf. Nid oedd ganddo bleser mewn dinoethi gwendidau pobl. Er enghraifft, os byddai tuedd mewn rhyw ŵr ieuanc, o deulu parchus, at ryw ddrygioni penodol, cadwai Jones ei lygad arno nes ei ddal ar y weithred, ac yna, wedi bygwth yn enbyd achwyn arno wrth ei rieni, gostyngai Jones ei lais a siaradai'n ddifrifol a chyfrinachol – rhoddai'r gŵr ieuanc ei law yn ei boced – ond, na ni fynnai Jones dderbyn dim, ar un cyfrif, nes ei orfodi, ac yna dywedai'r gŵr ieuanc *"that's a good fellow"*. Yn y cyfryw amgylchiadau yr oedd Jones wedi gwneud ei ddyletswydd, ac wedi rhoi cyngor rhagorol i'r sprigyn ffast, ac os oedd y sprigyn yn ystyried y dylai dalu am y cyngor nid oedd hynny ond efelychiad o waith cynulleidfa yn talu o wirfodd ei chalon i bregethwr am ei gyngor. Teimlai Jones yn dawel ei fod wedi dangos y ffordd union i'r gŵr ieuanc, ac ni ddeilliai un lles i neb byw bedyddiol drwy wneud yn hysbys ei feiau. Neu, fel enghraifft arall, dyweder fod gŵr o safle uchel, ac yn enwedig os byddai'n proffesu crefydd, yn "tueddbennu" at gymryd dropyn gormod; byddai Jones yn siŵr o'i gael allan, ac os na fyddai'r pechadur yn ymwybodol a theimladol o'i fai, ni phetrusai Jones siarad ag ef i'r perwyl yma – "Dyma chwi, Mr. Prichard, mae'n ddrwg, yn ddrwg iawn, gen i'ch gweld chwi yn y cyflwr yma heno. Er nad wyf yn proffesu crefydd fy hun mae gen i barch calon i grefydd, ac mi fyddaf yn gofidio wrth weld rhai y gallesid disgwyl gwell pethau oddi wrthynt yn gwarthruddo'r achos. Yr wyf yn teimlo mai fy nyletswydd ydyw dweud wrth eich gweinidog am yr hyn a wn amdanoch. Ond mi gaf siarad â chwi yn y bore." Y peth cyntaf a wnâi'r troseddwr bore drannoeth fyddai anfon am Jones, ac wedi hir ymgynghoriad a *dealltwriaeth,* penderfynai Jones, gan na wyddai neb am y bai ond ef ei hun a Mrs. Prichard, mai doethach er lles yr achos oedd peidio â sôn gair am y peth. Ond credai Jones mai gwell fuasai i ŵr fel Mr. Prichard fod yn llwyrymwrthodwr, ac yn wir dywedodd hynny wrtho fwy nag unwaith pan fyddent yn cael glasied efo'i gilydd. Mewn atebiad dywedai Mr. Prichard, "Yr wyf yn rhy hen, Jones, i seinio dirwest; ond mi fuaswn yn leicio gallu gwneud fel chi, Jones, sef yfed llond 'y mol o ddiod a heb i 'mhen a 'nghoese i fod damed gwaeth." "Gwyddoch, Mr. Prichard," atebai Jones, "na ddylid rhoi gwin newydd mewn *hen* gostrelau."

Ond gyda throseddwyr nad oedd ganddynt gymeriad i'w golli, na theulu na pherthynas i deimlo oddi wrth y dinoethiad, ni ddangosai Jones unrhyw drugaredd, ond bwriai hwynt i garchar, a dygai hwynt o flaen yr ustusiaid yn ddiarbed, a mynych y llongyfarchwyd ef gan yr ynadon am gyflawni ei ddyletswydd mor drylwyr a didderbynwyneb. Yr oedd y gymdogaeth oedd dan ofal Jones yn lled rydd a glân ar y cyfan oddi wrth y mân ladradau y clywir amdanynt yn rhy fynych mewn cymdogaethau eraill, a phan ddigwyddai lladrad ar awr neilltuol ar y nos, gallai Jones dystio ei fod ef yn y fan honno ychydig funudau cyn i'r lladrad gymryd lle (yr hyn oedd yn ffaith), ac felly na ellid priodoli'r lladrad i'w ddieithrwch ef i'r gymdogaeth lle y'i cyflawnwyd. Cof gennyf i Jones, ar fwy nag un achlysur, alw sylw'r cyhoedd at y perygl i ddyn feddwi nes ei fod "yn farw feddw", fel y dywedir, oblegid ei brofiad ef yn ddieithriad oedd pan gâi ddyn yn y cyflwr gresynus hwnnw, fod ei logellau yn wag, oedd yn dangos yn eglur, meddai Jones, fod y dyn wedi ei ysbeilio gan rywun neu'i gilydd, canys nid oedd un rheswm mewn dweud fod *pob* meddwyn wedi gwario *pob* dimai. Mewn gwirionedd, yr oedd hynny'n amhosibl, a da, ystyriwn i, oedd gwaith Jones yn galw sylw at y ffaith. Dywedai Jones, a hwyrach mai buddiol fyddai i'r rhai sydd yn gwisgo'r un brethyn ag ef ystyried ei eiriau – na ddylai plismon identiffeio ei hun gydag un sect grefyddol, ond yn hytrach arddangos y catholigrwydd dwfn a llydan hwnnw a heriai'r dyn mwyaf craff ddyfalu ei gredo. Y plismon, meddai Jones, ydyw cynrychiolydd Llywodraeth Prydain Fawr a'r Iwerddon ym mhob cymdogaeth. Golygir bod y Llywodraeth yn amddiffyn pawb fel ei gilydd; o ganlyniad ni ddylai'r plismon gysylltu ei hun â sect. Ond, ychwanegai Jones, pan fyddo gŵr cul ei feddwl wedi ymgymryd â swydd plismon, ac yn ei deimlo ei hun yn rhy wan i beidio ag ymuno â sect, gwell iddo ymuno ag Eglwys Loegr, gan mai hi ydyw mam pob sect, ac am mai ynddi y ceir ymron yr holl ynadon. Ystyriai Jones y dylai pob plismon roddi tro yn achlysurol, ond nid yn rhy aml, o gwmpas addoldai'r Ymneilltuwyr i edrych na fyddo plant drwg yn aflonyddu, a gofalu am fod *bob bore Sul* wrth ddrws Eglwys Loegr ar derfyn y gwasanaeth, fel y gwelo'r boneddigion nad oedd ef yn esgeuluso ei ddyletswydd. Gyda golwg ar wleidyddiaeth, credo Jones oedd hyn: cyn gynted ag yr ymgymero dyn â gwisgo'r got las y dylai yr un pryd roi ei wleidyddiaeth yn ei boced, a pheidio â gadael i neb wybod i ba blaid y perthynai, oddieithr ar achlysuron penodol pan fyddai dangos lliw neillluol yn fantais iddo ef yn bersonol. Os byddai dyn yn Rhyddfrydwr egwyddorol, ac yn annalluog i beidio â dangos ei egwyddorion, cyngor Jones iddo oedd peidio â meddwl am ymuno â'r *force*. Ond os byddai dyn yn Geidwadwr, a heb allu atal ei dafod, ac ar yr un pryd â'i fryd ar ymuno â'r *force* – ymuned – nid oedd ganddo ddim i'w ofni. Eto argyhoeddiad Jones oedd mai'r plismon gorau oedd hwnnw na allai neb ddyfalu beth oedd lliw ei gredo politicaidd. Dyletswydd plismon, meddai, oedd edrych ar ôl lles cymdeithas heb ogwyddo at y naill blaid na'r llall, ond yn unig fel y byddai amgylchiadau yn galw. Yng nghraidd ei galon tueddai Jones at y blaid Ryddfrydol, ond yr oedd ganddo beth yn ei herbyn – yr oedd y blaid yn ddiffygiol o barch i foneddigion a hen deuluoedd, ac ni welai ef hynny, yn y *long run,* yn talu. Gyda golwg arno ef ei hun, y cwrs mwyaf Cristionogol, yn ei dyb ef, oedd dilyn esiampl yr apostol – ei wneud ei hun yn bob peth i bawb.

Y noswaith y galwyd Jones i Siop y Groes yr oedd ei ddyletswyddau nosol i ddibennu am bedwar o'r gloch y bore, ond gan y tybiai ef mai priodol a buddiol fuasai iddo gael ymgom gyda Mr. Enoc Huws yn gynnar ar y diwrnod, ni thybiodd yn werth y drafferth iddo fynd i'w wely nes iddo'n gyntaf gael gweld Enoc. Synfyfyriodd lawer am yr hyn a welodd ac a glywodd yn Siop y Groes y noson honno, a chredai y gallai ei wasanaeth fod o ddefnydd i'r pleidiau. Adwaenai Jones Enoc Huws yn dda – adwaenai ef fel un o'r dynion diniweitiaf a phuraf ei gymeriad a welodd erioed. Credai'n sicr ei fod yn analluog i gyflawni dim oedd ddianrhydeddus, ac ni allai ddyfalu'r rheswm am yr hyn a welsai ac a glywsai, ac ni allai ef orffwyso nes ei wneud ei hun yn gyfarwydd â'r holl ddirgelwch. Yr oedd dirgelwch yn beth na allai Jones ei oddef.

Er na chysgodd Enoc winciad y noson honno, arhosodd yn ei ystafell wely heb leihau dim ar y baricêd (gwerth sôn amdano) nes clywed Marged yn mynd i lawr y grisiau. Yna symudodd yr atalgaer mor ddistaw ag y medrai. Wedi ymolchi, pan aeth at y drych ar fedr cribo ei wallt, dychrynodd wrth yr olwg oedd ar ei wyneb. Yr oedd yn sicr ei fod yn edrych ddeng mlynedd yn hŷn nag ydoedd y dydd blaenorol. Ond gwaeth na hynny, yr oedd clais du dan ei ddau lygad, effaith y ddyrnod a gawsai gan Marged. Yr oedd poenau enaid Enoc wedi bod mor dost ar hyd y nos nes peri iddo gwbl anghofio'r ddyrnod hyd y funud yr edrychodd i'r *glass*. Dygodd hyn, am y canfed tro, holl amgylchiadau'r noson flaenorol i'w feddwl. Pa fodd y gallai ddangos ei wyneb i neb? Suddodd ei ysbryd yn is nag ydoedd eisoes, os oedd hynny'n bosibl. Wedi cerdded ôl a blaen hyd yr ystafell am ysbaid, a phendroni nid ychydig, gwelodd Enoc na allai wneud dim oedd well na mynd i lawr y grisiau – syrthio ar ei fai o flaen Marged – siarad yn deg â hi – addo popeth iddi (ond ei phriodi) er mwyn ei thawelu a chael amser iddo ef ei hun i hel ei bethau – eu gwerthu – a gadael y wlad. Yr oedd yn glamp o orchwyl, ond rhaid oedd ei wneud, ac i lawr ag ef. Pan gyrhaeddodd waelod y grisiau llesgaodd ei galon, ac yn lle troi i diriogaeth Marged, sef y gegin, trodd i'r parlwr, a phan oedd yn codi bleind y ffenestr, y gŵr cyntaf a welodd ar yr heol oedd Jones, y plismon. Pan fydd bleind ffenestr yn cael ei godi, y peth mwyaf naturiol i ddyn fydd yn digwydd mynd heibio ar y pryd fydd edrych i'r cyfeiriad hwnnw. Felly y gwnaeth Jones. Rhoddodd Enoc nòd arno, a'i ystyr oedd – "Bore da, Mr. Jones." Camgymerodd (?) Jones y nòd a rhoddodd iddo'r ystyr – "Hwdiwch", a chyflymodd at y drws. Gwelodd Enoc fod Jones wedi tybied ei fod yn ei alw. Agorodd Enoc y drws. "Oeddech chi'n galw, Mr. Huws?" gofynnodd Jones. "Nac oeddwn," ebe Enoc, "ond dowch i mewn." Aeth y ddau i'r parlwr a chaeodd Enoc y drws.

XXIX

MARGED O FLAEN EI GWELL

AETH Jones ac Enoc i'r parlwr, fel y dywedwyd, a chaeodd Enoc y drws.

"Maddeuwch fy nghamgymeriad," ebe Jones, "mi feddyliais eich bod yn fy ngalw, a'ch bod eisiau siarad â fi am yr helynt neithiwr."

"Yr oedd hynny'n ddigon naturiol", ebe Enoc mewn penbleth fawr. Ar ôl ychydig ddistawrwydd, ychwanegodd Enoc, "Ddaru chi sôn am yr helynt wrth rywun, Mr. Jones?"

"Dim peryg, Mr. Huws," ebe Jones, "neiff hi mo'r tro i blismon sôn am bopeth y mae yn ei weld ac yn ei glywed yma ac acw, na, dim peryg."

"Ddaru chi ddeud dim wrth ych gwraig?" gofynnodd Enoc.

"Wrth fy ngwraig, Mr. Huws? Na, fydda i byth yn dweud dim wrth *unrhyw wraig* ond pan fyddaf eisiau arbed talu i'r *town crier*," ebe Jones.

"Mae'n dda gen i glywed hynny; ond yr wyf yn hynod o anffortunus," ebe Enoc yn drist.

"Peidiwch â blino dim ynghylch y peth, 'dydi o ddim ond *common case*, Mr. Huws," ebe Jones. "Chwi synnech pe dywedwn i wrthoch chi y cwbl a wn i am bethau sydd yn digwydd mewn teuluoedd *respectable*, na ŵyr y byd ddim amdanynt. Mae plismon, syr, yn gweld ac yn clywed mwy nag a ddylai neb, ond mi fyddaf bob amser yn dweud na ddylai'r un dyn sydd mewn busnes, ac yn enwedig os bydd yn cadw tŷ, fod heb briodi. Y natur ddynol ydyw'r natur ddynol dros yr holl fyd, syr."

Edrychodd Enoc ym myw llygad y plismon fel pe buasai'n ceisio dyfalu gwir ystyr ei eiriau, a chan na allai gael boddlonrwydd, rhoddodd ei galon dro ynddo, ac ebe fe gyda theimlad –

"Mr. Jones, ydach chi ddim yn meiddio awgrymu dim am burdeb fy nghymeriad, ydach chi?"

"'Rwyf yn eich adnabod ers blynyddau, Mr. Huws," ebe Jones, "a byddai'n ddrwg gennyf awgrymu dim o'r fath beth, byddai'n ddrwg iawn gennyf orfod credu'r peth a ddywedodd y lafnes forwyn yna neithiwr, sef eich bod yn ddyn drwg melltigedig, ond yr ydym ni, y plismyn, yn gweld cymaint nes y byddaf, ar adegau, ymron colli ffydd ym mhawb, ac ymron â dweud nad oes un cyfiawn, nac oes un. Ar yr un pryd byddaf yn gwneud ymdrech i gredu'r gorau am bob dyn nes y profir tu hwnt i amheuaeth ei fod yn euog."

Er gwneud ei orau i ymddangos yn ddi-gryn, teimlai Enoc yn sicr fod Jones yn edrych arno fel dyn euog. Fel y gŵyr y darllenydd, yr oedd ef yn ddyn gwan ei *nerve*, a gorchfygwyd ef gan ei deimladau, a thorrodd allan i wylo'n hidl, a theimlai yr un pryd fod Jones yn edrych ar ei ddagrau fel dagrau edifeirwch, ac nid fel dagrau diniweidrwydd. Gwelodd y llwynog fod yr ŵydd yn ei feddiant, ac ebe fe yn galonogol,

"Mr. Huws, peidiwch â bod yn ffôl, raid i chwi ofni dim yr aiff y stori ddim pellach o'm rhan i."

Wedi ei feddiannu ei hun ychydig, ebe Enoc braidd yn alaethus ei dôn –

"A allaf fi wneud cyfaill ohonoch? a allaf fi ymddiried ynoch, Mr. Jones, os dywedaf y cwbl wrthoch?"

Datododd Jones dri botwm ar ei got las, gan ddangos darn o hen wasgod ddarfodedig, a botymodd hwynt drachefn yn arwyddluniol o'i allu i gadw cyfrinach, ac ebe fe –

"Pan fydd rhywun yn ymddiried *secret* i mi, syr, mi fyddaf yn ei roi yna (gan bwyntio ei fys at ei fynwes) ac yn ei gadw yna dan glo."

Yna adroddodd Enoc ei holl hanes ynglŷn â Marged – y byd tost a gawsai ef gyda hi, gymaint yr oedd ef wedi gorfod oddef a chyd-ddwyn â hi, soniodd am ei thymherau drwg a'i gormes, fel yr oedd ef, er mwyn tangnefedd, wedi rhagrithio drwy ei

212

moli – mewn gair, datguddiodd y cwbl, heb adael allan sôn am Miss Trefor, ac fel yr oedd ei garedigrwydd at Marged wedi arwain i'r olygfa yr oedd Jones ei hun wedi bod yn dyst ohoni. Yr unig beth a adawodd Enoc allan o'i adroddiad oedd ei waith yn baricedio drws ei ystafell wely; yr oedd ganddo gywilydd sôn am hynny. Wedi gorffen ei stori, teimlai Enoc fel un wedi cael gollyngdod mawr, ac ebe fe wrth Jones –

"Yn awr, pa gyngor ellwch chi ei roi i mi? Mi roddaf unrhyw beth i chi, Mr. Jones, os gellwch fy helpio allan o'r helynt yma."

Drwy ystod yr adroddiad, gwrandawai Jones yn astud ac yn llawn diddordeb. Ni chlywsai'r fath hanes yn ei fywyd, a phrin y gallai ymgadw rhag chwerthin. Ni wyddai pe crogid ef, pa un i ryfeddu fwyaf ato, ai ffolineb, ai difrifwch Enoc Huws. Gwyddai Jones o'r dechrau fod Enoc cyn ddiniweitied â phlentyn, ac nid oedd oherwydd hynny'n llai diddorol yn ei olwg. Gwelsai ambell ŵydd yn ei oes, ond Enoc, meddyliai, oedd yr ŵydd frasaf a welodd erioed, ac eisoes yr oedd arogl saim yn ei ffroenau. Wedi cymryd arno bwyso'r mater yn ddifrifol yn ei feddwl a gosod ei ben yn gam a synfyfyriol am ychydig eiliadau, ebe Jones yn bwyllog –

"Yr wyf yn gwenieithio i mi fy hun, Mr. Huws, y gwn pan fydd dyn yn dweud y gwir. Yr wyf wedi cael tipyn o brofiad yn y ffordd yna, ac y mae gwirionedd i'w weld, ar wyneb eich stori. Mae'n ddrwg iawn gen i drosoch chi, Mr. Huws, ac os medraf wneud rhywbeth i'ch cael allan o'r helynt yma mi a'i gwnaf gyda phleser. I ddyn anrhydeddus nid oes dim yn fwy gwerthfawr yn ei olwg na'i garitor. Nid yw arian yn ddim i'w gymharu â chymeriad dyn. Fe ŵyr pawb – o leiaf y mae pawb yn gesio erbyn hyn, fod rhywbeth rhyngoch chi a Miss Trefor, ac y mae'n bosibl i ryw helynt fel hyn andwyo eich dyfodol a newid eich program yn hollol. A pheidio sôn dim am eich cysylltiad â'r capel – y chi ŵyr orau am hynny – ni all peth fel hyn beidio effeithio ar eich masnach a'ch *position* yn y dref. Pwy ŵyr, syr, beth a ddywed llances aflawen o forwyn? Mi ddywedaf i chi beth arall, Mr. Huws, 'dydi o ddim ots beth fydd cymeriad dyn, fe gred y mwyafrif y stori waethaf amdano,

213

a gwaetha bo'r stori, mwyaf parod ydyw rhai pobl i'w chredu. Ond y mae'n rhaid i mi ddweud hyn – esgusodwch fi am ei ddweud – fod peth bai arnoch chi eich hun yn y mater yma. Mae rhai merched, fel y mae rhai ceffylau, na wna dim y tro iddynt ond y chwip, dyna'r unig beth ddaw â nhw atyn eu hunen. Mae ambell geffyl, os rhowch chi gerch iddo, nad oes dim trin arno – rhaid ei gadw ar wair. Mewn ffordd o siarad, Mr. Huws, mae'n bur amlwg i mi eich bod wedi rhoi gormod o gerch i Marged. Bydasech chi, pan ddangosodd hi dymer ddrwg gyntaf, wedi dangos y drws iddi, a bygwth ffurfio cyd-nabyddiaeth rhwng blaen eich troed a rhan neilltuol o'i chorff, 'does dim amheuaeth yn fy meddwl na fase'r llances yn burion erbyn hyn, ac na chawsech chi ddim helynt na thrafferth efo hi o gwbl; yn lle hynny yr ydach chwithe wedi rhoi pob moethau iddi fel na wnaiff dim y tro ganddi 'rŵan ond eich cael chi'n ŵr, neu ynte andwyo eich caritor. Mae hi'n llances ddeugain oed, mi wranta, erbyn hyn, ac anodd iawn, fel y gwyddoch, ydyw tynnu cast o hen geffyl. Ond a wnewch chi ymddiried y mater i mi, Mr. Huws? Mi ddymunwn yn fy nghalon fod o ryw wasanaeth i chi, ond a wnewch chi, Mr. Huws, roi eich *case* yn fy llaw i?"

"Yr ydach chi'n hynod o garedig, Mr. Jones," ebe Enoc, "ac os medrwch chi roi help i mi ddod allan o'r drybini yma, mi dalaf i chi'n anrhydeddus."

"Peidiwch â sôn am dâl, Mr. Huws," ebe Jones. "Mae rhyw bobl – 'dydw i ddim yn awgrymu eich bod chi yn un ohonyn nhw, cofiwch, dim o'r fath beth – ond y mae rhyw bobl yn meddwl mai tâl sydd gan bob plismon o flaen ei lygad bob amser. Maent yn camgymryd, syr. 'Dydw i ddim yn dweud, cofiwch, Mr. Huws, na ches i fy nhalu, a fy nhalu yn anrhyd-eddus ambell waith am helpio hwn a'r llall allan o helynt, ond ddaru mi erioed ofyn am dâl – erioed yn fy mywyd, er bod cyflog plismon, fel y gwyddoch, yn fychan, yn rhy fychan o lawer pan feddyliwch am ei ddyletswyddau – llawer ohonyn yn ddigon anhyfryd – ac yn enwedig pan fydd ganddo deulu go fawr, fel fy hunan, i'w gadw. Ond 'does dim eisiau i mi ddweud

pethau fel hyn wrthoch chi, Mr. Huws. Fy mhwnc mawr i
yrŵan, fel cyfaill a chymydog, ydyw bod o ryw wasanaeth i chi
yn eich helynt. 'Dydw i ddim yn dweud y galla i lwyddo, ond
y mae gen i dipyn o brofiad efo pethau fel hyn. A wnewch chi,
Mr. Huws, adael i mi gael fy ffordd fy hun?"

"'Rwyf yn rhoi fy hun yn eich llaw chi, Mr. Jones, gan eich
bod mor garedig," ebe Enoc.

"Purion," ebe Jones. "Mae gen i *idea*. A ydi'r llances yn
ymyl? Ydi hi wedi codi?"

"O ydi, ers meitin, mae hi yn y gegin," ebe Enoc.

"A ydi hi yn anllythrennog?" gofynnodd Jones.

"Feder hi lythyren ar lyfr," ebe Enoc.

"O'r gorau," ebe Jones. "Arhoswch chi yma nes y bydda i'n
galw amdanoch, ac os llwyddiff yr *idea*, ac os bydda i'n galw
amdanoch i'r gegin, cofiwch edrych yn filain a phenderfynol,
os gellwch."

Agorodd Jones ddrws y parlwr, a chaeodd ef ar ei ôl, ac wrth
gerdded ar hyd y lobi hir i gyfeiriad y gegin, â'i drws oedd yn
llydan agored, dywedodd mewn llais uchel, fel y gallai Marged
ei glywed – "Waeth i chi heb siarad, Mr. Huws, mae'n rhaid i'r
gyfraith gael ei ffordd."

Yr oedd Marged wrthi'n lluchio ac yn trystio, a'r hen dymer
ddrwg yr oedd hi wedi gadw danodd ers amser yn berwi ynddi
– a brwsh llawr yn ei llaw pan syrthiodd geiriau Jones ar ei
chlybedd. Safodd yn sydyn, a buasai'r olwg wyllt, hagr, aflawen
a bygythiol oedd arni yn peri i ŵr llai dewr na Jones betruso.
Ond nid ofnai Jones ymosodiad, ac ni fwriadai wneud ymos-
odiad. Cerddodd i'r gegin yn dawel, ond penderfynol – clodd
y drws, a rhoddodd yr agoriad yn ei boced. Yna eisteddodd
wrth y bwrdd, pylfalodd yn ei logellau am bapur. Wrth bylfalu
tynnodd allan bâr o *handcuffs* gloyw (nid arferai Jones gario
handcuffs, ond digwyddai ei bod yn *review day* y diwrnod
hwnnw), a gosododd hwynt yn hamddenol ar y bwrdd, a'r un
modd y gosododd ei *staff.* Hyn oll a wnaeth Jones cyn yngan
gair nac edrych ar Marged ond gyda chil ei lygad. Gwelodd
fod ei "*idea*" yn argoeli'n dda, canys yr oedd Marged fel pe

215

buasai wedi rhewi wrth lawr y gegin, a'i hwyneb yn welw-las gan ofn neu gynddaredd. Wedi lledu darn o hen lythyr ar y bwrdd, a rhoi min ar ei bensil plwm, cododd Jones ei ben ac edrychodd fel llew ar Marged, ac ebe fe –

"Yrŵan am y gyfraith ar y mater. Eich enw chi ydyw Marged Parry, onide?"

"Mi wyddoch o'r gore be ydi f'enw i," ebe Marged, gan geisio ymddangos yn ddi-ofn.

"Purion," ebe Jones. "Beth ydyw eich oed, Marged Parry?"

"Pa fusnes sy gynnoch chi efo f'oed i?" ebe Marged.

"Marged Parry," ebe Jones, "wyddoch chi'ch bod yn llaw'r gyfraith? a bod yn rhaid i chi ateb pob cwestiwn cyn mynd o flaen y *magistrate* ddeg o'r gloch bore heddiw? Be ydi'r gloch yrŵan? (gan edrych ar y cloc) – oh, mae digon o amser."

"Be sy nelo'r gyfraith â fi?" ebe Marged, gan bwyso'n drymach ar ei brwsh.

"Beth sydd â nelo'r gyfraith â chi, yn wir?" ebe Jones. "Oni wyddoch chi eich bod wedi torri'r gyfraith, a elwir *Act of Parliament for the prevention of cruelties to animals?*"

"Bewn i bedi hynny?" ebe Marged.

"'Dydw i, cofiwch," ebe Jones, "ddim yn mynd i gyfieithu i chi. Mi gewch ddyn i gyfieithu i chi pan ewch o flaen Gŵr y Plas. Atebwch chi fi, beth ydyw eich oed?"

"'Rydw i'n bymtheg ar hugen," ebe Marged, yn anewyllysgar.

"A'r *rest*," ebe Jones. "Dwedwch i mi y gwir, Marged Parry, onid ydych yn bump a deugen?"

Nid atebodd Marged air, ac ebe Jones –

"Mi wyddwn. *Very good*," a chan adrodd megis wrtho ei hun wrth ysgrifennu – ychwanegodd – "*I, Marged – Parry, – aged – forty – five – years – last – birthday,* &c. Purion. Yrŵan, Marged Parry, gwrandewch chi arna i. Wedi gweld a chlywed yr hyn gymerodd le yn y tŷ hwn neithiwr, rhwng un ar ddeg a hanner nos, fy nyletswydd fel plismon oedd chwilio i'r mater, gan ei fod yn ôl cyfraith Prydain Fawr a'r Iwerddon yn *breach of the public peace.* Yn awr, ar ôl bod yn siarad â Mr. Huws, yr wyf yn hysbys o'r holl amgylchiadau, ac wedi i mi gael ychydig eiriau gyda chi, Marged Parry, ni a fyddwn yn barod i ddwyn yr holl achos o flaen Gŵr y Plas yn y *County Hall*. Ond i ddechrau, eisteddwch i lawr, Marged Parry, achos mi fydd raid i chi *sefyll* mwy na digon pan ewch i'r *Hall*. Yr wyf yn deall eich bod yng ngwasanaeth Mr. Hughes, *Grocer*, Siop y Groes, ers rhai blynyddoedd. Yn ystod y tymor hwnnw – gofalwch chi sut yr atebwch 'rŵan – yn ystod y tymor hwnnw a gawsoch chi ryw gamdro gan Mr. Huws?"

"Ddeudes i 'rioed 'mod i wedi cael cam gan Mr. Huws," ebe Marged.

"Purion. Ond gadewch i mi roi hynny i lawr mewn ysgrifen," ebe Jones, gan nodi rhywbeth ar y papur, a brygowthan rhyw-beth yn Saesneg. "Yna," ebe fe, "be gwtrin oedd eich meddwl wrth alw Mr. Huws, yn fy nghlywedigaeth i neithiwr, yn ddyn drwg melltigedig? Mae eich *case* wedi ei benderfynu'n barod – yr ydych yn euog o *defamation of character* – cyfraith a wnaed yn amser George *the Fourth*, a'r gosb am ei thorri ydyw dwy flynedd o garchar gyda llafur caled. Ond 'dydi hynny ond rhan fechan o'r gŵyn sydd yn eich erbyn. Yn ystod yr amser yr ydych wedi bod yng ngwasanaeth Mr. Huws, yr ydych wedi bod yn euog o anufudd-dod, ac nid hynny'n unig, ond o geisio temtio eich meistr i ddefnyddio geiriau y gallech wneud defnydd anghyfreithlon ohonynt ar ôl hynny, a hefyd wedi ei orfodi i brynu eich iawn ymddygiad gyda gwobrau, ac yr ydych hyd yn oed wedi gwrthod codiad yn eich cyflog, ac, yn wir, eich cyflog dyledus, gydag amcan neilltuol – mewn geiriau plaen yr ydych wedi rhyfygu meddwl, ac nid yn unig meddwl, ond cystal â dweud fod Mr. Huws â'i lygad arnoch i wneud gwraig ohonoch. Yr *idea*! Hen wrach aflawen, ddiolwg fel chi yn meiddio meddwl – yn meiddio dychmygu fod gŵr bon-heddig fel Mr. Huws, gŵr ieuanc a fedrai gael y foneddiges harddaf yn y dref yn wraig – gŵr ieuanc cefnog, hardd, *respect-able*, yr *idea*! meddaf, fod gŵr felly wedi gwario un ran o ugen o eiliad i feddwl amdanoch chi! Mae'n rhaid eich bod wedi drysu – wedi glân ddrysu yn eich synhwyrau, ddynes. Ac wrth gofio'r olwg a ges i arnoch neithiwr gyda llwy yn eich ceg, yr wyf yn sicr mai wedi drysu yr ydych, ac oherwydd hynny yr wyf yn tueddu i dosturio wrthych. Marged Parry, gwrandewch be yr ydw i yn ddweud yrŵan. Mae eich meistr yn gwybod y gallai, am y camddefnydd yr ydych wedi ei wneud o'i garedigrwydd, eich rhoi yn *Jail*, a hynny dan *Act of Parliament* a elwir *Act of Toleration for the High Court of Chancery*. Ond y mae'n dda i chi fod gynnoch chi feistr tyner –nid ydyw Mr. Huws yn dymuno eich carcharu, a fy nghyngor i iddo ydyw eich rhoi yn Seilam Dinbech. Ond y mae Mr. Huws yn erbyn gwneud hynny, os addewch chi bihafio'ch hun yn y dyfodol, a seinio cytundeb. Mae'n ymddangos eich bod ar adegau neilltuol – megis pan fydd y lleuad yn ei gwendid – yn gadael i'r ysbryd drwg eich meddiannu, a'r Seilam ydyw'r unig le i giwrio rhai felly. 'Rwyf wedi cymryd ambell un yno, ac y maent yn gwybod sut i'w trin yno. I ddechre, y maent yn eu rhwymo draed a dwylo, ac yn eu rhoi yng nghafn y pwmp, ac yn pympio dŵr arnynt am awr a hanner, ac felly bob dydd, nes iddyn nhw ddod atyn eu hunen. Ond y mae Mr. Huws yn ddyn trugarog, ac nid ydyw'n foddlon i mi eich cymryd i'r Seilam, ac y mae'n barod i roi un treial eto arnoch. Yn awr, Marged Parry, a ydych chi'n barod i addo – os bydd i Mr. Huws drugarhau wrthoch chi, fod yn ufudd i'w orchymnion, peidio rhoi lle i'r ysbryd drwg yn eich calon, edrych ar ôl ei dŷ a'i gadw yn deidi, a gofyn maddeuant Mr. Huws am i chi ddychmygu ei gael yn ŵr, ac am ei alw yn ddyn drwg melltigedig? Cofiwch y bydd raid i chi fod mewn un o dri lle – yn Siop y Groes yn eneth dda edifeiriol, neu yn *Jail*, neu yn Seilam Dinbech. Ym mha un o'r tri lle yr ydych am fod, Marged Parry?"

Yr oedd arwyddion o edifeirwch a braw ers meitin ar Marged, ac ebe hi'n drist –

"Well gen i fod yma, a 'dwy'n siŵr na neiff Mr. Huws mo 'ngyrru i ffwrdd."

"Purion," ebe Jones, "ond rhaid gwneud cytundeb," ac agorodd y drws gan weiddi'n uchel ar Mr. Enoc Huws.

Daeth Enoc i mewn yn llipa a chrynedig – mor grynedig fel y dymunasai Jones yn ei galon roi rhegfa dda iddo.

XXX

AMODAU HEDDWCH

DAETH Enoc i'r gegin fel y dywedwyd yn llipa ddigon, ac ebe'r plismon wrtho –

"Yn awr, Mr. Huws, yr wyf wedi bod yn egluro'r gyfraith i Marged Parry – cyfraith Prydain Fawr a'r Iwerddon – mewn perthynas i helynt a all ddigwydd mewn tŷ o fusnes fel eich tŷ chwi. Mae Marged Parry erbyn hyn yn gwybod lle byddai hi yr adeg yma bore fory oni bai eich bod chwi yn ddyn trugarog, ac y mae'n edifarhau am ei throsedd, ac yn addo seinio cytundeb y bydd iddi hi o hyn allan fod yn ufudd i'ch gorchmynion, teidi yn y tŷ, gofalus am eich cysuron, ac adnabod ei lle mai morwyn ydyw ac nid meistres, ac na chaiff hi byth fod yn feistres yn y tŷ hwn, hynny yw, os byddwch chwi mor garedig â maddau'r hyn sydd wedi pasio, a rhoi ail dreial arni. A ydach chi, Mr. Huws, yn teimlo y gellwch wneud hynny? A ellwch chi edrach dros yr hyn sydd wedi digwydd? Yr *insult*, y cam yr ydach chi wedi gael oddi ar law un sydd wedi derbyn cymaint o'ch caredigrwydd?"

"Yr wyf yn meddwl y medraf," ebeb Enoc, heb wybod yn iawn pa fodd i ateb Jones.

"Yr ydach chi'n un o fil, syr," ebe Jones. "Mi welais rai dwsiniau yn cael eu rhoi yn *jail* am ddwy flynedd am drosedd llai na'r un y mae Marged Parry yn euog ohono. Yn awr, Marged Parry, gan fod Mr. Huws mor drugarog, a ydach chi yn edifarhau am eich pechodau, ac yn gofyn maddeuant Mr. Huws am – wel, am beth sydd yn rhy atgas i'w enwi?"

Ni ddywedodd Marged ddim ond sobian crio.

"Mae'n rhaid i mi gael ateb, Marged Parry, neu wneud fy nyletswydd," ebe Jones, a chododd ar ei draed a gafaelodd yn yr *handcuffs*.

"Mr. Jones –," ebe Enoc, ar fedr cymryd plaid Marged, ond atebodd Jones yn union –

"Mae'n rhaid i'r gyfraith gael ei ffordd, Mr. Huws. Os nad ydyw Marged Parry yn barod i ofyn eich maddeuant, ac addo bihafio'i hun, 'does dim ond *jail* neu Seilam Dinbech i fod. Be ydach chi'n ddweud, Marged Parry? Un gair amdani."

"Ydw," ebe Marged rhwng gweiddi a chrio, a threiglodd deigryn dros rudd Enoc o dosturi ati.

"Purion," ebe Jones. "Un o'r pethau casaf gen i ar y ddaear, Mr. Huws, ydyw cymryd neb i'r carchar, yn enwedig merch, ac mae'n dda gen i weld Marged Parry yn ddigon call i edifarhau am ei bai ac addo diwygio. Mi ddeuda i chi beth arall, Mr. Huws, welais i 'rioed ferch yn cael ei chymryd i'r *jail* na fydde hi farw yno yn fuan, achos y maen nhw yn eu trin yn ddychrynllyd – choeliech chi byth. Yrŵan," ychwanegodd Jones, gan eistedd wrth y bwrdd – "dowch yma a seiniwch y papur yma, achos mae'n rhaid gwneud popeth fel mae'r gyfraith yn gofyn."

"Fedra i ddim sfennu," ebe Marged.

"Mae'r gyfraith yn caniatáu i chi roi croes," ebe Jones.

Daeth Marged at y bwrdd ar hyd ei – hynny yw, o'i hanfodd, ac wedi i Jones roi ei fys ar fan neilltuol ar y papur, gwnaeth Marged globen o groes agos gymaint â melin wynt.

"Yrŵan, Mr. Huws," ebe Jones, "faint o gyflog sydd yn ddyledus i Marged Parry?"

"Pum punt a chweugen, 'rwyf yn meddwl," ebe Enoc.

"Dowch â nhw yma bob dime," ebe Jones.

"Beth am y codiad?" ebe Marged, wedi iacháu nid ychydig.

"Yr ydach chi wedi fforffedio'r codiad drwy gamymddygiad, ac mae'n rhaid i chi ennill eich caritor yn gyntaf cyn sôn am y codiad," ebe Jones.

"Hwyrach –" ebe Enoc.

"Mr. Huws," ebe Jones, oblegid gwelai fod Enoc yn toddi, "talwch chi'r arian sydd ddyledus i'r forwyn, achos mae'n rhaid mynd ymlaen yn ôl y gyfraith."

Estynnodd Enoc yr arian i Jones, a chyflwynodd Jones hwynt i Marged, ac ebe fe –

"Yn awr, Mr. Huws, mi wn eich bod yn ddyn tyner a thrug-arog, ac mi wn na ddymunech chi ddim gwneud niwed i hen ferch ddigartre, na thorri ei charitor; a wnewch chi addo peidio sôn gair byth wrth neb am yr helynt yma, ar eich gwir yrŵan?"

"Sonia i air byth wrth neb os –," ebe Enoc.

"'Does dim os i fod am y peth, Mr. Huws," ebe Jones, "yr wyf yn crefu arnoch er mwyn hen greadures fel eich morwyn i beidio menshon y peth byth wrth neb, achos bydae'r hanes yn mynd allan fe fydde Marged Parry, druan, yn sbort gan bawb. Fydd y llygaid duon yna ddim yn hir yn mendio, a rhaid i chi wneud rhyw esgus — eich bod wedi taro eich pen ym mhost y gwely, neu rywbeth arall, a pheidio dweud ar un cyfrif mai eich morwyn a'ch trawodd pan oedd yr ysbryd drwg yn ei medd-iannu. Wnewch chwi addo, Mr. Huws? Dowch, byddwch yn ffeind. 'Rwyf yn gwybod nad ydi hi ddim yn haeddu hynny, ond wnewch chi addo cadw'r peth yn ddistaw?"

"Gwnaf," ebe Enoc.

"Yr ydach chi'n un o fil, meddaf eto," ebe Jones. "Ac 'rŵan, Marged Parry, gofalwch chithe arwain bywyd newydd, a pheidio temtio'ch mistar i adael i'r sôn am yr helynt yma fynd allan, achos bydae o unwaith yn mynd allan, mi fyddech yn sbort i'r plwy, ac fe fydde holl blant y dre yn gweiddi ar eich hôl. A chof-iwch chithe, Mr. Huws, os bydd gennych y gŵyn leia yn erbyn eich morwyn – ddim ond y smic lleia – *just* deudwch wrtha i – yr ydw i'n pasio'ch tŷ bob dydd – ac mi ofala i am gael trefn ar bethe – achos cyfraith ydyw cyfraith, ac wn i ddim be ddeuthe ohonom ni oni bai am y gyfraith. Wrth gofio, os byddwch eisiau morwyn y mae gen i nith sydd yn *first-class housekeeper* – yn sgolor gampus, ddaw atoch chi ar ddiwrnod o rybudd, bydaech chi'n hapnio bod mewn angen am un. Wel, yrŵan, y mae'n rhaid i mi fynd, ond y mae gen i eisiau siarad gair â chi yn breifet, Mr. Huws, ynghylch y gyfraith sydd yn rheoleiddio tŷ o fusnes fel eich tŷ chi."

Teimlai Enoc unwaith eto yn obeithiol ac yn llawer ysgafn-ach ei fynwes. Edrychai ar Jones fel ei angel gwarcheidiol.

Wedi i'r ddau fynd eilwaith i'r parlwr, ebe Enoc, gan rwbio ei ddwylo, a gwenu'n siriol –

"Wyddoch chi be, un garw ydach chi, Mr. Jones. Wn i ddim be faswn i wedi wneud oni bai i chi ddigwydd dod yma."

"Mr. Huws," ebe Jones, "'rwyf wedi cael llawer o brofiad efo pethau fel hyn, ac yr wyf yn meddwl fy mod wedi eich gosod ar dir diogel unwaith eto. Bydd eich cysur dyfodol yn dibynnu'n hollol arnoch chi eich hun – hynny ydyw, ar y modd yr ymddygwch at eich morwyn. Mae hi mor *ignorant* â meipen, ac ar ei *hignorance* y daru mi weithio – dyna oedd yr *idea*. A 'mhrofiad i ydyw hyn: Weles i 'rioed lances o forwyn anwybodus a drwg ei thymer, os trowch chi'r min ati na chewch chi weld mai *coward* hollol ydyw. Yn awr, Mr. Huws, os ydach chi am gael heddwch a chysur yn eich tŷ, dangoswch mai chi ydi'r mistar. Mi gymra fy llw, syr, bydaech chi'n troi'n dipyn o deirant am wythnos y bydde'r hen Wenhwyfar fel oen i chi. A dyna *raid* i chi wneud. Bloeddiwch arni 'rwan ac yn y man, a gwnewch iddi wneud pethe nad oes angen am eu gwneud, *just* i ddangos mai chi ydi'r mistar. Oni bai eich bod yn grefyddwr mi faswn yn eich annog i roi ambell regfa iddi nes bydd hi'n dawnsio. Ond 'does dim eisiau i chi fynd cweit mor bell â hynny. Ond mi ddeuda hyn, os na ddangoswch chi'r *dyn*, os na chodwch eich cloch a dweud iddi pwy ydi pwy, fyddwch chi damed gwell. Yr ydw i wedi bwrw'r ysbryd aflan allan ohoni – ac mi fase'n drêt i chi weld ei hwyneb hi pan oeddwn i'n dweud y drefn wrthi – ond os na actiwch chi'r *dyn,* Mr. Huws, a dangos eich awdurdod, fe aiff saith ysbryd aflan arall i mewn i'r llances, ac mi fydd yn waeth arnoch nag erioed, coeliwch chi fi."

"'Rydach chi'n deud reit wir, Mr. Jones," ebe Enoc, "ac mae'n rhaid i mi dreio, er bydd yn anodd, bod yn fwy o fistar. 'Rydw i wedi diodde mwy nag a goeliech chi, ac mae hithe wedi mynd yn hy arna i."

"Mi ddof i mewn yrŵan ac yn y man," ebe Jones, "megis i edrych ydi popeth yn mynd ymlaen yn iawn, ac mi cadwiff hynny hi danodd."

Pan oedd Jones yn llefaru'r geiriau olaf gwelai Enoc forwyn Tyn-yr-ardd yn croesi'r heol at ei ddrws a nodyn yn ei llaw, ac wedi gofyn i Jones ei esgusodi am foment, rhedodd Enoc i'r drws, gan guddio ei lygaid â'i law rhag i Kit weld y cleisiau, i dderbyn y nodyn, a dychwelodd yn y funud. Wedi agor y nodyn a'i ddarllen iddo ef ei hun, ebe Enoc –

"Wel, dyma hi eto!"

"Beth sydd yrŵan, Mr. Huws? ychwaneg o brofedigaethau?" ebe Jones.

"Ie," ebe Enoc yn alaethus, "gwahoddiad oddi wrth Mrs. Trefor i fynd yno i swper heno i gyfarfod ein gweinidog, a sut y *medra* i fynd a dau lygad du gen i? Yr *ydw* i'n anlwcus – fu neb erioed mor anlwcus!"

"Fe ellwch fynd yno yn reit hawdd," ebe Jones, "A oes gennoch chi biff heb ei gwcio yn y tŷ?"

"Oes, 'rwyf yn meddwl," ebe Enoc.

"O'r gore," ebe Jones, "Mi wn na ddaru chi gysgu fawr neithiwr, ac wedi i chi gael eich brecwast, torrwch ddau sleis o biff cul, ac ewch i'ch gwely – mi fedr y llanciau yn siop neud heboch yn burion – a rhowch sleis un ar bob llygad, ac arhoswch yn eich gwely tan ganol dydd – ie, hyd ddau o'r gloch – ac os medrwch chi gysgu gore oll. Erbyn un neu ddau o'r gloch, mi ffeindiwch y bydd y cleisiau duon dan eich llygad wedi diflannu'n lân, ac erbyn yr amser y bydd eisiau i chi fynd i Dyn-yr-ardd, mi fyddwch yn *all right*. Rhag gwastraffu, fe neiff y ddau sleis burion cinio i'r gath wedyn."

Chwarddodd Enoc at gynildeb Jones, ac ebe fe –

"Wel, yn wir, un garw ydach chi, Mr. Jones, weles i 'rioed eich sort chi. Mi treiaf o, beth bynnag."

"Mae o'n siŵr o ateb y diben," ebe Jones, "ac 'rwan mae'n rhaid i mi fynd, Mr. Huws, achos mae hi'n *review day*."

"Hoswch, wn i ddim pryd y do i allan o'ch dyled chi – cymerwch hon 'rwan," ebe Enoc gan roddi sofren yn llaw Jones.

Edrychodd Jones ar y sofren ar gledr ei law, a throdd lygad cellweirus ar Enoc, ac ebe fe –

"'Rydach chi'n rhy haelfrydig, Mr. Huws. Ydach chi am i

mi reteirio o'r *force* ar unwaith? Wel, 'does gen i ond diolch yn fawr i chi, a chofiwch fy mod at eich gwasanaeth, Mr. Huws."

"Peidiwch â sôn, fe gawn siarad eto, *good morning,*" ebe Enoc.

XXXI

BREUDDWYD ENOC HUWS

BWYTAODD Enoc ei frecwest mewn distawrwydd. Edrychai
Marged yn swrth, diynni, a digalon, fel pe buasai wedi tynnu
ei pherfedd allan, neu fel cath wedi hanner ei lladd. A pha
ryfedd? Yr oedd y gobaith hapus yr oedd hi wedi ei fynwesu
ers llawer dydd, sef y câi hi fod yn feistres yn Siop y Groes, ac
y gelwid hi yn "Mrs. Huws", wedi ei lofruddio. Ac nid
hynny'n unig, ond yr oedd wedi ei bygwth a'i thrin yn enbyd
gan blismon, oedd bellach i'w gwylio a'i chadw mewn trefn.
Yn wir, ystyriai Marged na fu ond y dim iddi hi gael ei
chymryd i'r carchar. Yr oedd ei hwyneb yn fudr gan ôl crio, ac
nid oedd wedi crio o'r blaen er yr adeg y bu farw ei mam, a
dim ond ychydig y pryd hynnw, ac ni fuasai wedi crio o gwbl,
oni bai ei bod yn credu fod crio yn gweddu i'r amgylchiad.
Nid oedd colli ei mam yn ddim yn ei golwg o'i gymharu â
cholli'r gobaith am gael priodi ei meistr. Nid oedd wahaniaeth
ganddi bellach pa un ai byw ai marw a wnâi. Ar ôl y gurfa a
gawsai gan Jones, y plismon, a thra oedd Jones ac Enoc yn ym-
ddiddan yn y parlwr, nid unwaith na dwywaith y meddyliodd
hi am Boaz, y *conductor*. Da iddi, meddyliai Marged, pe buasai
wedi dychwelyd *edrychiadau* Boaz. Teimlai'n awr yn fwy sicr
nag erioed, wedi i Enoc ei edliw iddi, fod Boaz yn meddwl
rhywbeth amdani pan edrychai ef mor fynych arni yn y
practices! Druan oedd Marged! Y rheswm fod Boaz yn troi ei
lygaid mor fynych ar Marged yn y côr oedd, am ei bod yn
discordio mor ddychrynllyd, a mynych y dywedodd Boaz wrth
leader y *treble* (a briododd ef yn y man), "Jennie, wn i beth i
feddwl o Marged Parry yna, mae hi'n gneud nâd lladd
mochyn, ac yn andwyo'r canu. 'Dydw i ddim yn leicio deud

hynny wrthi, ac mi leiciwn bydae rhai ohonoch chi, os ydi o'n bosib, yn ei digio, gael iddi gadw i ffwrdd." Mor agored ydym i gamesbonio edrychiad dyn!

Ni allai Enoc beidio â chanfod ar yr olwg oedd ar Marged ei bod wedi ei thorri i mewn i raddau mawr. Ond a barhâi hi yn y cyflwr dedwydd hwn oedd yn amheus ganddo. Yr oedd Enoc yn berffaith ymwybodol o wirionedd yr hyn a ddywedasai Jones, y plismon, wrtho, sef y byddai raid iddo ddangos y *dyn* os oedd am gadw Marged i lawr. Os na wnâi ef hynny, teimlai Enoc yn berffaith sicr y byddai Marged mewn cyflawn feddiant o'i thymherau drwg erbyn drannoeth. Wrth fwyta ei frecwast synfyfyriai pa fodd y gallai ef ddechrau ar y gorchwyl hwn. Yn wir, ni fedrai fod yn gas efo neb, a gwell oedd ganddo oddef cam na bod yn frwnt a meistrolgar. Erbyn hyn, gwelai Enoc y byddai raid iddo geisio dangos ei awdurdod. Wedi gorffen brecwast, aeth yn syth i'r pantri, lle na buasai o'r blaen ers llawer o amser, a theimlai lygaid Marged yn llosgi ei gefn wrth iddo gyflawni'r fath hyfdra. Torrodd ddau sleis o biff cul yn ôl cyfarwyddyd Jones ac wrth fynd i fyny'r grisiau i'r llofft, dywedodd, braidd yn *nervous*.

"Marged, 'rydw i'n mynd i 'ngwely, a 'does neb i fy nisdyrbio i tan ganol dydd," a rhag i Marged ei atal cerddodd yn gyflym i'r llofft cyn clywed beth a ddywedai hi.

Ni ddywedodd Marged air; yn unig edrychodd yn synedig ar y biff oedd yn ei law. Gofynnodd iddi ei hun a oedd ei meistr wedi drysu? I beth yr oedd yn cymeryd biff i'r llofft yn enw pob rheswm? A oedd y plismon wedi dod â mastiff iddo, a gadwai ef yn y llofft, oedd i edrych ar ei hôl hi? Neu a oedd ei meistr yn bwriadu yn y dyfodol – yn hytrach na bwyta yn y gegin, cymryd ei ymborth yn llofft, a hwnnw heb ei gwcio? Neu a oedd ef ar fedr ei *witchio* efo'r biff, fel y clywsai fod rhai yn *witchio* dafad wyllt? Yr oedd Marged wedi ei drysu a'i hanesmwytho nid ychydig.

Aeth Enoc i'w wely, ac yn ôl y cyfarwyddyd, gosododd y biff ar ei lygaid gyda saeth weddi am i'r feddyginiaeth ateb y diben dymunol. Nid rhyfedd ar ôl yr hyn yr aethai drwyddo y noson flaenorol a'r bore hwnnw, ei fod yn teimlo ar ôl gorwedd yn ei wely, braidd yn gwla. Teimlai ei frecwast, er nad oedd ond bychan, yn pwyso'n drwm ar ei stumog, ac fel pe buasai eisiau newid ei le. Ni allai roddi cyfrif am ei salwch. Gwaethygai ei glefyd, a thrawyd Enoc gan y drychfeddwl arswydus – a oedd Marged, tybed, wedi ei wenwyno? Nid oedd dim hawddach iddi wneud, oblegid, yn wahanol i hen ferched yn gyffredin, ni allai Marged oddef cathod – yn wir, yr oedd hi wedi lladd tua hanner dwsin – ac fel dirprwy cath defnyddiai Marged yn helaeth yr hyn a elwir "gwenwyn lladd llygod". Beth, meddai Enoc, os oedd hi wedi rhoi peth o'r gwenwyn hwnnw yn ei frecwast? Teimlai'n sâl iawn. Os oedd Marged wedi ei wenwyno – nid oedd mo'r help – yr oedd yn rhaid iddo farw – canys ni fedrai alw ar neb i'w gynorthwyo – ac a chymryd pob peth i ystyriaeth, ni fuasai marw yn rhyw anffawd fawr iawn. Fel hyn yr ymsyniai Enoc pryd y syrthiodd i gwsg trwm – mor drwm fel na ddeffrôdd am bedair awr. Ac nid oes neb a ŵyr pa bryd y deffroesai, oni bai iddo gael breuddwyd ofnadwy. Meddyliai, yn ymdaith ei enaid, ei fod wedi bod yn afiach a gorweiddiog am fisoedd lawer, a bod Marged wedi cadw ei afiechyd yn ddirgelwch i bawb, oblegid nid ymwelsai na meddyg na chyfaill ag ef yn ystod holl fisoedd ei glefyd. Yr oedd mewn poenau arteithiol yn barhaus, nos a dydd, ac os cwynai ef ond ychydig, trawai Marged ef yn ei dalcen gyda rhyw offeryn, yr hyn a ddyblai ei boenau. Lawer pryd, pan na fyddai Marged yn yr ystafell, carasai allu codi a churo'r ffenest ar rywun a ddigwyddai fynd heibio a hysbysu ei gyfeillion mai afiach ydoedd, a'i fod yn cael ei gam-drin yn echrydus, ond yr oedd yn rhy wan i godi. Trwy ryw ffordd, nas gwyddai ef, yr oedd Marged wedi gwerthu ei siop a'i holl eiddo, ac wedi sicrhau'r arian iddi hi ei hun. Weithiau, er mwyn ei dormentio, dygai Marged yr holl arian ar fwrdd bychan o flaen ei lygaid, a chyfrifai hwynt yn fanwl lawer gwaith drosodd, yna cadwai hwynt yn ofalus a herfeiddiol. Yr oedd ef yn ymwybodol o hyd mai disgwyl iddo farw yr oedd Marged, a'i bod yn bwriadu ei gladdu yn ddirgel yn yr ardd wedi nos. Ar adegau, trawai

Marged ef yn ei ben gyda morthwyl mawr nes pantio ei dalcen, ac yna gafaelai yn ffyrnig yn ei wallt, codai ei ben oddi ar y gobennydd, a thrawai ef yn ei wegil â'r morthwyl, nes y deuai ei dalcen i'w le yn ei ôl. Os gwaeddai ef "Oh!" rhoddai Marged iddo gnoc *extra* flaen ac ôl. Synnai ef ei hun weithiau ei fod yn gallu byw cyhyd dan y fath driniaeth chwerw, a chanfyddai ar wyneb Marged ei bod hithau wedi glân flino disgwyl iddo farw. Ar brydiau, cedwid ef am wythnosau bwygilydd heb damed o fwyd. Mor dost oedd ei newyn yr adegau hynny, fel y tybiai, pe gallasai symud ei ben y gallasai fwyta post y gwely, ond ni allai hyd yn oed droi ei lygad yn ddiboen. Pan fyddai ei gwthlwng yn fwyaf miniog, deuai Marged i'r ystafell gyda dysglaid o'r ymborth mwyaf persawrus – eisteddai o fewn troedfedd i'w drwyn, a bwytâi'r cyfan, a llyfai'r ddysgl heb gynnig gwlithyn iddo; ac eto, yr oedd yn byw. Ar amserau ceisiai farw, ond bob tro y gwnâi ef hynny, âi angau ymhellach oddi wrtho a dyfnhâi ei boenau. Un diwrnod, daeth Marged i'r ystafell gyda chyllell fain finiog yn ei llaw, a gwelodd Enoc ei bod ar fedr ei lofruddio, ac nid drwg digymysg oedd hynny yn ei olwg, canys yr oedd wedi blino byw. Nid oedd Marged wedi siarad ag ef ers llawer o fisoedd – yn unig tynnai wynebau ellyllaidd arno am oriau bwygilydd weithiau. Ond yn awr siaradodd, gan ei hysbysu nad oedd hi yn bwriadu ei ladd am fis neu ddau, ond mai ei gorchwyl y diwrnod hwnnw fyddai tynnu ei lygaid allan. Cyn gynted ag y siaradodd Marged, teimlai Enoc yr un foment ei fod ef ei hun wedi colli'r gallu i barablu. Gwnaeth ymdrech galed, ond ni fedrai symud ei dafod, a ymddangosai fel pe buasai'n cydsynio i Marged i dynnu ei lygaid, yr hyn a wnaeth hi yn ddeheuig gyda blaen y gyllell. Rhyfeddai Enoc nad oedd tynnu ei lygaid yn achosi cymaint o boen iddo â chael ei daro yn ei dalcen â'r morthwyl. Gwelai (oedd yn bur od) Marged yn gosod ei lygaid ar y *dressing table*, ac yn eu gadael yno, ac yna yn mynd i lawr y grisiau. Ni phrofai Enoc ryw lawer o anghyfleustra oherwydd colli ei lygaid, ond teimlai dipyn yn anghyfforddus wrth eu gweld yn edrych arno o hyd ac un ohonynt – ei lygad chwith –

fel pe buasai'n gwneud sbort am ei ben, ac felly y gallai, medd-yliai Enoc, oblegid yr oedd yn ymwybodol fod ganddo dyllau dyfnion, hyll, o bobtu ei drwyn. Ar yr un pryd, yr oedd yn bur galed fod un o'i lygaid ef ei hun yn gwneud *common cause* efo Marged yn ei erbyn, a phrotestiai ynddo ei hun, os gallai ddod drwy'r aflwydd hwn, nad anghofiai ef byth ei lygad de am sticio'n drymp iddo hyd y diwedd. Tra oedd ef yn synfyfyrio ar y pethau hyn, wele Marged yn gwneud ei hymddangosiad drachefn, ac yn dweud wrtho ei bod, ar ôl tynnu ei lygaid, wedi anghofio crafu'r tyllau, a phan ddechreuodd hi grafu, neidiodd Enoc yn ei wely a deffrôdd. Deallodd ei fod wedi cael breuddwyd. Ceisiodd agor ei lygaid, ond ni allai. Dechreuodd amau ai breuddwyd ydoedd. Teimlodd ei lygaid, ac – wel, cofiodd am y biff cul a ddehonglodd ei freuddwyd. Llosgai ei lygaid yn enbyd, ond yr oeddynt yn ei ben, ac nid ar y *dressing table*; ac ni theimlodd yn ei fywyd mor ddiolchgar. Neidiodd i'r llawr, ac ymolchodd, a chafodd fod meddyginiaeth Jones, y plismon, wedi ateb y diben.

Am y gweddill o'r prynhawn, ceisiai Enoc ymddangos yn fywiog a phrysur, eto yr oedd yn amlwg i'w gynorthwywyr yn y siop ei fod yn derfysglyd ac absennol ei feddwl. Ni allai Enoc lai na llongyfarch ei hun am y wedd oedd ar ei amgylchiadau o'i chymharu â'r hyn a ofnodd y noson flaenorol. Teimlai ei fod yn ddyledus i Ragluniaeth am anfon gŵr o fedr a phrofiad Jones y plismon i'w dynnu allan o helynt a ymddangosai ychydig oriau yn ôl yn anocheladwy. Rhedai ei feddyliau yn barhaus i Ddyn-yr-ardd, ac edrychai ar ei oriawr yn fynych. Nid oedd ef heb ofni i'r Parch. Obediah Simon wneud argraff ffafriol ar feddwl Miss Trefor, ac felly ei daflu ef ei hun rwd neu ddau ymhellach oddi wrth y nod a osodasai ef o flaen ei feddwl. Yr oedd Enoc yn ymwybodol – poenus felly – fod Mr. Simon yn fwy golygus nag ef, ac er nad hynny'n unig a barodd iddo roi ei fôt yn ei erbyn pan oedd galwad Mr. Simon o flaen yr eglwys, eto yr oedd yn rhan o'r swm a barodd i Enoc ben-derfynu yn ei feddwl nad Mr. Simon oedd y dyn gorau y gellid ei gael fel gweinidog. Oddi ar yr ychydig ymddiddan a gawsai

Enoc gyda Mr. Simon, nid oedd yn foddlon i gydnabod fod ei *information* yn helaethach na'r eiddo ef ei hun, ond gwyddai fod y gweinidog yn fwy parablus nag ef – yn fwy diofn a hy neu fel yr ymsyniai Enoc ynddo ei hun, "mae gen i gystal stoc ag yntau, ond y mae ganddo ef well ffenest". A beidiai Miss Trefor edrych ar y ffenest a flinai Enoc. Nid oedd ef wedi celu oddi wrthi, mewn ymddygiad ac ym mhob ffurf, oddieithr mynegiad pendant mewn geiriau, ei hoffter ohoni. Yn wir, yr oedd ef mewn cant o amgylchiadau wedi dangos ei fod yn gaethwas iddi, gan ddisgwyl yn bryderus, wrth gwrs, iddi hithau ddangos rhyw argoelion ei bod yn gwerthfawrogi ac yn croesawu ei ddiofryd a'i ddefosiwn cyn iddo wneud datganiad eglur o'i serch. Ond hyd yn hyn, nid oedd hi wedi rhoi ond ychydig o le iddo gasglu ei bod yn deall ei ddyfalwch na'i deimladau tuag ati. Yr unig arwydd er daioni a gawsai Enoc – ac yr oedd yn werthfawr yn ei olwg – oedd na fyddai hi'n ddiweddar yn osgoi ei gymdeithas, nac, ar y cyfan, yn am-harchus ohono. Prin yr ymddygai hi felly ato pan ddechreuodd ef fynd i Dy'n-yr-ardd, – yn wir, cofiai amser pryd na chollai hi unrhyw fantais i roi ergyd iddo, os gallai sut yn y byd, yr hyn a ddygai arni wg Capten Trefor. Hynny ni wnâi hi yn awr, ond ymddygai ato fel cyfaill y teulu. Ond prin y golygai Enoc fod y cyfnewidiad hwn yn ei hymddygiad yn gymhelliad digonol i wneud ei feddwl yn hysbys iddi, oblegid ystyriai pe gwrthodai hi ei gynigiad – pe dywedai'n bendant nad oedd iddo obaith – wel, yr oedd y drychfeddwl yn gyfryw na allai ei oddef, a gwell fuasai ganddo dreulio ei oes i fynd a dod i ac o Dyn-yr-ardd os gallai felly gadw pawb arall draw, serch na allai ef ei hun lwyddo yn ei gais. Ond pa sicrwydd oedd ganddo ef na ddeuai rhywun a chipio ei eilun tra byddai ef yn adeiladu ei allorau? Dim. A hwyrach mai'r Parch. Obediah Simon oedd y gŵr a wnâi hynny.

XXXII

DARGANFYDDIAD SEM LLWYD

AR ei ffordd i Dyn-yr-ardd, fel y dywedwyd, yr oedd mynwes
Enoc Huws yn llawn eiddigedd. Yr oedd ynddo *presentiment*
anghyfforddus y byddai i'r Parch. Obediah Simon ymddis-
gleirio ar y swper a'i daflu ef i'r cysgod, a gwneud ei obaith –
oedd eisoes yn ddigon gwan – yn wannach nag erioed, a phe
buasai Mr. Simon yn y lleuad y noswaith honno yn lle bod yn
Nhyn-yr-ardd nid gwaeth fuasai hynny yng ngolwg Enoc.
Meddyliasai Enoc lawer y prynhawn hwnnw – yn wir fwy nag
erioed – am Mr. Simon, ac wrth ymwisgo orau y gallai cyn
cychwyn oddi cartref, ni allai yn ei fyw beidio â dal ei hun o
hyd mewn cyferbyniad ag ef. Nid oedd ei syniadau yn uchel
am y gweinidog, ond yr oedd Enoc yn ddigon gonest i
gydnabod wrtho ei hun nad oedd yn feirniad diragfarn. Ar yr
un pryd, pan oedd yn cerdded yn gyflym tua Thyn-yr-ardd –
nid unwaith na dwywaith y dywedodd ynddo ei hun – "Wn i
ddim yn y byd mawr be mae pobol yn ei weld yn y dyn –
leicies i 'rioed mono."

Hwyrach mai i waith Enoc yn rhoi tipyn o *extra touch* iddo
ef ei hun y gellid priodoli ei fod braidd ar ôl yr amser penod-
edig yn cyrraedd Tyn-yr-ardd. Pan agorodd Kit, y forwyn, y
drws iddo, ebe hi –

"Wel, Mr. Huws, lle dach chi wedi bod tan 'rŵan? – mae
Miss Trefor yn gofyn o hyd ydach chi ddim wedi dŵad."

Yr hen genawes! gwyddai Kit yn burion fod y gair yna'n
werth swllt iddi y noswaith honno, ac yr oedd yn werth can
punt yng ngolwg Enoc os ffaith a fynegai Kit. Rhwng Kit a'i
chydwybod am ffaith. Agorodd Kit ddrws y *smoke-room* i
Enoc, lle yr oedd yn ei ddisgwyl Capten Trefor, Mr. Denman,

Mr. Simon, Miss Trefor, ac yn eistedd wrth y pentan yn ei ddillad gwaith, Sem Llwyd, a'r oll, oddieithr Sem, yn ymddangos fel pe buasent wedi hanner meddwi. Ar ymddangosiad Enoc cododd pob un – oddieithr Sem – ar ei draed, i ysgwyd llaw ag ef, a Miss Trefor oedd y gyntaf i wneud hynny, ffaith y cymerodd Enoc sylw manwl ohoni, ac arddangosai pawb, oddieithr Sem, lawenydd na allai Enoc ei amgyffred. Ond nid hir – er ei fod dipyn yn hir – y bu ef heb gael rheswm am yr holl lawenydd. Hyfdra digywilydd, tra oedd y Capten yn bresennol, fuasai i neb ond ef ei hun hysbysu Enoc am yr hyn oedd wedi eu rhoi yn y fath hwyl. Wedi i bawb ymdawelu, ac i Enoc eistedd, ebe'r Capten –

"Mi wranta, Mr. Huws, eich bod yn canfod ein bod dipyn yn llawen heno, ac nid ydym felly heb reswm, ac mi wn, pan glywch y rheswm, y byddwch chwithau yn cydlawenhau â ni. Mae yn digwydd weithiau ein bod yn llawenhau wrth glywed am newydd da i eraill, ond heno yr ydym yn llawenhau, nid am fod gennym newydd da i eraill, er mewn ffordd o siarad, ei fod yn newydd da i eraill hefyd, ond heno yr ydym yn llawenhau am fod gennym newydd da i ni ein hunain, ac i neb yn fwy nag i chwi eich hunan, Mr. Huws, ac nid oes yn ôl – ac i mi siarad yn bersonol, a chwi faddeuwch oll i mi am grybwyll y peth – nid oes dim yn ôl, meddaf, ond un peth i wneud fy llawenydd yn gyflawn heno, a'r peth hwnnw ydyw – (ac yn y fan hon rhwbiodd y Capten ei drwyn gyda'i gadach poced), a'r peth hwnnw ydyw, wel, nid oes gennych chwi, Mr. Huws, na chwithau, Mr. Simon, brofiad ohono, ond, hwyrach, rywdro y byddwch mewn sefyllfa y gellwch ei ddeall – y peth hwnnw ydyw, meddaf, nad ydyw Mrs. Trefor yn alluog o ran ei hiechyd i fod gyda ni heno i gydlawenhau, ac mae Mr. Denman yn gallu deall yr hyn yr wyf yn ei ...."

"Oh! Tada, yr ydach chi'n hir yn deud y newydd wrth Mr. Huws," ebe Miss Trefor.

"Susi," ebe'r Capten, "'dydw i ddim wedi byw i'r oed yma, tybed, heb wybod sut i siarad a sut i ymddwyn yng nghwmni boneddigion. Ond dyna oeddwn yn mynd i'w ddweud oni bai i fy merch fy *interuptio*, mai yr unig beth sydd yn amharu tipyn ar fy llawenydd i yn bersonol ydyw yr hyn a grybwyllais, sef nad ydyw Mrs. Trefor gyda ni heno, a hynny oherwydd afiechyd – afiechyd, mi obeithiaf, nad ydyw'n beryglus. Ond chwi ddeallwch fy nheimlad – mae dyn, rywfodd, wedi cyd-fyw am gynifer o flynyddoedd yn rhy barod, hwyrach, i ofni'r gwaethaf. Ond rhag i mi eich cadw yn rhy hir, Mr. Huws, mewn disgwyliad, er y gwn eich bod chwi, yn anad neb, yn cymryd diddordeb yn iechyd Mrs. Trefor – rhag eich cadw yn rhy hir, meddaf, a rhag i mi gael fy ngalw i gyfrif eto gan fy merch fy hun, er y byddaf yn hoffi mynd o gwmpas pethau yn fy ffordd fy hun, mi dorraf fy stori yn fer – mae gennym newydd da, Mr. Huws; mae Sem Llwyd wedi dod â newydd i ni gwerth ei glywed – maent wedi taro ar y faen yng Nghoed Madog!"

"Beth?" ebe Enoc mewn syndod mawr, "wedi dod i blwm yn barod?"

"Dyna'r ffaith, syr, onid e, Sem?" ebe'r Capten.

Rhoddodd Sem nòd ddoeth, a arwyddai fod ganddo lawer i'w ddweud ond ei fod yn ymatal rhag na allent ei ddal.

"Hwrê! brafo ni, Cwmni Coed Madog," ebe Enoc mewn llawenydd mawr, y cyfranogodd pawb ohono oddieithr Sem.

"Esgusodwch ein ffolineb, Mr. Simon," ebe'r Capten gan annerch y gweinidog, "ac nid ffolineb chwaith, oblegid nid oes dim yn fwy naturiol, syr, nag i rai fel fy hunan a Mr. Huws a Mr. Denman, y rhai, nid gydag amcanion hunanol a bydol, ond gyda golwg ar wneud lles i'r gymdogaeth, a chyda golwg ar gadw achos crefydd i fyny – sydd wedi gwario llawer o arian – mwy nag a goeliech chwi – naturiol, meddaf, iddynt lawenhau pan ddônt o hyd i'r trysor cuddiedig – mor naturiol ag oedd i Columbus lawenhau pan welodd y ddeilen ar y dŵr."

"Perffaith naturiol, ac yr wyf yn cydlawenhau â chwi, Capten Trefor," ebe Mr. Simon.

"Mi'ch credaf," ebe'r Capten, "*just* y peth y buaswn yn ei ddisgwyl oddi wrth ŵr o amaethiad a dysg fel chwi. Ar yr un pryd, mae yn bosibl, yn wir, yn eithaf naturiol, i rai fel chwi sydd yn ymdroi gyda phethau ysbrydol, a heb ymyrraeth rhyw lawer gyda pethau'r byd a'r bywyd hwn – mae'n bosibl, meddaf, i ni, yr anturiaethwyr yma, wneud argraff arnoch mai creaduriaid y byd a'r bywyd hwn yn unig ydym – hynny ydyw, mai pobl ydym a'n bryd yn hollol ar wneud arian. Ond nid dyna'r ffaith, syr, – mae ochr arall i'n natur, ac mi fentraf ddweud fod i ddarganfyddiadau yn y byd naturiol, fel yn y byd moesol ac ysbrydol, eu *charm*, a bod y *charm* lawn cymaint yn y darganfyddiad ag yn yr hyn a ddarganfyddir. Er enghraifft (gadawodd Miss Trefor yr ystafell mewn *disgust*), meddylier am Syr Isaac Newton – ni fuasai ei lawenydd yn llai pe darganfyddasai mai rhywbeth arall ac nid *gravitation* a barai i'r afal syrthio oddi ar y pren – y darganfyddiad ei hun oedd yn rhoi boddhad iddo – os nad ydwyf yn camgymryd. Yr un modd, syr, yn y *case* presennol; ac yn y peth hwn yr wyf yn mynegi fy nheimlad fy hun, ac, yr wyf yn credu, deimlad Mr. Huws a Mr. Denman – yn y *case* presennol, meddaf, nid yr unig bleser, nac ychwaith y mwyaf, ydyw y byddwn ryw ddydd yn feddiannol ar lawer o eiddo – yr wyf yn addef fod pleser yn y drychfeddwl yna – ond, ac i mi siarad yn bersonol – mae'r pleser mwyaf yn y *ffaith* fod plwm – bydded fawr neu fach – wedi ei *ddarganfod*, sydd yn gwirio fy rhagddywediad – sef fy mod yn sicr fod plwm yng Nghoed Madog. Neu, i mi ei roi mewn ffurf arall, meddyliwch yn awr, pe cawn fy newis, naill ai i berthynas i mi, dyweder, oblegid nid wyf ond yn tybio *case* – fod i berthynas adael i mi yn ei ewyllys ugain mil o bunnau, neu ynte i mi gael yng Nghoed Madog werth pymtheng mil o bunnau o blwm, pa un a ddewiswn? Yr olaf, syr, heb wario munud uwch ben y cwestiwn. Gallai hyn ymddangos yn ynfyd i ryw bobl, ond yr wyf yn credu fy mod yn mynegi calon a theimlad Mr. Huws a Mr. Denman – dynion sydd yn gwybod rhywbeth am y *charm* o fentro ac am y *charm* uwch o ddarganfod. Ai nid felly y mae pethau yn sefyll, Mr. Huws?"

"Ie," ebe Enoc, " ond gadewch glywed am y darganfyddiad, faint ydach chi wedi ei ddarganfod, Sem Llwyd?"

"Esgusodwch fi, Mr. Huws," ebe'r Capten, "mi af i lawr i'r

Gwaith fy hun yn y bore, a chewch *report* cyflawn. Mae'n ddi-amau gennyf fod Sem wedi rhedeg yma â'i wynt yn ei ddyrnau y foment gyntaf y gwelodd lygad y trysor gloyw, ac nid ydyw mewn *position*, mi wn, i roi *idea* briodol i chwi, Mr. Huws, am natur y darganfyddiad, ac, fel y dywedais, mi af i lawr i'r Gwaith fy hun yn y bore, D.V. Ond hyn sydd sicr, pe na byddai'r darganfyddiad ond cymaint â nodwydded o edau sidan, ac, yn wir, nid wyf yn disgwyl, yn ôl natur pethau, iddo fod yn fawr, mae'r ffaith fod Sem Llwyd a'i bartner wedi darganfod ei fod yno – bydded lleied ag y bo – yn dangos yn eglur fod toreth ohono allan o'r golwg. Ai nid dyna yw ein profiad ni fel *practical miners*, Sem?"

"'Rydach chi yn llygad ych lle, Capten," ebe Sem.

Yn y fan hon daeth Miss Trefor i mewn gan hysbysu fod y swper yn disgwyl amdanynt, ac aeth y cwmni i'r parlwr, ond arhosodd y Capten i gael gair neu ddau yn gyfrinachol gyda Sem Llwyd. Nid oedd yr ymgom ond ber, sef fel y canlyn –

"'Dydi o fawr o beth, mi feddyliwn, Sem?"

"Nag ydi, syr," ebe Sem, "prin werth sôn amdano, fel y cewch chi weld yfory, ond 'roeddwn i'n meddwl na fase fo *harm* yn y byd i mi ddŵad yma i ddeud."

"Chwi wnaethoch yn reit, Sem," ebe'r Capten. "Y gwir yw, ddaeth newydd erioed mewn gwell amser, achos, rhyngoch chwi a fi, mae Denman ymron â rhoi fyny'r ysbryd. 'Does gan Denman, druan, mae arnaf ofn, fawr o arian i'w sbario, ac y mae'n gorfod cyfyngu arno ei hun i wneud yr hyn y mae yn ei wneud. Ond 'does dim dowt, Sem, fod eich newydd wedi codi llawer ar ei ysbryd. Mae hi'n wahanol gyda Mr. Huws, mae ganddo fo bwrs lled hir. Gobeithio'r tad y cawn ni rywbeth acw yn fuan, bydae o ddim ond er mwyn Denman. Ond rhyngoch chwi a fi, 'dydw i ddim yn disgwyl dim acw 'rwan, ond rhaid ceisio cadw'r gobaith i fyny, er, mewn ffordd o siarad, fod yn edifar gen i ddechrau yng Nghoed Madog, a faswn i 'rioed *wedi* dechrau – mi faswn yn treio byw ar y tipyn oedd gen i – oni bai 'mod i yn meddwl beth ddaethai ohonoch chwi, y gweithwyr a'ch teuluoedd."

235

"Wn i ddim be ddaethe ohonom ni blaw am Goed Madog," ebe Sem.

"Digon gwir," ebe'r Capten, "ond beth yw eich barn chwi, Sem, a beth yw barn y dynion am y lle?"

"Wel, syr," ebe Sem, "mae gan y dynion, ac mae gen innau, ffydd y cawn ni blwm yno ryw ddiwrnod."

"Gweddïwch ynte," ebe'r Capten, "am i'ch ffydd droi yn olwg a'ch gobaith yn fwynhad, oblegid y mae gan Ragluniaeth lawer i'w wneud gyda phethau fel hyn. A pheth arall, y mae gwaelod, chwi wyddoch, i byrsau yr ychydig ohonom sydd yn gorfod dwyn y gost. Mi ddof i lawr acw bore fory, Sem, os byddaf byw ac iach. Ac 'rŵan rhaid i mi fynd at y cyfeillion yma. Peidiwch â chodi, Sem, mi ddwedaf wrth Kit am ddŵad â pheint o gwrw i chwi a thipyn o fara a chaws."

"Thanciw, syr," ebe Sem.

XXXIII

Y SWPER

PE buaswn yn ysgrifennu i'r Saeson bwyteig, buaswn yn ceisio disgrifio'r arlwy a huliai fwrdd Capten Trefor noswaith y swper yn Nhyn-yr-ardd; ond nid yw'r Cymry yn gofalu cymaint am *ddisgrifiad* o wledd (gwell ganddynt gyfranogi ohoni). Yr oedd yno bopeth angenrheidiol ar gyfer ystumog dyn rhesymol. Ac nid yw ond teg â Miss Trefor ddweud mai hi ei hun oedd wedi paratoi'r danteithion, canys yr oedd hi, yn ddiweddar, wedi ymroi i ddysgu coginio a gwneud pob math o waith tŷ, ac wedi dod yn lled fedrus ar y goruchwylion hyn. Gofalodd y Capten hysbysu ei gyfeillion mai Susi oedd y gogyddes. Wedi i'r gweinidog ofyn bendith, ac i'r Capten daflu golwg ar hydred a lledred y bwrdd a'r hyn oedd arno – fel y bydd llywydd cyfarfod cyhoeddus yn taflu ei olwg dros y program cyn codi i wneud araith – ebe fe –

"'Rwyf yn hyderu, gyfeillion, y gwnewch yn harti o'r peth *sydd* yma, fel ag y *mae* o, ac os bydd rhywbeth heb fod yn iawn, nac yn unol â'ch archwaeth, ar fy merch, Susi, y bydd y bai, achos hi sydd gyfrifol am y cwcari."

"'Dydach chi ddim yn foddlon, Dada," ebe Susi, "ar ofyn bendith ar y bwyd heb wneud *apology* dros y sawl a'i para-tôdd."

"Maddeuwch i mi, Miss Trefor," ebe'r gweinidog, "yr ydych yn camesbonio geiriau Capten Trefor – rhoi *guarantî* i ni mae eich tad y bydd popeth yn berffaith."

"Diolch i chi, Mr. Simon, am *revised version* o eiriau 'nhad," ebe Susi.

("Conffowndio'r dyn," ebe Enoc yn ei frest, "gobeithio y tagiff o.")

"Pa fodd bynnag am hynny," ebe'r Capten, gan drefnu yn helaeth ar gyfer ystumog ei westywyr, "mi obeithiaf y gwnewch gyfiawnder â'r hyn *sydd* yma. Y rhai salaf yn y byd, Mr. Simon, ydym ni, teulu Tyn-yr-ardd, am gymell, ac os na wnewch y gorau o'r hyn sydd o'ch blaen, arnoch chwi y bydd y bai, Mr. Simon."

"Ni fyddaf yn euog o'r bai hwnnw, Capten Trefor," ebe'r gweinidog.

("Mi dy gredaf," ebe Enoc ynddo'i hun.)

"Purion," ebe'r Capten. "Mr. Simon, beth gymrwch chwi i'w yfed? Yr wyf fi fy hun wedi arfer cymryd cwrw, hwyrach ei fod yn fai ynof, ac mi fyddaf yn meddwl weithiau, wrth ystyr-ied y mawr ddrwg sydd o'i gamarfer, y dylwn, er mwyn esiampl, ei roi heibio, er y gwn y byddai hynny, yn yr oed yma, yn niweidiol iawn i mi. A ydych yn ddirwestwr, Mr. Simon?"

"Ydwyf," ebe Mr. Simon, "yn yr ystyr Ysgrythurol o'r gair. Mi fyddaf yn cymryd cwrw yn gymedrol, a phan fyddaf yn credu ei fod yn fwy llesol i mi na the neu goffi, ond ni fynnwn friwio teimladau neb wrth ei gymryd."

"Dyna *just* fy athrawiaeth innau," ebe'r Capten, ac ychwan-egodd – "Susi, dwedwch wrth Kit am ddod â chwrw i Mr. Simon a minnau, a choffi i Mr. Huws a Mr. Denman. Maent hwy eu dau, Mr. Simon, yn ddirwestwyr, ond heb fod yn rhag-farnllyd. Felly, chwi welwch, a chyfrif fy merch, y bydd tri yn erbyn dau ohonom."

Yr oedd hyn braidd yn annisgwyliadwy i'r gweinidog, ac ebe fe –

"Rhydd i bob meddwl ei farn."

"Ac i bob barn ei llafar," ebe'r Capten.

"Os rhydd i bob barn ei llafar," ebe Enoc, "fy marn i ydyw y dylem ni, sydd yn gymharol ieuanc, yn anad neb, ymwrthod yn llwyr â'r diodydd meddwol. Yr ydym ar dir diogelach, ac yn meddu cydwybod dawelach i annog y rhai sydd yn yfed i ormodedd i ymwrthod â'r arferiad."

"Wel, Mr. Simon," ebe'r Capten, "sut yr atebwn ni hynyna."

"O'm rhan fy hun," ebe Mr. Simon, "ni byddaf un amser yn

ymhoffi ymddadlau ynghylch mân reolau a dynol osodiadau. Gwell gen i ddilyn esiampl y Testament Newydd. Yr ydych wedi sylwi, yn ddiamau, Capten Trefor, nad ydyw'r Datguddiad Dwyfol, ac eithrio'r ddeddf seremonïol, yn ymostwng i osod i lawr fân reolau ynghylch bwyd a diod. Nid yw teyrnas nefoedd fwyd a diod. Egwyddorion hanfodol a ddatguddir i ni yn y Gair Santaidd, un o ba rai, yn ôl fy meddwl i, ac yr wyf wedi ceisio meddwl tipyn yn fy oes, ydyw rhyddid cydwybod. Mae gan bob dyn ryddid i ddarllen y Datguddiad, a hawl i'w ddeall yn ôl ei feddwl ei hun. Os yw un dyn yn darllen llwyrymwrthodiad yn yr Ysgrythur Lân, purion – dyna ei fedddwl ef; ac os yw un arall, sydd yn meddu'r un manteision, o ran dysg a gallu meddyliol, yn methu canfod llwyrymwrthodiad, mae ganddo yntau hawl i feddwl felly. Ond fy syniad i yn bersonol ydyw hyn – a gallaf eich sicrhau nad wyf wedi dod iddo heb lawer o ymchwiliad a myfyrdod – fod hanes y gymdeithas ddynol yn gyffelyb i hanes dyn yn bersonol. A chyda llaw, y mae hynny'n eithaf naturiol gan mai personau sydd yn gwneud i fyny y gymdeithas ddynol. Mae pob dyn yn ei faboed dan lywodraeth mân reolau, ac yn y cyfnod hwnnw maent yn angenrheidiol a llesol, ond wedi cael addysg a chyrraedd oedran gŵr, *insult* i'w ddynoliaeth fyddai ei rwymo wrth reolau o'r fath. Mae hyn i'w weld yn eglur yn y Datguddiad. Yn yr ysgol yr oedd y gymdeithas ddynol dan y ddeddf seremonïol, ond dan y Testament Newydd y mae wedi cyrraedd oedran gŵr, ac wedi taflu y seremonïau o'r neilltu."

"Wel, Mr. Huws," ebe'r Capten, gan wacáu ei wydriad, "dyna bilsen go gref i chwi, beth ddwedwch chwi yn ateb i hynyna?"

"Nid wyf yn cymryd arnaf," ebe Enoc, "fod yn ddadleuwr, yn enwedig gyda gŵr dysgedig fel Mr. Simon. Ond yr wyf yn meddwl y gallaf ateb yr wrthddadl i fy moddlonrwydd fy hun. Os wyf yn deall dysgeidiaeth y Testament Newydd – yn enwedig dysgeidiaeth Iesu Grist ei hun, nid oes dim ag y mae Ef yn rhoi mwy o bwys arno na hunanymwadiad a hunanaberthiad. Yr oedd yn ei ddysgu i eraill, ac yn ei gario allan yn ei fywyd ei hun. Nid beth oedd ganddo hawl iddo, neu ryddid

239

i'w wneud, oedd cwestiwn mawr Iesu Grist, ond beth oedd ei ddyletswydd. Yr oedd ganddo Ef hawl i barch a chysuron pennaf y byd – yr oedd ganddo hawl i fyw, os bu hawl gan neb erioed. Ac eto, er mwyn eraill, yr oedd Ef yn mynd i gyfarfod croesau, ac yn rhoddi ei einioes i lawr. Ac, erbyn meddwl, mor rhyfedd, yr Un oedd yn meddu'r rhyddid mwyaf – rhyddid na feddai neb arall ei gyffelyb – rhyw unwaith neu ddwy y mae'n sôn amdano – ond y mae'n sôn yn feunyddiol am y rheolau – wna i ddim dweud 'mân reolau' – yr oedd wedi eu gosod arno ei hun. Ac os nad yw Teyrnas Nefoedd fwyd a diod, eglur yw nad ydyw ymarfer â'r diodydd meddwol yn rhan ohoni. Ac yr wyf yn meddwl y gellir dod â rhesymau cryfach o lawer dros –"

"Mr. Huws," ebe'r Capten, "esgusodwch fi. Yr ydym erbyn hyn yn ddigon o gyfeillion i mi gymryd hyfdra arnoch. Mae o'n taro i 'meddwl i mai tipyn o *bad taste* ynof oedd cyffwrdd â'r cwestiwn dirwestol, yn enwedig ar achlysur fel hwn, ac yr wyf yn meddwl mai'r peth gorau y gallwn ei wneud, wedi i Mr. Denman ddweud *just* un gair ar y ddadl fel diweddglo, ydyw troi'r ymddiddan at rywbeth arall. Yrŵan, Mr. Denman."

"Yr wyf wedi sylwi," ebe Mr. Denman, "fod merched, hynny ydyw, merched o'r dosbarth gorau, yn cael eu harwain megis gan reddf i benderfynu cwestiynau amheus – cwestiynau y bydd dynion yn ymddrysu uwch eu pennau. Mi rof y cwestiwn mewn ffurf ymarferol, gan apelio at Miss Trefor. Yn awr, Miss Trefor, golygwch fod dau ŵr ieuanc, cyfartal o ran pryd a gwedd, ffortun, a phob rhagoriaeth arall, yn ceisio am eich ffafr, ond fod un yn ddirwestwr, a'r llall yn ymarfer â'r diodydd meddwol, ar ba un o'r ddau y gwrandawech?"

"Wrandawn i ar y naill na'r llall," ebe Susi.

"Ie," ebe Mr. Denman, "ond golygwch y byddai *raid* i chwi briodi un o'r ddau."

"Wel," ebe Susi, "pe byddai *raid* i mi briodi un ohonynt, neu gael 'y nghrogi, mi briodwn, wrth gwrs, y dirwestwr, ac nid yn ôl 'greddf' ond yn ôl fy rheswm."

"Clywch! clywch!" ebe Enoc, "mae'r cwestiwn wedi'i setlo."

"Gyda phob dyledus barch," ebe Mr. Simon, "'dydi'r cwestiwn ddim wedi'i setlo, oblegid yn ôl tystiolaeth Capten Trefor y mae Miss Trefor yn ddirwestreg, ac felly y mae ganddi *bias*. A phed apelid at ryw ferch arall, dichon yr atebai honno'n wahanol."

"Ond y mae Mr. Denman yn golygu i chwi apelio at y dosbarth gorau o ferched," ebe Enoc.

"Mae peth arall i'w ddweud," ebe'r Capten. "Pan ddywed fy merch na wnâi hi wrando ar yr un o'r ddau, y mae'n amlwg nad ydyw'n dweud yr hyn y mae hi yn ei feddwl; ac os nad ydyw'n dweud yr hyn y mae yn ei feddwl yn y rhan flaenaf o'i hatebiad, mae lle i gredu nad ydyw yn dweud yr hyn y mae yn ei feddwl yn y rhan arall."

"Campus!" ebe Mr. Simon, "rhesymeg berffaith. Nid anfynych y clywir merched ieuainc prydweddol yn dweud yn bendant na phriodant byth, ac mai mwy dewisol ganddynt fod yn hen ferched, a phan welir hwynt ryw ddiwrnod, yn cael eu harwain at yr allor, nid oes neb yn ddigon dideimlad i'w beio am dorri eu gair. Gyda thipyn o *strategy*, gellir cymryd y ddinas fwyaf caerog."

"Mae'n debyg mai adrodd eich hyder a'ch profiad yr ydach chwi 'rwan, Mr. Simon," ebe Susi, gyda thipyn o gnoad yn ei geiriau, "ond yr wyf yn meddwl yr addefwch fod ambell ddinas eto heb ei chymryd, ac na chymerir byth mohoni."

"Fy *argument* i ydyw hyn," ebe Mr. Simon, "os cymerwyd Jericho, paham na ellir cymryd pob dinas?"

"'Dydi'r ffaith," ebe Susi, "fod Jericho wedi ei chymryd drwy chwythu cyrn hyrddod ddim yn profi y gellir cymryd hyd yn oed bentref eto drwy chwythu corn dafad Gymreig, er i'r chwythwr fod yn offeiriad."

"Susi," ebe'r Capten, gan droi llygaid arni oedd braidd yn geryddol, "eich perygl, fy ngeneth, ydyw bod dipyn yn rhy ffraeth, yn enwedig pan na fydd hir gydnabyddiaeth – fel gyda Mr. Huws a Mr. Denman – yn rhoi gwarant i chwi arfer eich ffraethineb. Pan ddeuwch i adnabod fy merch yn well, Mr. Simon, dowch i ddeall nad ydyw yn *bad sort*; ond, fel hen lanc, bydd raid i chwi ddioddef ergyd yrŵan ac yn y man. Dyna ei phechod parod i'w hamgylchu – ymosod ar wŷr dibriod."

"Dyna'r ail *apology* dros eich merch heno, Dada," ebe Susi; "y gyntaf oedd na wyddwn sut i gwcio; a'r ail na wn sut i byhafio fy hun. Rhaid eich bod wedi esgeuluso fy *education*, Dada. Ddaru mi ddweud rhywbeth *vulgar*, Mr. Simon?"

"Ddim o gwbl, Miss Trefor. 'Rown i 'run ffig am ferch ieuanc os na fedrai ateb drosti ei hun," ebe Mr. Simon.

"Debyg iawn," ebe Susi, "'rown innau 'run ffig am *ddyn*, er iddo fedru ateb drosto'i hun."

"Mae arnaf ofn, fy ngeneth," ebe'r Capten, "y bydd raid i mi wneud trydydd *apology* drosoch, os ewch ymlaen yn y ffordd yna. Nid ydyw siarad yn amharchus am ddynion yn un arwydd o *education*, ac yr ydych yn anghofio mai *dyn* ydyw eich tad."

"*Present company excepted*, chwi wyddoch, Tada," ebe Susi, "a 'dydw i, fel y gwyddoch, ddim wedi cyfarfod ond ychydig o ddynion, – dim ond Cwmni Pwll-y-gwynt, pobl Bethel, a 'chydig o bregethwyr Methodus, a 'mhrofiad gwirioneddol i ydyw mai *windbags* yw naw o bob deg o'r dynion a welais i – creaduriaid yn ..."

"Susi," ebe'r Capten, "mae'n ymddangos fod pawb wedi gorffen. Cenwch y gloch yna am Kit, i glirio'r pethau, ac 'rwyf yn meddwl mai gwell i chwi fynd i edrych sut y mae hi ar eich mam, druan. Mae hi, *poor woman*, wedi ei gadael yn unig heno."

"O!" ebe Susi, "mi wela, yr ydach chi am 'y nhorri o'ch Seiat, Tada. Well i chi ofyn arwydd – pawb sydd o'r un meddwl na ellir ystyried Susan Trefor yn aelod mwyach o'r seiat hon, coded ei law."

Ni chododd neb ei law ond y Capten, a chanodd Susi y gloch am Kit, a rhedodd ymaith dan chwerthin.

"Mae gennych ferch fywiog, Capten Trefor," ebe Mr. Simon.

"Oes," ebe'r Capten, "mae digon o fywyd ynddi, ond byddaf yn ofni yn aml iddi wneud argraff anffafriol ar feddyliau dieithriaid. Hwyrach fy mod yn euog o adael iddi gael gormod o'i ffordd ei hun. Ond y mae'n rhaid i mi ddweud hyn, ac mae'r cyfeillion yma'n gwybod mai gwir yr wyf yn ei ddweud – fod rhyw gyfnewidiad rhyfedd wedi dod dros feddwl fy merch yn ddiweddar. Amser yn ôl, syr, yr oedd yn peri llawer o boen a phryder meddwl i mi, oblegid yr oedd yn rhoi lle i mi gredu nad oedd yn meddwl am ddim ond am ymwisgo, darllen *novels*, a rhyw wag-freuddwydio ei hamser gwerthfawr heibio. Nid oedd yn diwyno ei dwylo o'r naill ben i'r wythnos i'r llall, ac er ei bod wedi cael dygiad i fyny crefyddol – cyn belled ag yr oedd addysg ac esiampl ei rhieni yn mynd – yr oedd gennyf le i ofni nad oedd yr adeg honno yn meddwl dim am fater ei henaid, ac yr oedd hyn, fel y gellwch feddwl, yn achosi poen i mi nid ychydig. Er yn hogen yr oedd ei dychymyg yn fywiog, a thrwy ryw anffawd, fe aeth ymlaen i'w phorthi fel yr oedd pethau cyffredin bywyd, megis gwaith tŷ, trafferthion bywyd, ac yn y blaen, mor ddieithr iddi a phe buasai'n byw mewn byd arall. Gan fy mod wedi dechrau, waeth i mi orffen. Y pryd hwnnw, syr, nid wyf yn meddwl fod fy merch yn ymwybodol fod yma fyd o drueni o'i chwmpas. Ni wyddai hi ei hun beth oedd eisiau dim, ac ni allai ddychmygu, ar y pryd, fod neb arall mewn angenoctid neu yn dioddef. Nid oedd ei chalon erioed wedi ei chyffwrdd. Heblaw hynny, nid oedd ganddi syniad am werth arian – yr oedd papur pum punt yn ei golwg fel hen lythyr, heb fawr feddwl fod pob punt yn tybied hyn a hyn o lafur ymennydd i'w thad. Yr oedd hi rywfodd yn byw ynddi hi ei hun, ac er gwneud llawer cais nid oedd bosibl ei chael allan ohoni ei hunan i sylweddoli *realities* bywyd. A rhaid i mi ddweud fod hyn wedi peri i mi golli llawer noswaith o gysgu. Ond ers amser bellach, nid yw'n gofalu dim am wisg-oedd – mae'n well ganddi, syr, fynd i'r capel mewn ffroc gotyn nag mewn gown sidan – ac y mae hi fel gwenynen gyda gwaith y tŷ o'r bore gwyn tan nos. Mewn gair, y mae hi wedi mynd i'r eithafion cyferbyniol. Mae'n well ganddi olchi'r llawr na chwarae'r *piano*, a hwyrach y bydd yn anodd gennych fy nghredu, ond ddoe diwethaf yn y byd pan oeddwn yn dod adref o'r Gwaith, beth welwn ond Susi yn golchi carreg y drws, a Kit y forwyn yn edrych arni gyda dwylo sychion! Wrth gwrs, y mae peth fel hyn yn *ridiculous*, ond y mae'n mynnu cael gwneud y pethau y dylai'r forwyn eu gwneud – yn wir, erbyn hyn, *sinecure* ydyw morwyn yn ein tŷ ni, syr. Raid i mi ddim dweud wrthoch chwi, Mr. Simon, nad ydyw peth fel hyn yn gweddu i'w sefyllfa, ond yr wyf wedi mynd i'r drafferth o'i ddweud rhag ofn y digwydd i chwi ddod yma ryw ddiwrnod a chael *shock* i'ch *nerves* wrth weld fy merch â ffedog fras o'i blaen yn glanhau esgidiau, a'r forwyn yn eistedd wrth y tân yn darllen nofel. Ac wrth sôn am ddarllen, y mae'r un cyfnewidiad wedi dod dros ei meddwl yn hyn hefyd, sydd wedi fforddio cysur mawr i mi ac i'w mam. Welir byth mohoni yn awr yn gafael mewn llyfr gwacsaw. Ei hoff lyfr, wrth gwrs, ydyw'r Beibl, a chwi synnwch pan ddywedaf i mi ei dal y nos o'r blaen dros ei phen a'i chlustiau yng *Nghyfatebiaeth Butler*, ond dyna'r ffaith, syr, ac, os nad wyf yn camgymryd, y mae wedi benthyca amryw gyfrolau o'r *Traethodydd* gan fy nghyfaill yma, onid ydyw, Mr. Huws? (Rhododd Enoc nòd gadarnhaol.) Ac, os nad wyf yn eich blino, cyfnewidiad arall y dylwn gyfeirio ato yw ei ffyddlondeb ym moddion gras. Yr ydych wedi sylwi eich hun, Mr. Simon, nad oes neb yn fwy ffyddlon yn y capel, mi gredaf. Mewn gair, yr wyf yn credu fod fy merch wedi cael cyfnewidiad calon a chyflwr, a chwi faddeuwch i mi, Mr. Simon, am siarad cymaint yn ei chylch. Mae gennyf ddau reswm am wneud hynny: y cyntaf ydyw am fy mod yn ystyried ei bod yn fantais i chwi, fel ein gweinidog, feddu'r adnabyddiaeth lwyraf sydd yn bosibl o wir stad meddwl a chalon pob aelod o'ch eglwys, fel y galloch iawn gyfrannu iddynt air y gwirionedd. A'r rheswm arall ydyw – fel cysur a chymhelliad i chwi – os byth y deuwch yn ben teulu – i ddwyn eich plant i fyny yn addysg ac athrawiaeth yr Arglwydd – yr hyn, yr wyf yn sicr, a wnewch. Ac er, hwyrach, na welwch ffrwyth eich llafur yn uniongyrchol, eto, mor sicr â'ch bod yn fore wedi hau eich had, fe ddwg ffrwyth ar ei ganfed, yn ei amser da Ef ei hun. Mae gennyf ofn fy mod wedi siarad gor –"

Ar hyn dychwelodd Miss Trefor, ac ebe hi –

"Mr. Huws, mae Mam yn crefu arnoch i beidio mynd i ffwrdd cyn dod i edrach amdani."

"Mi ddof y munud yma," ebe Enoc, ac ymaith ag ef.

"Mae'n rhyfedd," ebe'r Capten, "y ffansi y mae Mrs. Trefor wedi ei gymryd at Mr. Huws. Bydasai'n fab iddi nid wyf yn meddwl y gallasai ei hoffi yn fwy; ac eto, erbyn ystyried, nid yw mor rhyfedd, oblegid ni chyfarfûm â dyn erioed haws i'w hoffi, ac y mae Mrs. Trefor ac yntau cweit o'r un teip o feddwl – maent yn naturiol grefyddol, a'u myfyrdodau yn rhedeg ar yr un llinellau. Mi fyddaf yn meddwl nad ydi o gamp yn y byd i rai pobl fyw'n grefyddol, ac 'rwyf yn meddwl fod fy ngwraig a Mr. Huws – beth, Mr. Denman, ydych chwi yn hwylio mynd gartre? Wel, yr wyf yn deall eich brys – eisiau cael dweud y newydd da i Mrs. Denman, onide? Wna i mo'ch rhwystro – nos dawch, nos dawch. Dyn clên iawn ydyw Mr. Denman, Mr. Simon, ac yr ydych yn siŵr o ffeindio fy mod yn dweud y gwir amdano. Ond deudwch i mi, ydach chwi ddim yn cael y cwrw yma yn galed o'i hwyl? Mae o'n dechrau mynd, mae arnaf ofn. Cael gormod o lonydd y mae trwy nad oes neb yn ei yfed. Peidiwch ag yfed chwaneg ohono – *change is no roguery* – mae gen i dipyn o *Scotch whiskey*, sydd yma ers gwn i pryd, gan mai anaml y byddaf yn edrych arno, ac os ydi o cystal ag oedd o fis yn ôl yr ydych yn sicr o'i leicio. Esgusodwch fi tra byddaf yn nôl tipyn o ddŵr glân, achos bydawn i'n canu'r gloch ar y forwyn, fe ddealle'r titots yn y llofft ein bod yn galw am chwaneg o gwrw neu yn newid ein diod.

"Yrŵan, syr, yr wyf yn meddwl y leiciwch hwn – *say when*. 'Run fath â finnau'n union – mae gormod o ddŵr yn andwyo *whiskey*. Llwyddiant i'r achos dirwestol! 'Naiff o'r tro, Mr. Simon?"

"*Prime, prime,*" ebe Mr. Simon.

"Mi wyddwn," ebe'r Capten, "y buasech yn ei leicio, a phaham y rhaid i ddyn amddifadu ei hun o bethau da'r bywyd hwn? 'Does na rheswm na 'Sgrythur yn gofyn iddo wneud hynny, *provided* ein bod yn cymryd popeth gyda diolchgarwch. Ond y mae'n rhaid i mi ddweud hyn, na fedraf fwynhau glasied o *whiskey* ym mhresenoldeb fy merch, am y rheswm ei bod yn ddiweddar yn rhagfarnllyd ofnadwy yn ei erbyn – ym mha le y cafodd ei *notions* dirwestol ni wn."

"Hwyrach," ebe Mr. Simon, "mai gan Mr. Huws, oblegid er ei fod yn ddyn da yn ddiamheuol, mae o'n ymddangos i mi dipyn yn *ancient* yn ei ffordd. Ac y mae'n resyn o beth fod ymysg ein dynion gorau wmbreth o *cant* a chuldra meddwl, ac y mae hyn i'w briodoli o bosibl i ddiffyg addysg ac ymgydnab-yddiaeth â'r byd gwareiddiedig."

"Mi welaf," ebe'r Capten, "eich bod yr hyn yr oeddwn wedi tybio eich bod, sef yn ddyn sydd wedi sylwi ar fywyd a chymer-iadau; ac, fel yr oeddech yn dweud, mae'n resyn pan aiff Cymro dipyn yn grefyddol, ei fod yr un pryd yn mynd yn gul ei syniadau, ac yr wyf yn siŵr mai i hyn y gellir priodoli gelyniaeth anghymodlon fy merch at bob math o wirod, oblegid y *mae* hi'n grefyddol, ac yr wyf yn ddiolchgar am hynny. Yn awr, syr, goddefwch i mi ddweud fod yn dda gennyf cyfarfod â dyn eang ei syniadau, ac y bydd yn dda gennyf gael eich cwmni yn aml, pan na fydd hynny'n tolli ar eich myfyr-gell a'ch llafur ar gyfer y weinidogaeth. Mewn lle fel Bethel, mae'n amheuthun cael cwmni gŵr o gyffelyb syniadau â mi fy hun. Hwyrach y synnwch pan ddwedaf na fu ond ychydig gymdeithas rhyngof a'ch rhagflaenydd, Mr. Rhys Lewis. Fel y clywsoch, yn ddiamau, yr oedd Mr. Lewis yn ŵr rhagorol, yn bregethwr da, sylweddol, ac yn hynod o dduwiol. Ond yr oedd yn gul ei syniadau ar rai pethau – nid oedd wedi troi llawer yn y byd, ac er fy mod yn ei edmygu fel pregethwr, ac yn ei barchu fel bugail a gwas yr Arglwydd, nid oeddwn, rywfodd, yn gallu bod yn rhydd a chartrefol yn ei gwmni. A synnwn i ddim nad oedd yntau yn teimlo yn gyffelyb ataf finnau – yn wir, y mae gennyf le i gredu y byddai'n edrych arnaf braidd yn amheus, ac yn ofni, hwyrach, nad oedd gwreiddyn y mater gennyf; a'r oll yn tarddu oddi ar ein dull gwahanol o feddwl ac o edrych ar bethau. Yr oedd ef, syr, wedi troi mewn cylch bychan, a minnau mewn cylch mawr."

"Hynny, yn ddiau, ebe Mr. Simon, "oedd yn rhoi cyfrif am y peth, ac, fel y dywedais o'r blaen, mae'n resyn o beth fod rhai o'n dynion gorau yn gul. Ond, beth bynnag arall ydwyf, nid wyf yn gul, *thanks* i fy adnabyddiaeth o'r byd; ac er fy mod yn mwynhau eich cwmpeini yn fawr, ac yn gobeithio y caf lawer ohono, mae'n hen bryd i mi droi gartref wedi i mi ddiolch i chwi am eich *hospitality*."

"Peidiwch â sôn am *hospitality*," ebe'r Capten, "mi wyddoch yn awr lle 'rydw i'n byw, a bydd yn dda gennyf eich gweld yn fuan eto. Buaswn yn galw fy merch i lawr, ond chwi esgusod-wch ni heno, a'r tro nesaf y dewch yma, mi obeithiaf y bydd Mrs. Trefor yn ddigon iach i'ch croesawu."

"Mae'n ddrwg iawn gennyf am ei hafiechyd, a chofiwch fi ati. Ac yrŵan, nos dawch, Capten Trefor," ebe Mr. Simon wrth adael y tŷ.

"Nos dawch," ebe'r Capten, ac wedi cau'r drws, ychwan-egodd rhyngddo ac ef ei hun – "Nos dawch, ŵr da. Yr ydych chwi, syr, yr wyf yn meddwl, yn hen *stager*, neu ni cherddech chwi adref lawn cyn sythed ag y daethoch yma. Ond hwyrach mai da i chwi, Mr. S., lawer tro fel ag y bu yn dda i minnau, nad oedd post y gwely ymhell. A dyna ydyw'r *beauty* – nid yn y peth ei hun y mae'r drwg, ond yng nghael ein dal. Hym! Gwell i mi yrŵan glirio olion y gyfeddach, oblegid yr hyn na wêl y llygad ni ofidia'r galon. Bydae hynny o ryw ddiben, achos y mae Susi yn *bound* o wybod fod y botel wedi ei han-rhydeddu. Mae ganddi ffroen fel *retriever*. Ond siŵr ddyn, nad ydwyf yn feistr yn fy nhŷ fy hun. Ac yrŵan, wedi i mi gymryd llond gwniadur o ffarwel, ni awn i fyny. Yn wir, hwyrach y deudiff yr hen wraig – a hithau mor sâl – fy mod yn ddifater yn ei chylch, gan na fûm i fyny er rhywbryd yn y prynhawn. Ond ni all dyn fod ym mhobman – 'dall o ddim *nyrstendio* ac *entertainio* cyfeillion yr un pryd. Yrŵan, ni awn i edrych sut mae pethau yn sefyll," a cherddodd y Capten i'r llofft heb afael yn y *banister*. Rhoddai hynny, bob amser, dawelwch cydwybod i'r Capten, os gallai fynd i fyny'r grisiau heb help y *banister*.

XXXIV

YSTAFELL Y CLAF

Mor wahanol, yn fynych, ydyw arweddion bywyd, yr un amser, a hyd yn oed yn yr un tŷ. Tra bo rhywrai, hwyrach, mewn un ystafell yn mwynhau digrifwch a hapusrwydd, yn yr ystafell nesaf, heb ddim ond lled bricsen rhyngddynt, y mae rhywun arall â'r galon yn brudd, a meddyliau am y dyfodol yn gwasgu ar ei enaid. Ac felly yr oedd yn Nhyn-yr-ardd y noswaith y buwyd yn sôn amdani yn y bennod ddiwethaf. Dilynodd Enoc Miss Trefor i fyny'r grisiau. Cyn agor drws ystafell ei mam, dywedodd Miss Trefor yn ddistaw: –

"Mae fy mam, Mr. Huws, yn salach o lawer nag yr oeddwn yn meddwl ei bod. Ddaru mi ddim meddwl fod dim mwy arni na thipyn o *bilious attack*. Mae wedi bod yn cysgu ers oriau, ac yr oeddwn yn credu y buasai wedi dod ati ei hun pan ddeffrôi. Ond y mae hi'n wael iawn, a 'dydw i ddim, rywfodd, yn leicio'i golwg hi."

"Ai ni fyddai'n well gofyn i Mr. Simon ddod i'w golwg? Hwyrach y gallai ei chysuro, a hwyrach y carai eich mam iddo weddïo gyda hi," ebe Enoc.

"Na," ebe Susi, "'does gen i ddim ffydd mewn gweddi dyn ac arogl cwrw arni," ac agorodd ddrws yr ystafell.

"Ai gwael iawn ydych chi, Mrs. Trefor?" gofynnodd Enoc.

"Ie, Mr. Huws, ond y selni olaf ydi o," ebe Mrs. Trefor.

"Dyn annwyl, peidiwch â siarad fel yna; mi'ch gwelais chi yn llawer salach ac yn mendio, Mrs. Trefor," ebe Enoc.

"Naddo, Mr. Huws, naddo. 'Rydw i'n teimlo'n rhyfedd – fûm i 'rioed yn teimlo 'run fath, a fedra i mo'i ddeud o. 'Roedd Susi yn meddwl 'y mod i'n cysgu ers oriau, ond 'doeddwn i ddim, achos 'roeddwn i'n ei chlywed hi'n dod i'r *room* bob tro, ac yn ych clywed chithe i lawr yn siarad, yn enwedig Richard. A 'doeddwn ddim yn effro chwaith. 'Roeddwn i'n meddwl 'y mod i ar ryw afon braf, lydan – nid mewn cwch. 'Doedd gen i ddim byd i 'nal i, ac eto 'roedd rhwfun neu rwbeth yn 'y nal i rhag i mi suddo. 'Roedd yr afon yn mynd yn gyflym, a neb ond y fi arni. 'Roeddwn i'n gweld fod y tir o bobtu'r afon yn symud yr un ffordd ond nid mor gyflym â'r afon. 'Roeddwn i'n pasio llawer o bobol ar lannau'r afon – rhai oeddwn i'n 'nabod, ond y rhan fwyaf yn ddiarth i mi. A dyna oeddwn i'n synnu ato – 'doeddwn i ddim yn colli golwg ar y rhai oeddwn i'n nabod, ond eu bod nhw'n mynd ymhellach oddi wrtha i, ond 'roeddwn i'n colli'r rhai diarth o hyd, a rhai newydd yn dod yn eu lle nhw. Ac 'rydw i'n teimlo 'rŵan, er 'y mod yn reit effro, fel bydawn ar yr afon – rhw deimlad fel bydawn i'n mynd o hyd, ac rydw i'n meddwl, Mr. Huws, mai angau ydi o."

"Dim o'r fath beth, Mrs. Trefor," ebe Enoc, yn gysurol, "'dydi o ddim ond tipyn o wendid. 'Dydi angau ddim yn beth mor hyfryd, mae arnaf ofn, â'r teimlad yr ydach chi yn ei ddisgrifio, Mrs. Trefor."

"Sut y gwyddoch chi, Mr. Huws? achos fedr neb adael ei brofiad ar ôl i ddweud beth ydi angau fel ag i'r byw ei 'nabod. Mae'n rhaid fod y teimlad yn newydd i bawb erbyn y daw ato, a hwyrach ei fod yn hollol wahanol i'r peth y daru ni feddwl ei fod," ebe Mrs. Trefor.

"Yr ydach chi *quite* yn *philosopher*, Mam. 'Chlywes i 'rioed monoch chi'n siarad mor dwt. 'Dydach chi ddim i farw'n siŵr i chi," ebe Miss Trefor.

"Mi glywes dy nain yn deud," ebe Mrs. Trefor, "y bydde rhai pobol fydde dipyn yn ddwl yn ystod eu hoes yn siarpio'n anwedd cyn marw, a hwyrach 'y mod inne felly. Mae ene rwbeth yn deud wrtha i na choda i ddim o'r gwely 'ma eto. 'Does ene ddim rhw air yn deud, Mr. Huws, am rwfun yn cael ei gymryd ymaith o flaen drygfyd?"

"Oes," ebe Enoc, "fe ddwedir fod y cyfiawn yn cael ei gymryd ymaith o flaen drygfyd. Ond nid oes drygfyd yn debyg o ddigwydd i chwi, Mrs. Trefor. Yr ydach chi'n gryno efo'ch gilydd fel teulu – mae Rhagluniaeth wedi bod yn dda wrth Capten Trefor – nid oes gennych le i bryderu am eich amgylchiadau, gan nad beth a ddaw o'r gymdogeth hon, ac nid oes gennych le i amau daioni Duw yn y dyfodol."

" 'Dydan ni ddim wedi byw fel y dylasen ni, Mr. Huws," ebe Mrs. Trefor, "ac mae gen i eisio cael deud rhwbeth wrthoch. Mi wn ych bod chi yn ddyn da a chrefyddol. Ac am yr amgylchiadau, wel, fe ddaw amgylchiadau pawb i'r golwg yn hwyr neu hwyrach. Mae o wedi costio llawer o boen a gofid i mi'n ddiweddar wrth feddwl i mi fod am flynydde yn rhoi rhw bris mawr ar y peth y maen nhw'n alw'n *respectability* – rhw feddwl yn bod ni'n well na phobol erill. Ond 'rydw i'n credu, Mr. Huws, fod Duw wedi madde i mi'r ffolineb, a fedra i byth ddiolch digon fod Susi wedi cael gras i ddiystyru y lol ddaru mi ddysgu iddi. O diar! O diar! mae gen i g'wilydd na wn i ddim be i neud wrth feddwl mor wirion fûm i. Wyddoch chi be, mae gen i ofn 'y mod i un amser yn meddwl cymin am fod yn *respectable* fel bydase'r Gwaredwr Mawr yn dod i'r byd fel y bu O o'r blaen, y buaswn i'n rhy *respectable* i onio 'mod i'n perthyn iddo. Oes wir. Ond mi gefes drugaredd, 'rydw i'n meddwl. A Susi, yr eneth 'roeddwn i wedi pwnio 'run syniade i'w phen hi, fu'n offeryn i 'nwyn i weld fy ffolineb. Mor fychin ydi'n pethau ni wrth edrach arnyn nhw o ymyl angau."

"Bychain yden ni ein hunain, bawb ohonom, Mrs. Trefor," ebe Enoc, "ac mi fyddaf yn meddwl fod Duw yn edrach gyda thosturi maddeugar arnom pan fyddwn yn rhoi pris mor fawr ar bethe mor fychin. Mae Ef yn cofio mai llwch yden ni."

"Ie, ie, Mr. Huws, ond llwch aur a gostiodd waed y Meichiau mawr rhag iddo fynd ar goll. Pa beth a rydd dyn yn gyfnewid am ei enaid? Weles i 'rioed gymain o werth bod yn gadwedig ag ydw i'n weld heddiw, ac 'rydw i'n synnu 'y mod i wedi meddwl cyn lleied am hyn, a rhoi cymain o bris ar bethe darfodedig, a Duw yn ei Air wedi dweud mor blaen."

"Nid ydi hynny," ebe Enoc, "ond profi mai pechaduriaid yden ni. Pe basen ni wedi gneud popeth a ddylasen eu gneud, angylion fasen ni, ac nid pechaduriaid. Ac mae cael golwg glir ar ein colliade yn dangos mai pechaduriaid wedi ein hargyhoeddi yden ni, ac mae bod yn feddiannol ar awydd gwirioneddol am fod yn lân yn profi mai pechaduriaid wedi'n hachub yden ni. Nid ydi'r awydd hwn yn codi o'n natur lygredig ni'n hunen – nid yw'n cael ei roi ynom gan y byd na chan y diafol, ac felly mae'n rhaid mai oddi wrth Dduw y mae'n dod. A pha mor chwerw bynnag fyddo'r oruchwyliaeth a'n dygo i'r stad hon o feddwl a theimlo, ni a ddylem fod yn ddiolchgar amdani. Os bydd llwyddiant bydol ac iechyd yn peri i ni anghofio Duw a byd arall, ni a ddylem weddïo am dlodi ac afiechyd. Ond 'rwyf yn ych nabod chi, Mrs. Trefor, ers rhai blynydde bellach, ac yn ych holl lwyddiant bydol a'ch cysuron yr oedd pethau crefydd yn uchaf yn ych meddwl, ac 'rwyf lawer tro wedi bod yn cenfigennu at ych ysbryd."

"Pawb wŷr gwlwm ei gwd, Mr. Huws, bach," ebe Mrs. Trefor. Wyddoch chi ddim byd am 'y mhechod i. Ond 'rwyf yn meddwl y medra i ddeud hyn yn onest – na wn i ddim am adeg yn ystod yr ugen mlynedd diwetha nad oedd gen i ryw gymaint o gariad at Grist a'i achos. Ond mi adewes i'm meddwl ramblo, ac mi ymserches mewn pethe y bydde'n g'wilydd gen i henwi nhw i chi. Ond ers tro, yrŵan, 'rydw i wedi ffarwelio â nhw, ac yn meddwl y leiciwn i gael mynd o'r hen fyd 'ma, a chael mynd i wlad heb ddim trwbleth, ac y medrwn i fod yn gyfforddus a hapus mewn lle nad oes dim pechod o'i fewn, na dim balchder – dim ond cariad at Grist. Hwyrach 'y mod i'n twyllo fy hun, ond mi fydda'n meddwl fel ene y dyddie yma."

"A be sydd i ddŵad ohonom *ni*, Mam?" ebe Susi. "Nid dyna'r ffurf ucha ar grefydd, yn ôl 'y meddwl i."

"Wel," ebe Mrs. Trefor, "be ydi'r ffurf ucha ar grefydd yn ôl dy feddwl di, Susi? Rwyt ti wedi cael rhw ole rhyfedd yn ddiweddar."

"'Dydw i ddim yn credu," atebai Susi, "mai snecio i'r nefoedd, a gadael i bawb arall gymryd eu siawns ydi'r ffurf ucha ar grefydd, os ydw i'n dallt be ydi crefydd."

"Wel, be ydi crefydd, 'y ngeneth i, fel rwyt *ti* yn ei dallt hi?

251

Mae perygl i ni gamgymryd, ac mi wn dy fod di wedi cael gole mawr yn ddiweddar ar bethe crefydd," ebe Mrs. Trefor.

"Naddo, Mam," ebe Susi, "ches i ddim mwy o ole na phobol eraill, ond 'y mod i, hyd yn ddiweddar, wedi cau fy llygaid rhag ei weld. Fel y gwyddoch, Mam, myfi fy hun oedd fy mhopeth ar hyd y blynydde – arnaf fi fy hun yr oedd fy holl feddwl –byw i *entertainio* fy hun yr oeddwn ac yn methu. A'r peth yr ydach chi, Mam, yn ei alw yn 'ole' – oedd *nad peth felly oedd crefydd*, ond rhywbeth hollol wahanol – rhywbeth a barai i mi anghofio fy hun yn hollol. Ac yr wyf yn fwy argyhoeddedig bob dydd mai *hunan* ydi damnedigeth pawb, ac mai anghofio hunan ydi y daioni mwya. 'Rwyf yn ofni – hwyrach fy mod yn methu – fod gormod o hunan mewn pobol dduwiol. Maent beunydd a byth, yn seiat, yn dweud eu bod yn ofni nad ydynt yn gadwedig – yn ofni na chânt byth fynd i'r nefoedd; a chyn gynted ag y teimlant yn symol parod i fynd yno maent ar frys am gael marw. Gwneud ein dyletswydd heb ofalu dim am y canlyniadau – yn ôl fy meddwl i – ydi'r ffurf ucha ar grefydd. Beth a fynni di i mi ei wneuthur? a ddylai fod ein hymofyniad bob dydd, heb bryderu dim am ein cadwedigaeth na'n colledigaeth – Duw fydd yn penderfynu hynny, ac nid y ni. Mae gen i ofn ein bod yn rhy dueddol i feddwl mwy am ein cadwedigaeth – am fod yn sâff yn y diwedd – nag am wneud ein dyletswydd. Ai nid hunan wedi cymryd gwisg crefydd ydi peth fel yna? 'Dydw i ddim yn *right*, Mr. Huws?"

"Yr ydach chi bob amser yn *right*, Miss Trefor," ebe Enoc.

"Na, nid bob amser, Mr. Huws," ebe Susi, "ond 'alla i lai na meddwl fy mod yn *right* ar hyn yna. Yn wir, fe ddaru chi'ch hunan wneud yr un sylw, mewn ffordd arall, wrth Mr. Simon. Ac fe drawodd fi pan oeddach chi'n gneud y sylw – ai nid llafur enaid Iesu Grist oedd ei hunanymwadiad er mwyn eraill, ac ai nid dedwyddwch pennaf Iesu Grist ei hun yn awr yw ei hunanymwadiad a'i ganlyniadau? 'Rwyf wedi darllen yn rhai o'r llyfrau ges i fenthyg gynnoch chi, Mr. Huws, y buase Duw yn dragwyddol ddedwydd ynddo ef ei hun pe na buasai wedi creu un creadur. Tybed 'y mod i'n pechu wrth ddweud 'y mod i'n amau hynny? Ydi o'n rhyfyg yno' i ddweud fod hyd yn oed Duw wedi blino arno'i hun, ac mai dyna oedd y rheswm iddo greu?"

"Mae arnaf ofn nad ydach chi ddim yn iawn gyda hynyna, Miss Trefor, ac eto mae rhywbeth yn y peth ydach chi'n ddweud," ebe Enoc.

"Rhaid i chi gofio, Mr. Huws," ebe Susi, "mai newydd ddechrau *meddwl* yr ydw i – newydd ddechrau pondro ynghylch pethe. Ond a fedrwch chi ddweud wrtho' i be wnaeth i Dduw greu o gwbl, os oedd o'n berffaith ddedwydd ynddo ef ei hun?"

"Na fedraf," ebe Enoc. "Mae eich cwestiwn yn awgrymu fod rhyw deimlad o ddiffyg yn y Bod Mawr cyn iddo greu. Ond y mae'n rhaid i ni gofio fod yn Nuw bob perffeithrwydd, ac ni wiw i ni gymharu ein hymwybyddiaeth ni ag ymwybyddiaeth y Perffaith."

"Yna fe ddaru i'r Perffaith greu yn amherffaith er mwyn – be?" gofynnai Susi.

"Er ei fwyn ei hun, medd y Beibl," ebe Enoc.

Ar hyn torrwyd ar yr ymddiddan gan ymddangosiad Capten Trefor, a ddywedodd –

"Wel, be sy'n mynd ymlaen? Tipyn o seiat mi wranta? Sut mae hi arnoch chwi erbyn hyn, Sarah?"

"Pur gwla, Richard, ac oni bai 'mod i'n gwbod fod gynnoch chi gwmpeini, mi faswn yn meddwl ych bod chi'n o ddifeind ohona i," ebe Mrs. Trefor.

"Dyna'r unig reswm, Sarah, ni buasai'n weddus i mi adael Mr. Simon, er bod fy meddwl i gyda chwi yn barhaus, a 'nghalon i yn llosgi eisiau cael dod i ddweud y newydd da i chwi, a glywsoch ers meitin, mi wn, gan Susi neu Mr. Huws," ebe'r Capten.

"Na, ddaru ni sôn dim, Dada, wrth 'y mam," ebe Susi.

"'Does bosib!" ebe'r Capten, "eich bod heb ddweud wrth eich mam am yr hyn sydd wedi ein llenwi â llawenydd a gorfoledd heno?"

"Beth ydi o, Richard? Oes ene ddiwygiad wedi torri allan?" gofynnodd Mrs. Trefor.

"Na," ebe'r Capten, "nid newydd o'r natur yna sydd gennym heno; er, mae'n rhaid i mi gyfaddef, fod llwyr angen am ddiwygiad, ac ar neb yn fwy nag arnaf fi fy hun, ac, os nad ydwyf yn twyllo fy hun, fe fuasai'n fwy peth yn fy ngolwg, ac yn fforddio mwy o lawenydd i mi, glywed am ymweliad grymus mewn ystyr grefyddol, na'r llawenydd a gynhyrchwyd yn fy nghalon gan y newydd da a swniodd ar ein clyboedd ychydig oriau yn ôl, oblegid mae'n rhaid i ni, os bydd ystad y galon a'r ysbryd yn eu lle, roddi y flaenoriaeth i bethau ysbrydol a chrefyddol, gan nad beth, mewn ffordd o siarad, ydyw –."

"Mae Sem Llwyd, Mam, yn deud ei fod wedi taro ar y faen yng Nghoed Madog – dene'r newydd," ebe Susi.

Edrychodd y Capten yn geryddol ar ei ferch, ond cyn iddo ddweud dim yn gas, cofiodd fod Enoc yn bresennol, a lliniarodd ei olwg, ac ychwanegodd Susi –

"Mae hi'n dechrau mynd yn hwyr, Dad."

"*Quite right*," ebe'r Capten. "Dyna fo, Sarah, mae Susi wedi dweud y newydd da i chwi mewn un gair."

Yr oedd Mrs. Trefor wedi clywed gynifer o weithiau yn ystod ei hoes am "daro ar y faen", fel na ddarfu i'r newydd effeithio rhyw lawer arni, a'r unig beth a ddywedodd oedd, "Ho!"

Cododd Enoc i ffarwelio â Mrs. Trefor, ac i fynd adref. Aeth Miss Trefor i "ddangos Enoc allan", gan adael ei thad i ymehangu ar y newydd da i'w mam. Ond nid dyna oedd y peth pwysicaf gymerodd le y noson honno.

XXXV

DATGUDDIAD

RHWNG rhoi ei het am ei ben, rhoi ei got uchaf amdano, a chwilio am ei ffon – gan nad pa mor hwyr ar y nos fydd hi – gall dyn siarad cryn lawer a dweud cryn dipyn o'i feddwl, os bydd hynny ar ei galon. Ac yr oedd Enoc Huws y noson honno y buom yn sôn amdani wedi ymddiofrydu y dywedai rywbeth o'i feddwl wrth Miss Trefor, hyd yn oed pe buasai farw yn yr ymdrech. Yn wir, yr oedd hyn yn pwyso cymaint ar ei feddwl fel na ddarfu i "newydd da Sem Llwyd" leihau dim ar ei ddwyster. Ebe fe –

"Nid wyf yn meddwl, Miss Trefor, fod llawer o sail i'ch ofnau am eich mam. Mae hi'n siarad yn bert ryfeddol."

"Gobeithio nad oes, Mr. Huws," ebe Susi, "ond y mae gen i *presentiment* cas na fydd fy mam fyw yn hir. Fedr hi ddim dioddef profedigaethau na dal dim gwynt croes. Fel y gwyddoch, y mae hi wedi cael bywyd esmwyth, ac wedi arfer cael digon o bopeth, ac y mae ychydig o adfyd yn ei tharo i lawr. Mae'n ddiamau eich bod wedi sylwi, Mr. Huws, fod rhai pobol, yn enwedig merched, yn disgwyl i fywyd fod yn dywydd teg o hyd, ac, fel y gwenoliaid, pan welant y gaeaf yn nesáu, maent yn dechrau taclu eu hedyn i fynd i ryw wlad gynhesach. Un o'r rheiny ydi fy mam, fel y gwelsoch heno. Pan mae'r byd heb fod wrth ei bodd, y mae yn gollwng ei gafael ohono fel pe bai yn haearn poeth, ac y mae'n hiraethu, mi wn, yrŵan, am gael mynd i'r nefoedd, ac 'rydw i'n meddwl y caiff hi fynd yno ryw ddydd, oblegid mi wn ei bod yn caru Iesu Grist. Ond yr ydw i'n meddwl 'y mod i fy hun wedi dysgu cymin â hyn, yn ddiweddar, beth bynnag, sef na ddysges i ddim nes i mi ddysgu dioddef, a diodde'n ddistaw."

"Ddaru mi 'rioed wybod, Miss Trefor," ebe Enoc, "eich bod wedi dioddef dim – 'roeddwn bob amser yn meddwl eich bod yn berffaith iach."

"Ac felly 'rydw i," ebe Miss Trefor. "Ond yr ydach chi'n cofio dwediad Gurnal? Mi wn innau rywbeth am ddioddefiadau enaid. 'Rwyf wedi diodde tipyn o'ch achos chi, Mr. Huws."

"O'm hachos i, Miss Trefor?" ebe Enoc mewn syndod, a daeth mil o feddyliau i'w galon.

"Ie," ebe hi. "Mi wn eich bod yn gwario llawer o arian yn barhaus ar Waith Coed Madog, ac mai 'nhad sydd yn eich perswadio i neud hynny. Ac er i chi fod yn gyfoethog, mae'n hawdd iawn i chi, mewn amser, wario'r cwbl sy gynnoch chi ar waith *mine* a heb gael dim yn ôl, fel y daru Hugh Bryan, druan, neud, ac fel y mae Mr. Denman agos â gneud. A fedra i ddim bod yn dawel, Mr. Huws, heb eich rhoi chi ar eich gwyliadwriaeth. Peth ofnadwy ydyw i ddyn, ar ôl iddo weithio'n galed a hel tipyn o'i gwmpas, ac ennill safle barchus ymhlith ei gymdogion, ac wedyn, yn y diwedd, golli'r cwbl a mynd yn dlawd. 'Rwyf yn nabod rhai felly, ac 'rydach chithe, Mr. Huws, yn eu nabod nhw."

"Mae arnaf ofn, Miss Trefor," ebe Enoc, "eich bod mewn tymer brudd heno, a'ch bod wedi anghofio'r newydd a gawsom gan Sem Llwyd."

"Na," ebe Susi, "'dydw i ddim wedi anghofio newydd Sem Llwyd; ac os ydi o'n wir, 'rwyf yn llawenhau er mwyn 'y nhad a chwithe a Mr. Denman. Ond peidiwch rhoi llawer o bwys arno – 'rwyf wedi clywed llawer o newyddion tebyg a dim byd yn dod ohonynt. Cymerwch ofal, Mr. Huws. Goddefwch i mi ofyn i chi faint ydach chi wedi wario'n barod ar Goed Madog, os gwyddoch chi?"

"O, rhwbeth fel tri chant o bunnau, 'rwyf yn meddwl," ebe Enoc.

"Gwarchod pawb! 'roeddwn yn ofni hynny," ebe Miss Trefor.

"Ond 'dydw i ddim ond un o dri, Miss Trefor," ebe Enoc.

"Ie," ebe hi, "yr un o'r tri sydd yn 'morol am yr arian – y chi, Mr. Huws, ydi'r banc."

"Nid wyf yn dallt ych meddwl, Miss Trefor," ebe Enoc.

"Fy meddwl ydi hyn, Mr. Huws," ebe hi, "ac mae'n rhaid i mi gael ei ddweud – fedra i ddim bod yn dawel 'y nghydwybod heb ei ddweud – mai chi sydd yn ffeindio'r arian ac mai nhad sydd yn eu gwario nhw, achos 'does gan 'y nhad yr un bunt o'i eiddo'i hun i'w gwario."

"'Rydach chi'n smalio, Miss Trefor," ebe Enoc.

"Fûm i 'rioed yn fwy difrifol, Mr. Huws," ebe Susi. "Yr oeddwn yn ofni o hyd eich bod yn credu ein bod yn gyfoethog, ond y gwir yw yn bod yn dlawd – ac yn dlawd iawn, a dyna, mi wn, sydd yn lladd 'y mam. Yr yden ni am flynydde wedi byw mewn llawnder a moethau, ond er pan stopiodd Pwll-y-gwynt yr yden ni'n dlawd, ac erbyn hyn, mae gen i ofn yn bod ni'n byw ar eich arian chi, Mr. Huws. 'Does gen i ddim *idea* faint mae Mr. Denman wedi ei wario er pan gychwynnodd Coed Madog, ond mi wn hyn – na wariodd 'y nhad ddim, achos 'doedd ganddo ddim i'w wario. Fedrwn i ddim bod yn dawel 'y nghydwybod heb gael dweud y cwbwl i chi, Mr. Huws. A chyda golwg ar newydd da Sem Llwyd, 'does gen i ond gobeithio ei fod yn wir er eich mwyn chi. Ond 'dydw i'n rhoi dim pwys ar yr hyn a ddywed Sem. Mae o wedi dweud llawer o bethau tebyg o'r blaen, a'r cwbwl yn troi'n ddim yn y byd."

"Miss Trefor," ebe Enoc, wedi ei hanner syfrdanu, "yr ydach chi'n *jokio* – 'dydach chi ddim yn meddwl deud wrtha i nad ydi'ch tad yn dda arno?"

"Mae fy nghalon yn rhy brudd i *jokio*, Mr. Huws," ebe Miss Trefor. "Nid yn unig nid yw fy nhad yn dda arno, ond y mae mewn dyled, ac os na ddaw gwawr o rywle, wela i, ar hyn o bryd, ddim gobaith iddo allu talu ei ddyled. Ond 'dydi'r ffaith ein bod ni ein hunain yn dlawd, ddim yn ddigon o reswm dros i ni wneud eraill yn dlawd. 'Rwyf agos yn sicr na fydd fy mam fyw yn hir – fedr hi ddim dal tlodi. Be sydd o'm mlaen i, 'dwn i ddim; ond 'rwyf yn benderfynol na byddaf byw ar dwyll a rhagrith, deued a ddelo. Os troiff Coed Madog allan yn dda, mi ddiolchaf i Dduw am hynny; ond os fel arall, wel, wn i ddim be ddaw ohonon ni. 'Rwyf yn gwybod o'r gorau eich bod wedi ymddiried y cwbwl i 'nhad, a dyma finne wedi deud y cwbwl wrthoch chi, ac yr oeddwn wedi bwriadu ei ddeud ers wythnosau, ond fy mod yn methu torri trwodd. Chi wyddoch 'rŵan sut mae pethe'n sefyll, ond bydae 'nhad yn gwybod 'y mod i wedi deud hyn wrthoch chi, fydde fychan ganddo fy mwrdro."

"'Rydach chi wedi fy synnu, Miss Trefor, ac eto 'rwyf yn teimlo'n llawen," ebe Enoc, a'i wyneb yn eglur ddangos ei fod yn dweud y gwir o'i galon.

"Yn llawen, Mr. Huws? Ydi clywed ein bod yn dlawd yn fforddio llawenydd i chi? Syr, 'dydach chi ddim y dyn ddaru mi feddwl ych bod," ebe Miss Trefor yn gynhyrfus.

"Hwyrach hynny," ebe Enoc, "ond mi obeithiaf y cewch fi yn well dyn nag y daru chi 'rioed synio amdanaf. Fe allai ei fod yn ymddangos yn greulon ynof ddweud, ond, mewn ystyr, mae'n dda iawn gennyf ddeall eich bod yn dlawd, os ydach chi'n dlawd hefyd."

Nid atebodd Miss Trefor air, ond gydag ysgorn ddirmygus ar ei hwyneb, cyfeiriodd tua'r drws. Cyrhaeddodd Enoc y drws o'i blaen, a chan ei gau a gosod ei gefn arno, ebe fe –

"Arhoswch i mi esbonio fy hun."

"Nid oes angen i chi neud hynny," ebe Miss Trefor, "'rwyf yn gweld trwoch fel trwy ffenest. 'Roeddech chi, mi wn, yn credu bob amser ein bod yn weddol dda arnom – 'rydach chi'n cofio'n dda fel y bydde 'nhad yn ych patroneisio, ac fel y byddwn inne, yn fy ffolineb, yn ych cytio; 'ond,' meddwch 'rŵan, 'mae'r byrdde wedi troi – mae 'nhyrn inne wedi dŵad – mi wna iddyn nhw *sing small.*' Wel, mae hynny'n eitha natur-iol – 'dydi o ddim ond y peth yden ni'n haeddu am ein hym-bygoliaeth – ond y mae o'n *mean* ynoch, Mr. Huws – yn dro sâl mewn dyn fel chi. 'Roeddwn i wedi disgwyl am eich cyd-ymdeimlad – a 'doeddwn i ddim chwaith – achos fy amcan – fy unig amcan – yn dweud wrthoch am sefyllfa fy nhad oedd eich lles chi eich hun – eich rhoi ar eich gwyliadwriaeth rhag i chi ddod i'r un sefyllfa eich hunan. Bydaswn i yn hunanol, mi fuaswn yn ych gadel yn twllwch. Ond cymerwch eich *fling*. 'Rwyf yn meddwl fy mod yn ofni Duw, ond 'dydw i'n hidio 'run botwm am opiniwn nac ysgorn un dyn ar wyneb y ddaear. Gadewch i mi fynd, Mr. Huws, os gwelwch yn dda."

"Nid cyn y byddwch mewn gwell tymer," ebe Enoc. "Gyda'ch holl *insight*, ac er mor graff ydach chi, 'rydach chi wedi cam –"

"Susi? Lle'r ydach chi, 'ngeneth i?" gwaeddai Capten Trefor wrth ddod i lawr y grisiau, ac ychwanegodd, "Mae'ch mam eich eisiau, Susi."

Er bod rhegu yn beth hollol ddieithr i Enoc, aeth rhywbeth tebyg i reg trwy ei fynwes pan glywodd lais y Capten, a phan ysgubodd Susi heibio iddo heb gymaint â dweud "nos dawch" wrtho.

"Holô, Mr. Huws," ebe'r Capten, "'roeddwn yn meddwl eich bod wedi mynd adref ers meitin, ond pobl ifainc ydyw pobl ifainc o hyd. 'Rydw innau'n cofio'r amser, syr, ha! ha! ha! Arhoswch, Mr. Huws, hidiwn i ddim byd â dod i'ch danfon gartref, 'rwyf eisiau tipyn o *fresh air*."

Teimlai Enoc yn flin iawn ei ysbryd, fel y cymerai'r Capten afael yn ei fraich gan ei arwain tua chartref. Gallasai sylwedydd craff ganfod fod gwir angen ar y Capten am gymorth braich Enoc, canys nid oedd ef yn cerdded lawn mor hysaf ag arferol, ond ef ei hun fuasai'r ola i gydnabod hynny, ac Enoc fuasai'r olaf o bawb i ganfod hynny, yn enwedig pan oedd ei feddwl ymron yn hollol gyda Miss Trefor. Er hynny, yr oedd y Capten ynghanol ei gof, a'i feddwl cyn gliried â phe na phrofasai ddiferyn o chwisgi.

XXXVI

CAPTEN TREFOR

WEDI i'r Capten ac Enoc gyrraedd y ffordd fawr, ebe'r blaenaf –

"Yr wyf yn cofio, Mr. Huws, pan oeddwn dipyn ieuengach nag ydwyf yn awr, y byddwn yn cael difyrrwch nid bychan wrth gerdded allan yn nhrymder y nos ar fy mhen fy hun, pan fyddai trwst y byd a masnach wedi distewi, a dim yn bod, mewn ffordd o siarad, i aflonyddu ar fy myfyrdodau. I un o duedd fyfyrgar, fel fy hunan, mewn ffordd o siarad, nid oes dim yn fwy hyfryd i'r teimlad, nac, yn wir, yn fwy llesol i'r enaid, na thro wedi bo nos, pryd y gall dyn, mewn dull o ddweud, ymddiosg oddi wrth bob gofalon a thrafferthion bydol ac ymollwng, megis, i gymundeb â natur fel y mae, yn ôl fy syniad i, yn fwy *impressive* yn y nos, –nid oes gair Cymraeg yn cynnig ei hun i mi ar y foment – yn fwy *impressive*, meddaf. Hynny ydyw, mi fyddaf yn meddwl – hwyrach fy mod yn camgymryd – ond yr wyf yn wastad yn agored i gael fy argyhoeddi – mi fyddaf yn meddwl, meddaf, fod yn haws, yn y nos, yn enwedig ar noson dawel fel heno, i'r ysbryd, megis yn ddiarwybod, ymlithro i fyfyrdod ar bethau ysbrydol a thragwyddol. Y ffaith ydyw, Mr. Huws, mae fy meddwl, fel y gwyddoch, wedi ei gymryd i fyny mor llwyr, yn ddiweddar, gyda phethau daearol a darfodedig, fel yr wyf yn teimlo angen mewnol, a hwnnw'n ddwfn, am ysbeidiant, pe na byddai ond hanner awr, i ymollwng, fel y dwedais, i fyfyrdodau cwbl wahanol o ran eu natur, ac yn fwy felly, yn gymaint â fy mod, fel y gwyddoch, newydd ddod oddi wrth glaf wely fy ngwraig, ac fy mod, i ryw raddau, o leiaf, wedi fy nwyn yn deimladwy o wagedd pethau y byd a'r bywyd hwn, hynny ydyw, o'u cymharu â phethau tragwyddol. Ar adegau, Mr. Huws, mi fyddaf yn meddwl – oni bai fod yr hen fyd yma wedi bod mor greulon wrthyf, a chymryd, ymron, fy holl amser – er bod yn rhaid i rywrai fod gyda'r byd – mi fyddaf yn meddwl, meddaf, mai yn *philosopher* y bwriadwyd fi i fod. Oblegid, cyn gynted ag y caf ddeng munud o hamdden oddi wrth orchwylion bydol, mae fy myfyrdodau yn rhedeg ar ôl y pethau mawr – pethau'r enaid. Ond hwyrach fy mod yn camgymryd."

"Yn ddiamau," ebe Enoc, oblegid nid oedd yn gwrando ond ychydig, ac yn deall llai o'r hyn a ddywedai'r Capten. Ac nid oedd y Capten heb ganfod fod meddwl Enoc yn rhywle arall, ac er mwyn ei ddwyn gartref, ebe fe –

"Beth ydyw eich syniad, erbyn hyn, Mr. Huws, am ein gweinidog – Mr. Simon?"

"Fy syniad yw ei fod yn gerddor gweddol," ebe Enoc.

"Ie, ond beth ydych yn ei feddwl ohono *fel gweinidog*?" gofynnodd y Capten.

"Wn i ddim a ydw i'n abl i roi barn," ebe Enoc. "Ac yn wir, 'dydi o ddim yn waith hoff gen i farnu dynion, yn enwedig pregethwyr. Na ddywed yn ddrwg yn erbyn pennaeth dy bobl. Mae rhyw air tebyg i 'nyna yn rhywle. Ond gan eich bod yn gofyn i mi, mi ddwedaf wrthoch chi – nid fy marn, ond fy nheimlad, *in confidence*, wrth gwrs, ac ni fynnwn i chi wneud unrhyw ddefnydd ohono, oblegid ni fynnwn er dim greu rhagfarn yn ei erbyn. Ond fy nheimlad, o'r dechrau, ydyw nad oes gan Mr. Simon ddim dylanwad ysbrydol arnaf – dim i ddyrchafu fy syniadau am bethau crefyddol – dim i gynhesu fy nghalon at Grist. 'Dydw i ddim yn teimlo fod ei bregethau, na'i anerchiadau yn y seiat, na'i ymddiddanion mewn cwmni, yn gwrthweithio dim ar y dylanwad sydd gan y byd masnach i fferu teimladau dyn. A buase'n haws gen i fadde hyn iddo pe buasai'n goleuo rhyw gymaint ar fy neall, ond, yn wir, 'dydw i byth yn teimlo damaid gwell o'i herwydd. Mae rhyw syniad gennyf y dylai gweinidog yr Efengyl ddiddyfnu tipyn ar ddyn oddi wrth y byd, a gwneud pethau crefydd a byd arall yn fwy dymunol yn ei olwg. Theimlais i erioed felly dan weinidogaeth ac yng nghwmni Mr. Simon. Ond yr wyf yn barod iawn i gydnabod y gall mai ynof fi fy hun y mae'r diffyg."

"Mr. Huws," ebe'r Capten, "yr ydych yn fy argyhoeddi fwyfwy bob dydd eich bod wedi eich cynysgaeddu â thalent neilltuol i adnabod cymeriadau, a hynny megis ar drawiad. Wrth fynegi eich barn – neu fel y mynnech chwi ei osod, eich teimlad – yr ydych wedi rhoi mynegiad i 'nheimlad innau hefyd, er, hwyrach, na allaswn ei ddangos mor gryno ac mewn cyn lleied o eiriau, oblegid yr ydych, mewn ffordd o siarad, wedi *photographio* cymeriad Mr. Simon fel y gallaf ei adnabod ar unwaith oddi wrth yr *original.*"

"Nid wyf yn siŵr am hynny," ebe Enoc, "na fy mod wedi gwneud chwarae teg â Mr. Simon, oblegid, a dweud y gwir i chi, mae gen i ragfarn o'r dechrau yn ei erbyn. Ond gallaf ddweud yn onest o waelod fy nghalon fy mod yn gobeithio fy mod yn meddwl yn rhy isel ohono, a'i fod yn llawer gwell ac amgenach dyn nag yr ydw i wedi arfer meddwl ei fod."

"Syr," ebe'r Capten, "ni ddaw rhagfarn o'r pridd mwy na chystudd – mae'n rhaid fod rhyw reswm am eich rhagfarn – rhywbeth ddarfu ei achosi. Yr wyf yn credu – cewch fy nghywiro os ydwyf yn camgymryd – mai'r rheswm am ragfarn, mewn dynion goleuedig, wrth gwrs, ydyw eu bod yn feddiannol, er yn anymwybol, ar ryw ysbryd proffwydol sydd yn eu galluogi i ffurfio syniad cywir am alluoedd a chymeriad dyn cyn cael y cyfleusterau wrth ba rai y mae dynion cyffredin yn ffurfio eu barn. Nid yw'r gallu hwn yn eiddo i bawb. Na, syr, mae arnaf ofn eich bod – gyda llawer o ledneisrwydd mi wnaf addef – wedi gosod allan, mewn byr eiriau, wir gymeriad Mr. Simon, ac, os ydwyf wedi cymryd i mewn gyda graddau o gywirdeb wir ystyr eich geiriau, eich syniad – neu eich teimlad ydyw hyn – nad ydyw Mr. Simon – fel yr arferai yr hen Abel Huws â dweud – coffa da amdano – nad ydyw Mr. Simon, meddaf, wedi profi'r pethau mawr, neu, mewn geiriau eraill, ei fod yn fwy o ddyn y byd hwn na'r byd a ddaw."

"Dyna fy nheimlad, ond gobeithio fy mod yn methu," ebe Enoc.

"Mae arnaf ofn, syr," ebe'r Capten, "eich bod gyda hyn, fel gyda phopeth arall, wedi taro'r hoel yn ei phen, ac yr wyf yn fwy argyhoeddedig o hyn yn gymaint â bod Susi acw wedi awgrymu fwy nag unwaith syniadau cyffelyb. Yn wir, yr ydych fel pe byddech wedi bod yn cynnal cyngor ar achos y gŵr gan mor debyg ydyw eich syniadau."

"Ni chefais ddim ymddiddan gyda Miss Trefor, hyd yr wyf yn cofio, ynghylch Mr. Simon," ebe Enoc.

"Nid ydyw hynny," ebe'r Capten, "ond profi eich bod yn dra thebyg o ran cyfansoddiad meddwl, a gallaf eich sicrhau syr, nad un yw Susi i gadw ei llygad ynghaead. Ond goddefwch i mi ofyn hyn – a oes gennych le i gredu fod gan Mr. Simon eiddo? Mae ei ymddangosiad yn peri i mi feddwl fod ganddo rhywbeth mwy wrth ei gefn na'r tipyn cyflog y mae yn ei gael gennym ni, ac yr wyf yn meddwl ei fod wedi awgrymu wrthyf fwy nag unwaith ei fod yn dod o deulu da, ac yr oedd Susi yn dweud wrthyf na chostiodd y fodrwy sydd ganddo ar ei law lai na deg punt. Fy rheswm am ofyn y cwestiwn i chwi ydyw hyn – yr oeddwn braidd yn meddwl ar olwg Mr. Simon heno ei fod yn cymryd cryn ddiddordeb yng ngwaith Coed Madog, ac na fuasai ganddo wrthwynebiad, pe buasem yn gofyn iddo gymeryd *shares* yn y Gwaith. Beth ydyw eich syniad chwi?"

"'Dydw i'n gwybod dim am sefyllfa fydol Mr. Simon," ebe Enoc, "ond prin y buaswn yn meddwl fod ganddo eiddo. Mae gweinidogion dan ryw fath o angenrheidrwydd i wisgo'n dda, ac i ymddangos yn *respectable*. Mi welais cyn hyn ambell bregethwr ifanc yn cychwyn i'w daith ar ddydd Sadwrn mor drwsiadus ag un bonheddwr yn y wlad, ac fel yr oedd y gwaethaf, heb fwy na cheiniog a dimai ar ei elw wedi talu am docyn ei drên, a phe digwyddasai i'r blaenor lle y pregethai anghofio rhoi'r degwm iddo, buasai raid iddo gerdded yr holl ffordd gartre neu fenthyca arian. A hyd yn oed pe buasem yn siŵr fod gan Mr. Simon arian wrth ei gefn, prin yr wyf yn meddwl y buasai'n ddoeth gofyn iddo gymryd *shares* yng Nghoed Madog. Mwy priodol fuasai ei annog i gloddio a mynd yn ddwfn i bethau'r Beibl, nag i gloddio am blwm, fel chwi a minnau. Ac, yn wir, 'dydw i ddim yn credu y bydd arhosiad Mr. Simon yn hir yn Bethel. Mae o eisoes yn ymddangos i mi wedi mynd trwy ei stoc, ac yn ailadrodd ei hun ers tro. Ond hwyrach mai fy rhagfarn i yn erbyn y dyn ydi hyn i gyd."

"Wyddoch chwi beth, Mr. Huws?" ebe'r Capten, "mi rown lawer am eich gallu i adnabod cymeriadau. Yr wyf yn meddwl y byddai'n amhosibl i'r un dyn yn y byd gael yr ochr ddall i chwi – yr ydych fel – fel yr anifail, onid e? – y mae'r Ysgrythur yn sôn amdano – yn llawn llygaid – a 'does ryfedd yn y byd eich bod wedi llwyddo cymaint. Rhaid i mi ofyn eich maddeuant – achos 'doedd o ond tipyn o ysmaldod – mi dreies dipyn o dric arnoch, ond fasai waeth i mi heb, ac nid ydyw'n bosibl, fel y dywedais, dod o hyd i'r ochr ddall i chwi. Y gwir ydyw hyn: yr oeddwn yn sylwi eich bod yn canfod fod Mr. Simon yn cymryd diddordeb mawr yn newydd da Sem Llwyd, ac yr oeddwn yn ofni yn fy nghalon i chwi, yn ddifeddwl, ofyn iddo gymryd *shares*, ond mi welaf, ac mi ddylaswn wybod, nad oedd raid i mi ofni. Nid pregethwyr na phersoniaid ydyw'r bobl i ni, Mr. Huws. Yn wir, pwy bynnag gymerwn yn bartnars – os cymerwn rywrai o gwbl – bydd raid iddynt – yr ŵan wedi i ni ddarganfod y plwm – ystyried ein bod yn gwneud ffafr fawr â hwynt – fe allwn fforddio bod yn *independent*, syr, a dweud wrthynt os nad ydynt yn foddlon i roddi hyn a hyn o arian i lawr, a ninnau wedi profi fod plwm yng Nghoed Madog – ni allwn ddweud, meddaf – wel, peidiwch, ni a fedrwn wneud hebddoch, a hynny'n burion. Wyddoch chwi beth? *Mae* yn dda gennyf ein bod wedi taro ar y faen, er mwyn Denman, druan, oblegid, rhyngoch chwi a fi, mae arnaf ofn ei fod wedi gwario agos gymaint sydd ganddo."

"Mae'n wir ddrwg gen i glywed hynny, ond tybed na chaiff o'r cwbl yn ôl ryw ddiwrnod?" ebe Enoc.

"Y cwbl yn ôl, syr? Caiff, fel y cawn ninnau, a llawer ychwaneg," ebe'r Capten, ac ychwanegodd, "Ond dyma ni yn awr wedi dod at eich *palatial residence* – a *noble residence* ydyw mewn gwirionedd. A chymryd y tŷ a'r siop efo'i gilydd, nid llawer o rai gwell sydd, os oes un, yn y dref, yn ôl fy meddwl i.

Ond dyna oeddwn yn cychwyn ddweud – oni bai fod fy llygaid wedi syrthio ar eich tŷ ardderchog – dyna oeddwn yn mynd i'w ddweud – fy mod am ofyn cymwynas gennych, ac nid peth arferol, fel y gwyddoch, ydyw hynny i mi. Yn wir, yr wyf wedi gofyn cyn lleied o gymwynasau fel yr wyf yn teimlo yn bur anfedrus gyda'r gwaith. Ond dyna oeddwn yn mynd i'w ddweud – chwi wyddoch ein bod wedi gwario tipyn ar Goed Madog, er nad oes un geiniog wedi ei gwastraffu. Hwyrach y dylaswn fod wedi eich cymryd, Mr. Huws, i'm cyfrinach teuluol cyn hyn, ond tipyn yn glòs yr wyf wedi arfer bod – yn wir, ni ŵyr fy nheulu ond ychydig am fy amgylchiadau. Yr wyf ar fai, mi wn. Ond y ffaith ydyw, fod yr ychydig arian a gesglais yn ystod blynyddoedd fy llafur – a llafur nid bychan ydyw wedi bod, fel y gwyddoch – wedi eu suddo mewn lle diogel, oblegid yr oeddwn bob amser yn ceisio cofio am fy nheulu. Peidiwch agor y drws, Mr. Huws, cyn i mi orffen fy stori – yr oeddwn bob amser yn ceisio cofio am fy nheulu, meddaf, ac yn ceisio paratoi ar eu cyfer, pe digwyddasai i Rag-luniaeth ddoeth fy nghymryd i ymaith yn sydyn, fel na fyddai raid iddynt, wedi i mi fynd, ddibynnu ar na phlwy na pherson. Yr wyf, erbyn hyn, braidd yn ofni i mi fod yn rhy ofalus am y dyfodol, ond, ar yr un pryd, nid wyf yn awr yn teimlo'n barod iawn i aflonyddu ar yr hyn a wnes. Wel, y canlyniad ydyw, fel y gallech gasglu, nad oes gennyf erbyn hyn lawer o arian wrth fy ymyl, ac mi a'i hystyriwn yn gymwynas – yn gymwynas fawr iawn – pe gallech, heb achosi dim anghyfleustra i chwi eich hun, roddi benthyg canpunt i mi – nid i gario'r Gwaith ym-laen, deallwch, ond i mi yn bersonol, oblegid y mae gennyf dipyn wrth gefn i gario'r Gwaith ymlaen, ond yr wyf yn gofyn am hyn fel ffafr, i'r diben fod gennyf, fel y dywedais, heb aflonyddu ar bethau eraill, dipyn o arian yn tŷ, achos y mae arnaf ofn iddynt gredu fy mod yn dlawd, ac ymollwng yn eu hysbryd acw. Rhoddaf i chwi fy I.O.U., a chewch hwy yn ôl gydag *interest* ymhen mis, dau, tri, pedwar, neu flwyddyn – *just* yn ôl y ffordd y penderfynaf alw pethau i mewn. Ni buaswn yn meiddio gofyn am y ffafr hon – yn wir, yr oeddwn wedi penderfynu galw rhyw bethau i mewn – oni bai am y newydd da a gawsom heno gan Sem Llwyd."

"Cewch yn eno dyn, â chroeso; dowch i mewn, syr," ebe Enoc, ac i mewn yr aethant. "Gwarchod pawb! 'does yma ond twllwch yr Aifft," ychwanegodd Enoc wedi agor y drws, ac ni ddywedodd ef lawer o ormodiaeth, oblegid yr oedd Marged wedi rhoi'r *gas* allan, a gadael i'r tân fynd yn isel yn y grât, ac yn ôl pob ymddangosiad, wedi mynd i'r gwely ers meitin.

"Mae'n ddrwg gen i," ebe Enoc wrth roi golau ar y *gas*, "eich dwyn i le mor anghyfforddus, ond gwelwch sut fyd sydd ar hen lanc."

"*Just so*," ebe'r Capten, "ond pwy sydd gyfrifol? Mae'n ym-ddangos i mi, Mr. Huws, eich bod yn hoffi'r trueni fel yr oedd Diogenes yn hoffi ei dwb, oblegid mi wn – nid wyf yn tybied, ond mi wn – y gallech yn y fath gartref ac yn y fath sefyllfa ddim ond wrth godi eich bys bach swyno'r ferch ieuanc orau a phrydferthaf yn y plwyf i gynhesu a dedwyddoli eich aelwyd. *Self-imposed misery* ydyw'r eiddoch chwi, Mr. Huws."

"Wn i beth am hynny," ebe Enoc, "ond mi wnaf y *cheque* i chwi 'rŵan, Capten Trefor."

"Os nad ydyw yn rhyw wahaniaeth i chwi, Mr. Huws," ebe'r Capten, "byddai'n well gennyf eu cael mewn aur neu *notes*, ond peidiwch achosi dim anghyfleustra i chwi eich hun. Ond chwi wyddoch, Mr. Huws, fel y mae gan foch bychain glustiau mawr, felly y mae gan rai *bankers* bychain lygaid mawr; ond fel y mae yn fwyaf cyfleus i chwi."

"'Rwyf yn meddwl y gallaf eu rhoi i chi mewn *notes*," ebe Enoc.

"*Very good*," ebe'r Capten, "ond arhoswch – ydach chi ddim yn peri rhyw anghyfleustra i chwi eich hun wrth wneud hynny?"

"Dim o gwbl," ebe Enoc wrth fynd i'r *office* i gyrchu'r *notes*, a thra bu efe yn yr *office* edrychai'r Capten yn foddhaus i'r tân – hynny o dân oedd yno, gan chwibanu yn isel yr hen dôn "Diniweidrwydd".

Daeth Enoc yn ôl gyda'r papurau, gan eu gosod bob yn un

ac un ar y bwrdd, a chymerodd y Capten hwynt i fyny yn rasol, gan eu dodi hwynt yn ofalus yn ei logell-lyfr, ac ebe fe –

"Diolch i chwi, syr; os byddwch mor garedig â rhoi i mi fymryn o bapur a phin ac inc, mi roddaf i chwi gydnabyddiaeth amdanynt, Mr. Huws."

"Na hidiwch," ebe Enoc.

"Na, syr, busnes ydyw busnes," ebe'r Capten, "er, rhaid cyfaddef, nad yw peth felly ond amddiffyniad i ddyn gonest rhag ystrywiau dyn anonest, ac nid ydyw'n anhepgorol, mewn ffordd o siarad, rhwng pobl o gymeriad. Ar yr un pryd – wel, mi gofiaf am y peth yfory. Ac yn awr, Mr. Huws, wrth edrych ar y cloc yna mae'r gair hwnnw yn dod i fy meddwl, *tempus fugit*, ac er mwyn cadw gweddusrwydd, mae'n rhaid i mi ddychwelyd, er y buasai'n dda gennyf gael parhau'r gymdeithas."

"A gaf fi ddod i'ch danfon gartre, syr?" gofynnodd Enoc.

"Na chewch, Mr. Huws," ebe'r Capten, "nid am na fuasai'n dda gennyf am eich cwmni, ond chwi wyddoch, yn ein hamgylchiadau presennol, pe deuech, mai llithro a wnaem i ymddiddan am y byd a'i bethau, ac y mae gennyf finnau, fel yr awgrymais gynnau, eisiau ychydig funudau o seibiant ar fy mhen fy hun i feddwl a myfyrio, os gallaf, am bethau uwch. Ond diolch i chwi, Mr. Huws, yr un fath."

Wedi ysgwyd dwylo yn garedig, aeth y Capten ymaith yn hollol foddlon ar lwyddiant ei neges.

XXXVII

ADEILADU CESTYLL

WEDI ei adael ei hunan, tynnodd Enoc ei gadair at y mymryn tân oedd yn y grât – llwythodd a thaniodd ei bibell, a gosododd ei hun yn yr agwedd gorfforol fwyaf manteisiol i adolygu'r holl sefyllfa. Ond rhaid i mi ei adael yn ei fyfyrdodau am ychydig amser.

Ni ddarfu i Capten Trefor ond rhoi prawf arall at brofion dirifedi a gafwyd o'r blaen o'i adnabyddiaeth o'r natur ddynol, pan ddywedodd, wrth weld Mr. Denman yn troi adref mor gynnar ar ôl y swper y noswaith honno yn Nhyn-yr-ardd, mai brys oedd arno am gael dweud y "newydd da" i Mrs. Denman. Dyna oedd y ffaith. Hon oedd y noson hapusaf a brofasai Mr. Denman ers llawer o amser. Y creadur! mewn ffydd ddiffuant yng ngalluoedd rhagwelediad, a gonestrwydd Capten Trefor, yr oedd ef wedi fforffedu'r cwbl oedd ar ei elw, a hynny megis am y pared â'r wraig, oblegid er ei bod hi yn dyfalu ei fod wedi gwario wmbredd ar weithydd mwyn, ni ddychmygai fod y cwbl wedi mynd "i lawr siafft gwaith mein", ys dywedai Thomas Bartley. Rhwng Pwll-y-gwynt a Choed Madog, byd truenus iawn a gawsai Mr. Denman ers talm. Yr oedd gan y Capten ddylanwad swyngyfareddwr arno. Cofiai Mr. Denman amser pryd yr oedd ganddo ychydig dai, ychydig diroedd a thipyn o arian, a phryd y golygai ei hun mewn sefyllfa led glyd. Ond erbyn hyn, yr oedd ymron yr oll wedi mynd drwy ddwylo'r Capten a'u claddu ym mherfeddion y ddaear heb obaith atgyfodiad. A mwyaf a wariai mwyaf anodd oedd rhoi heibio "mentro", oblegid ni chlybuwyd erioed am neb wedi dod i "blwm mawr" ond y rheiny oedd yn mentro, ac mewn gobaith am "lwc" y toddodd eiddo Mr. Denman fel iâ ar lechen yng

ngwres yr haul. Heblaw hynny, yr oedd Mr Denman wedi
dioddef am flynyddoedd rinc feunyddiol ei wraig, oedd yn ei
fyddaru ac yn ei boenydio gyda'i hedliwiadau am ei ffolineb yn
cario ei arian "i'r hen Gapten y felltith ene". Yr oedd hyn wedi
dinistrio ei gysur teuluaidd, a rhawg cyn i Bwll-y-gwynt sefyll,
yr oedd Mr. Denman wedi peidio â chymryd ei wraig i'w gyf-
rinach, ac yr oedd yn byw mewn arswyd beunyddiol iddi ddod
i ddeall gymaint yr oedd ef wedi wario, a chyn lleied oedd
ganddo o'r hyn a allai ei alw yn eiddo iddo ef ei hun. Pe gwelsai
ef ei ffordd yn glir i ddod dros yr helynt o ddatguddio ei sefyllfa
i Mrs. Denman, buasai'n eithaf boddlon i daflu'r cwbl i fyny ac
ailddechrau byw. Dyfeisiai ddydd a nos pa fodd y gallai ef fynd
dros y garw a dweud y gwaethaf wrth ei wraig, ac yr oedd y
peth yn dod i bwyso'n drymach arno bob dydd am y gwelai yn
eglur y byddai raid i'r terfyn ddod yn y man. Teimlai fod cadw
hyn i gyd yn ei fynwes ei hun yn ei nychu ac yn ei fwyta
ymaith yn raddol, a mynych y dywedai ei gymdogion fod Mr.
Denman yn heneiddio'n dost. Ychydig a wyddent hwy am ei
bryderon a'i ofnau.

Ond ffordd hir yw honno nad oes tro ynddi, a'r noson yr
wyf wedi bod yn sôn amdani – wedi clywed newydd da Sem
Llwyd, yr oedd gwên foddhaus ar wyneb Mr. Denman a'i
ysbryd wedi bywiogi drwyddo. Prin y buasai neb yn adnabod
ei gerddediad pan gyfeiriai'n gyflym tua chartref. Cerddai fel
llanc. A pha ryfedd? canys, fel pererin Bunyan, yr oedd y baich
oedd agos â'i lethu wedi syrthio i'r llawr. Cofiai Mr. Denman
eiriau proffwydoliaethol y Capten y noson y cytunodd ef i
ymuno yng Ngwaith Coed Madog – "Mr. Denman" – dyna
oedd geiriau'r Capten – "mi welaf amser pryd y byddwch yn
dweud y cwbl i Mrs. Denman, ac y bydd hithau yn eich
canmol." Synnai Mr. Denman at allu rhagweledol y Capten.
"A'r fath lwc," ebe fe wrtho ei hun – "na ddaru mi ddim torri
'nghalon! Y fath fendith! Mi fase cannoedd wedi torri'u
c'lonne a rhoi'r cwbl i fyny ers talwm. Ond 'roedd gen i ffydd
o hyd fod y Capten o'i chwmpas hi. Pwy arall fase'n gwario'r
cwbwl oedd ganddo, os gwn i? Ond mi gaf y cwbwl yn ôl,

'rŵan, ar ei ganfed. A diolch y medra i fynd adre a dangos wyneb llawen, a deud y cwbl i gyd i'r wraig! Ac mi gaf dipyn o gysur teuluaidd 'rŵan, tybed, peth na ches i mono ers blynydde. 'Yr Arglwydd a roddodd,' &c." A chyda geiriau Job ar ei wefusau, yr aeth Mr. Denman i'w dŷ yn llawen.

Wrth natur, nid oedd Mrs. Denman yn flinderog, ond yr oedd mynych hir-ddisgwyl am ei gŵr gartref hyd ddeg, un ar ddeg, ac weithiau hanner y nos, ynghyd â'r ffaith oedd ddigon amlwg iddi, erbyn hyn, eu bod yn mynd yn dlotach bob dydd, wedi rhoddi ffurf ddreng i'w hwyneb a thôn gwynfannus i'w llais. Yr oedd y plant newydd fynd i'r gwely, a hithau, Mrs. Denman, wedi ei gosod ei hun mewn cadair wrth y tân i bendwmpian i aros ei gŵr gartref. Hi a synnodd pan welodd Mr. Denman yn dod i fewn yn fywiog a hoyw, cyn iddi dynnu mig efo'r cyntun cyntaf, a deallodd ar ei olwg fod rhywbeth mwy na chyffredin wedi digwydd, ac ebe hi, dipyn yn wawdlyd –

"Diar mi! be sy'n bod?"

"Mi ddeuda i chi, Mary bach, gynted bydda i wedi tynnu fy 'sgidie," ebe Mr. Denman. Ac wedi gwneud hynny a thynnu ei gadair at y tân, a gosod ei draed ar y stôl haearn, edrychodd yn foddhaus ar ei wraig, ac ebe fe –

"O'r diwedd! o'r diwedd! Mary."

"O'r diwedd be! Denman?" gofynnodd Mrs. Denman.

"Wedi – dod – i blwm – wedi – dod – i blwm, Mary – wedi taro ar y faen, Mary, o'r diwedd! Ac yr ydw i fel y gog – 'rydw i wedi f'ail neud. Mi wn 'y mod i wedi achosi llawer o flinder i chi wrth fentro, a mentro am gymin o flynydde, a gwario cymin o arian, ac mi fasech yn blino mwy o'r hanner bydasech chi'n gwbod y cwbl. Ond mi wyddwn o hyd – 'roedd rhywbeth yn dweud wrtho' i y cawn i blwm yn fuan, a dyma fo wedi dŵad, diolch i'r nefoedd amdano – achos 'roedd hi agos â mynd i'r pen arna i – 'roeddwn i *just* â thorri fy nghalon, a bron meddwl y byddwn i farw yn ddyn tlawd. Ond diolch i'r nefoedd, meddaf eto."

"Deudwch yn fwy plaen wrtho' i, Denman, 'dydw i ddim yn ych dallt chi," ebe Mrs. Denman.

"Mi 'na, Mary bach, mor blaen â haul hanner dydd. Mi wn 'y mod i wedi'ch cadw chi'n t'w'llwch, Mary, ac na wyddoch chi fawr am waith mein. 'Roeddwn i ar fai, 'rŵan mi fedra ofyn i chi faddau i mi, ac mi wn y gwnewch chi faddau i mi pan ddeuda i'r cwbl. Yr ydw i wedi gwario ar weithydd mein, Mary, fwy nag y daru chi 'rioed freuddwydio. Wel, waeth i mi 'rŵan gyfadde'r gwir – 'rydw i wedi gwario hynny oedd gen i – mae'r tai a'r tir a'r cwbl wedi mynd, heblaw y tipyn stoc sydd yn siop, ac erbyn heno, 'dydi ddim yn 'difar gen i – yn wir, yr ydw i'n teimlo'n ddiolchgar 'mod i wedi dal ati, achos daswn i wedi rhoi fyny ddim ond wythnos yn ôl, mi faswn wedi colli'r cwbl. Ond mi ga'r cwbl yn ôl 'rŵan, a llawer chwaneg. Fedrwn i yn 'y myw ffrwytho i ddeud wrthoch chi cyn heno, Mary, ond y mae popeth yn *all right* 'rŵan. A llawer gwaith yr ydach chi wedi galw Capten Trefor yn hen 'Gapten y felltith' yntê, Mary? Ond alwch chi byth mono felly eto. Dyn iawn ydi'r Capten. Ond i ddŵad at y pwnc a siarad yn blaen – mae Sem Llwyd wedi taro ar y faen yng Nghoed Madog, Mary, hynny ydi, wyddoch, wedi dŵad i blwm, a ŵyr neb be fydd yn cyf-oeth ni, achos y Capten a finnau a Mr. Huws, Siop y Groes, bia'r holl waith. Na, ŵyr neb eto be fydd yn cyfoeth ni, Mary."

"Ond ydi o'n wir, Denman? Be os celwydd ydi'r cwbl a chithe wedi gwario'ch eiddo i gyd? O, diar! 'rydw i *just* yn sâl, ydi o'n wir, Denman?"

"Yn wir, wraig bach? Ydach chi'n meddwl na ŵyr Sem mo'r gwahaniaeth rhwng plwm a baw? Yn wir? Mae cyn wired â'ch bod chithe yn eistedd yn y gader ene. Mi wn fod y newydd mor dda fel y mae yn anodd ei gredu, ond y mae yn eitha gwir – yr ydan ni wedi'n gneud i fyny am ein hoes, Mary, a diolch i Dduw am hynny! A wyddoch chi be, Mary, 'roeddwn i *just* yn meddwl ych bod chi a finne yn dechre mynd i oed, ac mae'r peth gore i ni 'rŵan, hynny ydi, ymhen ychydig wythnosau, fydd rhoi'r busnes yma i fyny, achos 'dydi o ddim ond poen a blinder. Ac i be y gnawn ni foddro efo busnes pan fydd gynnon ni ddigon o fodd i fyw yn *respectable*? Fydde fo ddim ond ynfydrwydd. Mi bryna ferlen a thrap *just* i redeg i'r Gwaith ac i gnocio tipyn o gwmpas, ac i'ch cymyd chithe allan dipyn ar ddiwrnod braf. Mae'n *rhaid* i ni feddwl am hyn – sef rhoi ediwceshyn da i'r plant yma – y pethe bach! Yr ydw i'n meddwl y gneiff Bobi bregethwr ne dwrne, mae o mor sharp, ac wedi iddo gael ysgol dda, mi gyrrwn o i'r Bala, i'r College. Ac am Lusi, rhaid i ni ddysgu miwsig iddi, achos y mae o *yn* yr eneth yn amlwg i bawb. Mi gawn gysidro eto am y plant eraill," ebe Mr. Denman.

"Oh! Denman, mae o fel breuddwyd gen i'ch clywed chi'n siarad!" ebe Mrs. Denman.

"Ydi, mae o, ond yn ddigon gwir er hynny, Mary. Mae ffordd Rhagluniaeth yn rhyfedd, ydi, yn rhyfedd! Ond deudwch i mi, Mary, oes gynnoch chi ddim rhwbeth yn tŷ gawn ni'n damed blasus i swper? Achos, deud y gwir i chi, er bod gan y Capten swper ffyrs clas, fedrwn i yn 'y myw neud dim byd ohono rwsut ar ôl dallt bod nhw wedi dŵad i blwm yng Nghoed Madog, ac mi faswn yn leicio bydase gynnon ni rw damed blasus i ni efo'n gilydd 'rŵan."

"Mae 'ma dipyn o *steaks*, Denman, ond 'roeddwn i wedi llunio cadw hwnnw erbyn cinio fory," ebe Mrs. Denman.

"Hidiwch befo fory, Mary, 'dewch i ni gael o. Raid i ni, bellach, ddim cynilo, mi gawn ddigon o bopeth, ac mwy na digon. O dewch i ni gael tamed cyfforddus efo'n gilydd, a siarad dipyn dros bethe, sut y gwnawn i, ac felly yn y blaen achos mi wn na chysga i ddim heno, mae 'meddwl i yn rhy gynhyrfus," ebe Mr. Denman.

Prin y gallai Mrs. Denman gredu mai Mr. Denman oedd yn ymddiddan â hi, gan mor fwyn a hawddgar oedd ei eiriau, ac mor wahanol oedd ei ysbryd. Am dymor hir ni chawsai hi ganddo ond atebion byrion a chrabed, a thymer sur a phigog. Teimlai fel pe buasai wedi ei thaflu yn ôl i'r chwe mis cyntaf ar ôl priodi, ac yr oedd hi wedi ei hyfryd syfrdanu. Ni fuasai ganddi un amser lawer o ffydd y deuai dim daioni o waith Mr. Denman yn "mentro" cymaint, ond yr oedd rhywbeth mor newydd yn ei ysbryd, a'i eiriau mor amddifad o os ac oni bai y noswaith honno, a hynny mor wir amheuthun iddi, fel yr oedd yn ymron â chredu fod tymor o lawnder a dedwyddwch wedi gwawrio arnynt. Ac eto yr oedd yn methu cwbl gredu, ac yn methu, er ceisio, ymollwng i lawenhau yr un fath â Mr. Denman. Teimlai fil o obeithion yn ymddeffro yn ei fynwes, ac ar yr un pryd amheuaeth, na allai roddi cyfrif amdano, yn ei rhwystro i roddi rhaff iddynt i chwarae. A thra oedd Mrs. Denman, druan, yn hwylio "tamed o swper blasus", yn ôl dymuniad ei gŵr, a adeiladai gestyll dirifedi, buasai'n anodd dyfalu ei gwir deimladau. Oblegid pan oleuid ei hwyneb gan wên siriol, dilynid hynny'n union gan ochenaid drom. Yr oedd hi'n obeithiol ac yn ofnus – yn llawen ac yn brudd bob yn ail, ac mwy nag unwaith y gofynnodd hi i Mr. Denman – "Ond, Denman, ydach chi'n credu fod o reit wir?" a phan brotestiodd Denman ei fod o cyn wired â'r pader, wel, ni allai mwyach ond ei gredu, a theimlai Mrs. Denman, o'r diwedd, ei bod hithau wedi ei hailfalu. Yn wir, mor llwyr y meddiannwyd hi gan yr un ysbryd â'i gŵr fel, oherwydd rhyw air digrifol o eiddo'r diwethaf, y chwarddodd hi dros y tŷ. Ni chwarddasai o'r blaen ers blynyddau, ac yr oedd y chwerthiniad hwn mor uchel ac aflafar nes deffro Sami, eu bachgen ieuengaf. Digwyddodd hyn pan oedd Mrs. Denman newydd roi'r winwyn yn y badell ffrio gyda'r *steaks*. Wedi deffro, gwrandawodd y crwt yn astud, a chlywodd lais uchel a llawen ei dad yn siarad yn y gegin. Yn nesaf daeth arogl beraidd y winwyn a'r *steaks* i'w ffroenau. Llithrodd yn ddistaw o'r gwely ac i lawr y grisiau. Pan oedd Denman yng nghanol ei afiaith, a sŵn y badell ffrio ar ei uchaf, ac er dirfawr fraw i'w rieni, safodd Sami yn ei grys nos ar ganol llawr y gegin, ac ebe fe –

"Ga *i* gig, Dada?"

Pe digwyddasai i Sami godi yn y cyffelyb fodd y noson flaenorol, cawsai gweir y cofiasai amdani. Ond yr oedd yr amgylchiadau'n wahanol – yr oedd ei dad wedi dod i blwm, ac ebe Mr. Denman yn groesawus –

"Cei, 'y ngwas gwirion i, tyd yma ar lin Dada, 'y mhwt aur melyn annwyl i. Gei di gig? Cei gymin fyw fyth ag a leici di. Ac mi gei bopeth arall ag a feder dy galon annwyl ddychmygu amdano, on' chaiff o, Mary?"

Ac felly nes iddi foreuo y treuliodd Mr. a Mrs. Denman amser dedwydd yn cynllunio mil o bethau a wnaent wedi cael y plwm mawr. Ac nid cyn i'r ceiliog *cochin china* ganu ar ei glwyd yn y buarth cefn y dywedodd Mr. Denman –

"Wel, Mary, mae'n *rhaid* i ni fynd i'r gwely – *just* o ran ffasiwn, ond am gysgu, mae hynny allan o'r cwestiwn."

Mae'n rhaid i minnau yn awr ddychwelyd at wrthrych fy hanes, a adewais yn synfyfyrio o flaen ei fymryn tân.

XXXVIII

CARIAD NEWYDD

TRA synfyfyriai Enoc Huws o flaen ei dipyn tân – oedd erbyn hyn ymron mynd allan – ai "newydd da Sem Llwyd" am ddarganfyddiad y plwm yng Nghoed Madog a lanwai ei feddyliau? Choelia i fawr! Cyn hyn y mae dyn wedi anghofio ei ymborth angenrheidiol – wedi herio cyngor a fforffedio serch ei rieni – wedi diystyru ei etifeddiaeth, a gwneud yn fach o'i einioes ei hun – a'r cwbl am fod rhyw elfen, neu egwyddor, neu deimlad yn ei galon a eilw yn GARIAD. Mae'r ffaith yn ddigrif ei gwala, ond ffaith ydyw serch hynny. A phan gofiom nad ffyliaid y byd a orchfygwyd ganddi, ond, weithiau, goreuon a phigion ein hil, mae'n rhaid, ac yn weddus i ni, yr hen lanciau, dynnu ein het iddi, a chydnabod fod rhyw ddirgelwch llawer mwy ynddi nag y gallwn ei ddirnad na'i blymio. I un fel Enoc Huws, oedd, os oedd yn rhywbeth, "yn ddyn o fusnes", ac mor llygadog ag undyn, i wneud arian, gallesid tybio y buasai'r ffaith a wnaed yn hysbys iddo y noswaith honno – sef eu bod "wedi taro ar y faen" yng Nghoed Madog, yn ddigon i lenwi ei feddwl am bythefnos o leiaf. Ond, rhyfedd i'w ddweud, tra oedd ef yn myfyrio o flaen tân, ni ddaeth "newydd da Sem Llwyd" unwaith ar draws ei feddwl. Nid oedd iddo le yn ei galon. Nid oedd ganddo ond un meddwl mawr – yn torri allan, y mae'n wir, i amryw gyfeiriadau – a hwnnw oedd, i'r de ac i'r aswy, ôl a blaen – SUSAN TREFOR. Erbyn hyn hyhi oedd yn bopeth ganddo, ac ar wahân iddi hi, nid oedd gwerth mewn dim yn ei olwg. Ac mwyaf a welai ef ohoni – mwyaf y cymdeithasai ef â hi, tecaf, hawddgaraf, a gwerthfawrocaf yr âi hi yn ei fryd. Ar un adeg edrychasai arni fel trysor rhy werthfawr iddo ef byth allu gobeithio ei feddu. Ond yr oedd yr amgylchiadau wedi newid cryn lawer oddi ar hynny. Yr oedd ef ei hun yn gyfoethocach nag y bu erioed, a'i fasnach yn parhau i gynyddu – yr oedd ei ymdrafodaethau â Chapten Trefor wedi ei ddwyn i gysylltiad agosach â'i eilun, ac nid oedd agosrwydd, fel y digwydda yn fynych, wedi lleihau dim ar y gyfaredd, eithr yn hytrach wedi ei dwysáu. Yr oedd ennill serch a chalon Miss Trefor yn ei olwg erbyn hyn o fewn terfynau posibilrwydd, os nad tebygolrwydd. Gwelai nad oedd ef yn amharchus yn ei golwg – cytunai'r ddau yn gyffredin yn eu golygiadau, ac, ar adegau, tybiai Enoc ei bod yn edmygu rhyw bethau ynddo. Yr oedd ef o'r dechrau wedi amcanu ennill syniadau da ei mam, ac wedi llwyddo tu hwnt i'w ddisgwyliad, canys gwyddai fod iddo le cynnes yng nghalon Mrs. Trefor. Os oedd ymddygiad cwrteisiol y Capten Trefor a choel arno, nid dirmygus oedd ef yn ei olwg yntau. Teimlai Enoc yn sicr erbyn hyn ei fod wedi ennill yr amgaerau, ac yr oedd wedi llwyr arfaethu y noson honno wneud cais egnïol i feddiannu'r castell. Ond nid cynt, fel y cofia'r darllenydd, y dechreuodd ef ei ymosodiad, nag y cilgwthiwyd ef yn ddirmygus, a hyn i gyd oherwydd un anhap. A siarad yn eglur – heb ddameg – tybiai Enoc na chawsai erioed well cyfleustra nag a gawsai y noson honno i wneud yn hysbys i Miss Trefor ei wir deimladau tuag ati. Yr oedd ei stori am gyfyngder amgylchiadau ei thad yn gyfle rhagorol yn ei olwg iddo ddangos mawrfrydigrwydd ei natur a diffuantrwydd ei edmygedd ohoni – *ohoni hi ei hun* – yn annibynnol ar eiddo a sefyllfa. Ond yr oedd ei eiriau wedi ei dolurio a'i chyth-ruddo'n dost, a chyn iddo gael amser i egluro iddi eu hystyr, yr oedd y Capten – pla arno! – wedi gwneud ei ymddangosiad.

"Y newydd gore," ebe Enoc wrtho ei hun, "a ges i ers gwn i pryd, oedd ei chlywed hi'n deud bod nhw'n dlawd. Yrŵan, meddwn, mae hi'n fwy tebyg o wrando ar fy nghynigiad. Yrŵan, ni fydd amddiffynnydd a sicrwydd rhag angen yn ddibris yn ei olwg, ac, o dan yr amgylchiade, mi fydd fy nghariad ati yn rhwym o ymddangos yn fwy *disinterested*. A dyna oeddwn yn *mynd* i ddeud wrthi daswn i wedi cael amser. Ond dyna'r hen Gapten i lawr y grisiau! *Confound*! Dau funud

fuase'n gneud y tro. Fu neb erioed mor anlwcus â fi, mi gymra
fy llw. Ac mi ddaru gam-ddallt 'y ngeirie i – mi brifes hi,
druan, ac erbyn hyn mi fase'n dda gan 'y nghalon i daswn heb
ddeud yr un gair. Bychan y gŵyr hi y base'n well gen i dorri
'mys i ffwrdd nag achosi'r boen leia iddi. Mae hi'n teimlo'n
ddig ata i heno, mi wn. A be fydde ore i mi neud? Mae gen i
flys ysgrifennu llythyr ati i egluro fy hun a deud y cwbl. Ond
mi fydde hyny yn *ridiculous*, a finne yn ei gweld hi mor amal.
Mi af yno 'fory, achos *rhaid* i bethe ddod i boint yrŵan –
mae'n rhaid i mi egluro pam 'roeddwn i'n deud fod yn dda gen
i glywed bod nhw'n dlawd. Ond y gwaetha ydi, *'dydyn* nhw
ddim yn dlawd. 'Roedd yn hawdd dallt hynny ar eirie'r Capten
heno. Wedi twyllo nhw mae o – wedi cadw ei amgylchiade
oddi wrthynt y mae'r hen lwynog. Mi wyddwn fod y peth yn
amhosibl. Ac eto, mi fase'n well gen i bydase nhw'n wir dlawd,
oblegid dase hi felly arnyn nhw, mae gen i le i obeithio y base
hi, hwyrach, yn fwy parod i dderbyn fy nghynigaid, ac mae'r
Nefoedd yn gwybod y base'n dda gen i roi'r cwbl sy gen i at ei
gwasanaeth *hi*, a chadw'r hen bobol hefyd, os base raid. Ond
tybed nad 'y nhrio i 'roedd hi? 'Does dim posib na ŵyr hi 'mod
i'n meddwl amdani, a hwyrach mai 'nhestio i 'roedd hi. 'Does
neb ŵyr. Ond mae'n rhaid iddi ddŵad i rywbeth yn fuan,
achos fedra i ddim byw fel –"

Curodd rhywun y ffenestr yn ysgafn, ac edrychodd Enoc
mewn braw i'r cyfeiriad hwnnw, a chanfu yr hyn nad oedd
wedi sylwi arno o'r blaen, sef nad oedd Marged wedi tynnu i
lawr y gorchudd. Tu ôl i'r gwydr gwelai Enoc helm loyw ac
wyneb siriol odani – sef yr eiddo Jones, y plismon, yn gwenu
arno. Agorodd Enoc y drws, ac ebe Jones –

"*Brown study! brown study!* Mr. Huws, 'doeddwn i ddim
ond *just* galw'ch sylw fod y *blind* heb ei dynnu i lawr."

"Diolch i chwi," ebe Enoc, "'doeddwn i ddim wedi sylwi. Sut
fu, tybed, i Marged anghofio! Dowch i fewn, Mr. Jones."

"Dim ond am funud, syr, achos rhaid i mi fynd ynghylch fy
musnes," ebe Jones. "Sut dôth hi mlaen yn Nhyn-yr-ardd?
Ddaru chi fwynhau'ch hun yno? Wrth gofio, sut mae'r llygaid?

O! mi welaf, maent yn iawn. Mi wyddwn y base'r biff yn eu mendio nhw."

" 'Rydach chi'n ddoctor campus, Mr. Jones," ebe Enoc, "ddaru neb sylwi fod dim o'i le arnyn nhw, i mi wybod. Wel, fe gawsom nosweth bur hapus, a newydd da hefyd. Mae'n dda gen i ddeud, Mr. Jones, ac mi fydd yn dda gynnoch chithe glywed, bod ni wedi dŵad i blwm yng Nghoed Madog."

"Ffact, Mr. Huws?" gofynnodd Jones.

"Ffact i chi. Mae Sem Llwyd wedi taro ar y faen heno," ebe Enoc.

"Sem Llwyd, ai e?" ebe Jones. "Hidie Sem yr un blewyn â chymyd tipyn o blwm yn ei boced i lawr y *siafft* – mae Sem yn hen *stager*, Mr. Huws. Glywsoch chi am Elis, y Batis, ers talwm? Naddo? Wel, i chi, 'roedd Elis ac un neu ddau arall yn chwilio am blwm yn rhwle tua Phenyboncyn ene, ac yn gweithio bob yn ail stem. 'Roeddan nhw wedi bod wrthi am fisoedd, ac 'roedd Elis bron rhoi i fyny'r ysbryd, a helbul garw oedd hi arnyn nhw i gael Elis i weithio'i stem. Un diwrnod be ddaru un o'i bartnars – 'roedd o'n gwbod mai tyrn Elis oedd y stem nesa – ond cymyd lwmp o blwm gymin â'i ddwrn, a'i guddio yn y fan yr oedd Elis i fynd ati. Wrth fynd adre wedi gorffen stem, fe alwodd yn nhŷ Elis, a be fo – 'Ydach chi'n hwylio ati, Elis? Wyddoch chi be, mae acw well golwg nag a weles i 'rioed, Elis.' 'I mae?' ebe Elis, 'sut ydach chi'n deud hynny?' 'Wel,' ebe'r partnar, 'fedra i ddim deud wrthoch chi'n iawn, ond ewch yno a barnwch drostoch ych hun.' 'Wel, ddyliwn y bydd raid i mi fynd unweth eto er 'y mod i *just* â gwanobeithio,' ebe Elis. A ffwrdd â fo yn ei jaced wlanen a'i het galed. Ond 'doedd o ddim wedi bod i lawr ddeng munud, nag y rhedodd o i fyny'r 'sgolion na ŵyr o hyd y dydd heddiw sut; ac i lawr i'r dre â fo a'i het yn ei law, a'r plwm yn ei law arall, ac wedi hanner colli'i wynt, yn gweiddi – 'Yr Arglwydd a roddodd, a'r Arglwydd a ddygodd ymaith!' A dyna hynny o blwm a gafodd Elis ym Mhenyboncyn. Ond digrifwch y peth oedd hyn: toc ar ôl y tric ar Elis fe ddaeth rhw bregethwr diarth i gapel y Batis, a'i destun o oedd, 'Yr Arglwydd a roddodd,' ac felly yn y blaen, a dyna bawb yn troi eu llygaid ar Elis, ac fe gloywodd Elis hi allan o'r capel *in disgust*. Bydawn i chi, Mr. Huws, mi fynnwn weld drosof fy hun. Ewch i lawr y Gwaith yfory."

"Be? y fi fynd i lawr y *siafft*, Mr. Jones? Chymrwn i ddim mil o bunne," ebe Enoc.

"Ha! ha!" ebe Jones, "un braf ydach chi, Mr. Huws, i fentro! Sut y gwyddoch chi ydi'r meinars yn deud y gwir wrthoch chi? 'Choeliwn i byth feinar."

"Bydaen nhw'n deud celwydd wrtha i am oes," ebe Enoc, "'dawn i byth i lawr y *siafft*, achos mi wn yr âi 'y mhen i'n ysgafn, ac y byddwn yn y gwaelod cyn farwed â hoelen cyn i mi gyfri dau, a pha les i mi wedyn fydde'r plwm na dim arall?"

"Dim," ebe Jones, "ond y byddech yn sefyll *chance* dda i gael arch blwm fel gŵr bonheddig. Ond deudwch i mi, oedd o ddim yn rhyfedd fod y Capten allan mor hwyr heno?"

"O! welsoch chi'r Capten?" gofynnodd Enoc.

"Do," ebe Jones, "o Dyn-yr-ardd y dois i 'rŵan, – 'rwyf wedi bod yn lloffa ar ôl ych cynhaea chi, ac mi ges rywbeth yno na chawsoch chi, y titots, mono – mi ges lasied o wisgi hefo'r hen ŵr."

"Lle daru chi daro ar y Capten?" gofynnodd Enoc.

"Yn bur od," ebe Jones, "'roeddwn i *just* yn dŵad i gornel y stryt fawr, ac mi glywes gnocio drws, a be welwn i ond rhwfun yn curo drws Lloyd, y twrne. 'Roedd Lloyd yn cychwyn i'w wely, achos yr oedd gole yn ffenest y llofft. 'Doeddwn i ddim yn gallu gweld pwy oedd yn curo, ond fe aeth i mewn, ac mi feddylies y mynnwn i wybod pwy oedd o. Fu o ddim i mewn yr un pum munud, a phwy oedd o ond y Capten. 'Roedd yn reit dda ganddo 'ngweld i, ac mi es i ddanfon o gartref. Mae'r hen ŵr yn torri – 'roedd o'n cerdded reit simsan heno. Ond be allase fo fod eisiau gan yr hen Lloyd yr adeg yma ar y nos, os gwn i?"

"Rhyw fusnes, mae'n debyg ," ebe Enoc yn fyfyrgar.

"Felly 'roedd o'n deud," ebe Jones, ac wrth weld Enoc yn edrych yn lled syn, ychwanegodd, – "A 'does gynnoch chi ddim *idea*, Mr. Huws?"

"Ddim o gwbl," ebe Enoc, a meddyliai fod Jones, ar cyn lleied o gydnabyddiaeth, dipyn yn wynebgaled ac ymholgar.

"Hy," ebe Jones, ac ar ôl ychydig ddistawrwydd, ebe fe, "Wyddoch chi be, Mr. Huws, 'dydw i ddim yn meddwl fod y Capten mor dda arno ag y mae pobl yn credu ei fod."

"Be sy'n peri i chi feddwl hynny?" gofynnodd Enoc.

"Wel," ebe Jones, "fedra i ddim deud wrthoch chi'n iawn, rywsut, ond be ydach chi'n feddwl am hynny, Mr. Huws?"

("Wel, y wynebgaled," ebe Enoc ynddo ei hun, ac ychwanegodd yn hyglyw): –

"Mae sefyllfa fydol Capten Trefor yn ddieithr hollol i mi, a 'dydi o ddim llawer o bwys gen i beth ydi ei sefyllfa – pa un ai cyfoethog ai tlawd."

"Ah!" ebe Jones, "mae hi'n debyg arw i law. Prin y galla i'ch coelio chi 'rŵan, Mr. Huws."

"Pam?" gofynnodd Enoc.

"Oherwydd," ebe Jones, "fod pobol yn gallach 'rŵan nag y bydden nhw ers talwm. Mi briodes i pan oeddwn i'n dair ar hugen oed, ac mi briodes eneth dlawd. Bydaswn i wedi cymyd 'mynedd, yr un faint o drafferth fase i mi briodi geneth a dwy neu dair mil o bunne ganddi – fase'r person yr un munud hwy yn mynd dros y wers, ac mi faswn inne'n safio gwisgo'r lifre 'ma. Ond yrŵan y mae dynion yn cymyd amser i edrach o'u cwmpas, ac yn cymyd gofal fod y wraig yn dod â rhywbeth i'r tŷ heblaw tafod drwg. *Quite right* hefyd. Ac er, y mae yn rhaid i mi gyfadde, fod yno brydferthwch, dysg, a sens, yn ddiame, 'rwyf yn meddwl na fase rhwfun ydw i'n nabod mor ddyfal yn Nhyn-yr-ardd, oni bai fod o'n credu fod yno rwbeth arall."

"Nid yw'r un y cyfeiriwch ato, Mr. Jones, mor fydol ac ariangar â hynny, a phe buasai rhywbeth mwy na chyfeillgarwch rhyngddo ef a Miss Trefor, ac iddo gael allan nad oedd ei thad yn dda arno, neu hyd yn oed ei fod yn dlawd, ni fuasai hynny'n newid mymryn ar ei fwriadau tuag ati," ebe Enoc.

"Dyn rhyfedd ydach chi, Mr. Huws, yr ydach chi cweit yn eithriad yn y peth yna," ebe Jones.

"Wn i beth am hynny," ebe Enoc, "ond mi wn hyn, nad

ystyriwn i gariad yn gariad o gwbl os bydd i amgylchiadau newid dim arno."

"Mi welaf," ebe Jones, "mai'r syniad henffasiwn sy gynnoch chi, Mr. Huws, am gariad – y cariad y mae'r ffugchwedlau yma yn sôn amdano. Ond erbyn y dowch chi i *actual life*, welsoch chi 'rioed lai fydd ohono hyd yn oed gan y rhai oedd yn tybied ei fod ganddynt; ac yr ydach chi yn cofio am y ddihareb – 'Pan ddaw tlodi i fewn trwy'r drws y mae cariad yn ffoi allan drwy y ffenest.''

"Fu 'rioed ddihareb fwy celwyddog, yn ôl 'y meddwl i," ebe Enoc. "Mae yn ddiamau fod tlodi wrth ddod i mewn trwy'r drws wedi bod yn wasanaethgar i ddangos lawer tro na fu yn y tŷ erioed *wir* gariad. Pan mae dyn yn syrthio dros ei ben a'i glustiau mewn cariad at brydferthwch a theilyngdod, ac yn cael ei daro megis gan fellten yn fud ac yn fyddar, fedr o byth ysgwyd hwnnw i ffwrdd – waeth faint o bethau ddaw i'r golau, os na fyddant yn milwrio'n uniongyrchol yn erbyn yr hyn y syrthiodd ef mewn cariad ag ef – ni fedrant newid dim arno, yn ôl fy syniad i. Anffawd ac nid drwg yw tlodi, a damwain yw cyfoeth, ac ni all y naill na'r llall dynnu rhyw lawer oddi wrth nac ychwanegu at wir werth geneth brydferth a rhinweddol. Dyna 'meddwl i, Mr. Jones."

"'Rydach chi'n mynd tu hwnt i mi 'rwan, Mr. Huws," ebe Jones, "wn i fawr am bethau fel yna. Ond fasech chi'n synnu pe deudwn i wrthoch chi fod y Capten yn galed arno?"

"Baswn wrth gwrs," ebe Enoc.

"Be ddeudech chi pe dwedwn i fod y Capten wedi ei serfio efo gwrit am bum punt ar hugain?" gofynnodd Jones.

"Mi ddwedwn fod rhywun wedi dweud celwydd wrthoch," ebe Enoc.

"Be bydawn i'n deud fy mod yn *gwybod* fod hynny'n ffact?" gofynnodd Jones.

"Mi ddwedwn," ebe Enoc, "'y mod innau'n *gwybod* nad yw'r Capten heno yn fyr o ddau na thri pum punt ar hugain. Mae rhyw gamgymeriad yn bod, Mr. Jones."

"Nac oes, syr, ddim camgymeriad. Ac os oedd gan y Capten

ddau bum punt ar hugain, mi wn ei fod wedi partio â'u hanner nhw heno," ebe Jones.

Gwenodd Enoc, a dywedodd ynddo ei hun,

"Y *maen* nhw yn dlawd wedi'r cwbl, a diolch am hynny."

"Yr oeddwn yn meddwl," ebe Jones, "ei bod yn ddyletswydd arnaf, fel cyfaill, ddweud hyn wrthoch, Mr. Huws, achos peth garw i chi fyddai cael cam gwag a bydaswn i yn ych lle chi, mi faswn yn gneud fy hun yn *conspicuous by my absence* yn Nhyn-yr-ardd. 'Dydw i ddim yn amau na wnân nhw eu gore i'ch cael chi i'r trap i briodi'r ferch yna, ond *bad look out* fyddai hi i chi, Mr. Huws."

"'Dydi'r ffaith," ebe Enoc, "os ffaith ydyw, fod y Capten wedi ei serfio efo gwrit ddim yn profi ei fod yn dlawd. Dyn od ydi'r Capten, a hwyrach ei fod wedi cymryd yn ei ben i beidio talu'r arian nes y leicie fo'i hun. Ond sut y deusoch chi o hyd i hyn, Mr. Jones?"

"Fedra i ddim ateb y cwestiwn yna, Mr. Huws, heb fradychu ymddiried. Mae plismon yn dod o hyd i fil o bethau na wiw iddo ddweud sut. Ond y mae'n ddigon gwir, coeliwch chi fi, ac mi fedrwn ddweud chwaneg wrthoch chi, ond mi wn ar eich wyneb nad ydych yn coelio," ebe Jones.

Ni fedrai Enoc gelu ei lawenydd, a chododd Jones i fynd ymaith, ac ebe fe –

"Amser a ddengys, Mr. Huws, ond byddwch ofalus a llygadog, ac yr ydach chi'n siŵr o ffeindio fy mod –. Beth oedd y trwst yna? Oes gynnoch chi gathod yma?"

"Nac oes," ebe Enoc, "mae yma fwy o lygod nag o gathod – mae Marged yn lladd pob cath a ddaw 'ma. Ond yr oedd yna ryw drwst, on'd oedd? Beth oedd o, tybed?"

"Yn y rŵm gefn yr oedd o, gadewch i ni fynd i edrach rhag ofn fod yma ladron," ebe Jones.

Goleuodd Enoc gannwyll, ac nid yn ddiofn, wedi clywed enwi lladron, yr aeth ef tua'r ystafell gefn, ond yr oedd ef yn weddol gefnog hefyd, gan fod Jones wrth ei sawdl. Agorodd Enoc y drws gan ddal y gannwyll ar hyd ei fraich, a chan gadw ei gorff cyn belled yn ôl ag y medrai. Cyn gynted ag yr estynnodd Enoc y gannwyll ymlaen i'r ystafell, ceisiwyd ei chwythu allan gan rywun o'r tu ôl i'r drws, a neidiodd Enoc yn ôl mewn dychryn gan daro yn erbyn ystumog Jones. Cipiodd Jones y gannwyll o'i law, a gwthiodd Enoc o'i flaen i'r ystafell yn erbyn ei waethaf, ac yn y ffrwgwd, clywsant rywun yn dweud yn ddistaw – "Y fi sy 'ma, mistar."

"Ie, a phwy arall?" ebe Jones, gan ddal y golau i bob cyfeiriad.

Datguddiodd y goleuni olygfa ddiniwed dros ben – rhy ddiniwed i achosi'r fath fraw i Enoc, oblegid yr oedd ef wedi dychrynu'n enbyd – crynai fel deilen, ac yr oedd ei wyneb mor welw â marwolaeth. Yn yr ystafell hon yr oedd mainc oddeutu dwylath o hyd, a ddefnyddid gan Marged ar ddiwrnod golchi i ddal y padelli. Pan aeth Jones ac Enoc i mewn, eisteddai Marged ar un pen i'r fainc hon, a'i gên yn pwyso ar ei bron a'i bys yn ei safn, gan edrych ar y llawr yn yswil ac euog. Tu ôl i'r drws safai (neu yn hytrach, fel un ar ganol codi oddi ar ei eistedd) cymeriad adnabyddus o'r enw Tom Solet. Gwisgai Tom drowsus cord, oedd fyr i fyny ac i lawr. Yn y gwaelod yr oedd wedi ei godi tu ucha'i fferau a'i rwymo â llinyn dan bennau ei liniau, ac yn y top wedi ei ollwng dros ei hipiau, ac wedi ei sicrhau gyda strap a bwcwl, a chrys unlliw yn gweflo'n llanast dros ei ymylon. Unlliw fyddai crys Tom bob amser – lliw peidio dangos baw – a chloben o goler arno fel coler cot – rhag gwisgo cadach. I arbed gwasgod gyffredin – gwisgai Tom wasgod lewys, ac er ei bod yn ddwbwl-brest a botymau mawr arni, byddai bob amser yn agored – haf a gaeaf. Dyna oedd diwyg Tom yn dod i garu. Nid hwn oedd y tro cyntaf iddo fod wrth y gorchwyl – canys yr oedd ef wedi claddu tair o wragedd, ac nid oedd Tom yn gweld fod angen am ddim *extra* yn ei wisg y noson hon. Ond dyn gonest oedd Tom, ac yr oedd wedi bod yn gweithio ers blynyddau dan y *Local Board*, ac wedi hwylio cymaint ar y ferfa, fel na fyddai byth yn sefyll yn syth, ond, fel y dywedwyd, megis ar ganol codi oddi ar ei eistedd. Ni ddangosai Tom, pan ddaliwyd ef yn yr ystafell gefn gan Jones y plismon ac Enoc, ddim byd tebyg i'r benbleth yr oedd Marged ynddi, ac yr oedd mwy o ddireidi i'w ganfod yn ei wyneb nag o fraw. Gofynnodd Jones iddo –

"Wel, Tom, be ydi'ch busnes chi mewn tŷ fel hyn yr adeg yma ar y nos?"

Gwenodd Tom, ac amneidiodd â'i ben a'i lygaid ar Marged – ystyr yr hyn oedd – "Mae 'musnes i efo hi."

"Beth?" ebe Jones, "ai wedi dod yma i garu Marged yr ydach chi?"

Rhoddodd Tom nòd gadarnhaol, a hwb i'w drywser.

"Ho!" ebe Jones, "ers faint o amser y mae'r busnes yma yn mynd ymlaen, Tom?"

Rhoddodd Tom nòd ddwbl ar Marged, ystyr yr hwn oedd – "Gofynnwch iddi hi."

"Ers pa bryd, Marged?" gofynnodd Jones.

"Mae o isio siarad efo fi ers talwm, ond chafodd o 'rioed ddŵad i fewn tan heno," ebe Marged.

"Felly," ebe Jones. "Ond rhoswch chi, Tom, 'rydach chi wedi claddu'r wraig ddwaetha ers tro byd – gryn dri mis – on'd ydach chi?"

Rhoddodd Tom nòd driphlyg, yr hyn o'i gyfieithu oedd – "Do, druan, bach."

"'Roeddwn braidd yn meddwl hynny," ebe Jones, ac ychwanegodd – "Ac yr ydach chi'n meddwl closio at Marged a gwneud gwraig ohoni, Tom?"

Rhoddodd Tom nòd amodol – "Os bydd hi'n foddlon."

"Wel, Marged," ebe Jones, "be ydach chi'n deud am gynigiad Tom? Mae Tom yn ddyn gonest, sobr, mewn gwaith constant – yn cael pymtheg swllt yr wythnos – ac mae ganddo dŷ a *furniture*. Ydach chi'n foddlon, Marged?"

"Wn i ddim wir, ond hwrach na fedra i neud dim llawer gwell," ebe Marged.

"'Rwyf yn credu," ebe Jones, "y byddwch yn gneud reit dda – nid bob dydd y cewch y fath gynigiad. Ac mi ellwch chithe, Tom, ystyried eich hun yn lwcus dros ben os cewch Marged yn wraig, achos y mae hi'n ddynes lân, iach, fedrus, a gweithgar, heblaw fod ganddi dipyn o bres (llewyrchai wyneb Tom wrth glywed hyn), a pheth ffôl fyddai i chi golli dim amser efo'r peth – gore po gyntaf i chi fynd at eich gilydd. Be 'dach chi'n ddeud, Tom?"

Rhoddodd Tom nòd o gydsyniad hollol.

"Be 'dach *chi'*n ddeud, Marged?" gofynnodd Jones.

"*Just* fel mae o'n leicio," ebe Marged.

"Wel," ebe Jones, "os bydd Mr. Huws yn foddlon i adael i Marged ymadael heb roi notis, y peth gore, Tom, fyddai i chi roi'r 'stegion allan y Sul nesa."

Edrychodd Tom yn ymofyngar i wyneb Mr. Huws, ac ebe Enoc –

"Os ydi Marged yn dymuno hynny, wna i mo'i rhwystro hi. Yn wir, mi fydd yn dda gen i gweld hi wedi gneud cartre iddi hi ei hun, er y bydd yn ddrwg gen i cholli hi," ebe Enoc, ac yn hyn efe a ddywedodd dipyn bach o gelwydd.

"'Rydach chi wedi stopio'n rhy sydyn, Mr. Huws," ebe Jones. "Yr oeddwn braidd yn disgwyl eich clywed yn dweud y basech yn rhoi'r *wedding breakfast.*"

"Wel, mi *wna* hynny, a hwyrach y rho i dipyn o bresant iddi, achos y mae Marged wedi bod yn forwyn dda a gonest," ebe Enoc.

"Mi wyddwn," ebe Jones, "yr actiech fel gŵr bonheddig."

"Thanciw, syr," ebe Marged, a thrawodd Tom ei law wrth fargod ei wallt fel cydnabyddiaeth am y caredigrwydd.

"Yrŵan," ebe Jones, "mi'ch gadawn ni chi, a hwyliwch chithe gartre, Tom, ymhen rhw ddeng munud, a chofiwch chi, Tom, na chlywn ni ddim am *breach of promise*, achos mae 'ma ddau witnes, cofiwch."

Rhoddodd Tom nòd yr ochr chwith i'w ben, cystal â dweud "dim peryg!"

Ac felly y gadawyd y cariadon gan Enoc a Jones. Wedi mynd allan o'u clyw, ebe'r olaf –

"Dyna fusnes go fawr wedi 'neud, onid e, Mr. Huws?"

"Ddyliwn i wir," ebe Enoc. "A *just* ffansiwch, ddeudodd y dyn yr un gair o'i ben!"

"Mi ddeudodd lawer â'i ben, ynte," ebe Jones. "Mae nòd y

dyn yna, syr, cystal â'i air. Mi gewch wared tragwyddol, 'rŵan, â'r hen byrcytan, Marged yna. Wyddoch chi be, Mr. Huws, mae hi'n glawio trugareddau arnoch heddiw."

"'Dydi wiw i mi wadu," ebe Enoc, "na fydd yn dda gan 'y nghalon i gael gwared â Marged, ac mae Tom Solet wedi cymryd baich mawr oddi ar 'y meddwl i."

"Mi'ch credaf," ebe Jones. "Ac 'rŵan mae'n rhaid i mi fynd ynghylch 'y musnes. Ond y mae gen i un gymwynas i'w ofyn gynnoch chi, Mr. Huws. 'Roeddwn i'n sylwi ddoe fod gynnoch chi *hams* cartre nobyl anwedd yn eich siop – a 'newch chi 'nhrystio i am un hyd y *pay day* nesaf? Mae hi dipyn yn brin arna i am bres yrŵan, ond mi dala'n siŵr i chi y *pay day* nesaf."

"Wna i ddim o'r fath beth, Mr. Jones," ebe Enoc, "ond mi anfonaf i chi *ham* yn rhodd ac yn rhad yfory, a chroeso am eich caredigrwydd. Bydd yn eich tŷ cyn canol dydd."

"Yr ydach chi'n rhy haelionus, Mr. Huws, a 'does gen i ond diolch i chi o waelod 'y nghalon, a dweud nos dawch," ebe Jones.

XXXIX

O'R DIWEDD

YR oedd yr argoelion pendant fod Marged i gael gŵr, a hynny
ar fyrder, yn fforddio llawer o gysur meddwl i Enoc, oblegid yr
oedd y rhan fwyaf o'i ofnau a'i bryderon ynghylch y dyfodol
yn gysylltiedig â hi, ac ni allai ef lai na synnu a rhyfeddu mor
rhwydd a didrafferth yr oedd Tom Solet wedi cyrraedd ei nod,
tra oedd ef ei hun yn yr helbul ers blynyddau, a chyn belled ag
y gallai ef weld, nid oedd yn nes i'w nod yn awr nag yn y
dechrau. Arweiniodd hyn fyfyrdodau Enoc i'w sianel naturiol,
– sef i gyniwair ynghylch Miss Trefor, i ba le yr aent bob amser
ac o bob man. Ni chysgodd ef ymron ddim y noswaith honno.
Bwriadasai amlygu i Miss Trefor ei serch ati, ac yr oedd wedi
gwneud rhagymadrodd anhapus – rhagymadrodd a'i briwiodd
hi'n dost. Golygai Enoc i'r bregeth egluro'r rhagymadrodd –
dipyn yn groes i'r drefn gyffredin – a pheth mawr ydyw mynd
yn groes i arferiad. Ni chafodd ef, fel y gwelwyd, ddweud y
bregeth, ac felly yr oedd y rhagymadrodd yn dywyll. Ar yr un
pryd, wedi clywed yr hyn a ddywedodd Jones y Plismon,
ystyriai Enoc fod y rhagymadrodd yn burion, ac mai'r anhap
fu na chafodd gyfleustra i bregethu. Mewn geiriau eraill, wedi'r
ymgom gyda Jones, methai Enoc weld ei fod wedi camgymryd
wrth ddatgan ei lawenydd pan hysbysodd Miss Trefor ef fod ei
thad yn dlawd, gan y rhoddai hynny brawf iddi o uniondeb a
dianwadalwch ei hoffter ohoni. Wedi'r anhap a ddigwyddodd,
ni allai ef orffwyso nes cael egluro ei hun i Miss Trefor, ac mor
fore ag oedd weddus hwyliodd i Dyn-yr-ardd gyda'r esgus o
ymholi am iechyd Mrs. Trefor. Wrth gwestiyno Kit, y forwyn,
cafodd allan fod Mrs. Trefor gryn lawer yn waeth – eu bod
wedi gorfod nôl y meddyg ati, a bod hwnnw wedi gorchymyn

perffaith lonyddwch – a bod y Capten wedi mynd i'r Gwaith i chwilio i ddarganfyddiad Sem Llwyd. Nid oedd Enoc yn foddlon troi'n ôl ar hyn, a gofynnodd i Kit hysbysu Mrs. Trefor ei fod yn ymholi amdanynt; yr hyn a wnaeth, a dychwelodd yn y funud gyda gair fod Mrs. Trefor yn rhy wael i neb gael ei gweld. Aeth Enoc yn ôl yn ben isel, a bwriadai wneud ail gais yn yr hwyr. Er bod yn ddrwg iawn ganddo am waeledd Mrs. Trefor, eto yr hyn a'i gofidiai fwyaf oedd na chawsai gyfleustra i egluro ei hun i Miss Trefor. Pan oedd ar fin cychwyn i Dyn-yr-ardd yn yr hwyr, gan obeithio cael egwyl, pe na byddai ond dau funud i siarad â Miss Trefor, daeth y Capten i mewn, ac ebe fe –

"Cheir mo'r melys heb y chwerw, Mr. Huws, a theimlais i erioed hyd heddiw mor wir ydyw'r ddihareb. Yr oeddwn wedi bwriadu galw yma yn gynt i roi *report* i chwi am fy ymweliad â'r Gwaith, ac mi fuaswn wedi gwneud hynny oni bai fod profedigaeth deuluaidd, sef afiechyd Mrs. Trefor sydd, fel y gwyddoch, yr wyf yn deall, gryn lawer yn waeth heddiw nag ydoedd neithiwr – wedi fy rhwystro. Ac y *mae* hi yn wael iawn mewn gwirionedd, er bod y doctor yn sicrhau nad oes berygl, ar hyn o bryd, beth bynnag. Mi wn, Mr. Huws, eich bod yn deall fy nheimladau ac yn cydymdeimlo â mi yn fy helynt, oblegid er fy mod yn disgwyl trwy eich gweddïau chwi ac eraill yr adferir hi – eto, meddaf, pe gwelai Rhagluniaeth ddoeth yn dda ei chymryd hi ymaith, byddai fy mhererindod i ar ben, gyda golwg ar y byd hwn a'i bethau, oblegid, mewn ffordd o siarad, ni fyddai gennyf ddim yn y byd yn werth byw er ei fwyn. Ond at hyn yr oeddwn yn cyfeirio, a rhaid i mi fod yn fyr – ni allaf yn yr amgylchiadau presennol aros yn hir, at hyn yr oeddwn yn cyfeirio – y buaswn wedi galw'n gynnar yn y dydd oni bai'r hyn a grybwyllais, i roi i chwi *report* am wir werth yr hyn a hysbyswyd i ni neithiwr gan Sem Llwyd. Y mae'n dod i hyn, Mr. Huws, ag i mi ei roi i chwi mewn byr eiriau – y mae, fel y dywedais neithiwr, fel y ddeilen ar y dŵr yn dangos fod y cyfandir yn ymyl. Ynddo ei hun nid ydyw'n fawr – yn wir, nid ydyw ond bychan, ond fel y mae yn arwydd sicr o bethau mwy. Dan amgylchiadau cyffredin, syr, fe fuasai hyn yn destun llawenydd mawr i mi, ond pan mae un wedi cyrraedd – hynny ydyw, i un yn fy oed i, ac yn y pryder yr wyf ynddo heddiw am fywyd fy ngwraig, nid yw nac yma nac acw, oblegid os cymerir hi ymaith (ac yn y fan hon sychodd y Capten ei drwyn yn galed), byddaf wedi fy ngadael yn unig – yn hollol unig, syr."

"Yr ydych yn anghofio, Capten Trefor," ebe Enoc, "hyd yn oed pe collech Mrs. Trefor – yr hyn yr wyf yn gobeithio ac yn credu na wnewch am gryn amser – byddai gennych ferch rin-weddol wedi ei gadael gyda chwi."

"Na," ebe'r Capten, "nid wyf yn anghofio hynny, Mr. Huws, ond pa sicrwydd sydd gennyf na fydd i rywun – yn wir, dyna yw'r tebygolrwydd, y byddwch chwi, neu rywun tebyg i chwi, yn ei dwyn oddi arnaf, dyna ydyw ffordd y byd, dyna ydyw trefn Rhagluniaeth."

Difyr gan Enoc oedd clywed y Capten yn siarad fel hyn, a fflachiodd i'w feddwl ai nid doeth ynddo a fuasai crybwyll wrtho ei serch at y ferch, a'r awydd angerddol oedd ynddo am ei chael yn wraig. Ond cyn iddo allu ffurfio'r drychfeddwl mewn geiriau, ebe'r Capten –

"Ac yn awr, Mr. Huws, rhaid i mi ddweud nos dawch a hyd nes y bydd acw ryw gyfnewidiad, mae arnaf ofn na allaf roddi ond ychydig o sylw i Goed Madog, ac o dan yr amgylchiadau, mi wn yr esgusodwch fi," ac ymaith ag ef.

Unwaith eto yr oedd Enoc wedi colli'r cyfleustra – yr oedd bob amser yn ei golli – a dechreuai gredu fod rhyw ffawd ddrwg yn ei ddilyn, a'i fod wedi ei eni dan ryw blaned anlwcus. Credai Enoc dipyn mewn tynged, ac yn bendrist ddigon y noson honno yr adroddodd wrtho ei hun fwy nag unwaith hen bennill a welsai mewn rhyw gerdd neu'i gilydd, –

"Ni wiw mo'r tynnu yn erbyn tynged,
   Mae'n rhaid i'r blaened gael ei ffors, –
'Rwyf wedi 'nhyngu ers pymthengnydd
   I wasanaethu'r Brenin Siors."

Ond ychydig o gysur a allai ef dynnu o'r pennill; ac er iddo ymweld yn fynych yn y dyddiau dilynol â Thyn-yr-ardd, methodd yn lân â chael cyfleustra i siarad â Miss Trefor, ac egluro ei hun iddi. Yr oedd gwaeledd mawr a pharhaol Mrs. Trefor yn rhwystr beunyddiol i Enoc hyd yn oed gael cip ar yr un a garai mor fawr. Aeth pythefnos heibio heb un arwydd o wellhad yn ystad iechyd Mrs. Trefor – pythefnos oedd cyhyd â blwyddyn yng ngolwg Enoc, yn gymaint â'i fod wedi ei amddifadu yn hollol o gymdeithas ei Forfudd. Gallasai oddef hyn yn lled lew oni bai'r ymwybyddiaeth oedd ynddo bob awr o'r dydd a'r nos fod Susi yn coleddu teimladau angharedig tuag ato, a hynny wedi gwreiddio yn gwbl mewn camddealltwriaeth.

Er bod Marged yn hynod gyweithas a mwyn yn y rhagolwg ar ei phriodas, oedd i gymryd lle ymhen ychydig ddyddiau, ni allai Enoc fwyta na chysgu. Canfyddai Marged fod rhywbeth mawr yn blino ei meistr, ac ni allai ddychmygu fod dim yn rhoi cyfrif am hyn ond y ffaith ei bod hi ar fedr ei adael, a mynych y dywedodd hi wrth ei weld yn methu bwyta – "Peidiwch â fecsio, mistar, mi gewch gystal morwyn â minne o rywle." "Wn i ddim," oedd unig ateb Enoc. Yr oedd trueni Enoc mor fawr arno, fel na allai ei ddal yn hwy, ac ysgrifennodd at Miss Trefor i grefu arni am gael ychydig funudau o ymddiddan â hi ar fater pwysig. Er ei bod wedi cymryd arni ddigio'n enbyd wrtho, meddyliodd Miss Trefor pan dderbyniodd nodyn Enoc fod ei thad mewn rhyw drybini, ac mai ynfydrwydd fuasai ei niweidio ef drwy ymddangos yn ystyfnig gydag Enoc. Pennodd amser i Enoc gael ymweld â hi – sef prynhawn drannoeth. Wedi cael y caniatâd, ni wnaeth Enoc ddim ond cyfansoddi yn ei feddwl eglurhad cyflawn ar yr hyn a ddywedasai ef wrthi bythefnos yn ôl. Cyfansoddodd ddatganiad eglur, cryno, ac effeithiol o'i deimladau tuag ati, ac aeth drosto gannoedd o weithiau, nes oedd yn ei fedru yn well na'i bader. Ond pan ddaeth yr amser, a phan ddaeth ef wyneb yn wyneb â Miss Trefor ym mharlwr Tyn-yr-ardd – ar ôl yr hir ddirwest o bythefnos heb weld ei hwyneb hawddgar – teimlai fel dyn wedi bod yn rhy hir heb fwyd yn cael ei ddwyn at fwrdd y wledd. Canfu Enoc ar drawiad fod Miss Trefor yn edrych yn deneuach a llwytach, ond ni welsai ef hi erioed mor swynol yr olwg. Glynai ei dafod yn nhaflod ei enau, ac aeth pob gair o'r hyn a baratoesai yn llwyr allan o'i feddwl. Ysgydwodd Miss Trefor law ag ef yn oer a ffurfiol, a dywedodd wrtho am eistedd, ac wedi aros munud mewn distawrwydd, ychwanegodd –

"Wel, Mr. Huws, be sy gynnoch chi isio'i ddeud wrtho' i?"

Wedi pesychu a chlirio ei wddf nid ychydig, ebe Enoc, gan hanner tagu –

"Mae gen i lawer o bethau isio'u dweud wrthoch chi, bydawn i'n gwybod sut. Y peth sy'n 'y mlino i fwya ydi 'y mod i'n ofni i mi'ch clwyfo drwy ddweud fod yn dda gen i glywed fod eich tad yn dlawd, a chwi wyddoch na chefais amser na chyfleustra i esbonio'r hyn yr oeddwn yn ei feddwl wrth ddweud felly. Mi wn ei fod yn ddwediad rhyfedd –"

"Ewch ymlaen, Mr. Huws, achos 'does gen i ddim llawer o amser i aros," ebe Miss Trefor.

"Wel," ebe Enoc, a dechreuodd deimlo ei fod yn cael help, ac "mae help i'w gael yn rhyfedd," fel y dywedai Mrs. Trefor ar amgylchiad arall.

"Wel," ebe Enoc, "mewn ystyr mi ddwedaf yr un peth eto, a gadewch i mi grefu arnoch i beidio rhedeg i ffwrdd cyn i mi orffen fy stori. Syniad cyffredinol eich cymdogion, Miss Trefor, ydyw fod eich tad yn weddol dda arno, a dyna oedd fy syniad innau hyd yn ddiweddar iawn. Ond erbyn hyn yr wyf yn gorfod credu nad yw eich tad, a dweud y lleiaf, yn gyfoethog. Mewn un ystyr, mae'n ddrwg iawn gennyf, ac mewn ystyr arall, y mae'n dda iawn gennyf ddeall mai dyna ydyw ei sefyllfa, fel y dywedais y noson o'r blaen. Mi wn pan ddwedais hyn o'r blaen – bythefnos yn ôl – fy mod wedi eich brifo yn fawr, a hwyrach y bydd i mi eich digio yn fwy eto pan ddwedaf pam yr oeddwn, ac yr ydwyf eto, yn dweud felly. Ac nid wyf heb ofni, Miss Trefor, pan ddwedaf fy rheswm, y byddwch wedi digio wrthyf am byth –."

"Ewch ymlaen, Mr. Huws, 'does neb efo Mam ond Kit, ac mi fydd yn galw amdanaf yn union," ebe Miss Trefor.

"Wel," ebe Enoc, "byddai'n anodd gennyf gredu nad ydach yn gwybod fy meddwl cyn i mi ei ddweud. 'Does dim posib nad ydach wedi deall ar fy ymddygiad ers llawer o amser bellach fy mod yn coleddu rhyw deimlad tuag atoch nad yw cyfeillgarwch yn enw iawn arno. Mi wn ei fod yn rhyfyg ynof, ond alla i ddim wrtho – yr wyf yn eich caru, Miss Trefor, ac yn eich caru mor fawr, fel na allaf ddychmygu fod yn bosibl caru yn fwy –."

Arhosodd Enoc am funud gan ddisgwyl iddi hi ddweud rhywbeth, ond ni ddywedodd air – yn unig edrychai'n dawel a digyffro yn ei hwyneb. Ac ychwanegodd Enoc – dipyn yn fwy hyderus –

"Dyna'r unig reswm oedd gennyf dros ddweud fod yn dda gennyf glywed am sefyllfa anghenus eich tad. Pe buasech yn gyfoethog – a gwyn fyd na fuasech – gallasech feddwl fod gennyf ryw amcanion hunanol, ond, yn wir, y chi eich hun yr wyf yn ei garu, ac nid dim sydd o'ch cwmpas. Mae'n ddrwg gennyf sôn am beth fel hyn pan mae eich mam mor wael, ond maddeuwch i mi – fedrwn i ddim dal ddim yn hwy. Rhowch i mi un gair – dim ond un gair o galondid, ac mi fyddaf yn ddyn perffaith ddedwydd. Ond os gwrthodwch fi – wel, y mae arnaf ofn y byddaf yn ddyn gwallgof."

"Mr. Huws," ebe Susi, a synnai Enoc sut y gallai hi siarad mor hunanfeddiannol, "mae'n ddrwg gan 'y nghalon i glywed eich stori – coeliwch fi. Mae'n ddrwg iawn gen i'ch clywed chi'n siarad fel yna. 'Rwyf yn cofio'r amser – pan oeddwn yn hoeden wirion ddisynnwyr – pryd y byddwn yn eich diystyru ac yn eich gwawdio yn fy nghalon. Maddeuwch i mi y pen-wendid hwnnw – nid oeddwn yn eich nabod yr adeg honno. Wedi i mi'ch nabod yn iawn, a gweld eich gonestrwydd – eich *honour* – eich caredigrwydd di-ben-draw – yr wyf wedi dysgu eich parchu, a'ch parchu yn fawr. Mi wn ers talwm fod pob gair a ddwedwch yn wir – neu fe ddylwn ddweud eich bod bob amser yn ceisio dweud y gwir. Yr ydach chi bob amser yn

292

cario eich calon ar eich llawes – mae'n amhosibl peidio gweld hynny. 'Rwyf dan fil a mwy o ddyled i chi. 'Rydach chi wedi llenwi llawer ar 'y mhen gwag i – ydach yn wir. 'Rydach chi wedi gneud i mi gredu fod y fath beth yn bod â dyn gonest, *upright*, a da. 'Dydw i'n gweld dim ond un gwendid ynoch chi – a hwnnw ydi – ych bod chi wedi bod mor ffôl â rhoi eich serch ar hoeden ynfyd fel fi. A gadewch i mi geisio bod yr un fath â chi mewn un peth, Mr. Huws, sef bod yn onest a diragrith. Mi wyddwn ers llawer o amser eich bod yn meddwl rhywbeth amdanaf – fe fase raid i mi fod cyn ddalled â'r post i beidio gweld hynny. Ac mi rois i chi gyfleustra ddegau o weithiau i ddweud eich meddwl. Ac er mwyn beth? Er mwyn i mi gael dweud hyn wrthoch chi, Mr. Huws, nad ydi o o un diben i chi feddwl ddim amdana i yn y ffordd yna – ddiben yn y byd."

"Miss Trefor," ebe Enoc, a'i galon yn ei wddf – "'dydach chi dim yn ddifrifol wrth ddweud fel yna?"

"Mor ddifrifol," ebe hi, "â bydawn yn y farn, ac mae'n ddrwg iawn gen i orfod dweud fel yna, Mr. Huws, achos mi wn – fydde fo ddim ond rhagrith yno' i ddweud fel arall – fod hyn yn boen mawr i chi. Ond y mae gwrando ar eich cais, Mr. Huws, yn amhosibl – yn amhosibl."

"Pam? rhowch i mi reswm pam?" ebe Enoc yn drist.

"Fedra i ddim deud wrthoch chi pam, Mr. Huws," ebe Susi. "A chofiwch, 'dydi'r boen i gyd ddim o'ch ochr chi. Yr oedd gwybod – ac yr oedd yn amhosibl i mi beidio gwybod – eich bod wedi rhoi eich bryd arnaf yn fy mhoeni'n dost. Nid, cofiwch, am nad wyf yn ei ystyried yn *compliment* mawr. Mae i ferch gael ei hoffi – gael ei charu gan unrhyw ddyn – bydded ef saled ag y bo – yn *compliment* iddi, a dylai ei werthfawrogi. Ond pan mae un fel fi – ie, fel fi – yr ydach yn ei nabod yn dda – yn cael ei charu gan un fel chi, Mr. Huws – dyn, fel y dwedais o'r blaen, y mae gennyf y parch mwyaf iddo – wel, fe ddylai honno deimlo'n falch – ac *yr wyf* yn teimlo'n falch, a chofiwch na chaiff yr un glust byth – yn dragywydd – glywed fod Susan Trefor wedi gwrthod Enoc Huws."

"Na chaiff, mi obeithiaf, achos fe fydd i Susan Trefor, ryw

ddiwrnod, dderbyn cynigiad Enoc Huws, ac wedyn ni wnâi pobl ei chredu pe dwedai hi hynny," ebe Enoc.

"Byth, Mr. Huws. A gadewch i mi grefu arnoch i roi'r meddwl heibio, yn hollol ac am byth, a pheidio sôn amdano eto. Dowch yma bob dydd – 'does neb ag y mae mor dda gen i ei weld â chi. Mae Mam yn meddwl y byd ohonoch, ac mae 'nhad, mae arnaf ofn, yn byw arnoch, ond Mr. Huws bach, peidiwch byth â sôn am beth fel hyn eto," ebe Susan.

"Pam? deudwch i mi y rheswm pam?" ebe Enoc.

"Wel," ebe Susan, wedi petruso tipyn, "yr yden ni'n rhy debyg i'n gilydd. Yr yden ni wedi siarad cymaint â'n gilydd – wedi cyfnewid meddyliau, a hynny am gymaint o amser, fel y byddaf yn dychrynu weithiau wrth geisio gwneud allan pa un ai Susan Trefor ai Enoc Huws ydw i. 'Ryden ni'n rhy debyg i'n gilydd i fod yn ŵr a gwraig. Nid dyna fy *idea* i am ŵr a gwraig – fy *idea* i ydyw y dylent fod yn hollol wahanol i'w gilydd, achos mi wn bydae gen i ŵr tebyg i mi fy hun, yr awn yn y man i'w gasáu fel y byddaf yn casáu fy hun yn aml."

Gwenodd Enoc yn foddhaus, ac ebe fe –

"Mae'n dda gennyf ddeall, Miss Trefor, nad ydych yn fy nghasáu *yn awr*, ac mi fyddaf yn hollol foddlon i gael fy nghasáu rhyw dro eto fel rhan ohonoch chi'ch hun – mi gymeraf y *risk*."

"Mae yn fwy o *risk* nag yr ydach chi wedi ddychmygu, Mr. Huws – caech achos i edifarhau am eich oes. Ac 'rŵan, rhaid i mi fynd, a pheidiwch â gwario munud i feddwl am y peth eto, Mr. Huws, yr wyf yn crefu arnoch," ebe hi.

"Yna," ebe Enoc yn ddwys, "rhaid i mi beidio byw – mae peidio meddwl amdanoch chi, Miss Trefor, yr un peth i mi â mynd allan o fod. A chyn i chi fynd – mae'n ddrwg gen i'ch cadw cyd – dwedwch y cymerwch wythnos, bythefnos, ie, fis, i ystyried y peth, a pheidiwch dweud fod y peth yn amhosibl?"

"Yr wyf wedi ystyried y peth yn bwyllog, Mr. Huws, cyn i chi ddod ag ef ymlaen. 'Dydw i ddim yn cellwair â chi er mwyn eich tormentio – mae gen i ormod o barch i chi i wneud hynny. Yr wyf yn dweud fy meddwl yn onest, a wnaiff dim beri i mi newid fy meddwl. Cewch weld rhyw ddiwrnod mai dyna'r peth gore i chi a minne. Gobeithio y cawn bob amser fod yn gyfeillion, ac yn gyfeillion mawr – ond popeth dros ben hynny – wel, yr ydach chi'n dallt fy meddwl, Mr. Huws. 'Rwyf yn awyddus i achosi cyn lleied o boen i chi ag sydd bosibl – achos yr hyn fydd yn eich poeni chi fydd yn siŵr o fy mhoeni innau."

"Wel," ebe Enoc, "os dyna yw eich penderfyniad, gellwch fod yn sicr y byddwch mewn poen tra fyddwch byw – neu, yn hytrach, tra fydda i byw, oblegid mi wn na cha i bellach orffwystra na dydd na nos."

"'Rydach chi'n camgymryd, Mr. Huws," ebe Susan. "Ar ôl i ni ddeall ein gilydd, fe aiff hyn drosodd fel popeth arall – 'dydi cariad na chas y gore ohonom ond lletywr dros noswaith, ac fe ddaw rhywbeth arall yn ei dro i gymryd ein bryd, ac felly o hyd, ac felly o hyd, nes yr awn ni ein hunain i angof."

"Ddwedech chi ddim fel yna, Miss Trefor," ebe Enoc yn athrist iawn, "pe gwyddech *fel* yr wyf yn eich caru. Duw a ŵyr mai chi yw fy mhopeth, ac nad ydw i'n rhoi pris ar ddim daearol ar wahân i chi. Ond a wnewch chi ateb un cwestiwn i mi cyn i chi fynd?"

"Wn i ddim wir, Mr. Huws, achos mi fyddaf yn gofyn llawer o gwestiynau i mi fy hun, heb fedru eu hateb," ebe hi.

"Ond mi fedrwch ateb y cwestiwn yr wyf am ei ofyn," ebe Enoc.

"Mae ambell gwestiwn nad yw'n ddoeth ei ateb, ac na ddylid ei ateb," ebe hi.

"Cewch farnu drosoch eich hun am hynny," ebe Enoc. "Goddefwch i mi ofyn i chi – A ydach wedi rhoi eich serch ar rywun arall?"

Am foment, ac am y waith gyntaf yn ystod yr ymddiddan, ymddangosai Susan yn gynhyrfus, ac fel pe buasai wedi colli tipyn ar ei hunanfeddiant, ond ebe hi yn union –

"Ar bwy, Mr. Huws, y buaswn i yn rhoi fy serch? Chwi wyddoch nad oes un dyn yn dod yn agos i Dyn-yr-ardd ond y chi."

"'Dydach chi ddim yn ateb fy nghwestiwn, Miss Trefor," ebe Enoc.

"Wel," ebe hi, gan fesur ei geiriau yn wyliadwrus, "ers rhai blynyddoedd 'dydw i ddim wedi cyfarfod ag un dyn i'w edmygu yn fwy na chi eich hun, Mr. Huws. Naiff nyna eich boddloni?"

"Na naiff," ebe Enoc. "Yr wyf yn bur hy, mi wnaf addef, ond 'dydach chi ddim wedi ateb fy nghwestiwn."

"'Rwyf wedi ei ateb ore y gallwn," ebe hi.

"A 'does gynnoch chi ddim gwell a dim mwy cysurus i'w ddweud wrthyf cyn i chi fynd?" ebe Enoc gan godi ar ei draed, a lleithiodd ei lygaid yn erbyn ei waethaf.

"Dim, Mr. Huws bach," ebe hi, ac nid oedd ei llygaid hithau yn neilltuol o sychion. Ychwanegodd, gan estyn ei llaw i ffarwelio ag ef – "Brysiwch yma eto. Pan ddaw Mam dipyn yn well, mi fydd yn dda gan ei chalon eich gweld."

Ac felly y gadawodd hi Enoc gan gyfeirio i ystafell ei mam. Ar dop y grisiau safodd yn sydyn, a throdd i mewn i'w hystafell ei hun, ac edrychodd i'r drych – y peth cyntaf a wna pob merch brydferth wrth fynd i ystafell wely. Yna taflodd ei hun i gader, ac wylodd yn hidl. Ymhen dau funud neidiodd i fyny ac ymolchodd – heb anghofio twtio ei gwallt, a phe buasai rhywun yn ei hymyl, gallasai ei chlywed yn sibrwd –

"*Poor fellow!* mi wyddwn o'r gore mai fel yna yr oedd hi arno. Mae o'n ddyn da – da iawn – ac mae o'n mynd yn well o hyd wrth ei nabod. Mae'n rhaid i mi addef fy mod yn ei leicio'n well bob dydd – mae o'n ddyn *upright* ac yn *honourable*, a dim *humbug* o'i gwmpas. A bydaswn i'n siŵr – yn reit siŵr – na ddôi – wel, mi faswn yn rhoi 'mreichiau am ei wddf o, ac yn ei gusanu, achos y mae'n rhaid i mi addef y gwir – yr ydw i'n reit ffond ohono fo. Na, faswn i ddim chwaith! Yr *idea!* Byth yn dragywydd! Er, wn i ddim be ddaw ohono' i. Mi fydd raid i mi ennill 'y nhamed rywsut. Ond mi ddalia at fy llw, a mi gymra fy siawns. Ac eto, hwyrach 'y mod i'n sefyll yn fy ngole fy hun – *sentiment* ydi'r cwbl. Mor falch fase ambell un o'r cynigiad! O! bobl annwyl! y fath *row* sy'n y byd! A fyddwn ni yma fawr! Sut mae Mam, druan, erbyn hyn?"

Ac i ystafell ei mam yr aeth cyn llawened â'r gog, fel pe na buasai dim wedi digwydd.

XL

LLW ENOC HUWS

Ni fuasai Enoc erioed (ond cof pob diwaethaf) mor druenus ei feddwl. Yn ei holl "brofedigaethau", yr oedd ef, ers llawer o amser bellach, wedi arfer cael rhyw gymaint o ddedwyddwch wrth freuddwydio amdano ei hun a Miss Trefor fel gŵr a gwraig. Yn wir, yr oedd y breuddwyd mor *real* iddo weithiau, ac yn rhych-wantu mor bell i'r dyfodol, nes y byddai yn gweld ei hun, â'i wallt yn dechrau britho, yn dad i bedwar o blant – dau fachgen a dwy eneth – gydag enwau a phrydwedd pob un ohonynt yr oedd ef yn hynod gyfarwydd, ac yn neilltuol o hoff o'r ieuengaf! Ond erbyn hyn yr oedd ei freuddwyd wedi diflannu fel niwl y bore. Nid yn hollol felly chwaith, oblegid cyfaddefai wrtho ei hun, ei fod wedi torri ffigwr truenus o wael wrth gynnig ei hun i Miss Trefor, a thybiai, ambell foment, pe buasai wedi gallu bod yn ddigon hunanfeddiannol i siarad â hi fel yr oedd ef wedi paratoi, y gallasai'r canlyniad fod yn wahanol. Ac eto ni allai ef anghofio mor benderfynol yr oedd hi wedi gwrthod ei gynigiad. Ar yr un pryd cofiai Enoc mor hynaws a charedig yr oedd hi hyd yn oed wrth wrthod ei gais. Yn wir, yr oedd hi wedi cydnabod ei bod yn ei barchu fwyfwy fel yr oedd ei had-nabyddiaeth ohono yn cynyddu, a phwy a wyddai, fel y deuai hi i'w adnabod yn well eto, na ddeuai yn y man i'w garu yn angerddol? Meddyliau fel hyn a lanwai galon Enoc, druan, ac, yn wir, ei ystumog hefyd, canys ni fwytâi ef ond y nesaf peth i ddim, a mynych y dywedodd Marged mai gwastraff oedd paratoi pryd o fwyd, ac na allai robin goch fyw ar yr hyn a fwytâi Enoc. Bychan y gwyddai hi mai bara angylion oedd ei ymborth ef y dyddiau hynny!

Nid oedd Enoc goegfalch na chymhengar, nac mewn unrhyw fodd yn un oedd yn coleddu syniadau uchel amdano ei hun – yr oedd ei dueddfryd ffordd arall – yn feius felly. Ond bu ei aflwyddiant gyda Miss Trefor yn achlysur i gynhyrfu gwael-odion ei natur. Ac yr oedd hynny'n ddigon naturiol, oblegid nid oes dim a bâr i ddyn deimlo fel pe byddai'n cael ei flingo'n fyw, â chael ei wrthod gan ferch. Ac o drugaredd, anfynych y cymer y fath beth le, canys y mae dynion, fel rheol, yn gall, ac fel y dyn da pan oedd yn cyfansoddi'r *Rhodd Mam,* yn gwybod yr ateb cyn gofyn y cwestiwn. A dyna lle camgymerodd Enoc – dylasai wybod yr ateb cyn gofyn y cwestiwn. Mae tipyn o hunan-barch yn y dyn mwyaf gostyngedig ac iselfryd, ac nid oes eisiau ond sathru ei droed i gael hynny allan. Mae sathru ar ei gorn yn gwneud iddo gau ei ddwrn y munud hwnnw. Ychydig o ddynion, yr wyf yn meddwl, oedd wedi meddwl llai ohonynt eu hunain, ac amdanynt eu hunain, nag Enoc Huws, ond bu i waith Miss Trefor yn ei wrthod fel darpar ŵr, yn foddion iddo wario tipyn o amser i fesur a phwyso ei hunan. Ac wedi iddo wneud hyn, y casgliad y daeth iddo oedd – ei fod yn well dyn nag yr oedd wedi tybied ei fod. Barnai Enoc yn gydwybodol nad oedd yn ffŵl – nad oedd, o ran ymddangosiad, yn ddirmygedig – ei fod, mewn ystyr fydol, yn weddol gyfforddus – o ran safle yn y dref, yn symol barchus – ac na fuasai raid i Miss Trefor wrth dderbyn ei gynigiad "ddringo" i lawr. Pender-fynodd – ac yr oedd y penderfyniad hwn yn beth mawr iddo ef – syrthio ar ei anrhydedd, a gwnaeth lw yn ei fynwes nad âi byth mwyach i Dyn-yr-ardd heb ei ofyn. Nid oedd y llw yn golygu – oblegid yr oedd ef yn gofalu am gael perffaith ddeall-twriaeth rhyngddo ef ac ef ei hun – na fyddai iddo ef gynnig ei hun eilwaith i Miss Trefor ryw dro – yn wir, nid oedd ef eto yn ddiobaith o lwyddo yn ei gais yn y man. Nid oedd y llw ond math o deyrnged dyledus i'w urddas clwyfedig. Ac wrth roddi'r llw mewn gweithrediad, teimlai ei fod yn tybio aberth mawr ar ei ran, a theimlai rhywun arall hefyd rywbeth oddi wrtho, ond ni wyddai ef mo hynny. Cadwodd Enoc ei lw am – wel, cawn weld am ba hyd. Rhaid cydnabod, er mai anfynych yr âi Enoc dros riniog ei dŷ y pryd hynny, fod ei ysbryd yn fwy presennol

nag erioed yn Nhyn-yr-ardd. Syrthiodd yn naturiol i'w hen ar-
feriad o fynd, ar ôl swper, i'r offis, gan gymryd arno wrth
Marged fod ganddo "fusnes" i'w wneud. Yno yr arhosai am
oriau bob nos, a'r unig "fusnes" a wnâi oedd ysmygu yn ddi-baid,
gan bwysleisio â'i ben, a phoeri, fel cynt, yn *sarcastic* i lygad y
tân. Ped ysgrifennid pob ymson a hunanymddiddan gymerodd
le yn yr offis y nosweithiau hynny, gwnaethent gyfrol drwchus.

I dorri tipyn ar unrhywiaeth ei fyfyrdodau, daeth priodas
Marged gyda Tom Solet ar warthaf Enoc heb iddo ddisgwyl.
Mae'n wir fod Marged wedi crybwyll fwy nag unwaith am yr
amgylchiad agosaol – megis drwy ei atgofio ei fod wedi addo
rhoi'r brecwast, ac wedyn drwy ofyn iddo beth a gâi hi baratoi
ar gyfer y brecwast a phwy a pha nifer a gâi hi eu gwahodd i
ddod i gyfranogi o'r wledd. Rhoddodd Enoc *carte blanche* i
wneud fel y mynnai, ac i wahodd y neb a fynnai, ac ni feddyl-
iodd fwy am y peth. Mor absennol ei feddwl oedd ef fel na
ddarfu lwyr sylweddoli'r ffaith fod Marged yn mynd i'w adael,
nes y darfu i'r olaf, y prynhawn o flaen y briodas, ei wahodd i'r
gegin gefn i weld â'i lygaid ei hun y darpariaethau. Yno yr oedd
cwpl o gywion, *ham* gartref, tafod eidion, a lwmp o biff wedi
eu coginio ac wedi oeri – y cywion wedu eu gwisgo â phersli, a
mwnwgl yr *ham* wedi ei haddurno a phapur gwyn a phinc yn
ddestlus ddigon. Ni ddychmygasai Enoc y buasai Marged yn
cymryd mantais ar y caniatâd a roesai ef iddi i fynd "i mewn"
am bethau fel hyn. Ond er y gwyddai fod y cwbl ar ei gost ef ei
hun, nid oedd ei galon yn gwarafun, oblegid credai Enoc fod
yr hyn oedd yn werth ei wneud o gwbl, yn werth ei wneud yn
iawn. Pan welodd Enoc y danteithion, gwenodd – y wên gyntaf
fu ar ei ruddiau ers dyddiau rai, ac ebe fe –

"Pwy fu'n cwcio i chi, Marged?"

"Y fi fy hun, debyg," ebe Marged. Ac ebe Enoc yn ei frest –
"Lle mae ewyllys y mae gallu – welais i 'rioed moni'n troi peth-
au allan fel hyn o'r blaen," ac ychwanegodd, gan fwriadu i'r
gair fod dipyn yn frathlym –

"'Rydach chi wedi anghofio un peth pwysig, Marged – lle
mae'r *wedding cake?*"

"Na, nid anghofio ddaru mi, mistar, ond 'doeddwn i ddim yn leicio cymyd hyfdra i ordro gormod o bethe, a ddyliwn fod hi'n rhy hwyr yrŵan?" ebe Marged.

"Mae'n debyg ei bod – rhaid i ni dreio *managio* heb yr un," ebe Enoc, ac ychwanegodd – "Pwy sy'n dod i fwyta'r pethe 'ma i gyd, Marged?"

"Wel," ebe Marged, "dene fi, a Tom, a chithe, a Betsi Pwel, a Robert Jones, a chithe, a'r dynion yn siop, ddyliwn, a finne. O! mi fydd yma lot ohonom ni, a dene Tom hefyd."

"Fe ddylech," ebe Enoc, "ar bob cyfrif, ofyn i Mr. Brown, y person, ddod yma, a Hugh, y clochydd, mae o wedi *claddu* llawer yn ei oes, a Jones, y plismon, ac, yn enwedig, Didymus, y *reporter*, ne chewch chi ddim *report* o'r briodas yn y papur newydd."

"Mi faswn yn leicio'n arw i'r hanes fod yn y papur newydd, ond fûm i 'rioed yn siarad efo Didymus," ebe Marged.

"Wel," ebe Enoc, "mi ofynna *i* i Didymus a Jones, y plis-mon, a gofynnwch chithe i'r lleill, ac oni bai ei bod wedi mynd yn rhy ddiweddar, mi faswn yn gwâdd *Chairman* y *Local Board* a *Lord Lieutenant of the County*. Mae Lord Mostyn a Syr Watcyn ar y cyfandir, neu fase fo *harm* yn y byd gofyn iddyn nhwthe!"

"Ffasiwn biti!" ebe Marged.

"'Does mo'r help," ebe Enoc, gydag wyneb sad. 'Doedd o gamp yn y byd iddo gadw wyneb sad y dyddiau hynny.

"'Rydach chi'n dallt, mistar," ebe Marged, pan oedd Enoc yn cychwyn ymaith, "mai chi sydd i fy rhoi i?"

"Bedach chi'n ddeud, Marged?" ebe Enoc, ac yr oedd ei wyneb yn *sad* mewn gwirionedd erbyn hyn.

"Mai *chi* sydd i fy rhoi i," ebe Marged.

"'Dydw i ddim yn ych dallt chi," ebe Enoc.

"Wel," ebe Marged, "'roedd Mr. Brown, y person, yn deud y bydde raid i mi gael rhwfun i fy rhoi i, a fedrwn i feddwl am neb blaw chi, mistar, ac rodd Mr. Brown yn deud y gnaech chi'n iawn – 'doedd isio neb gwell."

"Wn i ddim am beth felly, ac mi fydde'n well gen i i rwfun arall neud y gwaith, Marged," ebe Enoc.

"Mae hi'n rhy hwyr i ofyn i neb arall, mistar," ebe Marged.

"Pa amser yfory y mae'r briodas i gymryd lle?" gofynnodd Enoc.

"Gynted y caniff y gloch wyth," ebe Marged.

Petrusodd Enoc am funud, a meddyliodd na fyddai neb o gwmpas yr adeg honno o'r dydd, a dywedodd –

"Wel, mae'n debyg y bydd raid i mi dreio gneud y *job*, ond cofiwch chi, Marged, fy ngalw yn ddigon bore."

"Trystiwch chi fi am hynny," ebe Marged.

Gan na welsai Enoc erioed briodas yn Eglwys Loegr, ni wyddai ef pa ddyletswyddau oedd ynglŷn â'r "rhoi", ac eto yr oedd rhyw argraff ar ei feddwl fod "rhoi i briodas" yn ymadrodd Ysgrythurol. Dechreuodd deimlo'n ofnus ac anghyff-orddus; a rhag bod yn hurt, meddyliodd mai'r peth gorau iddo, ar ôl cau'r siop, fyddai rhedeg cyn belled â Mr. Brown, y person, i gael gwybod natur y dyletswyddau, yr hyn a wnaeth. Yr oedd Enoc a'r hen berson rhadlon ar delerau hynod gyfeill-gar, a chafodd dderbyniad croesawgar, ac esmwythâd i'w feddwl, pan eglurodd Mr. Brown na ddisgwylid iddo wneud dim ond dweud, "y fi", pan ofynnai ef pwy oedd yn "rhoi" y briodasferch. "Ac 'rŵan, Mr. Huws," ebe'r hen berson, yn llond ei groen, a hapus yr olwg – ac yr oedd ef, erbyn hyn, wedi llwyr anghofio'r wers ofnadwy a gawsai gan fam Rhys Lewis, er nad oedd ei Gymraeg ronyn gwell – "'rŵan, Mr. Huws," ebe fe, "nid yn aml ydach chi'n dŵad yma – newch chi cymyd glasied o gwin?"

"Dim, diolch i chwi, Mr. Brown, fydda i ddim yn arfer efo peth felly – 'rydw i'n ddirwestwr," ebe Enoc.

"Wyddoch chi pe, Mr. Huws, 'rydach chi, Calvins, yn pobol smala iawn – 'rydach chi'n gwaeth na Pabyddion. 'Rydach chi'n meddwl ych hun yn rhy dduwiol i cymyd y pethe da y ma y Brenin Mawr wedi roi i'w creaduried gwael, ac yn meddwl y cewch chi mynd i'r nefoedd o blaen pobol erill am hynny. Ond credwch chi fi, Mr. Huws, cewch chi ddim. Cewch chi ddim mynd yno cam gynt am peidio cymyd pethe da Duw – cewch chi gweld. A 'rydach chi wastad – fel y deudes i llawer gwaith

wrth Abel Huws – Cristion da odd o – â'ch penne yn y plu
'run fath â giar yn *moultio*. Ma digon buan i ni *moultio* pan ma
raid i ni gadel y pabell hon. A ma o'n pechod hefyd i beidio
cymyd y pethe gore medrwch chi cael mewn bywyd – a tynnu
wyneb hir 'run fath â dae'ch trwyn chi ar y mân llifo pob
amser. Ma o'n dangos ysbryd di-diolch a pechadurus, a cewch
chi gweld rhw diwrnod, Mr. Huws, ma fi sy'n *right*."

"'Rydw i bron â chredu'n barod mai chi sy'n *right*, Mr.
Brown, achos y mae 'nhrwyn i wedi bod ddigon o hyd ar y
maen llifo – byd a'i gŵyr," ebe Enoc.

"Mi gwyddwn hynny," ebe Mr. Brown, "ond gadewch i mi
gweld – ond gwaeth i mi tewi – mi gwn ma Mr. Simon fydd
yn ych priodi chi, ond gwnaiff hynny dim ods. Pryd y ma o i
dŵad i ffwrdd, Mr. Huws? Ma Miss Trefor yn geneth propor
iawn, ac yn tebyg o gneud gwraig da. Pryd ma o i bod, Mr.
Huws?"

"Y nefoedd fawr a ŵyr!" ebe Enoc gan godi i ymadael.

"Dyma chi, Mr. Huws," ebe Mr. Brown wrth ysgwyd llaw
ag Enoc, "os gynnoch chi dim cwilydd? Tyma fi wedi priodi
Tom Solet tair cwaith, a mynd i priodi o yfory y pedwar
cwaith. Ma o'n cwilydd i chi! Cofiwch, Mr. Huws, os na gneiff
Mr. Simon priodi chi, mi gna i, a hynny am dim – mi cowntia
fo'n onar, a mi gna i chi'n digon saff."

Nid oes dim yn well i ddyn mewn profedigaeth ac iselder
ysbryd nag ymgymysgu â phobl. Teimlai Enoc – ar ôl bod yn
pendroni mewn unigrwydd am ddyddiau a nosweithiau – yn
ysgafnach a hoywach ei ysbryd wedi bod yn y Rheithordy a
chael ymddiddan â Mr. Brown. Er mor anobeithiol oedd
Enoc, yr oedd gwaith Mr. Brown yn cyfeirio at Miss Trefor fel
ei ddarpar wraig, heb os nac oni bai, yn falm i'w glwyfau.
"Pam y mae pawb yn siarad fel hyn, os nad yw'r peth i fod?"
meddai Enoc ynddo ei hun. Erbyn hyn, dechreuai deimlo
dipyn o ddiddordeb ym mhriodas Marged, ac nid oedd yn
ddrwg ganddo y byddai raid iddo gymryd rhyw fath o ran
ynddi – rhoddai hyn dipyn o brofiad iddo erbyn y deuai ei dro
yntau. Cyfeiriodd ei gamre tua phreswylfod Didymus i'w

wahodd i'r brecwast, ond arbedwyd y siwrnai iddo. Ar ei ffordd trawodd ar Jones, y plismon. Yr oedd Jones – yn wahanol i'w frodyr – yn dod i'r golwg mewn rhyw fodd na allai Enoc roi cyfrif amdano bob amser pan fyddai ei eisiau, ac er nad oedd ef yn neilltuol hoff ohono, eto teimlai Enoc ei fod dan gymaint o rwymau iddo, a bod a wnelai Jones gymaint â'i dynged, fel na allai lai na'i edmygu a'i barchu.

"Holô!" ebe Jones, "gŵr go ddiarth, onid e? Welais i monoch chi ers gwn i pryd, Mr. Huws. Deudwch i mi, ydach chi wedi peidio mynd i Dyn-yr-ardd?"

"Fûm i ddim yno ers rhai dyddiau," ebe Enoc.

"Ah!" ebe Jones, "mi wyddwn mai felly y bydde hi. Oeddwn i ddim yn *right*? Mae'n dda gen i bod chi'n dallt y cwbl erbyn hyn. Ond y mae'r hen wraig yn wael iawn, mi glywais?"

"Glywsoch chi rywbeth heddiw?" gofynnodd Enoc.

"Do, Mr. Huws – mae hi'n llawer gwaelach. Mi fydd yno *smash* ryw ddiwrnod, ond y mae'n dda gen i bod chi'n dallt pethau yn o lew," ebe Jones.

"Fyddwch chi'n rhydd yn y bore? Ddowch chi acw i *wedding breakfast* Marged? Mae hi wedi paratoi toreth o ymborth, ac fe fydde'n resyn iddo beidio cael ei fwyta. Fedrwch chi ddŵad?" gofynnodd Enoc.

"Medra, neno dyn, ac mi fydd yn dda gen i gael dŵad," ebe Jones. "Ac mae'r hen Fari Magdalen yn ych gadel chi ynte? Y fath waredigaeth!"

"Ydi," ebe Enoc, "ac mi leiciwn bydae popeth drosodd. Ond deudwch i mi, welsoch chi mo Didymus heno? Mi faswn yn leicio iddo yntau fod acw."

"Gadewch hynny i mi, Mr. Huws, mi gwelaf o toc," ebe Jones.

"*Thank you*, a chofiwch fod acw erbyn yr amser," ebe Enoc, yn llawn pryder a allai ef ei hun godi yn ddigon bore i "roi" Marged.

XLI

PRIODI A FYNNANT

Nɪ allai Enoc yn ei fyw las gysgu y noswaith o flaen priodas Marged – yn wir, nid oedd ef, er y prynhawn y buasai ddiwethaf yn Nhyn-yr-ardd – yn alluog i gysgu ond ychydig. Trôi a throsai yn ei wely, nes y byddai agos yn bryd codi, ac yna pan gurai Marged ddrws ei ystafell wely saith o'r gloch y bore – yr hyn a wnâi hi bob bore trwy'r flwyddyn – teimlai Enoc ymron marw eisiau cysgu. Y noswaith cyn priodas Marged clywodd Enoc y cloc yn taro un, dau, tri, pedwar, pump, ac yntau heb gysgu winc – ac yna cysgodd fel carreg. Am chwarter i chwech, curodd Marged ddrws ei ystafell yn galed. Atebodd Enoc yn ei gwsg, ond mewn gwirionedd ni wyddai ef fwy am ei churo na phe buasai hi'n curo ymyl y lleuad. Arhosodd Marged i'r cloc daro chwech, ac aeth at y drws a gofynnodd yn foesgar – "Ydach chi'n codi, mistar?" Dim ateb. Curodd Marged drachefn, ond nid oedd neb yn ystyried. Dychrynodd yn enbyd, a meddyliodd fod ei meistr wedi marw, a chychwynnodd Marged i ymofyn help, ond trodd yn ei hôl, a gosododd ei chlust ar rigol y drws. Mor rhyfedd! nid rhyw lawer o amser cyn hynny yr oedd Enoc yn gwrando'n ddyfal wrth yr un rhigol am chwyrniadau Marged, a dyma hithau yrŵan, lawn mor bryderus, yn gwrando am chwyrniadau Enoc! Y fath bwys sydd mewn bod yn chwyrnwr! A'r fath ollyngdod a gafodd Marged pan glywodd hi Enoc yn chwyrnu'n drwm a chyson, a'r fath nerth a roddodd hynny yn ei braich i guro'r drws nes oedd ymron oddi ar ei golynnau! Pe curasai hi'n gyffelyb ar gaead arch dyn mae'n amheus ai ni ddeffroisai'r marw.

"Holô! Be 'di'r mater?" ebe Enoc, a neidiodd i'r llawr gan feddwl fod y tŷ yn dod i lawr am ei ben.

"Os na feindiwch chi, mistar, 'rydach chi'n bownd o fod ar
ôl," ebe Marged.

"*All right*, Marged," ebe Enoc, a dechreuodd sylweddoli lle yr
oedd ef a beth oedd i gymryd lle y bore hwnnw. Edrychodd ar ei
watch – pum munud wedi chwech – yr oedd digon o amser, ac
eisteddodd ar ymyl y gwely – dim ond am funud – cyn dechrau
ymwisgo. Caeodd ei lygaid – dim ond am funud – yna ymddan-
gosai fel pe buasai yn ceisio taro rhywbeth efo'i ben yr ochr
chwith, ac wedi methu ceisiai ei daro yr ochr dde, ond i ddim
pwrpas. Newidiodd ei *tactics*, ac fel bwch gafr, ceisiodd daro'r
rhywbeth efo'i dalcen, a bu agos iddo syrthio, a barodd iddo agor
ei lygaid i'w cau drachefn, ac i fynd trwy'r un ystumiau lawer-
oedd o weithiau, nes y clywodd ef Marged yn dod i fyny'r grisiau
yn drystiog, ac yn dweud – "Wel, yn eno'r annwyl dirion!" a
phesychodd Enoc yn uchel fel pe buasai yn hanner tagu, a throdd
Marged yn ei hôl. Yr oedd ef erbyn hyn wedi cwbl ddeffro, ac er
mwyn argyhoeddi Marged o'r ffaith, gwnâi gymaint o drwst ag a
fedrai, megis drwy godi caead ei focs dillad a gadael iddo
syrthio'n sydyn, a churo'r *jug* dŵr yn y ddysgl 'molchi, fel pe
buasai'n gwerthu potiau. Edrychodd ar ei *watch* – deng munud
wedi saith! Lle yn y byd mawr yr oedd ef wedi bod er pum
munud wedi chwech? Prin y gallai gredu ei lygaid. Rhaid ei fod
wedi cysgu, oblegid o ran ei deimlad nid oedd wedi eistedd ar
ymyl y gwely ond am ryw ddau funud. Cydymdeimlai Enoc efo
Marged yn fawr erbyn hyn, canys gwelai ei fod wedi achosi cryn
bryder iddi, ac er mwyn ei llwyr argyhoeddi ei fod yn hollol effro,
ac ymron yn barod i fynd i lawr, aeth Enoc allan o'i ffordd a
chanodd yn uchel, er nad oedd canu ar ei galon. Ymhen ychydig
funudau yr oedd ef i lawr yn y gegin, ac wedi ymwisgo fel pin
mewn papur, a roddodd derfyn ar bryder Marged, a oedd, gyda
Betsi Pwel, yn barod ers meitin i fynd i'r Eglwys. Ebe Marged –

"Wel, mistar, 'roeddwn i *just* â meddwl na fasech chi byth
yn codi, a dyma hi 'rŵan yn ugen munud wedi saith."

"Mae digon o amser, a ddyliwn i na fuoch *chi* ddim yn ych
gwely, Marged, i fod wedi paratoi'r brecwest fel hyn, ac wedi
gneud eich hun yn barod mor fuan," ebe Enoc.

"Do, memo diar," ebe Marged, "ond yr ydw i wedi codi er pedwar o'r gloch ar gloc y llofft, ac ma hwnnw hanner awr rhy fuan, ac rodd popeth yn barod cyn i Betsi ddŵad, a phryd y daethoch *chi*, Betsi?"

"Hanner awr wedi pump ar y dre," ebe Betsi.

"Rhai garw ydach chi; mi leiciwn allu bod mor effro yn y bore," ebe Enoc.

"Mi gwranta chi y byddwch chi'n ddigon effro y bore y byddwch chi a Miss Trefor yn mynd i'ch priodi, on' fydd o, Betsi?" ebe Marged.

"Rhowch i mi baned o de, da chi, Marged, achos 'rydw i'n teimlo 'reit bethma," ebe Enoc.

"Wel, on'd oes 'ma baned yn gweitiad amdanoch chi ers awr, mistar. Ond cofiwch na chewch chi ddim ond rhw ddeilen o frechdan efo hi ne fedrwch chi ddim *myjoyio*'ch brecwest pan ddown ni'n ôl o'r Eglwys," ebe Marged yn fêl ac yn fefus. "Ac 'rŵan," ebe hi ar ôl tywallt y te i Enoc, "wrth fod Betsi'n byw yn ymyl yr Eglwys mi awn ni yno, ac mi ddowch chithe i'r Eglwys erbyn y caniff y gloch wyth, on' ddowch chi, mistar?"

"Dof, wrth gwrs," ebe Enoc, ac aeth Marged a Betsi ymaith.

Yfodd Enoc "y paned te" heb gyffwrdd â'r ddeilen frechdan. Yna llwythodd ei bibell – oblegid yr oedd digon o amser i gael mygyn cyn mynd i'r Eglwys, ac eisteddodd mewn cadair esmwyth o flaen y tân braf. Teimlai'n enbyd o gysgadlyd, ac felly y gallai, canys nid oedd, fel y dywedwyd, wedi cysgu ond ychydig ers wythnosau, ac nid oedd o un diben mynd i'r Eglwys yn rhy fuan. Dechreuodd Enoc ysmygu, a synfyfyrio, a choll-odd ei dân. Taniodd ei bibell wedyn ac wedyn – syrthiodd ei ên ar ei frest, syrthiodd ei bibell o'i law, ac yna – wel, cysgodd yn drwm. Deffrowyd ef gan ran-tan ar y drws. Neidiodd Enoc ar ei draed – edrychodd ar y cloc – chwarter wedi wyth! Traw-odd ei het am ei ben a rhuthrodd i'r drws. Jones, y Plismon, oedd yno wedi dod i'w nôl, ac yn protestio fod Marged agos â mynd i ffit, a Mr. Brown yn tyngu nad âi ymlaen gyda'r gwas-anaeth os na ddeuai Enoc i "roi" Marged. Brasgamodd Jones ac Enoc tua'r Llan. Aeth Jones i'r festri i hysbysu Mr. Brown

am ddyfodiad Enoc, ac aeth Enoc rhag ei flaen at yr allor. Ar
un edrychiad gwelodd Enoc fwy nag yr oedd ef wedi bargeinio
amdano. Yr oedd yn yr hen Eglwys o gant a hanner i ddeucant
o bobl wedi dod i weld y seremoni, a phob un yn wên o glust
bwygilydd, ac yn cilchwerthin yn ddireidus. Ond yn fwy
amlwg na phawb yn ymyl yr allor, ac yn edrych yn bryderus
am ei ddyfodiad, gwelai Enoc wyneb Marged fel llawn lloned a
chyn goched â chrib y ceiliog. Ni wyddai Enoc pa beth i'w
wneud gan gywilydd, a chwysodd yn ddiferol, ac wedi eistedd
yng nghymdogaeth yr allor, tynnodd ei law trwy ei wallt a
chafodd ei fod fel cadach llestri gan chwys. Yn union deg
daeth Mr. Brown ymlaen yn ei wisg glerigol, ac er ei fod, erbyn
hyn, yn bedwar ugain oed, edrychai'n llyfndew a grasol. Yr
oedd direidi diniwed lond ei lygaid y bore hwnnw. Cymerodd
Mr. Brown drafferth i osod y cwmni mewn trefn, ac o dosturi
at Enoc, gosododd Mr. Brown ef a'i gefn at y gynulleidfa.
Teimlai Enoc yn ddiolchgar iawn iddo. Er cymaint oedd
ffwdan Enoc, ni allai ef beidio sylwi ar y dirfawr wahaniaeth
oedd yng ngwisgoedd y briodas. Yr oedd Marged a Betsi Pwel
wedi eu gwisgo mewn gwyrdd newydd danlli o liw porfa, a'u
boneti o liw cyffelyb wedi eu trimio yn drwm â choch – mor
goch nes codi cur ym mhen Enoc wrth edrych arno. Yr oedd
Robert Jones, y gwas priodas, oedd yntau yn gweithio dan y
Local Board, mewn cot a gwasgod o stwff cartref wedi ei weu
yng Nghaerwys, ac wedi gweld ambell aeaf, a thrywsus melyn,
yn dechrau duo tua'r penliniau – oedd yn brawf eglur mai yn y
trywsus hwn yr âi Robert i'r capel ar y Sul, ac i'r cyfarfodydd
gweddïo ganol yr wythnos. Ond y priodfab – Tom Solet – a
gymerodd fwyaf o sylw Enoc. Ystyrid Tom yn dipyn o gybydd,
a gwyddai Enoc hynny'n burion. Ond canfu Enoc fod Tom –
(yn ddiamau ar ôl clywed Jones, y plismon, yn dweud fod gan
Marged bres) – wedi specilatio mewn trywsus cord newydd –
balog fawr a botymau corn gwynion arno – oedd rhy hir o dair
modfedd, ac wedi ei droi i fyny i'r mesur yn y gwaelod.
Chware teg i Tom, nid oedd wedi ei roi amdano hyd y bore
hwnnw, a pha fodd y gallasai gael ei altro? Am gefn Tom yr

oedd cot o *blue superfine West of England*, a gwasgod o liw caneri a botymau pres arni, a chan nad beth oedd ei diffygion – ac nid oeddynt yn berffaith – yr oedd y teiliwr a fu'n eu cynllunio ac yn eu rhoi wrth ei gilydd, wedi mynd "i'w aped" ers llawer blwyddyn. Y rhain oedd "cot a gwasgod wedin" Tom pan briododd ef y wraig gyntaf, ac yr oeddynt erbyn hyn yn gwrando'r wers briodas y pedwerydd tro, ac yn eu medru, yn ddiamau, gystal â Mr. Brown ei hun. Trawyd Enoc hefyd gan ymddangosiad gwahanol y rhai oedd o'i flaen – yr oedd Marged a Betsi – yn enwedig Marged, â'u hwynebau fel ffwrnes, eto yn ddedwydd iawn. Robert Jones yn welw a difrifol fel pe buasai ar ei dreial, a Tom yn eglur fwynhau ei sefyllfa, a'i wyneb tua'r llawr, ac yn edrych dan ei guwch fel mochyn bwyta pys. Teimlai Enoc wrthuni ei sefyllfa, a rhyfeddai beth oedd wedi ei lygad-dynnu i'w osod ei hun yn y fath gwmni. Er bod Mr. Brown yn cyflymu dros y wers, ymddangosai'n enbyd o hir i Enoc. Ac eto nid oedd y seremoni heb ryw gymaint o gysur a boddhad iddo. Yr oedd Enoc, fel y gŵyr y darllenydd, yn ŵr haelionus, ac wedi "rhoi" llawer yn ystod ei oes, ond "rhoi" Marged oedd y rhodd fwyaf ewyllysgar a ddaeth erioed o'i galon, a buasai'n dda ganddo fod wedi cael cyfleustra i'w "rhoi" yn gynt pe buasai rhywun wedi ei gofyn. Ni fyddai Mr. Brown yn gwastraffu amser ar achlysuron fel hyn, a da gan Enoc oedd cael mynd i'r festri o olwg y gynulleidfa i orffen y busnes, ac i fod yn dyst o X y naill a'r llall. Estynnodd Mr. Brown y syrtifficêt i Tom Solet, a thynnodd Tom ei fwrs o boced frest ei wasgod ar fedr talu am ei briodi, ond ataliwyd ef gan Mr. Brown, a ddywedodd –

"Hidiwch befo, Tom, fi ddim *chargio* chi y tro yma – fi gneud hyn fel *discount* am y trôs o'r blaen, ond cofiwch chi, Tom, fi *chargio* chi tro nesa."

Am y gair hwn edrychodd Marged arno'n ddigofus, ac ni wahoddodd ef i'r brecwast, a bu raid i'r clochydd ddioddef yr un dynged.

Llithrodd Enoc adref ar hyd un o'r ystrydoedd cefn, ac ni welodd y cawodydd *rice* yn cael eu tywallt ar bennau'r cwpl dedwydd, er mai ei *rice* ef ei hun ydoedd, oblegid deallodd, wedi hyn, mai Marged oedd wedi cyflenwi'r cymdogesau â'r *rice* y noson flaenorol i anrhydeddu ei phriodas. Mae fy mhennod eisoes yn rhy faith i roi lle i ddisgrifiad o'r brecwast. Digon yw dweud fod ymgom Jones, y plismon, a Didymus, "gystal â phregeth", ac yn eu cwmni anghofiodd Enoc am dri chwarter awr ei holl "brofedigaethau". Ar ddydd ei phriodas ni chafodd Marged ond un anrheg, a honno gan ei meistr – sef set o lestri te hardd, anrheg a barodd i'r priodfab tawedog wneud un sylw – yr unig air a gaed o'i enau drwy ystod y brec-wast – "Mi drychiff y rhai ene yn neis yn y cwpwrdd cornel acw." Ond yn yr adroddiad maith a manwl a anfonwyd gan Didymus i'r *County Chronicle*, dywedwyd "fod yr anrhegion yn rhy luosog i'w henwi". A dyna oedd y ffaith yn ddiamau, oblegid y mae'n lled sicr na ddarfu Didymus gyfrif pob cwpan a swser, plat, bowlen, a thebot oedd yn y set. Ar ôl y brecwast yr oedd y byd yn galw ar Jones, y plismon, a Didymus, i fynd ymaith, ac ymhen rhyw awr ffarweliodd Enoc â Marged a Thom Solet, a aeth i dreulio eu mis mêl – neu, yn hytrach, eu diwrnod mêl, i'r *Coach and Horses* – tafarndy rhyw filltir o'r dref. Yn y dafarn hon yr oedd Tom wedi dathlu ei holl briod-asau, ac wedi arfer gwahodd ei gyfeillion a'i ewyllyswyr da i gydlawenhau ag ef, y pennaf o ba rai oedd Isaac y delyn. Yn y *Coach and Horses* y buont y waith hon hyd hanner y nos, ac mewn *handcart* – felly yr adroddwyd i Enoc, ond ni ddarfu iddo chwilio i wirionedd yr hanes – mewn *handcart* y dygwyd Tom i'w gartref y noson honno – Robert Jones yn y drafftiau yn tynnu, a Marged yn gwthio tu ôl. Nid y diwrnod hwnnw'n hollol y terfynodd ymdrafodaethau Enoc â Marged, canys ymhen ychydig ddyddiau cafodd hithau ei phrofedigaethau, ac at Enoc yr âi i adrodd ei chŵyn; ond dyna'r olwg olaf, am wn i, a gaiff y darllenydd ar Marged. Hwyrach hefyd, y dylwn ddweud fod Marged wedi gor-fyw Tom Solet. O'r diwedd yr oedd yntau wedi cyfarfod â'i *fatch.*

Ar ôl y brecwast a'r miri y bore hwnnw, prin y mae eisiau dweud na theimlai Enoc mewn hwyl i fynd i'r siop, ac wrth

edrych ar y bwrdd a gweld yno wmbreth o ymborth heb ei
fwyta – yn unol â'i natur dda – anfonodd un o'r llanciau i
wahodd hen wŷr a hen wragedd anghenus y gymdogaeth i'w
dŷ, ac yno y bu yn eu porthi ac yn gwneud y te a'r coffi iddynt
ei hun hyd nad oedd ond esgyrn moelion a briwsion wedi eu
gadael. O'r diwedd gadawyd ef yn unig yng nghanol yr holl
lanastr – a dyna'r funud y cofiodd am y tro cyntaf ei fod heb yr
un forwyn, a heb feddwl am ymorol am un. Ni wyddai pa le i
droi ei ben a chywilyddiodd wrth ystyried mor ddi-sut ydoedd.
Wedi iddo roi glo ar y tân, oedd ymron â mynd allan, aeth
Enoc i'r parlwr o olwg y llestri budron a'r llanastr, gan obeithio
gweld Jones, y plismon, ei swcr ymhob helbul, yn pasio. Credai
y gallai Jones gael morwyn iddo ar unwaith. Edrychodd drwy'r
ffenestr am oriau gan ddisgwyl gweld Jones, ond gallasai Jones
fynd heibio lawer gwaith heb i Enoc ei weld, oblegid yr oedd
ers meitin wedi anghofio am bwy yr oedd yn edrych a'i fyfyr-
dodau wedi eu meddiannu yn hollol gan Miss Trefor. Yr oedd
yn dechrau prynhawnio, pryd y safodd o flaen ei ffenestr, ferch
ifanc drwsiadus a golygus. Edrychodd ar y ffenestr ac ar y drws
– i fyny ac i lawr, fel pe buasai'n amau ai hwn oedd y tŷ a
geisiai. "Pwy yn y byd mawr ydyw'r foneddiges hon?" ebe
Enoc ynddo'i hun. Yna curodd y foneddiges y drws, ac aeth
Enoc i'w agor.

"Ai chi ydi Mr. Huws, syr?" gofynnodd y foneddiges.

"Ie, dyna fy enw i," ebe Enoc.

"Ga i siarad gair â chi?" gofynnodd y foneddiges.

"Cewch, neno dyn, dowch i mewn," ebe Enoc.

Estynnodd Enoc gadair iddi yn ymyl y ffenestr, er mwyn
iddo gael llawn olwg arni, oblegid canfu ei bod yn werth
edrych arni. Ar ôl eistedd, ebe'r foneddiges gyda gwên, a chan
ddatguddio set o ddannedd (nid rhai gosod) fel rhes o bys yn
eu coden –

"Wedi galw yr ydyw i, Mr. Huws, i ofyn oes gynnoch chi
eisio *housekeeper*?"

"*Just* y peth yr *ydw i isio*," ebe Enoc, "ond y mae arnaf ofn na
wnaiff fy lle i eich siwtio. Gan nad oes yma neb ond y fi fy

hun, ni byddaf yn cadw morwyn, ac mae fy *housekeeper* yn gorfod gwneud popeth sydd raid ei wneud mewn tŷ."

"'Rydw i'n gwbod hynny, a neiff o ddim gwahaniaeth i mi, achos yr ydw i wedi arfer gweithio, ac mi wn sut i gadw tŷ," ebe'r ferch ifanc, a synnodd Enoc ei chlywed yn siarad felly, oblegid yr oedd ei gwisg yn drefnus a chostfawr yn nhyb Enoc.

"Da iawn," ebe Enoc. "Faint o gyflog ydach chi'n ofyn?"

"Ugen punt. Yr wyf wedi bod yn cael chwaneg," ebe hi.

"Mae hynny yn bum punt mwy nag yr ydw i wedi arfer roi," ebe Enoc.

"'Rwyf yn gobeithio," ebe'r ferch ifanc, "y cewch y gwahaniaeth yn y gwasanaeth, achos yr ydw i wedi bod mewn lleoedd da, ac wedi gweld tipyn."

"Wel," ebe Enoc, "hidiwn i ddim â rhoi ugen punt os gwnaech fy siwtio," canys credai fod golwg yr eneth hon, o'i chymharu â Marged, yn werth pum punt, ac ychwanegodd –

"Pryd y medrwch chi ddod yma?"

"Pryd y mynnoch," ebe hi.

"Wel," ebe Enoc, "mi leiciwn i chi ddod ar unwaith, achos, a dweud y gwir i chi, 'does gen i neb yma yrŵan, ac mae'r tŷ yn heltar sceltar. Fedrwch chi ddod yma yn y bore?"

"Mi ddof yma heno, naw o'r gloch, os caf," ebe'r ferch ifanc.

"Gore oll. Beth ydi'ch enw chi?" gofynnodd Enoc.

"Miss Bifan ydi f'enw i," ebe hi.

"O'r gore, Miss Bifan, mi fyddwch yma erbyn naw ynte," ebe Enoc. Ac felly terfynodd y cytundeb, a phan oedd Enoc yn agor y drws i Miss Bifan fynd allan, gwelai Kit, morwyn Tyn-yr-ardd, yn cyfeirio tuag ato gyda nodyn yn ei llaw! A oedd rhyw ysbryd wedi sisial yng nghlust Miss Trefor fod ganddi hi yn awr gydymgeisydd?

XLII

WEDI MYND

DARLLENODD Enoc y nodyn yn awchus, oedd fel y canlyn –

"Tyn-yr-ardd.

"ANNWYL MR. HUWS, – Yr ydych wedi bod yn ddiarth iawn. Hyd yr wyf yn cofio, ni ddywedais ddim, pan fuom yn siarad ddiwethaf, i fod yn rheswm digonol am y dieithrwch hwn, ac *os* dywedais, mae'n ddrwg gennyf. Mae sôn mewn rhyw Lyfr am ymweld ag anwiredd y tadau ar y plant, ond nid wyf yn cofio fod sôn yn y Llyfr am ymweld ag anwiredd y ferch ar y rhieni. Hwyrach fod, hefyd, ond mai fi sydd ddim yn cofio. Pa fodd bynnag, chwi wyddoch eich bod yn werthfawr gan fy nhad, ac yn annwyl gan fy mam, a phrin y mae yn gyfiawn ynoch, nac yn deilwng ohonoch *chwi*, eu cosbi hwy am anwir-edd eu merch. Mae fy nhad yn isel a blinderog ei ysbryd, ac mi wn ei fod yn credu mai fi sydd wedi eich tramgwyddo. Druan ohonof! Yr wyf yn ceisio gwneud fy nyletswydd, yn ôl y goleuni sydd ynof, ac, er y cwbl, yn tramgwyddo pawb o fy nghwmpas. Mae fy mam, mae yn ddrwg gennyf ddweud, yn gwaelu bob dydd. Yr wyf wedi gwneud fy ngorau iddi, Duw a ŵyr! ac mae fy nghalon bron â thorri. Mae hi yn methu gwybod pam nad ydych yn dod i edrych amdani. Ddowch chwi? Fydd hi ddim yma yn hir. Mae Mr. Simon wedi bod yma droeon, ond nid yw hi fel bydae yn hidio rhyw lawer amdano. Ddowch chwi i edrych amdani? Os bydd fy ngweld *i* yn rhyw rwystr i chwi ddod, mi addawaf wrthych yr af i'r seler tra byddwch yma.

Yr eiddoch yn gywir,
S. TREFOR."

"O.Y. – Esgusodwch fy Nghymraeg – gwyddoch nad wyf yn arfer ysgrifennu yn Gymraeg – S.T."

"Dywedwch wrth Miss Trefor y dof acw toc," ebe Enoc wrth Kit.

"Mae hi isio'ch gweld chi'n arw, Mr. Huws," ebe Kit.

"Pwy?" gofynnodd Enoc.

"Miss Trefor," ebe Kit, a wyddai sut i foddio Enoc.

"Sut y gwyddoch chi hynny, Kit?" gofynnodd Enoc.

"Am 'y mod i'n gwbod," ebe Kit, "achos 'dydi hi ddim yr un olwg ers pan ydach chi ddim yn dod acw – mae hi fel bydae hi mewn breuddwyd. Ddaru chi ffraeo, Mr. Huws?"

"Mae eich meistres yn sâl iawn, Kit, ac y mae gan Miss Trefor ddigon o helbul heb feddwl dim amdana i," ebe Enoc.

"Oes, byd a'i gŵyr, ebe Kit, "fwy nag a wyddoch chi. 'Dydi hi ddim wedi tynnu 'ddamdani ers gwn i pryd, a wn i ddim sut mae hi'n gallu dal. Ac mae gen i ofn na fendiff y meistres byth – mae hi'n od iawn, fel bydae gen'i hi rwbeth ar ei meddwl. Ac mae mistar – newch chi ddim cymyd arnoch 'mod i'n deud, Mr. Huws? – 'dydi o ddim yn actio'n reit."

"Wel, be mae o'n neud, Kit?" gofynnodd Enoc.

"Mae o – newch chi ddim sôn 'mod i'n dweud, Mr. Huws? – mae o'n yfed yn ddychrynllyd ddydd a nos, nes mae o reit wirion, ac mae hynny'n fecsio Miss Trefor. Mae acw dŷ rhyfedd i chi, ac mae hi wedi gofyn lawer gwaith i mi pryd y gweles i chi, a be ydi'r achos, tybed, fod chi ddim yn dod acw. Mi wn bod hi'n sâl isio'ch gweld chi, syr."

"Cymerwch ofal, Kit," ebe Enoc, "i beidio dweud wrth neb fod eich meistar yn yfed. Mae dyn yn gwneud llawer iawn o bethau mewn profedigaeth na ddylai wneud, ac na wnâi ar un adeg arall, ac y mae afiechyd eich meistres, yn ddiamau, wedi effeithio'n fawr ar Capten Trefor. Gofalwch, Kit, na ddwedwch chi ddim wrth neb."

"Y fi? chymrwn i mo 'mhwyse â deud wrth neb 'blaw chi, achos yr ydach chi fel un o'r teulu, Mr. Huws," ebe Kit.

"Da iawn, Kit, ewch yn ôl yrŵan a dwedwch wrth Miss Trefor y dof acw toc," ebe Enoc.

"Mi *fydd* yn dda gen hi'ch gweld chi," ebe Kit.

Yr oedd cael clywed rhywbeth oddi wrth Miss Trefor, ac yn enwedig gael gwahoddiad i Ddyn-yr-ardd, fel eli ar friw i Enoc. Ar yr un pryd, penderfynodd beidio â dangos brys. Barnai y buasai iddo redeg yno â'i wynt yn ei ddyrnau, yn *infra dig.* Er ei fod yn llosgi o eisiau mynd, arhosodd am dros awr cyn cychwyn, a phan aeth, cerdded yn hamddenol a hunanbarchedigol. Ar hyd y ffordd dyfalai pa fath olwg a gâi ef ar Susi, a pha beth a ddywedai hi wrtho. Gwnaeth lw yn ei fynwes na soniai ef air wrthi am yr hyn a gymerasai le rhyngddynt pan fuont yn siarad â'i gilydd ddiwethaf, oddieithr iddi hi sôn yn gyntaf. A chadwodd Enoc ei lw – oblegid cafodd rywbeth arall i feddwl amdano. Er nad oedd hi eto yn dywyll, yr oedd gorchudd ar bob ffenestr yn Nhyn-yr-ardd, a phan nesaodd Enoc at y tŷ, teimlai fod rhywbeth yn rhyfedd a dieithr yn yr olwg arno, er na allai wneud allan beth ydoedd. Yr oedd yn rhy absennol ei feddwl i ganfod mai'r gorchudd ar y ffenestri oedd yn rhoi'r olwg ddieithr iddo. Curodd Enoc y drws, a daeth Kit i'w agor. Yr oedd llygaid Kit fel llygaid penwaig, ac ebe hi yn ddistaw –

"Mae hi wedi mynd, Mr. Huws."

"Pwy?" gofynnodd Enoc.

"Y meistres," ebe Kit.

"Mynd i ble?" gofynnodd Enoc.

"Mae hi wedi marw," ebe Kit.

"Wedi marw!" ebe Enoc, fel pe buasai wedi ei saethu gan y newydd, a phrin y gallai symud o'i unman. Rhoddodd Kit nòd gadarnhaol a chaeodd y drws yn ddiesgeulus, ac arweiniodd Enoc i'r parlwr, lle yr oedd y Capten a Miss Trefor yn bendrist a distaw. Ar ei fynediad i'r ystafell, cododd Miss Trefor ar ei thraed, a heb ddweud gair, gwasgodd law Enoc yn dynn a *nervous,* a yrrodd ias drwy ei holl gorff. A'r un modd y gwnaeth y Capten. Syrthiodd Enoc i gadair wedi ei orchfygu gan ei deimladau, canys ef a garai Mrs. Trefor yn fawr, er ei mwyn ei hun, heblaw ei bod yn fam i Susi, ac nid oedd wedi dychmygu fod ei hymddatodiad yn ymyl. Er mor ansylwgar y byddai

314

Enoc yn gyffredin, ni allai beidio â chanfod fod y Capten yn drwm mewn diod. Edrychai yn swrth i'r tân, a rholiai dagrau mawr i lawr ei ddwyrudd.

Mae meddwdod yn gwneud dyn yn anwyliadwrus, ac mewn rhai amgylchiadau, yn foddion i ddwyn allan y tipyn daioni sydd wedi ei adael yn ei natur. Adwaenwn ddyn na welid byth mohono yn gweddïo ond pan fyddai wedi meddwi! ac mi a adwaen ambell un nad yw'n bosibl cael rhodd nac elusen ganddynt ond pan fyddant "yn eu crap". Nid oedd hyd yn oed Capten Trefor, oedd wedi byw ers blynyddau ar dwyll a rhagrith, yn hollol amddifad o ryw fath o deimlad. Yr oedd *remnant* byr o'r natur ddynol wedi ei adael ynddo. Cyffyrddodd *gwir* deimlad Enoc â'r ychydigyn teimlad oedd yn y Capten, ac wylodd yntau. Yr oedd teimladau Miss Trefor ers wythnosau wedi eu tynhau hyd eu heithaf, ac yn gwrthod llacio, a'i hwyneb yn sefydlog, heb yr un plic ynddo, ac yn welw wyn, fel pe buasai wedi colli pob diferyn o waed. Nid anhyfryd ganddi oedd gweld Enoc yn arddangos y fath deimlad, – yr oedd ei mam ac yntau wedi bod yn gyfeillion mawr – a theimlai rywfodd fel pe buasai wyneb Enoc yn gyfieithiad o iaith farw ei hwyneb hi ei hun. Y Capten, fel arfer, oedd y cyntaf i siarad, ac ebe fe –

"Dyma ergyd drom, Mr. Huws, yn enwedig i mi, ac mewn ffordd o siarad, ergyd farwol, oblegid pan mae dyn wedi cyrraedd – hynny ydyw, mae colli cymar ei fywyd, a hynny heb i ddyn feddwl fod y peth yn ymyl, i un yn fy oed i, yr un peth, mewn dull o ddweud, ag iddo golli ei fywyd ei hun, oblegid y hi oedd fy mywyd a fy mhopeth, a braidd na ddwedwn — ac mi ddwedaf – y dymunwn fynd i'r bedd gyda hi."

"Bydase chi a finne, 'nhad," ebe Susi, "mor barod ag oedd 'y mam, dyna fase'r peth gore i ni – mynd efo'n gilydd – ond y mae arnaf ofn nad yden ni ddim. Yr oedd 'y mam yn caru Iesu Grist; a fedrwn ni ddeud hynny? Mae marw yn beth ofnadwy, 'nhad, os na fedrwn ni ddweud ein bod yn caru Iesu Grist."

"Mae hynny'n ddigon gwir, fy ngeneth, a gadewch i ni obeithio y gallwn ddatgan hynny pan ddaw yr adeg," ebe'r

Capten, oedd, gan nad pa mor ddifrifol fyddai'r amgylchiad, yn abl i ragrithio, a chan nad pa mor feddw a fyddai, oedd â'i feddwl yn weddol glir.

"Mae'r adeg," ebe Susi, yn awyddus i wneud y gorau o'r amgylchiad, canys yr oedd buchedd ei thad yn ei phoeni'n dost, a rhyfeddai Enoc sut yr oedd hi'n gallu bod mor hunan-feddiannol – "Mae'r adeg, fel y gwyddoch, 'nhad, yn ansicr, fel y bu gyda fy mam."

"Mae'r Ysgrythur Lân yn ein dysgu am hynny, ac y mae amryw ymadroddion yn dod yn *fresh* i fy meddwl y funud hon," ebe'r Capten.

"Ai yn sydyn, ynte, yr aeth eich mam yn y diwedd, Miss Trefor?" gofynnodd Enoc.

"Yn hollol sydyn a diddisgwyl, Mr. Huws," ebe Susi.

"Ie, yn hollol sydyn, ond fe ddarfu i chwi a minnau wneud ein gorau iddi," ebe'r Capten.

"Ddaru *mi* ddim gwneud fy ngorau iddi, 'nhad, a faddeua i byth i mi fy hun am fy esgeulustra. Yr oeddwn yn meddwl nad oedd yn ddim gwaeth nag oedd ers dyddiau, ac mi gadewais hi am ddeng munud i ysgrifennu llythyr, ac erbyn i mi fynd yn ôl, yr oedd hi wedi marw – heb i mi gael gwneud dim iddi – dim cymaint â gafael yn ei llaw fach annwyl i'w helpio i farw. O! mor greulon mae o'n ymddangos iddi farw heb neb efo hi, – mae o'n 'y mwyta i tu mewn."

"Ewyllys yr Arglwydd, fy ngeneth," ebe'r Capten, "oedd cymryd ei was Moses ato'i hun heb un llygad yn gweld hynny, a'r un modd efo'ch mam."

"Ie," ebe Susi, gyda cholyn yn ei geiriau, "felly y cymerwyd Moses, tra oedd y bobl yn pechu, a hwyrach mai felly yr oedd yma."

"Mae'n ofid mawr i mi, Miss Trefor," ebe Enoc, "na chefais weld eich mam cyn iddi farw."

"Sut y bu hynny, Mr. Huws? beth *ydoedd* y rheswm am eich holl ddieithrwch?" gofynnodd y Capten.

"Ddaru neb ohonom feddwl," ebe Susi, er mwyn cuddio an-hawster Enoc i ateb, "fod 'y mam mor agos i angau. 'Does yma prin neb wedi ei gweld ond Mr. Simon a'r doctor. Mae'n dda iawn gen i bod chi wedi dod yma heno, Mr. Huws, achos wn i ddim am y trefniadau y rhaid edrych atynt ar amgylchiad fel hwn, ond mi wn y gwnewch chi, Mr. Huws, ein cynorthwyo. 'Does gynnon ni ddim modd i fynd i lawer o gostau."

"Dim modd?" ebe'r Capten, "beth ydach chi'n feddwl, Susi? Dim modd? Fe gaiff eich mam ei chladdu fel tywysoges, os bydd fy llygaid i yn agored. Ond nid ydyw'n weddus i *ni* fynd i gerdded at hwn ac arall – ac fe wnaiff Mr. Huws hynny drosom, yn ôl ei garedigrwydd arferol."

"Gadewch y cwbl i mi, mi ofalaf am yr holl drefniadau angen-rheidiol," ebe Enoc.

Ar hyn daeth Kit at y drws, a chododd ei bys ar Miss Trefor, a gadawodd hithau'r ystafell.

Ac ebe Enoc – "Capten Trefor, yr wyf am ofyn un gym-wynas gennych, ac yr wyf yn gobeithio na wnewch fy ngomedd. Chwi wyddoch fod Mrs. Trefor a minnau'n gyfeillion mawr – yr oeddwn yn edrych arni fel pe buasai'n fam i mi. A wnewch chwi ganiatáu i mi – peidiwch â digio am fy mod yn gofyn y fath beth – wneud yr holl drefniadau ar gyfer y gladdedigaeth, a dwyn yr holl gost? Bydd yn dda gennyf gael gwneud hynny os caniatewch."

"Diolch i chwi, Mr. Huws," ebe'r Capten, "ond y mae hynny'n amhosibl, oblegid byddech felly yn cymryd oddi arnaf y fraint olaf. Fedrwn i ddim meddwl am i neb wneud y fath beth, o leiaf, heb ymgynghori â fy merch, ac mi wn y byddai hi yr un mor wrthwynebol – yn wir yn fwy gwrthwynebol."

"Yr oeddwn wedi meddwl gofyn i chwi," ebe Enoc, "os bu-asech yn caniatáu, beidio â sôn gair wrth Miss Trefor nac wrth neb arall am y peth, ac mi a'i hystyriwn yn fraint cael gwneud hyn i Mrs. Trefor. Gobeithio nad wyf wedi eich briwio, ond mi ddymunwn gael gwneud hyn."

"Wel," ebe'r Capten, ac arhosodd am funud megis i syn-fyfyrio, "pe buasai rhywun arall, ie, hyd yn oed Syr Watcyn, yn cynnig y fath beth, mi fuaswn yn dweud, '*No, thank you*'. Ond wrth gofio'r fath gyfeillgarwch oedd rhyngoch chwi a Mrs.

Trefor, ac, yn wir, fy rhwymau personol i chi, ni fedraf ddweud 'No' wrthoch chwi, Mr. Huws, ar y telerau nad oes neb i gael gwybod hyn."

"Diolch yn fawr i chwi," ebe Enoc, "ac yrŵan mi af ynghylch y trefniadau, a pheidiwch chwi â phryderu dim."

Ceisiodd y Capten godi i ysgwyd llaw ag Enoc, ond syrthiodd yn ôl i'w gadair. Gwelodd nad oedd ei feddwdod yn guddiedig, ac ebe fe –

"Mr. Huws, maddeuwch i mi, yn fy mhrofedigaeth chwerw yr wyf wedi cymryd dau (ar bymtheg, ddylasai ddweud) lasied o *whiskey*, a thrwy nad ydwyf yn arfer llawer â fo, y mae wedi effeithio arnaf. Mi wn y gwnewch faddau i mi am y tro – mae fy mhrofedigaeth yn fawr."

"Ydyw," ebe Enoc, "ac mae'n ddrwg gennyf drosoch, ond goddefwch i mi fod yn hy arnoch – cedwch oddi wrth y diod-ydd meddwol – am rai dyddiau, beth bynnag – mae *decorum* yn gofyn hynny."

"*Quite right*, mi wnaf; nos dawch, Mr. Huws bach," ebe'r Capten.

Ar ôl canu nos dawch â Miss Trefor, aeth Enoc ymaith; ac erbyn hyn yr oedd ganddo ddigon ar ei feddwl – y forwyn newydd oedd i ddod i'w dŷ erbyn naw o'r gloch, a chario allan yr holl drefniadau ynglŷn â chladdedigaeth Mrs. Trefor.

"Susi," ebe'r Capten, "rhowch eich meddwl yn esmwyth, fe ofala Mr. Huws am yr holl drefniadau. Ac yrŵan, ewch i'ch gwely, fy ngeneth. Fedra i fy hun ddim meddwl am wely *heno* – mi dafla i fy hun ar y *sofa*. Nos dawch, *my dear girl.*"

Gadawodd Susi yr ystafell gydag ochenaid, a "thaflodd" y Capten ei hun ar y *sofa*, a chysgodd yn drwm. Wedi i'r "gwr-agedd" orffen rhyw seremoni ynfyd (sydd yn parhau hyd y dydd heddiw mewn amgylchiadau o'r fath) ar y corff marw, a mynd ymaith, aeth Susi i'w gwely, gan gymryd Kit gyda hi i gysgu, oblegid meddyliodd na allai fod ar ei phen ei hun y noson honno. Ymhen deng munud yr oedd Kit yn cysgu yn ddistaw ac esmwyth. Ond ni allai Miss Trefor gysgu. Gwyddai fod ei thad yn chwyrnu ar y *sofa*, er na allai ei glywed. Yr oedd

318

distawrwydd ar bopeth, a'r distawrwydd yn llethol iddi. Teimlai'n unig ac ofnus, ac ebe hi –

"Kit, Kit, ydach chi'n cysgu, Kit?"

Nid atebodd Kit, yr oedd hi wedi ymollwng i orffwyso, yr hyn, ar ôl yr holl redeg a mynd a dod, a haeddai yn dda. Ymwasgodd Miss Trefor ati, a sisialodd –

"Ie, cysga Kit, 'dwyt ti, mwy na minnau, wedi cael fawr o orffwys ers wythnosau, ac 'rwyt ti'n haeddu cael llonydd heno. Ond sut na fedrwn i gysgu? O! mae'r distawrwydd yma'n 'y nghadw i'n effro. Mor rhyfedd a dieithr yw popeth! Mor wahanol oedd popeth yr adeg yma neithiwr! – y rhedeg i fyny ac i lawr, a Mam druan efo ni yn fyw, ond yn sâl iawn. Mor ddistaw ydi hi heno! Mor bell mae hi wedi mynd! O dyn! mi feddylies ei chlywed hi'r munud yma'n deud – 'Dyro mi lymed, 'y ngeneth bach i.' Ai dychmygu 'roeddwn i? 'Rydw i bron yn siŵr i mi chlywed hi. Mi wrandawa 'ngore eto. Gwan ydw i – a ffansïo. Mor anodd ydi credu na ddeudiff hi byth yr un gair eto! 'Roedd hi yma gynnau – heddiw'r prynhawn. Lle mae hi 'rwan? Ie, hi, achos 'does dim ond ei chorff yn y *room* nesa – lle mae *hi*? Yn y byd mawr tragwyddol! Lle mae'r byd tragwyddol? Ydi o ymhell? Ydi hi wedi cyrraedd yno? Ddaru rhwfun ddod i'w nôl hi, i ddangos y ffordd iddi? neu a yw ei hysbryd hi'n crwydro ac wedi drysu mewn *space*? Fydd hi'n crwydro, tybed, am filoedd o flynyddoedd cyn dod o hyd i'r byd tragwyddol? O! na faswn i wedi aros efo hi hyd i'r munud diwetha, yn lle mynd i ysgrifennu at Enoc Huws! Hwyrach y base hi'n deud wrtho' i os oedd Iesu Grist efo hi. Yr oedd hi'n adrodd yr adnod echnos – 'Pan elych trwy y dyfroedd, mi a fyddaf gyda thi." 'Ddaru O beidio'i anghofio hi, tybed? Oedd O ddim eisiau bod efo rhwfun arall *just* yr un amser? Mor wirion yr ydw i'n siarad! Ydw i'n peidio â drysu? Kit, ydach chi'n cysgu? O! mor unig ydw i ac a fydda i! 'Does gynnon ni ddim cyfeillion, a theimlais i 'rioed o'r blaen ryw lawer o angen am gyfeillion. Ond 'does gynnon ni neb neilltuol. Oes y mae hefyd – mae Enoc Huws yn wir gyfaill – yr unig gyfaill sy gynnon ni. Mor wirion fûm i yn ei wrthod o. 'Does dim gwell dyn na fo yn y sir, ac mi wn yn bod ni'n dibynnu'n hollol arno ers talwm. 'Rwyf yn meddwl fy mod yn ei garu'n fawr, ac eto fedra i ddim dygymod â'r meddwl o'i briodi o. Bydae o'n cynnig ei hun i mi eto, wrthodwn i mono. Na! 'dydw i ddim yn meddwl y derbyniwn ei gynigiad chwaith – mi lyna wrth 'y nhad. O! na fase 'nhad yn dduwiol! Ond 'dydi o ddim – waeth heb wenieithio. Mae o'n slaf i'r ddiod, ac yn rhagrithio bod fel arall, fel bydae hyd yn oed fi ddim yn gwybod. Fy nyletswydd, 'rwyf yn meddwl, ydi glynu wrtho hyd y diwedd. O! Dduw, bendithia'r amgylchiad hwn er ei iechydwriaeth? Mor chwith fydd bod heb yr un fam! Beth ddaw ohono' i gyda'r fath dad! Mi geisiaf neud fy nyletswydd ac ymddiried yn Nuw. O! fel yr ydan ni gyd wedi gadel 'y mam bach! ac mor fuan! Ei gadel ei hun yn y *room* dywyll yna heb neb i gadw cwmpeini iddi, fel bydaen ni ddim yn perthyn iddi! O! mae o'n greulon, *mor fuan!* 'Rydw i'n gwirioni – na, 'dydw i ddim – 'rwyf yn siŵr fod o'n galed, yn greulon ei gadel ar ei phen ei hun, ac mi af i gadw cwmpeini iddi, fedra i ddim aros yma."

Gwawriodd y bore. Deffrôdd Kit ar ôl deng awr o gwsg melys, oedd yn amheuthun iddi. Cododd yn ei heistedd yn ei gwely. Cofiodd bopeth oedd wedi digwydd y diwrnod cynt. Edrychodd am Miss Trefor – yr oedd wedi codi o'i blaen, ac nid oedd hynny ond peth digon cyffredin. Ymwisgodd yn frysiog. Aeth i lawr i'r gegin, oedd yn oer a heb dân yn y grât. Aeth tua'r parlwr. Yr oedd y drws yn gilagored. Agorodd ef yn ddistaw. Yr oedd y Capten yn cysgu'n drwm ar y *sofa*, ond nid oedd Miss Trefor yno. Tynnodd y drws ati'n ofalus. Rhaid, meddai Kit, fod Miss Trefor wedi mynd allan. Chwiliodd y drysau; yr oeddynt yn gloëdig fel y gadawsai hi hwynt cyn mynd i'r gwely y noson flaenorol. Dechreuodd hyd yn oed Kit deimlo'n ofnus. Ni fedrai feddwl am gynnau tân a gwneud twrw heb gael gwybod ym mha le yr oedd Miss Trefor. Tynnodd ei slipars rhag gwneud trwst, ac aeth i fyny'r grisiau ac i'w hystafell hi ei hun. Na, nid oedd yno neb. Chwiliodd yr ystafelloedd eraill gyda'r un canlyniad. Nid oedd ond un lle arall i edrych amdani. A oedd hi wedi meiddio, ar ei phen ei hun, fynd i'r ystafell lle yr oedd corff marw ei mam yn gorwedd? Yr oedd drws yr ystafell hon yn hanner agored, a theimlai Kit rywbeth fel dŵr oer yn rhedeg i lawr ei chefn pan agorodd dipyn chwaneg arno ac yr ysbïodd i mewn. Ie, yno yr oedd hi. Wedi hanner ymwisgo, gyda *shawl* dros ei hysgwyddau, gorweddai Susan wrth ochr corff marw ei mam ar y gwely, gyda'i braich ddehau yn ei chofleidio, a'i phen wrth ei phen hi ar y gobennydd! Gall hyn ymddangos yn anghredadwy, ond ffaith ydyw. Ac nid oedd llawer o wahaniaeth rhyngddynt – yr oedd y ddau wyneb yn wyn fel yr eira – y ddau gorff yn berffaith lonydd – un mewn cwsg trwm ac yn *anadlu*, a'r llall mewn cwsg trwm ond *heb anadlu*!

XLIII

YMSON CAPTEN TREFOR

YR oedd Miss Bifan wedi cymryd ei lle fel *housekeeper* yn Siop
y Groes cyn i Enoc gofio nad oedd wedi gofyn dim am ei
charitor, na hyd yn oed ymorol i bwy yr oedd hi'n perthyn, a
lle y buasai hi yn gwasanaethu ddiwethaf. Ac, erbyn hyn, yr
oedd yn rhy hwyr gwneud ymholiadau o'r fath. "A pha bwys i
bwy y mae hi'n perthyn na lle bu hi ddiwethaf," ebe Enoc, "os
gwnaiff ateb y diben i mi?" A heblaw hynny, yr oedd gan Enoc
ddigon i feddwl amdano heb wario pum munud i feddwl am
ei *housekeeper* newydd. Yr oedd ef wedi ymgymryd â chario
allan y trefniadau ynglŷn â chladdedigaeth Mrs. Trefor, yr hyn
a wnaeth heb arbed cost na thrafferth. Yn y cynhebrwng gwein-
yddwyd wrth y tŷ gan Mr. Simon, ac yn yr eglwys a'r fynwent
gan Mr. Brown, a thystiai'r Capten Trefor fod popeth wedi
pasio'n *hapus dros ben*. Ymhen diwrnod neu ddau, ar ddymun-
iad y Capten, anfonwyd yr holl filiau i mewn, ac yn absen
Miss Trefor, cyfrifodd Enoc yr holl gost a chyflwynodd yr arian
i'r Capten. Yna aeth y Capten o gwmpas a thalodd i bawb.
Wrth setlo pob bil dywedai'r Capten ei fod yn synnu ei fod
mor fychan – ei fod wedi disgwyl y buasai'n gymaint arall, ac
yn wir, "mewn ffordd o siarad", pe buasai'n gymaint deir-
gwaith na fuasai'n grwgnach. Ac felly y dywedai ef wrth bob
un wrth dalu'r arian, a barai i'r derbynnydd – yn enwedig y
dyn a wnaeth yr arch – ofidio na fuasai wedi *chargio* chwaneg;
a dywedai, wedi i'r Capten droi ei gefn – "Waeth be ddeudiff
pobol, y mae gan y Capten ddigon o bres."
    Ymhen ychydig amser anghofiodd pawb – oddieithr rhyw
ddau neu dri – fod y fath un â Mrs. Trefor erioed wedi bod yn
y byd. Ac felly yr anghofir tydi a minnau, ddarllenydd, rai o'r

dyddiau nesaf. Pan fyddwn farw fe ofynna ein cymdogion ddau gwestiwn – y cyntaf – beth oedd ein hoed? A pho hynaf y byddom gorau oll – mae'r rhai sydd yn ieuengach yn gwenieithio iddynt eu hunain y gallant hwythau fynd i'r oedran hwnnw. Yr ail gwestiwn a ofynnir fydd – faint oeddem werth – neu, mewn geiriau eraill, pa faint o eiddo a adawsom ar ein holau. Os bydd yn llawer, ymgysura'r byw y *gall* yntau gyrraedd y swm hwnnw cyn marw, ac os bydd yn fychan neu yn ddim – ymgysura eraill pe byddai iddynt farw yn dlawd nad y nhw fyddai'r rhai cyntaf. Ac wedi cael yr wybodaeth hon amdanom, a rhoi'r *shutters* i fyny tra bydd ein corff yn mynd heibio tua'r fynwent a'u tynnu i lawr ar ôl i bopeth fynd trosodd – yna y bydd y diwedd. Fe â popeth ymlaen drannoeth yr un fath â phe na buasem wedi bod yn *rhywun* yn yr hen fyd rhyfedd yma! Pregethodd Mr. Simon bregeth angladdol sych ei gwala, a chanodd Eos Prydain a'i gôr *Vital Spark*, ac yna nid oedd ond *un* yn gwir deimlo fod pob man yn wag heb Mrs. Trefor. Bu agos i mi anghofio hefyd i un o feinars Coed Madog, oedd fardd, ac a adnabyddid wrth y ffugenw persain Llew Rhuadwy, anfon dau englyn i'r *County Chronicle* ar farwolaeth Mrs. Trefor; ond y mae'n rhaid i mi ddweud nad oeddynt yn fwy tebyg i englynion nag ydyw buwch i gogwrn. Mae'n wir eu bod y peth gorau allai'r Rhuwr ei gynhyrchu, achos gwariodd dair noswaith i wneud yr englynion, ac yr oeddynt wedi rhoi boddlonrwydd mawr i'w gydweithwyr, a hyd yn oed i'r Capten, a phan gyntaf y gwelodd ef y Llew rhoddodd iddo bisin deuswllt

Ac felly y terfynodd Mrs. Trefor ei gyrfa, ac ni chymerodd i'r Capten fawr o oriau i fwrw ei hiraeth. Ac yn awr yr oedd ganddo hamdden i roi ei holl sylw i Waith Coed Madog. Ond yr oedd un peth yn ei flino, ac yn ei flino'n fawr. Yr oedd ei sefyllfa rywbeth yn debyg i hyn: Yr oedd yn dlawd a llwm. Credai, erbyn hyn, gan nad beth a fu yn ei gredu o'r blaen, nad oedd fymryn o obaith am blwm yng Nghoed Madog. Ac eto Coed Madog oedd ei unig swcwr; a phe darfyddai hwnnw, ni fyddai ganddo afael ar swllt. Gwyddai ei gydwybod – os oedd ganddo un – mai arian Enoc Huws oedd yn cario'r Gwaith ymlaen, oblegid yr oedd Mr. Denman ers tro wedi methu ateb y galwadau, er ei fod mewn enw yn gyd-berchennog. Tybiai'r Capten hefyd ei fod yn ddigon craff i ganfod mai'r unig reswm am fod Enoc yn parhau i wario cymaint ar y Gwaith oedd ei serch at Miss Trefor – ei ferch – a'r munud y deuai rhyw anghaffael ar hynny y byddai ef a'i Goed Madog wedi mynd i'r cŵn. Yn wir, yr oedd ef wedi ofni pan beidiodd Enoc am amser ymweld â Thyn-yr-ardd fod yr aflwydd wedi dod arno, a dyna pam yr ymollyngodd i yfed mwy nag arferol. Ond yn awr ymgysurai fod ei ferch ac Enoc yn ymddangos ar delerau hynod gyfeillgar. Ond (ymhell y bo'r "ond" yma! Dyma fi'n ei arfer mewn dwy frawddeg nesaf at ei gilydd. Yr wyf yn cofio Dr. Edwards Bala, yn gwawdio dull y Cymro yn defnyddio'r gair "ond" lle nad oedd ei angen. "Ond" yr wyf yn meddwl fod ei angen yma, ac os yw pregethwyr *bob amser* ar ôl enwi pennau'r bregeth yn ailddechrau drwy ddweud "Ond yn gyntaf," &c., heb fod eisiau "ond" o gwbl, siŵr ddigon na chaf fi ei ddefnyddio pan mae gwir angen amdano. Hyn rhwng cromfachau). Ond, ystyriai'r Capten, os oedd ei ferch ac Enoc Huws yn debyg o ymbriodi, y byddai, wrth gario'r Gwaith ymlaen, yn tlodi ei fab-yng-nghyfraith, ac felly, "mewn ffordd o siarad", yn ei dlodi ei hun, ac yn taflu arian i ffwrdd y byddai'n dda iddo wrthynt ryw ddydd i gadw corff ac enaid ynghyd. Yr adeg honno rhoisai'r Capten lawer am wybodaeth sicr am wir berthynas ei ferch ag Enoc Huws. Gyda'r amcan o gael allan a oedd Susi ac Enoc yn caru, arferodd y Capten bob dyfalwch a gwyliadwriaeth. Ymddarostyngodd cyn gymaint â gwrando wrth dwll y clo pan fyddai Miss Trefor ac Enoc mewn ystafell ar eu pennau eu hunain, a hyd yn oed ymguddio yn yr ardd pan fyddai Enoc yn ymadael. Ar fwy nag un achlysur, pan fyddai'r Capten yn ymguddio yn yr ardd, siaradai ag ef ei hun i'r perwyl canlynol:–

"Wel, Mr. Huws, mae hi tua'r adeg y byddwch chwi yn gyffredin yn troi gartref – ac yr ydych, fel rheol, yn lled *exact* – ac mae Susi yn siŵr o ddod i agor y *gate* i chwi, ac i ddweud nos dawch. A phe gwelwn i chwi, syr, yn rhoi cusan i fy merch – a gwyn fyd na welwn hynny – mi ddywedwn wrthych yfory rywbeth fel hyn – 'Mr. Huws, mae fy ngobeithion wedi troi allan yn gau – nid ydwyf ond dyn ffaeledig ac yr wyf wedi fy siomi – ac y mae arnaf ofn nad oes obaith i ni gael plwm yng Nghoed Madog, a ffolineb fyddai i chwi a *minnau* wario ychwaneg o arian. Yr wyf yn teimlo fod gonestrwydd yn galw arnaf i ddweud hyn wrthych. Ar yr un pryd, os ydych yn awyddus i gario ymlaen, mi sinciaf fy siawns gyda chwi, er – mae'n rhaid i mi gyfaddef, nad yw fy mhwrs lawn cyn hired â'r eiddoch chwi, ac yr wyf eisoes yn dechrau gweld ei waelod. Os cymerwch fy nghyngor i, yr wyf yn meddwl yn onest mai rhoi'r Gwaith i fyny fyddai orau.'"

Yn y man deuai Enoc allan a Susi gydag ef. Siaradent am y tywydd, ysgydwent ddwylo yn gyfeillgar, dywedent nos dawch, a dyna'r cwbl, a melltithiai y Capten ddydd ei enedigaeth. Os nad oedd dim mwy na chyfeillgarwch rhwng ei ferch ac Enoc, teimlai'r Capten mai ei ddyletswydd oedd cario'r Gwaith ymlaen cyd ag y medrai. Ond yn ei fyw ni allai beidio â chredu fod rhyw ddealltwriaeth rhwng y bobl ieuainc, ac os felly, gresyn oedd i Enoc wario ei arian yn ofer, a dwyn ei hunan yn y man, efallai, i sefyllfa na allai fforddio priodi. Wedi cryn ym-drech meddwl a phendroni nid ychydig, penderfynodd y Capten ofyn y cwestiwn yn syth i'w ferch. Ac un noswaith pan oedd hi ac yntau yn y parlwr, ac wedi gwlychu ei benderfyniad gyda dogn go lew o chwisgi, ebe'r Capten –

"Susi, mae rhywbeth, ers tro, yn pwyso'n drwm ar fy meddwl, ac yn peri tipyn o bryder i mi – yn wir, yn peri i mi fyw megis rhwng ofn a gobaith, ac, mewn ffordd o siarad, yn fy anghym-hwyso i ryw raddau i roddi'r sylw a ddylwn i fy ngorchwyl-iaethau – gorchwyliaethau fy ngeneth, fel y gwyddoch, sydd yn gofyn fy holl sylw."

"Be ydi hynny, 'nhad?" gofynnodd Susi.

"Wel," ebe'r Capten, "mae o'n gwestiwn *delicate* i'w gryb-wyll, mi wn, ond y mae eich mam wedi ein gadael – a gwyn ei byd – ac oherwydd hynny fe ddylai fod mwy o *confidence* rhyngoch chwi a minnau, fy ngeneth. Y cwestiwn ydyw hwn, a mi wn y gwnewch ei ateb yn onest a digêl – A oes rhywbeth rhyngoch chwi ac Enoc Huws? Peidiwch ag ofni ateb, Susi, oblegid mi wn sut bynnag y mae pethau yn bod eich bod wedi gwneud yn iawn."

"Rhywbeth rhwng Mr. Huws a fi ym mha fodd, 'nhad?" gofynnodd Susi.

"Wel," ebe'r Capten, "yr oeddwn yn disgwyl y buasech yn deall fy nghwestiwn heb i mi orfod ei sillebu, ond y peth yr wyf yn ei ofyn ydyw hyn, ac fel tad, yr wyf yn ystyried fod gennyf hawl i'w ofyn – A ydych dan amod i Mr. Huws?"

"Amod i beth, 'nhad?" gofynnodd Miss Trefor.

"Amod i'w briodi, wrth gwrs; yr ydych yn deall fy meddwl yn burion, Susi, ond eich bod yn dymuno fy nhormentio," ebe'r Capten yn ddigon anniddig.

"Gwarchod pawb! Ni wnes i erioed amod â Mr. Huws, nac â neb arall," ebe Susi yn benderfynol.

"A 'does dim dealltwriaeth ddistaw rhyngoch chi'ch dau mai i hynny y daw hi rai o'r dyddiau nesaf?" gofynnodd y Capten, ac ychwanegodd – "Cofiwch, 'dydw i'n dweud dim yn erbyn y peth."

"Dim o gwbl, 'nhad, na dim tebygolrwydd i'r fath beth byth gymryd lle. Beth wnaeth i chwi feddwl am y fath beth?" ebe Susi.

"Wel," ebe'r Capten yn siomedig, "nid oeddwn yn meddwl fod y peth yn amhosibl, nac yn wir yn annhebygol, ond gan mai fel yna y mae pethau yn sefyll, purion; ac mi wn nad ydyw o un diben i mi eich cyfarwyddo i wneud fel hyn neu fel arall, mai eich ffordd eich hun a wnewch."

"Mi geisiaf fy ngorau wneud yr hyn sydd yn iawn, 'nhad, a'm penderfyniad ydi glynu wrthych *to the bitter end*," ebe Susi.

"*Bitter* a fydd, y mae arnaf ofn, 'y ngeneth," ebe'r Capten yn fyfyriol, ac yma y terfynodd yr ymddiddan, a diolchai Susi nad oedd ei thad wedi gofyn a oedd Enoc wedi ei gynnig ei hun iddi, oblegid buasai raid iddi ddweud y gwir, a gwyddai y buasai ei thad yn gynddeiriog wedi clywed y gwir.

Myfyriodd y Capten gryn lawer y noson honno. Gwenieith-
iai iddo ei hun bob amser ei fod yn adnabod y natur ddynol yn
lled dda, ond yr oedd yn gorfod cydnabod fod ei ferch yn ddir-
gelwch iddo. Buasai'n cymryd ei lw fod rhywbeth rhyngddi hi
ac Enoc Huws, ond yr oedd wedi camgymryd. Ac eto teimlai'n
sicr yn ei feddwl fod gan Enoc fwriadau gyda golwg ar Susi, ac
ar yr un pryd yr oedd yn eithaf amlwg – oblegid ni ddywedai
Susi gelwydd – nad oedd ef wedi hysbysu ei fwriadau. A beth
oedd meddwl y dyn? Os oedd ef wedi gosod ei fryd ar Susi,
paham na ddywedai hynny wrthi, a darfod â'r peth. "Oblegid,"
ebe'r Capten wrtho ei hun, "fyddai hi ddim gymaint ffŵl â'i
wrthod o? Ac os byddai, mi grogwn hi. A ydwyf wedi twyllo fy
hun am gyhyd o amser gyda golwg ar fwriadau Mr. Huws?
Mae'n bosibl. Hwyrach, wedi'r cwbl, fod deall hen lanc allan o
fy lein, er fy mod bob amser yn meddwl fy mod yn deall
ymron bopeth. A pha beth ydwyf i'w wneud? Mae'n ddrwg
gennyf ysbeilio Mr. Huws o'r holl arian yma, ac eto os rhown
Goed Madog i fyny mi fyddaf ar y clwt. Ac y mae'n eglur
ddigon y bydd i Enoc Huws dorri ei galon a thaflu'r cwbl i fyny
– fedr o ddim dal – mae'n amhosibl iddo ddal – i wario o hyd
os na ddaw rhywbeth i'r golwg. Ac o be le y daw? Yr oeddwn
wedi meddwl y buasai Mr. Huws wedi proposio i Susi cyn hyn
– yn wir, y buasent wedi priodi ac arbed yr holl drafferth hon i
mi, achos mi gawswn felly damaid yn eu cysgod. Ond mi welaf
erbyn hyn y bydd *raid* i mi dreio ffurfio rhyw fath o gwmpeini
i Goed Madog – mae'n amhosibl i *un* dyn ddwyn yr holl gost,
ac i minnau gael cyflog. Mae cael *machinery* a phethau eraill
allan o'r cwestiwn – fe âi holl arian Mr. Huws – bob dimai
goch, i gael y pethau angenrheidiol, a fedra i ddim ffrwytho i
ofyn iddo wneud hynny, bydae o gymaint o ffŵl â gwneud er i
mi ofyn. A fyddai'r cwbl dda i ddim yn y diwedd. Ond y
mae'n rhaid gwneud rhywbeth i gael tamaid. Ac am Denman,
druan, y mae ef fel finnau gystal â bod *up the spout* unrhyw
ddiwrnod. 'Does dim arall amdani, ond ceisio codi cwmpeini a
thyngu fod yng Nghoed Madog faint fyd fyw fynnom o blwm,
ond fod eisiau arian i fynd ato. Cawn i ryw ddeg neu

ddeuddeg o rai go gefnog, mi allwn gario ymlaen am blwc eto, a 'does neb ŵyr yn y cyfamser beth droiff i fyny – hynny ydyw yn rhywle arall, achos 'does yno fwy o blwm yng Nghoed Madog nag sydd ym mhoced 'y ngwasgod i. Bydawn i yn gallu ffurfio cwmpeini fe ysgafnhâi hynny dipyn ar faich Mr. Huws – achos mae'n ddrwg gen i robio cymaint arno, p'run bynnag a brodiff o Susi ai peidio. Rhaid i mi roi Sem Llwyd ati i bylafro am ragolygon Gwaith Coed Madog, ac felly yn y blaen, ac felly yn y blaen. Mae Sem yntau, ar ôl deall bod hi dipyn yn galed arna i, ac yn analluog i iro ei ddwylo fel y bûm, yn ddigon *independent* a sychlyd, ond *rhaid* iddo wneud yn ôl fy nghyfar-yddyd. Mi wn ei fod yn gwybod fy *secret*, y ffŵl dwl. Ond y mae Sem dan fy mawd, ac fe ŵyr hynny'n burion. Mi achubais gorn ei wddw pan laddwyd Job Jones, druan, ym Mhwll-y-gwynt. Wn i beth wnaeth i Sem gymryd yn erbyn y bachgen clyfar hwnnw. Ond fel y dywedais i wrth Sem – mi gofiff y noswaith tra bydd o byw – fe fuasai mor hawdd i mi ei wneud yn gyfrifol am – wel, cyn sicred â bod fy enw i yn – ie, ond pwy ŵyr hwnnw oddieithr Sem! Yr ydym yn *quits*! Ond mae'n rhaid i mi feddwl am ffurfio rhyw fath o gwmpeini – *pro. tem.*, fel y dywedir, i 'ngalluogi i i fynd dros y gamfa hon yn fy mywyd."

XLIV

Y PARCH. OBEDIAH SIMON

YR oedd Mr. Obediah Simon, y bugail, ac Eos Prydain yn gyf-
eillion mynwesol. Ni welsai Mr. Simon erioed ddyn mwy pur
ac unplyg na'r Eos, ac ni welsai'r Eos *bregethwr* yn deall hanner
cymaint o Sol-ffa ag a ddeallai Mr. Simon. Ac ni fu'r Eos yn fyr
o fynegi hynny'n gyhoeddus fwy nag unwaith. Wedi clywed yr
Eos yn canmol Mr. Simon am ei wybodaeth o Sol-ffa dro ar ôl
tro, dywedodd Thomas Bartley ei fod yn methu'n lân â dirnad
beth oedd a wnelai gwybodaeth o sofl ffa â phregethu'r
Efengyl, a chredai ef y dylasai Dafydd Dafis, oedd yn ffarmwr
wrth ei grefft, wybod mwy o lawer na Mr. Simon am sofl ffa.
"Ac am bygethu," ychwanegodd Thomas, "mae Mr. Simon yn
pygethu yn rhy ddufn o lawer i fy sort i a Barbra, a well gynnon
ni fil o weithiau wrando ar yr hen John Dafis, Nercwys. Mae'r
pry hwnnw yn dallt ffordd cymdogion yn rhyfedd anwedd,
ddyliwn i. Wyddoch chi be, fydda i'n cael fawr o flas ar
bygethu Mr. Simon, nes daw o dipyn at y diwedd. Mi wn ma
arna i y ma'r bai, ac ma'r dyn yn ddyn digon clên hefyd,
siampal. Ddaru mi ddeud wrthoch chi rw dro ffasiwn
bygethwr fydda i'n leicio? Naddo? Wel, dyna fy aidi i am
bygethwr – hwyrach 'mod i'n *wrong* – ond dyna'r sort fydda i'n
leicio – pygethwr ddeudiff ei *dext* yn ddigon uchel i bawb ei
glywed o. Yrŵan, ers pan yr ydw i'n dechre mynd dipyn i oed,
a dim yn clywed cweit mor *sharp* ag y byddwn i – 'dydw i
ddim yn clywed eu hanner nhw yn deud eu *text*, ac os colliff
dyn y *text*, mae o fel ci mewn ffair am blwc. Dyna beth arall
fydda i'n leicio mewn pygethwr, ydi fod o'n fywus, a heb fod
â'i ben yn ei blu. Dda gen i 'namser y pygethwrs ara deg a
thrwm yma – mân nhw wastad yn 'y ngneud i yn reit ddi-

galon. A dyna lle bydda i'n deud y mae pygethwrs y Wesles yn curo ni – y Methodus. Wyddoch chi be, 'roeddwn i'n ddiweddar mewn cyfarfod Wesles, a chyfarfod siampal o dda odd o hefyd, a 'doedd ene ddim cymin ag un o'r pygethwrs â'i ben yn ei blu – 'roeddan nhw i gyd, wedi stripio ati o ddifri calon. Ond yr oedd ene bygethwr yn yn capel ni rw fis yn ôl – dyn nobyl a threfnus anwedd hefyd odd o, a graen da ods arno, ond yr oedd o'n pygethu mor ddigalon a slo, fel y deudes i wrth Barbra acw wrth fynd o odfa'r bore – 'Wyddost ti be, Barbra, 'rodd y dyn ene yn deud pethe da iawn, ond mi gymra fy llw fod o wedi colli'i wraig – a hynny yn bur ddiweddar, 'rodd yn hawdd gweld arno, ac ma'n ddrwg iawn gen i drosto.' Ond erbyn i mi holi Dafydd Dafis, mi ges allan, ac rodd reit dda gen i glywed hefyd – fod ei wraig a'i blant o'n fyw ac yn iach, a bod y dyn yn werth ei filoedd. Ond faswn i byth yn meddwl hynny wrth ei wrando fo. Dene beth arall fydda i'n leicio mewn pygethwr, fod o'n rhoi pwt o stori i ni 'rŵan ac yn y man, 'run fath â'r dyn ene o Sir Drefaldwyn ne' rwle o'r South ene. Be ydi enw fo? Hoswch chi – o ie – Jophes Tomos. Wyddoch chi be, dene'r pygethwr clenia glywes i erioed â'm dwy glust – mi fedrwn wrando arno am byth. Mae gynno fo faint fyd fyw fynnoch chi o straes, a phob un ohonyn nhw i'r dim, ac ma gynno fo gymin ohonyn ym mhob pregeth, a phob un yn ffitio mor dwt, fel y bûm i'n dowtio weithie odd o'n peidio gneud rhai ohonyn nhw – dasen nhw waeth am hynny. Deudwch i mi be ydi'r achos fod y dyn ene heb ei neud yn Ddoctor Difein? Ydi pobol y Merica ene ddim wedi clywed amdano fo? Ma ene rhw fistêc yn rhwle yn siŵr i chi. Ac mi glywes Didymus yn deud, ac ma o'n gwybod popeth agos – fod ene rai sy wedi cael y teitl o Ddoctor Difein, wedi gael o mewn mistêc. Ond fasen nhw ddim yn gneud mistêc wrth ei roi i'r hen Jophes, achos ma rhai callach na fi yn deud fod o'n un o'r rhai gore. Ond dene oeddwn i'n ddeud – mi fydda i'n leicio pygethwr tebyg iddo fo, ac mi gerddwn beder milltir heno i'w glywed o. Dene beth arall fydda i'n leicio mewn pygethwr ydi, fod o'n mynd yn well at y diwedd o hyd. Mi glywch ambell bygethwr 'run fath yn diwedd ag yn dechre. 'Dydi hynny ddim yn reit yn ôl 'y meddwl i. Fe ddyle popeth fod yn well yn ei ddiwedd nag yn ei ddechrau, neu pa *use* dechrau yt ôl? Dyma fi, 'rŵan, wrth ddechre –. Ond rhag i chwi flino arna i, dene'r peth dwetha 'na i ddeud ydw i'n leicio mewn pygethwr ydi – fod o'n sôn digon am Iesu Grist. Wn i fy hun ar chwyneb y ddaear be ma pregeth da, os na fydd yn sôn am Iesu Grist, ac ma Dafydd Dafis yr un feddwl â fi ar y pen ene, ac os gŵyr rhwfun be ydi pregeth, y fo ŵyr. Ac eto yn y dyddie yma, mi glywch ambell bregeth heb sinc na sôn am Iesu Grist, ond tipyn ar weddi. Ond efo hynny cychwynnes i, fod Mr. Simon yn pygethu yn rhy ddyfn o lawer i fy sort i."

Prin yr oedd disgrifiad Thomas Bartley o Mr. Simon fel pregethwr yn gywir, canys nid oedd ei arddull yn neilltuol o "ddufn". Dichon fod dull diweddaraf Mr. Simon o bregethu, yn rhy "ddufn" i Thomas, oblegid yr oedd yn ffaith fod ein gweinidog er ys tro bellach – gan roddi heibio ganu pregethu, a chan gyfeirio ei sylwadau yn fwyaf arbennig at y bobl ieuainc – wedi traethu gryn lawer ar *evolution*, negyddiaeth, ac anwybodyddiaeth, ac wedi sôn tipyn am agnosticyddiaeth, gyda'r amcan clodwiw o baratoi a chadarnhau meddyliau ieuenctid Bethel ar gyfer y llanw dinistriol oedd ar fin gorchuddio Cymru grefyddol. Yr oedd ef hefyd wedi gosod o'u blaenau – gyda thipyn o fedr hefyd – wrthddadleuon anghredwyr, ac wedi eu cnocio yn dipia mân. Weithiau ffurfiai Mr. Simon fath o ymrysonfa, gan ddwyn anghredwr – un o'r rhai cryfaf – i'r *ring*; ac wedi rhoi pob mantais iddo, megis rhoi'r tir uchaf iddo, a gosod ei gefn at yr haul, dygai Paul i'r cylch fel ei wrthwynebydd, gan gymryd arno ei hunan edrych am gael chwarae teg a bod yn fath o *referee* neu *umpire*. Er bod Mr. Simon, fel gŵr canol, yn gwneud ei orau i fod yn amhleidgar, eto, ar derfyn pob *round*, yr oedd yn hawdd canfod ei fod yn dal Paul ar ei lin i roi gwynt iddo ac i guro ei gefn, ac yn gofalu, fel yr oedd yn briodol iddo wneud, ei ddwyn allan yn fuddugoliaethwr yn y diwedd. Mae'n ddiamau mai y "diwedd" hwn a hoffai Thomas Bartley. Mae'n amheus ai doeth yn Mr. Simon oedd sôn cymaint am wrthddadleuon anghredwyr wrth bobl Bethel, canys ni wyddai un o bob hanner cant ohonynt fod y fath wrthddadleuon wedi bod yn blino ymennydd neb erioed. Ond wedi clywed Mr. Simon yn eu traethu, dechreuodd rhai o'r ieuenctid – yn ôl tuedd lygredig y galon ddynol – eu coleddu a'u hanwesu. A digrif ddigon oedd clywed ambell ysgogyn pendew, na ddarllenasai gan tudalen o lyfr yn ei fywyd, yn cymryd arno fod yn dipyn o anghredwr, ac yn defnyddio geiriau a thermau na wyddai tu nesaf i lidiart y mynydd, mewn gwirionedd, beth oedd eu hystyr! Gyda'r amcanion gorau, yn ddiamau, yr oedd Mr. Simon wedi arfer ei holl ddawn i berswadio gwŷr ieuainc Bethel i beidio â darllen y llyfr yma a'r llyfr acw. Nid oeddynt, cyn hynny, erioed wedi clywed hyd yn oed enwau'r llyfrau, ac aeth dau neu dri ohonynt ar eu hunion i ymofyn amdanynt. Protestiai Didymus fod anerchiadau a chynghorion Mr. Simon i'r ieuenctid y moddion mwyaf effeithiol y gallai ef ddychmygu amdanynt i ddwyn oddi amgylch y canlyniadau gwrthgyferbyniol i'r rhai a ddymunid, a'i fod yn ei atgofio am yr ysgolfeistr, cyn gollwng y plant o'r ysgol un prynhawn, a ddywedodd wrthynt – "Blant, mae gennyf eisiau rhoi cyngor i chwi, ac yr wyf yn gobeithio y gwnewch wrando arnaf ac ufuddhau, a dyma fo – Cymerwch ofal wrth fynd adref o'r ysgol i beidio â rhoi cerrig mân yng nghlustiau'r mulod a welwch yn pori ar ochr y ffordd. Mae'r fath beth yn greulon iawn, a gofalwch na chlywaf fod neb ohonoch yn euog o'r fath weithred ysgeler." Ni chlywsai y plant erioed cyn hynny am y tric, a'r mul cyntaf a welsant ar y ffordd wrth fynd o'r ysgol, llanwasant ei glustiau â cherrig mân, er mawr ddifyrrwch. Pan ddaeth y gorchymyn yr adfywiodd pechod. Pwy oedd y brenin hwnnw a waharddodd i'w ddeiliaid ysmygu? Cynyddodd nifer yr ysmygwyr yn enfawr y flwyddyn honno! Yr oedd amcan Mr. Simon, fel eiddo'r ysgolfeistr, yn ganmoladwy, ond y mae ffrwyth y pren gwaharddedig bob amser yn ddymunol a theg yr olwg. A bod yn onest, rhaid dweud nad oedd gweinidogaeth Mr. Simon yn gyfaddas iawn i gynulleidfa Bethel, ac er y dangoswyd pob caredigrwydd tuag ato, ac na ddarfu i hyd yn oed Didymus, chwerwed oedd ei natur, fod yn un math o graig rwystr iddo, dechreuodd Mr. Simon yn lled fuan deimlo'n anesmwyth. Gwelodd nad oedd yn Bethel ddigon o *intelligence* i werthfawrogi ei dalentau. Ac nid hyn oedd ei siomedigaeth fwyaf. Nid peth anghyffredin, ymresymai Mr. Simon, oedd i ddyn fethu cael ei adnabod a'i fawrhau gan gynulleidfa o weithwyr di-ddysg; ond buasai'n disgwyl i'r *Cyfarfod Misol* – lle yr oedd hufen cymdeithas grefyddol y sir wedi ymgyfarfod – roddi pris ar ei athrylith. Ond yr oedd hyd yn oed y *Cyfarfod Misol* – ar ôl rhoddi derbyniad croesawus iddo ar ei ddyfodiad cyntaf yno – wedi ei anwybyddu yn llwyr ymron. Nid cysurus oedd hyn i ddyn ymwybodol ei fod yn feddiannol ar dalentau a galluoedd meddyliol uwchlaw'r cyffredin, oblegid hymbygoliaeth ydyw dweud mai pobl eraill sydd i farnu beth yw teilyngdod dyn a pha safle a ddylai ef gael mewn cymdeithas. Pwy sydd yn adnabod dyn cystal ag ef ei hun? Pwy sydd yn gwybod hyd, lled, uchder, a dyfnder ei adnoddau fel ef ei hun?

Yn ystod ei arhosiad yn Bethel, cadwodd Mr. Simon ei gymeriad yn lân, a gallasai ddiolch am hynny, i ryw raddau, i Eos Prydain. Wedi deall ei fod yn ymweld yn lled fynych â Thyn-yr ardd, rhoddodd yr Eos yr awgrym iddo i fod ar ei wyliadwriaeth rhag i'r Capten ei andwyo. Parodd hyn i Mr. Simon fyfyrio ar y peth, a gwelodd nad dianghenraid oedd yr awgrym. Oblegid wedi deall nad oedd Mr. Simon yn ddirwestwr, ni phallai'r Capten gymell gwirod iddo bob tro yr âi yno, ac argyhoeddwyd Mr. Simon, yn y man, ei fod yn gwneud hyn gyda'r amcan o beri iddo, ryw ddydd, dorri'r drol, ac felly ei ddinerthu i roddi unrhyw gyngor i neb, na gweinyddu disgyblaeth ar neb a fyddai'n dueddol i yfed gormod. Yn ffortunus, gwelodd Mr. Simon hyn mewn pryd, ac er ei fod yn rhoi pris mawr ar ryddid, ac yn arfer edrych ar lwyrymwrthodwyr fel y bobl fwyaf anghymedrol yn y byd, credodd mai ei ddyletswydd fel gweinidog yr Efengyl oedd cymryd yr ardystiad. Ond, fel yr awgrymwyd yn barod, methai Mr. Simon weld fod digon o *scope* iddo yn Bethel, nac, yn wir, yng

Nghymru, a phenderfynodd fynd i'r America. Pan wnaeth ei benderfyniad yn hysbys i'r eglwys, rhoddwyd credyd cyffredinol i'w ddoethineb, ac amlygwyd cryn lawer o alar (gan Eos Prydain a'i gôr). Diddanai'r Eos ei hun a'i gyfeillion y câi Mr. Simon, yng ngwlad fawr y Gorllewin, ei wneud yn *Ddoctor of Music*, os nad yn Ddoctor mewn Diwinyddiaeth hefyd. Cymerodd yr Eos hefyd drafferth i sicrhau Mr. Simon y buasid yn gwneud tysteb iddo, oni bai fod cyflwr masnachol y gymdogaeth mewn ystad mor druenus o isel, a chynifer o bobl allan o waith. Felly nid oedd gan Mr. Simon ddim i'w wneud ond cymryd yr ewyllys am y gallu.

Mynegwyd yn rhywle yng nghorff yr hanes hwn – nid wyf yn cofio yn awr ym mhle – y byddai Eos Prydain a'i gôr, pan fyddai un o aelodau eglwys Bethel wedi "darfod" – yr ymadrodd a ddefnyddid am un wedi marw – byddai'r Eos a'i gôr yn canu *Vital Spark* yn y capel; ac yng nghyfarfod ymadawol Mr. Simon, cyn iddo gychwyn i'r America, tybiodd yr Eos – yn gymaint â bod Mr. Simon wedi "darfod" ag eglwys Bethel – nad amhriodol fyddai canu *Vital Spark* – â'r hyn y cydsyniwyd. Ond gwrthododd yr Eos yn bendant aralleiriad Didymus o un pennill, oedd fel y canlyn –

> "Lend, lend your wing,
>   I sail! I fly!
> Oh wind! where is thy victory?
> Oh sea! where is thy sting?"

Cydnabyddai'r Eos briodoldeb yr aralleiriad, ond ofnai, gan nad oedd y côr wedi cael *practice*, mai drysu a wnâi; ac felly glynwyd wrth yr hen *version*. Cafwyd cyfarfod cynnes iawn i ffarwelio â Mr. Simon. Siaradodd Dafydd Dafis yn effeithiol dros ben, a gobeithiai o'i galon y gallai Mr. Simon "*wneud ei gartre*" yn yr America. Ymhlith llawer o bethau da eraill, dywedai'r Eos fod gwasanaeth Mr. Simon gyda dosbarth y Sol-ffa yn gyfryw nad ellid byth rhoi pris arno, a'i fod yn hyderu na fyddai iddo, wedi cyrraedd yr America, esgeuluso'r Sol-ffa.

peth ar y Saboth. Ac fel hyn, aeth wythnosau heibio cyn iddi gael dweud ei stori. Cynigiodd Enoc fwy nag unwaith siarad â'r Capten, ond gwrthodai Miss Trefor ei wasanaeth, am y credai, yn gymaint â'i bod wedi addo priodi Enoc cyn ymgynghori a'i thad, a'i bod yn benderfynol o gyflawni ei haddewid gan nad beth a ddywedai ef, mai ei dyletswydd hi oedd ei hysbysu am y ffaith, ac wedi iddi unwaith gredu fod rhywbeth yn ddyletswydd arni, nid oedd modd ei symud oddi wrth ei bwriad.

Ond daeth y cyfleustra o'r diwedd, ac fel hyn y bu. Un noswaith pan aeth y Capten i'r *Brown Cow*, cafodd yn y cwmni ŵr dieithr – ac nid yn y cwmni ychwaith, oblegid eisteddai ym mhen draw'r ystafell, wrth fwrdd bychan, yn ysgrifennu, fel y gwelir trafaeliwr yn gwneud yn fynych, a buasai'r Capten yn tybio mai trafaeliwr ydoedd oni bai iddo ganfod ar unwaith ei fod yn hen ŵr a'i ben yn wyn fel eira. Wedi edrych arno unwaith ni feddyliodd mwy amdano. Aeth popeth ymlaen fel arfer, a bu'r cwmni yno hyd adeg cau, a gadawsant yr hen fonheddwr yn dal ati i ysgrifennu. Yr oedd y gŵr dieithr yno nos drannoeth wrth ei fwrdd, ond yn darllen y noson honno gyda lled-ochr ei wyneb wedi ei droi at y cwmni, a heb ymddangos ei fod yn deall dim a siaradai'r Capten a'i gyfeillion yn y pen arall i'r ystafell, nac yn cymryd unrhyw ddiddordeb ynddynt. Cyn gadael y *Brown Cow* y noswaith honno, trodd y Capten i'r *bar*, a gofynnodd i Mrs. Prys pwy oedd yr hen fonheddwr yn y parlwr? Ni allai Mrs. Prys roi mwy o wybodaeth ynghylch y bonheddwr na'i fod yn Sais – yn dod o'r 'Merica, ac yn ôl pob argoelion yn gyfoethog iawn – yn bwriadu aros am ddiwrnod neu ddau – nad oedd yn yfed dim diod feddwol, – yn dweud dim wrth neb os na fyddai raid iddo – ac yn darllen neu ysgrifennu o hyd. Ychwanegodd Mrs. Prys ei bod yn siŵr fod y dyn diarth yn ŵr bonheddig mawr, achos yr oedd ganddo aur lond ei bocedau.

"*Just* y dyn i mi," ebe'r Capten, ar ei ffordd gartref, "ond y mae o'n rhy hen i speciletio, ac nid yw am aros yma ond deuddydd neu dri, ac y mae yn ditot. Welais i erioed ddaioni o'r

XLV

Y GOHEBYDD

AR adegau neilltuol – adegau a thipyn o bwys ynddynt – arferai Didymus dalu ymweliad â Dafydd Dafis. Ac nid anfuddiol fyddai'r ymweliadau hyn i'r ddau fel ei gilydd, oblegid yr oedd angen ar Dafydd am ysbardun, ac angen, weithiau, ar Didymus am ffrwyn. Derbyniai Didymus fwy o les oddi wrth Dafydd nag a wnâi Dafydd oddi wrtho ef. Fel gohebydd i'r newydd-iadur – canys dyna oedd ei brif orchwyl – tueddai Didymus, fel ei frodyr yn gyffredin, i redeg i ormod rhysedd – gorliwio pethau – penderfynu pethau dyrys – pethau y byddai gwŷr pwyllog yn petruso yn eu cylch – a thraethu ei syniadau braidd yn oraclaidd ac awdurdodol. Lawer tro pan fyddai ar fin ysgrif-ennu adroddiad am ryw gyfarfod neu ddigwyddiad, a'i feddwl yn llawn o frawddegau cyrhaeddgar ar hanner eu ffurfio, a phan fyddai'n dyfeisio sut "i'w rhoi hi" i hwn neu arall, y bu ymgom gyda Dafydd Dafis yn foddion effeithiol i liniaru a chymesuro'r cwbl, ac weithiau i beri iddo daflu'r cyfan, fel y taflwyd Jonas, dros y bwrdd i'r môr.

Yr oedd cyfarfod ymadawol Mr. Simon yn "ddigwyddiad" yn Bethel, ac yn gyfleustra rhagorol, fel y tybiai Didymus, iddo ef fwrw golwg dros ei arhosiad yn ein plith, a heblaw y byddai i hynny lenwi tair colofn o'r *County Chronicle*, am yr hyn y câi dâl gweddol, y byddai hefyd yn fantais iddo yntau gael dweud ei feddwl ar bregethu a phregethwyr, ac ar hyn a'r llall oedd wedi bod yn cronni yn ei fynwes ers tro. Ond cyn arllwys ei hun ar bapur, da, yn ddiamau, y gwnaeth Didymus ymweld â Dafydd Dafis. Ac ebe Dafydd –

"'Roeddwn i braidd yn ych disgwyl chi yma heno, Thomas, ac mae'n dda gen i bod chi wedi dod. 'Rydw i wedi bod yn meddwl llawer heddiw be ddeudech chi, tybed, yn y papur newydd am y cyfarfod neithiwr, achos mi wn y disgwylir i chi, yn ôl ych swydd, ddeud rhwbeth. Ac 'roeddwn i'n gobeithio, ac yn gweddïo hefyd, 'rwy'n meddwl, i chi gael doethineb i'ch cyfarwyddo."

"Wel," ebe Didymus, "yr wyf am roi adroddiad *verbatim et literatim* o'ch araith chwi, Dafydd Dafis."

"Be ydach chi'n feddwl wrth hynny, Thomas?" gofynnodd Dafydd.

"Rhoi yn y papur bob gair ddaru chwi ddweud, achos 'doedd yno ddim arall yn werth ei wrando," ebe Didymus.

"Twt lol," ebe Dafydd. "Na, mewn difri, be ydach chi am ddeud am y cyfarfod? Rhaid i chi gofio, Thomas, mai nid pobl Bethel yn unig fydd yn darllen y papur, ac mi leiciwn i chi gymryd gofal."

"Beth fuasech chwi yn ei ddweud pe buasech yn fy lle i, Dafydd Dafis?" gofynnodd Didymus.

"Wn i ddim, yn siŵr," ebe Dafydd. "Braidd na feddyliwn mai peidio deud dim faswn i."

"Sut y caf i fara a chaws wrth beidio dweud dim?" gofynnodd Didymus. "Mae hi'n fater rhaid arna i ysgrifennu hyn a hyn i'r *Chronicle* bob wythnos i fedru byw. A welsoch chwi erioed yr helynt fydd hi arnaf weithiau yn nyddu clamp o hanes allan o ddim yn y byd. Mae'n rhaid i *reporter* mewn lle bach fel hwn fod wrthi hi yn creu o hyd. A chwi synnech gymaint o areithiau yr wyf yn orfod wneud yn ddiddiwedd na thraddodwyd erioed mohonynt. Dyna'r *report* o'r areithiau fyddaf yn ei anfon bob mis i'r *Chronicle* o'r *Local Board*, ydach chwi'n meddwl fod eu hanner nhw wedi cymryd lle yn y *Board*! Dim peryg! 'Does yno ddim tri aelod ar y Bwrdd fedr roi dwy frawddeg wrth ei gilydd yn ramadegol. Ond pob aelod agoriff ei geg yn y Bwrdd mi fyddaf innau yn rhoi *speech* iddo yn y papur. Yn wir, cyn hyn mi fûm yn rhoi cloben o araith yn y papur gan aelod nad oedd wedi gwneud dim ar y Bwrdd ond rhoi nòd o gydsyniad â rhyw benderfyniad neu'i gilydd.

"Un garw ydach chi, Thomas, ond ydach chi'n meddwl bod chi'n gneud yn iawn, deudwch?" gofynnodd Dafydd.

"Yn hollol iawn," ebe Didymus. "Ac mae hi 'run fath yn union, wyddoch, yn y *Board of Guardians*. Dyna'r hen Lwyd, Wern Olau, yr wyf yn ei gofio un tro yn gwneud cais at *speech*, ac fel hyn y dechreuodd – '*Mistar Cheerman, I did remember when I am a boy*,' &c. Ni fuasai'n gwneud y tro i mi adrodd peth fel yna, wyddoch, yn y papur, a'r ffordd y reportiais i o oedd – *Mr. Chairman, the subject now under discussion forcibly reminds me of my boyhood, &c.*, ac mi roddais lafnes o *speech* iddo na thraddodwyd mohoni erioed. Ac yn y *Board* diwethaf, mi gymra fy llw, yr unig beth ddywedodd yr hen Lwyd oedd – '*I beg to second resolution*', ac mi chwysodd yn ddiferol wrth ddweud hynny, ond mi roddais dipyn o *speech* deidi iddo yn y *Chronicle*, achos mi wyddwn y buasai hynny'n ei foddio. A bydaswn i'n marw fedrwn i ddim peidio gwenu pan gyfarfûm â'r hen Lwyd yn y ffair. Meddai, ac yn torsythu'n enbyd – 'Wyddoch chi be, Thomos, mi ddaru'ch roi port clên iawn o'r Bord y Gardians dwetha – mi ddaru'ch ddeud bron air am air be oeddwn i wedi ddeud. Pryd y dowch chi acw i gael tamed o swper, deudwch?' Yr oedd hi'n andros o *job* cadw wyneb sobr wrth ddweud wrtho na allwn fynd i'r Wern Olau yr wythnos honno. A chan sicred â bod chi'n eistedd yn y gader yna dyma i mi chwiaden o'r Wern Olau bore drannoeth."

"Wel, chlywes y fath beth yn 'y mywyd," ebe Dafydd. "Ond deudwch i mi be fydd yr aelodau eraill yn ddeud wrth ddarllen yn y papur am yr hen Lwyd wedi bod yn *speechio*?"

"Ddim ar affeth hon y ddaear! Achos hwy wyddant i gyd bydawn i'n reportio areithiau y rhai gorau ohonynt fel y maent yn cael eu traddodi mai llun rhyfedd fyddai arnynt. Mae rhyw fath o *Free Masonry* yn eu plith – peidiwch chwi â dweud arna i, ddeuda innau ddim arnoch chwithau. Yn wir, chlywais i erioed mo'r *chairman* yn cwyno pan fyddwn wedi rhoi clamp o ddarn at ei araith."

"Wyddoch chi be, faswn i ddim yn leicio rhw fusnes fel yna, – 'dydi o ddim yn edrach yn syth a gonest, rwsut," ebe Dafydd.

"Pawb at y peth y bo – pob tyladaeth rhag tylodi, Dafydd Dafis. Gwaith *reporter* ydyw dyfeisio beth sydd ym meddwl dyn, a sut y buasai yn dweud ei feddwl pe medrai; ac os llwydda i ddirnad ei feddyliau annywededig, popeth yn dda," ebe Didymus.

"Ond ffasiwn *report* ydach chi am roi o gyfarfod ymadawol Mr. Simon?" gofynnodd Dafydd.

"Wn i ar wyneb y ddaear," ebe Didymus. "Rhaid i mi ysbladd-ro rhywbeth, ac fe fuasai'n dda gennyf gael dweud wmbreth o'r hyn sydd ar fy feddwl, ac adolygu tipyn ar y cyfnod y bu Mr. Simon yn mynd a dod yn ein plith. Ond y mae un peth yn peri i mi betruso, a dyna'r rheswm i mi ddod yma heno. 'Ddym-unwn i er dim a welais erioed niweidio'r fugeiliaeth yn y sir. Mae digon o ragfarn yn ei herbyn eisoes, ac mi wn bydawn yn dweud fy meddwl yn syth yn y papur, y creai hynny fwy o ragfarn. Ond yn onest 'rwan, Dafydd Dafis, a atebodd bugeil-aeth Mr. Simon un amcan da tra bu ef yma?"

"Do, yn ddiau," ebe Dafydd, "fe argyhoeddodd agos bawb, 'rwyf yn credu, o'r ffolineb o neidio i ddyn na ŵyr neb ddim amdano, ac mi fu yn foddion, mi obeithia, i ni sicrhau dyn da y tro nesaf."

"Mi obeithiaf innau mai gwir a ddwedwch," ebe Didymus. "Mae dynion o stamp Mr. Simon – ac mae llawer ohonynt – yn diraddio ac yn damnio'r fugeiliaeth yn ein gwlad, ac yn lleihau cariad y bobl at y rhai sydd wir fugeiliaid. Yr wyf mor selog dros fugeiliaeth eglwysig ag Edward Morgan, Dyffryn, ond yr wyf yn ofni – nid bod gormod o gymell ar yr eglwysi i gael bugeiliaid – ond rhy fychan o gymell pa ryw fath ddynion a ddylent hwy fod. Yn y cychwyn cyntaf, mi gredaf, y mae'r drwg yn bod. Mae'r gŵr ieuanc, i ddechrau, yn syrthio mewn ffansi â swydd pregethwr. Mae'n gweld ei bod yn swydd o anrhydedd, ac nad oes neb yn fwy annwyl a pharchus gan y Cymro na'r pregethwr. Yn ei ffolineb, tybia'r gŵr ieuanc ei fod yn swydd esmwyth, ddilafur, oddieithr rhyw bedair awr ar y Sabbath, a bod y cyflog yn weddol dda. Y mae'n syrthio mewn ffansi â'r *swydd*, meddaf, ac yna y mae'n dechrau gwisgo cot ddu, laes, a het â chantel llydan, a gwasgod yn cau i'r top ar y Sabathau. Y cam nesaf fydd – diflasu ar ei alwedigaeth a gwag-symera ar ddyddiau'r wythnos yn ei gob laes, – *livery* y pregethwr. A chan nad oes neb wedi meddwl y gwnâi bregethwr, dywed ef ei hun, ryw ddiwrnod, wrth ei gyfeillion, fod ei fryd ar y wein-idogaeth. Mae pawb wedi synnu. Ond erbyn meddwl, cyd-nebydd pawb ei fod yn debyg i bregethwr *o ran ei ddillad.* Ac felly yn y blaen, ac yn y blaen, heb i mi ei ddilyn, nes y daw allan o'r coleg, a thrwy ryw lwc y caiff ei alw'n fugail. Ac yna y dechreua edrych yn ysgoewedd ar hen bregethwyr duwiol (nad ydynt fugeiliaid) a gyfeiriodd ambell bechadur ar y ffordd i'r Bywyd. Yr wyf yn credu o 'nghalon na ddylai un bachgen gael dechrau pregethu os na fydd o'i ysgwyddau i fyny yn uwch na'i gyfoedion mewn gallu, gwybodaeth, a diwylliant, ac os na fydd wedi ei hynodi ei hun fel athro llwyddiannus yn yr Ysgol Sul, ac yng nghyfarfodydd y plant, y cyfarfod gweddi, ac ym mhob cylch o fewn ei gyrraedd i'w wneud ei hun yn ddefnyddiol, ac i ddangos gonestrwydd ei sêl dros wneuthur daioni. Nid wyf yn credu mewn caniatáu i ŵr ieuanc roi naid o ddinodedd i'r pwlpud, oblegid unwaith yr esgynna risiau'r pwlpud, anodd iawn ydyw dweud wrtho am beidio â mynd yno drachefn. Ac nid wyf yn credu mai oddi wrth y gŵr ieuanc y dylai'r cais am gael pregethu ddod. Dylai ddod fel deisyfiad neu orchymyn oddi wrth eraill ato ef – y rhai sydd wedi sylwi arno, a chanfod ynddo gymwysterau i'r gwaith."

"Yr wyf yn cydweld â llawer o'r hyn ydach chi'n ddeud, Thomas," ebe Dafydd, "ond mi wyddoch o'r gorau bydase ambell un ydan ni'n nabod fel gwir bregethwr yn aros nes i'r eglwys ofyn iddo bregethu, y base heb ddechre hyd heddiw. Mae'n digwydd weithiau fod ambell eglwys heb ddigon o synnwyr ynddi i weld defnydd pregethwr mewn bachgen sydd wedi ei fwriadu gan Dduw i fod yn bregethwr."

"Eithriad ydyw hynny, Dafydd Dafis," ebe Didymus. "Mae yna ddywediad fod bardd yn cael ei eni yn fardd, ac nid yn cael ei wneud yn fardd; ac y mae'n hollol wir. Pa nifer o feirdd a anwyd yn feirdd sydd yng Nghymru heddiw? Gellwch eu

cyfrif ar bennau eich bysedd. Ond y mae'r rhai sydd yn cor-
deddu rhigymau ac yn gwisgo ffugenwau yn afrifed. Yr un
modd rhaid i bregethwr gael ei eni yn bregethwr neu rigymwr
fydd o byth. 'Dydi o ddiben yn y byd prentisio dyn yn breg-
ethwr – gwneud person Eglwys ohono ydyw hynny ac nid
gwneud pregethwr."

"Ydach chi yn meddwl deud, Thomas, y gellwch chi gyfrif
gwir bregethwyr Cymru ar benna'ch bysedd?" gofynnodd
Dafydd.

"Dim o'r fath beth," ebe Didymus, "o drugaredd y maent yn
llu mawr. Mae ar Gymru fwy o angen am bregethwyr nag am
feirdd, ac y mae Duw wedi creu mwy ohonynt. Ond hwyrach
fod *proportion* y rhigymwyr ymhlith y ddau ddosbarth yn lled
gyffelyb. Ydach chwi ddim yn meddwl, Dafydd Dafis, bod ni'n
cael gormod o bregethu?"

"Gormod o bregethu, Thomas? 'Does dim gormod o
bregethu i fod. Mi fedrwn wrando pregethu'r Efengyl bob
dydd o 'mywyd," ebe Dafydd.

"Wel," ebe Didymus, "mi fyddaf fi'n ofni bod ni'n cael
gormod o bregethu o'r hanner o'r peth ydi o. Pan nad oedd
ond rhyw ddwsin o bregethwyr yng Nghymru, a'r rhai hynny i
gyd yn A ONE, yr oedd mwy o flas ar yr Efengyl, a mwy o'r
hanner yn cael eu hachub, ond pan mae pob sort yn mynd ati i
rygnu'r stori – i'w hadrodd yn oer a didaro, ydi o'n ateb rhyw
ddiben heblaw cynefino'r gwrandawyr â'r ffeithiau a'u ham-
ddifadu o'u newydd-deb, a pharatoi agwedd ddigyffro erbyn y
daw un i ddweud yr hanes yn ei swyn a'i nerth? Ydach chi'n
meddwl bydasai Paul wedi anfon hanner cant o ddynion claear
o'i flaen i adrodd yr hanes y buasai ef yn gallu dweud yn y
diwedd ei fod wedi llenwi'r byd ag Efengyl Crist? Y mae arnaf
ofn y buasent wedi andwyo ei waith."

"Beth a ddeuai o'n holl gynulleidfaoedd – yn enwedig ein
cynulleidfaoedd bychain yn y wlad – bydaech yn llwyddo i roi
stop ar yr holl bregethwyr nad ydynt yn ein hargyhoeddi eu
bod wedi eu genu neu eu bwriadu i fod yn bregethwyr, a phe
bai Cymru'n gorfod dibynnu'n hollol ar y pregethwyr ag y mae

cydwybod pawb yn gorfod tystio eu bod yn anfonedig?" gofynnodd Dafydd.

"Beth sydd yn dod ohonynt yn awr? gofynnodd Didymus "A oes ychwanegiadau yn cael eu gwneud atynt o'r byd? Ai nid yr unig beth sydd yn eu cadw heb leihau ydyw hiliogaeth yr eglwysi eu hunain? Heblaw hynny, y mae'r gorofal a ddangosir yn y dyddiau hyn am *lenwi* pwlpudau pob mynydd a chwm gan rywun rhywun yn atal yr eglwysi rhag syrthio ar eu hadnoddau eu hunain, ac yn magu difrawder a diogi ysbrydol. Am y caiff rywun yn y pwlpud bob Saboth, pe na byddai ond dyn pren – teimla'r eglwys ei bod wedi gwneud ei dyletswydd, pryd, pe buasai wedi ei gadael iddi ei hunan fel yn yr Ysgol Sabothol, y buasai'n ymroi ati ac yn *gwneud* rhywbeth."

"'Dach chi ddim yn meddwl gneud i ffwrdd â phregethu, ydach chi, Thomas?" gofynnodd Dafydd.

"Gwarchod pawb! nac ydwyf ar un cyfrif," ebe Didymus, "pregethu'r Efengyl yw'r moddion y mae Duw wedi ei ordeinio i achub y byd, ac y mae Cymru, yn anad un wlad dan haul, yn fwy dyledus i'w phregethwyr nag i neb na dim arall. Ond pe medrwn, mi wnawn i ffwrdd â'r blera pregethu – hynny yw, mi wnawn i ffwrdd â phob pregethwr nad ydyw wedi ei ddonio ag ysbryd y weinidogeth – y dosbarth sydd yn llenwi adwyon ac yn arbed cael cyfarfodydd gweddïo."

"Ond pwy sydd i benderfynu pwy yw'r gwir bregethwyr, a phwy ydy'r rhai sydd yn llenwi adwyon?" gofynnodd Dafydd.

"Yr eglwysi, wrth gwrs, drwy'r *balot*," ebe Didymus, "achos fe ŵyr yr eglwysi'n burion y gwahaniaeth rhwng y gwir bregethwr a'r *imitation* ohono sydd yn *llenwi'r pwlpud*. Mae pob cynulleidfa ymron erbyn hyn yn ystyried y dylai gael dwy bregeth ar y Saboth, ac yn hytrach na chael 'Saboth gwag', mae'r blaenoriaid yn mynd i howca am Dic, Tom, a Harri. Llawer gwell, yn ôl fy meddwl i, fyddai i ni fyw ar ein bloneg hyd yn oed am fis, hyd nes y deuai ein tro i gael *y pregethwr*, yn hytrach na chadw siop fach bob Saboth fel y gwneir yn awr. A hwyrach y codai hynny ystumog at yr Efengyl fel ers talwm, ac yr âi pobl yn dyrfaoedd filltiroedd o ffordd i wrando *y preg-*

ethwr, ac y deuent adref gyda llond gwalet i fyw arno am wyth-nosau."

"Byw go fain fyddai hi arnom ni," ebe Dafydd, "ac mi fydde'n bloneg ni wedi darfod yn lled fuan, mae gen i ofn. Mae gynnoch chi ryw ddrychfeddyliau gwylltion ac amhosib bob amser, Thomas. Ond gadewch i ni siarad sens, da chi. Be ydach chi am ddeud yn y papur am y cyfarfod neithiwr?"

"Mae gennyf flys cymryd eich awgrym a pheidio â dweud dim," ebe Didymus, "hynny ydyw, rhoi rhyw baragraff bach diniwed. Achos y peth gorau fedrwn i ddweud am Mr. Simon fyddai mai dyn y *livery* oedd o. Welais i neb o'r clerigwyr yn fwy clerigol na fo. Mi gymra fy llw pe buasai ei got yn *one six-teenth of an inch* yn rhy gwta na buasai byth yn edrych arni, heb sôn am ei gwisgo; a phe buasai ei wasgod yn cuddio neu yn datguddio ei golar wen un ran o fil o led blaen nodwydd mwy neu lai nag y dylasai, y buasai hynny'n dwyn arno'r *typhoid fever,* ac yn ei amddifadu o hynny o Efengyl oedd ganddo. O! ie, cofiwch, y golar, dyna anhepgor gweinidog y dyddiau hyn – hynny ydyw, gweinidogion y *livery* – ac nid cadach gwyn ddwywaith o gwmpas y gwddw fel yr hen gewri gynt. Pa beth a gymerasai John Jones, Tal-y-sarn, am wisgo'r golar Jesuitaidd hon? Buasai'n ei gyfrif ei hun yn euog o dân uffern pe rhoesai hi am ei wddf."

"Gwarchod pawb! tewch, Thomas, yr ydach chi'n mynd yn fwy rhyfygus bob dydd," gwaeddodd Dafydd.

"Geiriau gwirionedd a sobrwydd yr wyf yn eu hadrodd, Dafydd Dafis," ebe Didymus. "Beth yn enw pob rheswm, sydd yn gofyn am i bregethwr wisgo'n wahanol i bobl eraill, a pheri i chwi feddwl, wrth edrych ar gymdogaeth corn ei wddw, ei fod yn bwriadu *commitio suicide* mewn ffordd *respectable?* Pam y rhaid i weinidog fod yn fwy annaturiol na'r un creadur byw ar wyneb daear? Pwy oedd yn gwawdio, ddeugain mlynedd yn ôl, mân giwradiaid Cymru am eu gwisgoedd offeiriadol? Onid gweinidogion Ymneilltuol? Ond, erbyn heddiw, 'dydi'r Ciwrad, druan, o'i gymharu ag ambell fugail Methodistaidd a gweinidog Annibynnol, yn lle'n y byd, o ran cot, colar, a het – o'u cymharu â'r offeiriaid maent hwy yn *arch*offeiriaid – byth na smudo i! Cofiwch, yr wyf am i bregethwr wisgo'n dda a pharchus, ac yr wyf yn casáu gweld pregethwr yn slyfenllyd, ond y mae'r wisg orglerigol yma yn fy ngwneud yn sâl ac yn codi'r *bile* arnaf. A'r tacle mwyaf diddawn a diawydd am achub pechaduriaid yw'r rhai mwyaf clerigol o'r lot. Wyddoch chwi beth, yr oeddwn yn gwrando ar un o bregethwyr mwyaf Cymru yr wythnos diwethaf, ac er ei fod yn pregethu yn ardderchog, mi gefais gymaint o fendith wrth edrych ar ei gadach du a'r naturioldeb oedd o gwmpas y dyn ag a gefais yn ei bregeth. 'Does dim angen ar rywun fel – am *livery*, Dafydd Dafis."

"Wel, wel, Thomas bach," ebe Dafydd, "yr ydach chi'n tramgwyddo wrth bethe bychain iawn, a phe basech chi'n ddyn dall, fel y Bartimeus hwnnw, mi gawsech lawer mwy o fendith yn moddion gras."

"Synnwn i ddim; ond yr wyf yn awr yn gweld, ac mae gweld pethau fel hyn yn fy ngwneud yn gwla, ac yn llai o Fethodist bob dydd. Ac nid wyf ar ben fy hun – mae'r glerigaeth yma yn ddolur llygaid i filoedd. 'Does dim o *prestige* yr Hen Gorff ynddo. Ond swm y cwbl a glybuwyd yw hyn – un o wŷr y *livery* oedd Mr. Simon – un wedi ei brentisio i fod yn weinidog heb erioed ei eni'n bregethwr. Ac mi fuaswn yn leicio dweud tipyn arno yn y papur, ond mi gymeraf eich cyngor rhag i mi ddweud rhywbeth na ddylwn. Rhaid i mi geisio dod o hyd i 'bytaten enfawr' neu 'hwch epilgar' yn rhywle i wneud i fyny newyddion yr wythnos. Da boch a dibechod."

XLVI

AMRYWIOL

AETH wythnosau lawer heibio, ac er i Sem Llwyd "balu cel-
wydd" gymaint ag a allai am ragolygon Gwaith Coed Madog,
ac i'r Capten roddi pob gewyn ar waith i geisio cael gan ei
gymdogion ariannog gymryd *shares* yn y Gwaith, ni choron-
wyd ei hymdrechion â llwyddiant. Ac, erbyn hyn, ystyriai'r
Capten rhyngddo ac ef ei hun fod y dyfodol yn edrych
braidd yn dywyll; ac i ddwysáu ei ofidiau, yr oedd Mr.
Denman – ar ôl ymladd yn galed â'r byd, a hel cymaint o
arian ag a allai i'r Capten, er mwyn cadw ei *interest* yng
Nghoed Madog – yr oedd yntau, yn erbyn ei waethaf, wedi
gorfod troi'n fethdalwr – wedi ei werthu i fyny – wedi gorfod
symud i dŷ bach hanner coron o rent – a chymryd lle fel
cynorthwywr am ddeunaw swllt yr wythnos, er mwyn cael
rhyw lun o damaid. Dawn a ballai i adrodd yr hyn oll a
ddioddefodd y creadur truan oddi wrth edliwiadau ei wraig;
ac yn wir, wrth feddwl am y sefyllfa gysurus y bu ef unwaith
yn ei mwynhau – pan oedd yn meddu tai a thiroedd, a stoc
dda yn y siop – nid rhyfedd fod Mrs. Denman yn rhincian
yn feunyddiol, ac yn ei atgofio'n fynych fel yr oedd ef wedi
cario ei holl eiddo "i'r hen Gapten y felltith". Yr oedd Mr.
Denman, druan, yn awr yn gorfod goddef yn ddistaw, ond yr
hyn a'i blinai fwyaf oedd ei anallu i dalu ei ddyledion. Nid
oedd ganddo obaith bellach am dawelwch a llonyddwch ond
yn y bedd, i'r lle yr oedd ef yn prysur fynd. Ond trwy'r cwbl,
yr oedd Mr. Denman yn parhau i ddod yn gyson i'r capel, ac
ymddangosai ei fod yn cael mwy o fwynhad yn y moddion
nag erioed; ac, fel y dywedai Dafydd Dafis, er bod Mr.
Denman, ar ôl blynyddau o ymdrech ac aberth mawr, wedi

methu cael plwm, yr oedd yn bur amlwg ei fod wedi dod o hyd i'r "perl gwerthfawr".

Ni allai'r Capten lai na synnu a rhyfeddu fod Enoc Huws yn dal i wario arian yn ddi-baid ar Goed Madog, a hynny'n galonnog a siriol, a mynych y dywedodd ynddo ei hun – "Mae'n rhaid fod Mr. Huws yn gwneud busnes anferth i allu dal i wario cymaint. Mae'n greulondeb gadael iddo fynd ymlaen fel hyn. Ond beth a ddeuai ohono' i bydae o'n rhoi *stop* arni?" Ac felly yr *oedd* Enoc *yn* gwneud busnes anferth, ac nid oedd yn gofalu llawer am arian. Ac ni allai'r Capten lai na sylwi fod Enoc yn ymddangos yn hapusach a hoywach nag y gwelsai ef ers blynyddau. "Diamau," meddai'r Capten, "fod Mr. Huws yn cael mwy o gysuron gartref gyda'r *housekeeper* newydd. Wn i beth wnaeth iddo gadw'r hen gwtsach gan Farged honno cyhyd. Ond y mae'r Miss Bifan yma'n ymddangos yn *superior sort of woman*. 'Does gennyf ond gobeithio na phriodiff Mr. Huws moni. Mae'r merched golygus yma'n gymeriadau peryglus fel *housekeepers* i hen lanciau. Synnwn i lwchyn nad felly y diweddiff hi. Yn wir, y mae rhywbeth yn serch-hudol yng ngolwg y ferch. Bydaswn i yn ŵr ifanc fy hun – wel."

Fe gofia'r darllenydd fod Enoc wedi cyflogi Miss Bifan heb ymorol dim am ei chymeriad, na gofyn iddi ym mha le y buasai'n gwasanaethu ddiwethaf. Pan glywodd Jones, y Plismon, y chwedl hon, chwarddodd o eigion ei galon, ac ni allai beidio ag edmygu diniweidrwydd crediniol ei hen gyfaill Enoc. Ond ni orffwysodd Jones wedi hyn nes dod o hyd i holl hanes Miss Bifan – fel y tybiai ef – ac wedi ei gael, nid oedodd ei hysbysu i Enoc. Yn ôl Jones, yr oedd caritor Miss Bifan yn rhywbeth tebyg i hyn:- Unig ferch oedd hi i amaethwr gweddol barchus oedd yn byw oddeutu pedair milltir o Bethel. Yr oedd wedi ei dwyn i fyny'n grefyddol, wedi cael ychydig o addysg, a phan oedd yn hogen, wedi ennill amryw wobrwyon am ganu, darllen, ac ateb cwestiynau mewn cyfarfodydd cystadleuol, a chyfrifid hi'n llawer mwy talentog na'i chyfoedion. Yr oedd Miss Bifan hefyd, er yn lled ieuanc, yn cael edrych arni fel yr eneth brydferthaf yn yr ardal, a barodd i'w chyfeillesau genfigennu ati, ac i'r hogiau ymrafaelio yn ei chylch. Erbyn hyn, yr oedd Miss Bifan wedi bod yn gwasan-aethu mewn amryw fannau, a chyda theuluoedd parchus, a'r unig gwynion a ddygid yn ei herbyn gan y "teuluoedd parchus" y bu'n eu gwasanaethu, oedd – yn gyntaf, ei bod yn gwisgo yn rhy dda: yn ail, ei bod yn peri i'w merched ymddangos yn gomon, hagr, a diolwg; yn drydydd, fod ganddi bob amser gariad, a'i bod bob amser yn ffafryn gan feibion "y teuluoedd parchus"; ac yn olaf, fod ganddi ddwylo blewog. Pan fynegodd y plismon hyn oll i Enoc, credodd y dystiolaeth am yr holl gwynion oddieithr yr olaf, ac ebe fe yn selog: –

"Wrth gwrs, y mae'r eneth yn gwisgo'n dda, a beth ydi hynny i neb arall, ac nid busnes mistar na mistres ydyw dweud wrth y forwyn sut a be i wisgo, os bydd hi'n talu am ei gwisg. Ac mae'r eneth hefyd yn brydferth – 'does dim dowt – ond 'dall hi ddim wrth hynny, ac mi greda'n hawdd bod hi'n gneud i ferched 'y teulu' edrach yn gomon yn ei hymyl, a bod y meibion yn leicio'i golwg hi – beth oedd yn fwy naturiol? Ond 'does dim eisio beio'r eneth am hynny, a 'dydi o ddim ond cenfigen *mean,* sâl. Wyddoch chi be, mae ambell deulu'n meddwl nad oes gan forwyn ddim busnes i fod yn bropor, a bydaen nhw'n medru, mi roen y frech wen arni, os nad hac yn ei gwefus. A 'dydi o ryfedd yn y byd os oes gan yr eneth gariad, ac os nad oes ganddi gariad – ac mae hi'n deud nad oes ganddi 'run – mae o'n dangos fod bechgyn cyn ddalled â phost llid-iart. Ac yn amal iawn, Mr. Jones, mi geiff geneth fel Miss Bifan hanner dwsin o gariadau, tra bydd merched 'y teulu-oedd' yn gwefrio am gariad, a neb yn edrach arnyn nhw. Wel, on'd ydw i ar fy ngore glas yn cadw gwyliadwriaeth ar hogiau'r siop yma – maen nhw'n gneud rhw esgus beunyddiol i ddŵad i'r tŷ, ac mi wn mai'r amcan i gyd ydi cael golwg ar, a chael siarad gair efo Miss Bifan. A beth sydd yn fwy naturiol – on' faswn i fy hun, oni bai am rywbeth y gwyddoch amdano? Ac am fod ganddi ddwylo blewog, chreda i byth mo hynny. Mae cannoedd o forwynion, druain, yn cael cam dybryd. Pan fydd y sbrigyn mab wedi ponio ei *gold studs* i gael diod, O! y forwyn fydd wedi eu lladrata! Pan fydd y ferch wedi colli ei *broach* neu ei chyffs, wrth galifantio, ac na wiw iddi ddweud wrth ei mam, y forwyn, druan, fydd wedi eu dwyn! Y forwyn yw bwch di-hangol y teulu! Yr *humbugs*! Mae Miss Bifan yn eneth *splendid*, Mr. Jones, ac mae'r tŷ yma fel nefoedd o'i gymharu â phan oedd Marged yma."

Gwrandawai'r Plismon ar Enoc yn ddistaw, gan edmygu ei ysbryd ffyddiog a difeddwl-ddrwg, ond wrth edrych yn graff tu draw i'w lygaid, gallesid darllen ei feddwl –

"When ignorance is bliss 'tis folly to be wise."

Yr oedd dedwyddwch ei gartref, yn ddiamau, yn rhoddi cyfrif i ryw raddau am sirioldeb Enoc. Ond pe yn ei gartref yn unig y buasai ei ddedwyddwch yn gynwysedig, prin y buasai ef yn absennol yno hyd un ar ddeg o'r gloch o'r nos, bedair neu bum noswaith yn yr wythnos. Rhaid fod Enoc yn cael rhyw gymaint o ddifyrrwch yn Nhyn-yr-ardd i fod yno mor aml. Ac nid oedd Coed Madog – nad oedd erbyn hyn yn rhoi gwaith ond i ychydig o ddynion – yn galw ar Enoc i ymgynghori â Chapten Trefor amryw weithiau yn ystod yr wythnos. A hyd yn oed, pe buasai ef yn ystyried fod hynny'n angenrheidiol, nid oedd y Capten, yn ddiweddar, ar gael yn Nhyn-yr-ardd *bob* noswaith o'r wythnos. Toc wedi marw Mrs Trefor, yr oedd y Capten wedi dechrau ar yr arferiad o fynd i'r *Brown Cow* ar nosweithiau canol yr wythnos. Tybiai rhai mai'r rheswm am hyn oedd ei fod, ar ôl colli Mrs. Trefor, yn teimlo'n unig, a'i fod yn cael tipyn o help mewn "cwmni" i fwrw ei hiraeth. Ac efallai fod ganddo amcan arall yn hyn – drwy wneud Miss Trefor yn fwy unig, rhoddai hynny iddi hi fwy o hamdden i ystyried ei sefyllfa a sylweddoli ei cholled, oblegid lled anystyriol yw pobl ieuanc yn gyffredin. Hwyrach y gwnâi unigrwydd les i Susi. Ond ni chymerai Miss Trefor yr olwg yna ar bethau, a theimlai hi fod gwaith ei thad – mor fuan ar ôl claddu ei mam – yn ei gadael ar ei phen ei hun yn y tŷ hyd berfeddion o'r nos, yn ymddygiad angharedig i'r eithaf, ac oni bai fod Enoc Huws mor feddylgar a hynaws ag ymweld â hi mor fynych buasai ei hunigrwydd ymron yn annioddefol.

Ers amser maith cyn marwolaeth ei mam teimlai Miss Trefor fod rhyw agendor rhyngddi a'i thad, a bod yr agendor hon yn ymledu'n feunyddiol. Achosai hyn boen mawr iddi. Cofiai adeg pryd yr edrychai ar ei thad gydag edmygedd diniwed, ac y golygai hi ef fel rhywun uwch a gwell na dynion yn gyffredin. Yr oedd hyn yn ei golwg ymhell, bell, yn ôl, ac edrychai gyda chalon hiraethlon ar y cyfnod hwnnw. Gwnaeth lawer ymdrech egnïol i ailennyn y fflam, ond ni ddeuai'r hen deimladau yn ôl. Ar brydiau, meddyliai ei bod wedi ffurfio yn ei meddwl syniadau – na wyddai o ba le y cawsai hwynt – am uniondeb, cywirdeb, ac anrhydedd, na allai, nid yn unig ei thad, ond na allai unrhyw ddyn ddal i gael ei fesur a'i bwyso wrthynt, ond yn y funud cofiai am Enoc Huws – ni allai hi gael bai ynddo ef yn eu hwyneb. Lawer tro dychrynai a theimlai'n euog wrth feddwl am y syniadau a goleddai am ei thad. Ond er pob ymdrech teimlai fod yr agendor oedd rhyngddi hi ac ef yn mynd yn lletach yn barhaus. Ond nid anghofiodd hi am foment ddau beth – sef ei fod yn *dad* iddi, a'i bod wedi gwneud llw y glynai wrtho tra byddai ef byw. Ni wnâi'r blaenaf ond ychwanegu ei phoenau wrth ganfod dirywiad cyson ei thad o'r dydd y bu farw ei mam, ac ni wnâi'r olaf ond peri iddi sylweddoli maint y trueni oedd o'i blaen. Ac eto cofiai fod ganddi gyfaill – cyfaill hyd y carn – ac ni allai hi, bellach, heb fod yn euog o'r anniolchgarwch dybraf, a'r anffyddlondeb mwyaf i'w theimladau gorau hi ei hun, beidio gwobrwyo ei ddyfalwch. "Dyletswydd" oedd arwyddair ei bywyd ers llawer o flynyddoedd, a chredai, yn wyneb y cyfnewidiad oedd wedi cymryd lle yn ei bwriadau, mai ei dyletswydd oedd hysbysu ei thad am y cyfnewidiad hwn. Yr oedd yn awr ers amser yn gwylio am gyfleustra i wneud hyn, ond yr oedd y Capten, pan fyddai gartref, yn gyffredin mewn tymer ddrwg, a phan ddychwelai'n hwyr o'r *Brown Cow* yn rhy swrth iddi feddwl am ddod â'r cwestiwn ymlaen. O'r diwedd, daeth y cyfleustra, a mynegodd Susi i'w thad ei chysylltiad ag Enoc Huws, fel y ceir adrodd eto.

XLVII

Y "BROWN COW"

Y FFAITH oedd, fel yr awgrymwyd yn y bennod ddiwethaf, fod Enoc, o'r diwedd, wedi llwyddo yn ei gais – yr oedd Miss Trefor wedi addo bod yn wraig iddo. Ac os haeddodd rhywun erioed lwyddo, haeddodd Enoc, oblegid yr oedd ei ffydd-londeb wedi bod yn ddi-ball, a'i aberthau uwchlaw rhoddi pris arnynt. Pa fodd y dygwyd hyn oddi amgylch, nid wyf yn bwriadu adrodd, canys yn y cyfryw amgylchiadau – ac y maent oll yn lled gyffelyb – y mae cymaint o ffwlbri, a chymaint o twdl tadl yn cymryd lle, fel y mae gan bob dyn sydd wedi bod yn briod am chwe mis gywilydd o'i galon gofio fod yntau wedi mynd trwy'r amgylchiad digrifol, ac nid ydyw'n hoffi sôn amdano. Am hynny ni soniaf innau amdano, oherwydd pe gwnawn, ni roddai fwynhad i neb ond i ychydig hogennod – ac nid i hogennod yr wyf yn ysgrifennu'r hanes hwn, ond i ddynion synhwyrol. Digon ydyw dweud fod Miss Trefor wedi addo priodi Enoc Huws, yr hyn a'i traws-symudodd ar unwaith i'r seithfed nef, ac a barodd i Miss Trefor, fel y dywedwyd o'r blaen, ystyried ei bod yn ddyletswydd arni hysbysu ei thad o'r ffaith.

Yr wyf wedi sôn fwy nag unwaith yn yr hanes hwn am y *Brown Cow.* Tafarndy oedd y *Brown Cow* hynod o henffasiwn ar gwr y dref. Mae'r tŷ, erbyn hyn, wedi mynd dan amryw gyf-newidiadau, ond fel yr oedd ers talwm yr wyf yn awr yn sôn amdano. Nid oedd neb yn fyw yn cofio ei fod yn ddim amgen na thafarn. Yr oedd yn dŷ helaeth a chyfaddas iawn i'r busnes, ac yno, yn yr hen amser, y byddai'r porthmyn yn lletya nos-waith o flaen y ffair. Dywedid nad oedd seler yn y wlad debyg i seler y *Brown Cow* am gadw cwrw rhag suro, ac yn yr amser gynt, arferai'r teulu ddarllaw eu cwrw eu hunain. Uwchben y drws yr oedd astell, ac arni lun buwch wedi ei baentio gan rywun na wyddai neb pwy, ond a gedwid yn annirywiedig drwy gael ei farnishio bob blwyddyn. Eglur ydoedd, yn ôl y darlun, na fuasai'r fuwch honno yn cymryd y *prize* mewn ar-ddangosfa amaethyddol yn ein dyddiau ni, canys yr oedd ei hipiau fel pe buasent ymron dod trwy ei chroen, a'i choesau mor ystiff nes argyhoeddi pawb ei bod yn dioddef gan y rimatus. Heblaw hynny, yr oedd toreth o gyrls ar ei thalcen nes peri iddi ymddangos yn debycach i'w gŵr nag iddi hi ei hun. Ac eto mae'n rhaid fod rhyw swyngyfaredd yn perthyn i'r fuwch honno, oblegid y mae hanes ar gael i ŵr a gadwai'r *Brown Cow* un tro gymryd yn ei ben i dynnu'r fuwch i lawr a gosod yn ei lle "Y Ceffyl Glas". Ymhen y pythefnos collodd ei holl fusnes, a bu raid iddo ailosod yr hen fuwch uwchben y drws, a dychwelodd y busnes, ac mae'r tŷ'n llwyddiannus hyd y dydd hwn. Yn y *Brown Cow* yr oedd dwy ystafell yn y ffrynt, a dwy yn y cefn. Ar yr ochr chwith wrth fynd i mewn yr oedd ystafell yr ysbrydion, neu y *bar*. Ar yr ochr dde yr oedd y gegin fawr. Ar un ochr i'r ystafell hon yr oedd dreser dderw fawr, na wyddai neb ei hoedran, ac arni blâts piwtar gloyw gwerthfawr, a edrychai'n urddasol ar noswaith aeaf, pan fyddai tân mawr yn y grât ar eu cyfer. Ar yr ochr arall yr oedd mainc lydan a chefn iddi yn rhedeg efo'r wal, ac ar y drydedd ochr, yn lled agos i'r tân, yr oedd setl uchel, a eisteddai bedwar neu bump. Heblaw bwrdd mawr cadarn ar ganol y llawr, nid oedd nemor ychwaneg o ddodrefn yn yr ystafell hon. Mae'n wir fod gwn dau faril ar un o'r distiau, ac yn gyffredin, norobenau bacyn, a *ham* neu ddwy ar ddist arall, a, hwyrach, wrth ystyried fod cymaint o ysmygu yn yr ystafell y gellid ei alw yn *smoked bacon*. Ond prin y gellid galw'r pethau a enwid olaf yn ddodrefn. O! ie, yr oedd hefyd ar un o'r muriau ddarlun o'r hen Syr Watcyn, a darlun arall o hela llwynog, ac un o'r marchogion, wrth lamu dros lidiard, wedi syrthio ar ei gefn, a'r ceffyl wedi mynd encyd o ffordd heb farchogwr, ac yn edrych yn wyllt iawn. Yn y gegin fawr y cyfarfyddai cwsmeriaid cyff-

redin y *Brown Cow* – megis y mwnwyr, y cryddion, y melyn-
yddion, a'r teilwriaid, a'r cyffelyb. Yn yr hen amser dedwydd
gynt, cyn bod papur newydd Cymraeg mewn bod, a chyn bod
sôn am ddirwest, âi hen *gojers* Bethel i gegin fawr y *Brown Cow*
wedi bo nos – nid yn gymaint er mwyn yr *home brewed* diwen-
wyn – ond er mwyn ymgom ddiniwed, a chlywed rhyw
newydd, os digwyddai fod yno ar ddamwain ryw bedlar teith-
iol neu brydydd yn aros dros nos. O leiaf, felly y dywedai fy
nhaid wrthyf. A chyda pha fath awch y derbyniai'r hen *gojers*
safn agored newyddion y pedlar, serch iddynt fod yn ddeufis
oed! Yn niffyg y pedlar, llawer ystori dda a adroddwyd yng
nghegin fawr y *Brown Cow*. Nid dyna ydyw hanes y tafarnau
yn awr, ysywaeth. Glas hogiau di-farf, penwag, sydd yn eu
mynychu erbyn hyn, a hynny fel anifeiliaid i yfed Kelstryn, ac
yn mynd adref yn waeth eu sut na'r anifail.

Fel y dywedwyd, yr oedd dwy ystafell hefyd yn y cefn – yn
un yr oedd y teulu yn "byw", a chedwid y llall fel math o barlwr
i'r dosbarth gorau o gwsmeriaid, megis masnachwyr ac ambell
grefyddwr fyddai'n hoffi cael peint heb i neb ei weld. Yn yr
ystafell hon hefyd y byddai'r lletywr parchus a ddigwyddai aros
yno dros nos, os na fyddai'n well ganddo fynd i'r gegin fawr er
mwyn y cwmni. I dorri'r stori yn fer, i'r ystafell hon yr arwein-
iwyd Capten Trefor gan Mrs. Prys, y dafarnwraig, pan ymwel-
odd ef gyntaf â'r *Brown Cow*. A rhaid dweud yr ystyriai Mrs.
Prys ei thŷ yn cael ei anrhydeddu nid ychydig pan roddodd y
Capten ei big i mewn, oblegid yr oedd yn eithaf hysbys mai'r
Llew Du oedd yr unig dŷ yn y busnes y talai'r Capten wrog-
aeth iddo. Mawr oedd ffwdan Mrs. Prys yn rhoi croeso i'r
Capten, a mawr oedd ei llawenydd fod yn y parlwr – fel y
digwyddai – gwmni *respectable* iddo am unwaith y daethai yno.
Ni chynhwysai'r cwmni hwn y noson honno ond tri o fasnach-
wyr gweddol barchus, ond yr oedd y Capten wedi ei fwynhau
ei hun gymaint gyda'r cwmni, fel y dywedodd, wrth ffarwelio â
Mrs. Prys, nad âi mwyach i'r *Llew*, ac nad hwnnw fyddai'r tro
olaf – D.V. – iddo ymweld â'r *Brown Cow*. Yr oedd Mrs. Prys
yn hen wreigan letygar a chroesawus, ac yn ei ffordd radlon ei

hun, llusgodd y Capten gerfydd ei law i'r *bar*, a gwnaeth iddo
yfed ei hiechyd da mewn gwydriad o *mountain dew*, er mwyn
cael ei farn arno. Canmolodd y Capten y chwisgi, a chan ei fod
yn ei hoffi, gorfododd Mrs. Prys ef i gymryd gwydriad arall *er*
ei mwyn hi. Ufuddhaodd y Capten, oblegid nid ymhoffai groesi
menywod.

Bu'r Capten yn un â'i air (yr oedd bob amser felly), ac o'r
noson honno ymlaen ymwelai deirgwaith, ac weithiau bedair
gwaith yn yr wythnos â'r *Brown Cow*. Drwy ei fod yn ym-
ddiddanwr campus, a'i fod yn un lled gyfarwydd â'r modd yr
oedd y byd yn mynd yn ei flaen, parodd ei ymweliadau â'r
Brown Cow i gwmni'r parlwr gynyddu i bump, ac o'r diwedd i
hanner dwsin, ac weithiau, ychwaneg na hynny. Yr oedd y
cwmni yn mawrhau ei gymdeithas, a Mrs. Prys yn mwynhau ei
ymweliadau yn fwy na neb. Gwelai'r Capten hynny yn eglur
ddigon, ac y mae'n naturiol i bob dyn dalu gwrogaeth i'r
cwmni fydd yn ei iawn brisio. Teimlai, heb ymffrost, ei fod o'i
ysgwyddau yn uwch mewn gallu, doniau, gwybodaeth, ac yn
enwedig dawn ymadrodd, na'r holl gwmni gyda'i gilydd, a
gwyddai yr edrychid arno felly gan y cwmni. Mewn gwirionedd,
oni bai ei fod yn ormod o fonheddwr i ymostwng i hynny, ni
fuasai raid iddo wario dim am ddiod, canys yr oedd y cwmni
ymron ymrafaelio am gael talu'r *shot.* Cymaint oedd y sylw a
delid i'r hyn a ddywedai, cymaint oedd y pris a roddid ar ei olyg-
iadau, a chymaint oedd y boddhad a roddai hyn i gyd iddo ef
ei hun, fel yr aeth cwmni y *Brown Cow* yn *angenrheidiol* iddo
bob nos drwy'r wythnos. A thawelai'r Capten ei gydwybod gyda'r
syniad nad oedd iddo fwynhad mwyach yn ei gartref wedi colli
annwyl briod ei fynwes. Yr oedd yn wir fod ganddo ferch, ond
pa gymdeithas oedd rhwng yr ieuanc a'r hen – rhwng yr haf a'r
gaeaf? Cyn iddo erioed ddechrau mynychu'r dafarn yr oedd y
Capten yn yfwr trwm a chyson yn ei gartref, ac er na fyddai un
amser yn meddwi – hynny yw, meddwi nes methu cerdded –
neu gael ambell godwm – nac, yn wir, un amser golli ei ben –
eto yr oedd effeithiau'r hir ddiota i'w canfod yn amlwg arno.
Nid oedd, ers tro, mor drwsiadus a thaclus ei wisg – yr oedd ei

ysgwyddau yn ymollwng, ei goesau yn mynd yn fwy anhysaf bob dydd, a'i wyneb – oedd, yn wreiddiol yn wyneb hardd iawn – yn prysur fynd yn unlliw, heb wahaniaeth rhwng y gwefusau a'r bochau – a phob rhan o'r wyneb megis yn ceisio dod i'r un lliw â'r trwyn, oedd y cyntaf i newid ei liw i liw nad oedd yn lliw yn y byd. Y lliw tebycaf y gallaf ddychmygu amdano ydyw iau llo wedi ei tharo gan fellten. Yr wyf yn siŵr na fuasai un o gyfoedion ieuenctid y Capten – heb ei weld oddi ar hynny – yn ei adnabod o holl bobl y byd. Rhoddai'r Capten gyfrif gwyddonol am y lliw rhyfedd hwn oedd ar ei wyneb drwy ei briodoli i effeithiau rhyw *gases* tanddaearol y deuai, fel capten gwaith mwyn, i gyffyrddiad â hwy; a rhyw *affinity* yng nghroen ei wyneb a ddygai oddi amgylch rhyw *chemical process* nad oedd mwynwyr eraill yn ddarostyngedig iddo. Ond y gwir yw, nid oedd llawer o waith wedi ei adael i'r *Brown Cow* i "orffen" y Capten, pan ddechreuodd ef fynychu'r tŷ. Canfyddai Miss Trefor hyn yn amlwg, ac yr oedd yn dod yn fwy amlwg iddi bob dydd. Pa ofid meddwl, pa gyni calon, a achosodd hyn i gyd iddi, ni wyddai neb ond hi ei hunan. Ofnai siarad ag ef ynghylch ei gyflwr, a gwyddai'n dda na fuasai hynny o un diben. Gwelai'n eglur na allai ei thad ddal yn hir i gerdded y ffordd a gerddai, a hwyrach i hynny beri iddi fod yn barotach i wrando ar gais Enoc Huws, ac, o'r diwedd, fynd i amod ag ef. Pa fodd bynnag, ystyriai mai ei dyletswydd oedd hysbysu ei thad am yr amod a wnaethai hi. Bu am adeg yn gwylio am amser cyfaddas ac i ddal ar y cyfleustra pryd y byddai ei thad yn y dymer orau, canys ni wyddai hi pa fodd y cymerai ef y newydd. Credai y byddai'r newydd yn dderbyniol ganddo, ond ofnai y byddai iddo fynd i natur ddrwg am nad oedd hi wedi ymgynghori ag ef cyn gwneud addewid mor bwysig, oblegid yr oedd gan y Capten syniad uchel am ei *dignity*. Yn y boreau a'r prynhawniau, pan fyddai ef yn berffaith sobr, yr oedd ei dymer yn afrywiog a blinderog, a'r tipyn lleiaf yn ei yrru'n gaclwm ulw, ac yn y nos drachefn, wedi dychwelyd o'r *Brown Cow*, byddai'n swrth a chysglyd, ac nid ystyriai Miss Trefor ei fod yn beth gweddus i sôn am y

Digwyddwn fod yn eistedd wrth ochr Thomas Bartley, a phan wnaeth yr Eos y sylw hwn, ebe Thomas yn fy nghlust –

"Be ma'r dyn yn boddro, deudwch? On'd *India corn* maen nhw'n dyfu yn y Merica, a chlywes i 'rioed fenshon bod nhw gneud fawr efo ffa yno. Wyddoch chi be, ma'r Eos ene cyn ddyled â finne, 'blaw'r tipyn canu 'ma."

Aeth yr Eos i Lerpwl i gael yr olwg olaf ar Mr. Simon, ac arhosodd ar y llong oedd i'w gludo i'r Gorllewin hyd y munud olaf, a thystiai gyda dagrau yn ei lygaid, wedi dychwelyd i Bethel, mai'r geiriau olaf a glywodd o enau Mr. Simon oedd – Sol-ffa!

Ac felly y diweddodd bugeiliaeth Mr. Simon yn Bethel. Pan oeddwn yn dechrau ysgrifennu'r hanes hwn, arfaethwn sôn gryn lawer am ei weinidogaeth, ac am yr achos crefyddol yn ei wahanol agweddau tra bu ef mewn cysylltiad ag eglwys Bethel, ond, rywfodd, cymerais fy llithio i ysgrifennu am bethau eraill llai pwysig. Ar yr un pryd y mae arnaf ofn y gwnawn gam â Mr. Simon, pe gadawn ei hanes yn y fan hon heb sylw pellach arno. Mae arnaf arswyd bob amser ymdrin â beirniadu buchedd dynion cyhoeddus, yn enwedig pregethwyr, rhag i mi drwy anwybod gyfeiliorni. Oherwydd hynny, mi a roddaf i'r dar-llenydd grynodeb o ymgom gymerodd le rhwng dau sydd wedi bod yn ymgomio o'r blaen yn yr hanes hwn – dau oedd yn llawer galluocach i wneud adolygiad ar fywyd a llafur Mr. Simon nag ydwyf fi.

titots yma oddieithr Enoc Huws. Maen nhw yn rhy *cautious* i speciletio, ac felly, *good bye, Yankee, not worth another thought.*"

Drannoeth, gwelodd y Capten yr hen fonheddwr ar yr heol yn siarad â Jones y Plismon, fel pe buasai'n holi am y peth yma a'r peth arall: ac wedi edrych arno, cytunai â Mrs. Prys fod golwg bonheddwr arno, – safai'n syth a chadarn ei wedd, er ei fod yn ddiamau yn ŵr pymtheg a thrigain os nad ychwaneg. Yr oedd ei wisg yn dda, ac yr oedd wedi eillio ei fochgernau yn lân, gan adael ei farf ar ei wefus uchaf a'i ên, a *slouch hat* am ei ben. "*Real American,*" ebe'r Capten. Arhosodd yr hen fonheddwr yn y *Brown Cow* amryw ddyddiau – byddai yn ei gongl yn gyson yn darllen naill ai newyddiadur neu lyfr. Yn gymaint ag mai Sais Americanaidd oedd y bonheddwr, ac mai Cymraeg a siaradai'r Capten â'i gyfeillion, ni theimlai'r cwmni fod ei bresenoldeb yn un cyfyngiad ar eu rhyddid. Yn gymaint hefyd â bod y gŵr dieithr yn ymddangos fel yn perthyn i gylch uwch o gymdeithas na hwy, ac yn hynod neilltuedig, ni theimlai neb o'r cwmni awydd i agosáu ato, ac aeth popeth ymlaen fel arfer. Ond pe buasai un ohonynt yn ddigon craff, gallasai ganfod nad oedd y bonheddwr mor hollol ddisylw o'r cwmni ag y tybid ei fod. Oblegid bob tro y byddai'r Capten yn siarad, gallesid gweld y bonheddwr yn cau ei lygaid – nid i fyfyrio ond i wrando'n astud. Bryd arall tremiai ar y Capten dros ymyl y llyfr neu'r papur a ddarllenai. Hyn a wnâi ef bob tro y siaradai'r Capten, ond ni sylwai neb arno. Yr oedd y bonheddwr wedi bod yn y *Brown Cow* wyth niwrnod. Rhwng ei brydau, cerddai yma ac acw yn y gymdogaeth. Ni wnâi gyfeillion o neb, ac ni welwyd ef yn siarad â neb oddieithr Jones y Plismon. Mae'n wir y byddai'n mynd i Siop y Groes bob dydd ymron i brynu sigars, oherwydd yr oedd yn ysmygwr di-baid. Ond Jones, yn ôl pob ymddangosiad, oedd yr unig un oedd ar delerau cyfeillgar ag ef, ac yr oedd y Plismon wedi ei gynysgaeddu â hynny o wybodaeth a feddai am y gymdogaeth a'i phobl. Ond ni wyddai hyd yn oed Jones beth oedd busnes y bonheddwr yn Bethel, ac ni wyddai Mrs. Prys hyd yn oed ei enw.

Un noswaith – nos Lun ydoedd – yr oedd y Capten braidd

yn hwyr yn ymuno â'r cwmni yn y *Brown Cow*. Tra oedd ef yn ymddiheuro i'r cwmni, ac yn esbonio iddynt y rheswm am ei ddiweddarwch, sef ei ohebiaethau lluosog, digwyddodd edrych i'r cyfeiriad lle eisteddai yr Americanwr, a gwelodd ei fod yn syllu'n ddyfal arno dros ymylon y llyfr a ddarllenai. Gostyngodd y gŵr dieithr ei lygaid ar y llyfr. Trawyd y Capten gan rywbeth, oblegid petrusodd yn ei ymadrodd a chollodd ei ddawn, peth dieithr iawn iddo ef. Wrth weld y Capten yn edrych i gyfeiriad y bonheddwr, ac yn petruso, edrychodd pob un o'r cwmni i'r un cyfeiriad, ond canfyddent fod y bonheddwr wedi ymgolli yn ei lyfr. Nid oedd y Capten fel ef ei hun y noson honno – yr oedd yn fwy tawedog, ac yn ymddangos fel pe buasai rhywbeth yn blino ei feddwl. Ac felly yr oedd ef, yn fwy cythryblus ei feddwl nag a ddychmygai neb. Ymhen ychydig funudau dywedodd yn ddistaw wrth ei gyfeillion y byddai raid iddynt ei esgusodi y noson honno – fod rhywbeth wedi dod drosto – nad oedd yn teimlo'n iach. Ychwanegodd fod yn rhaid ei fod wedi cael oerfel, neu ynteu ei fod wedi gweithio'n rhy galed y diwrnod hwnnw, "oblegid," ebe fe, "mewn ffordd o siarad, yr wyf yn teimlo *quite* yn *faintish.*" Cynigiodd un o'i gyfeillion ei ddanfon gartref, ond ni fynnai'r Capten. Pan oedd yn gadael yr ystafell, edrychodd gyda chil ei lygad ar y bonheddwr, ond nid oedd ei ymadawiad yn effeithio dim ar yr hen ŵr, – yr oedd ei lygaid yn sefydlog ar ei lyfr. Synnai Mrs. Prys fod y Capten yn troi adref mor gynnar, a phan ddywedodd ef nad oedd yn teimlo'n iach, gwthiodd yr hen wreigan, yn erbyn ei waethaf, botel beint o *mountain dew* i'w boced, gan ei siarsio i gymryd "dropyn cynnes cyn mynd i'w wely".

"'Rwyf yn ffŵl, yn berffaith ffŵl! Dychymyg ydyw'r cwbl! Mae'n amhosibl! Mae fy ffansi wedi chwarae cast â fi heno. Ond fedrwn i mo'i helpio, er nad yw ond *nonsense* perffaith. Beth na ddychmyga cydwybod euog? Mae gen i flys mynd yn ôl – na, 'da i ddim yno eto heno, er mai *nonsense* pur ydyw."

Fel yna y siaradai'r Capten ag ef ei hun wrth fynd adref. Ac erbyn cyrraedd Tyn-yr-ardd yr oedd ei feddwl wedi ymdawelu, ac yn llwyr argyhoeddedig fod ei ddychymyg wedi chwarae cast ag ef; ac eto, teimlai'n awyddus i gael rhywun i siarad ag ef, oblegid yr oedd yn gwmni drwg iddo ef ei hun y noswaith honno. Nid oedd Enoc Huws yn Nhyn-yr-ardd y noson honno, ond yr oedd Susi yno, a diolchai'r Capten am hynny – ni fu erioed mor dda ganddo am ei chwmni. Yr oedd Miss Trefor wedi synnu ei weld yn troi adref mor gynnar, ac yn synnu'n fwy ei gael mor fwyn, caredig, ac awyddus am iddi aros gydag ef i ymddiddan, ac yntau hefyd yn berffaith sobr. Dyma gyfleustra wedi dod iddi i ddweud ei stori wrtho – ni châi byth well cyfle. Hynny a wnaeth, fel y ceir gweld.

XLVIII

CYDWYBOD EUOG

YR oedd gweld ei thad adref rhwng naw a deg o'r gloch y nos
heb ddim arwydd diod arno, a'i gael yn fwyn a charuaidd ei
ysbryd, ac fel pe buasai'n ofni iddi ei adael am ddau funud, yn
rhywbeth na allai Miss Trefor prin ei gredu, ac weithiau medd-
yliai mai mewn breuddwyd yr oedd hi. Rhedai ei meddwl yn
ôl at yr amser pan oedd yn hogen, a phan feddyliai mai ei thad
oedd y dyn gorau yn y byd, a phan garai hi ef â holl nerth ei
chalon. Yr un un oedd ef o hyd, meddyliai, ond bod yr hen
ddiod felltigedig yn peri iddo ymddangos fel un arall, a theim-
lai'n euog – yn ofnadwy o euog – ei bod erioed wedi coleddu
meddyliau gwahanol amdano ac wedi teimlo'n oer tuag ato. Yr
oedd hynny'n amlwg; oblegid y noswaith honno yr oedd ef yn
hollol fel y byddai ers talwm – yn siriol, caruaidd a chyweithas,
ac yr oedd yn rhaid mai'r ddiod oedd yn ei wneud fel arall. Pa
beth oedd wedi peri iddo ddod adref yn gynnar a sobr y noson
honno – pa beth oedd wedi ei wneud fel ef ei hun – ni wyddai
hi, ond deffrôdd ei holl serch tuag ato, a dyheai am roi ei
breichiau am ei wddf a'i gusanu, yr hyn na wnaethai ac na
feiddiasai wneud ers blwyddi lawer, lawer. Bychan y gwyddai
hi – ac yr oedd y ffaith yn rhyfedd ynddi ei hunan – mai'r
cynnwrf oedd yn ei feddwl – yr ystorm oedd yn ei gydwybod,
a barasai iddo ddod adref yn gynnar a sobr, ac a roddodd iddo
ei hen fwyneidd-dra. Nid oedd hyn oll ond awydd dwfn am
gydymdeimlad rhywun y gwyddai ei fod yn gywir, ac am gael
rhywbeth i yrru ei feddyliau oddi wrtho ef ei hun. Mewn gwir-
ionedd, ni fu ar y Capten erioed y fath chwant ymfoddi mewn
diod gadarn – yr oedd y chwant fel llew gwancus ynddo y noson
honno. Ond teimlai fod angenrheidrwydd tost yn gorchymyn

iddo gadw ei ben yn glir a'i galon yn ddi-gwsg nes iddo gael sicrwydd di-os nad oedd sail i'w ofnau, a'i fod wedi ei dwyllo gan ei ddychymyg. Yr oedd Miss Trefor, fodd bynnag, yn hynod o hapus y noson honno, a meddyliai fod ei gweddïau yn dechrau cael eu hateb, ac y gallai ei thad, wedi'r cwbl, farw yn ddyn da a duwiol. Ond yr oedd ganddi beth arall yn pwyso ar ei meddwl ers wythnosau, fel y dywedwyd o'r blaen, sef ei haddewid i Enoc Huws, ac yn awr yr oedd ei thad mewn tymer y gallai hi anturio ei adrodd wrtho. Wrth ei weld mor dyner a thadol bron nad oedd hi, erbyn hyn, yn edifarhau am nad ymgynghorasai ag ef cyn rhoi ei haddewid i Enoc Huws. Ond nid oedd mo'r help, ac ebe hi yn wylaidd ac ofnus –

"Nhad, mae gen i isio deud rhywbeth wrthoch chi, newch chi ddim digio, newch chi?"

"Digio wrthych, fy ngeneth bach? am ba beth y gwnawn i ddigio wrthych? Mi wn nad oes gennyf, ar hyn o bryd, neb yn hidio dim amdanaf ond y chwi, ac mi wn nad ydych wedi gwneud dim drwg," ebe'r Capten.

"Mi obeithia nad ydw i wedi gwneud dim drwg," ebe Susi, "a heb i mi gwmpasu dim – yr wyf wedi addo priodi Mr. Enoc Huws."

Edrychodd y Capten arni yn synedig fel pe buasai'n methu credu ei glustiau, ac wedi edrych ac edrych arni mewn distawrwydd am hanner munud, ebe fe –

"Duw a'ch bendithio'ch dau! Pa bryd, Susi, y darfu i chwi roi eich addewid iddo?"

"Mae rhai wythnosau, os nad misoedd, erbyn hyn," ebe hi.

"Hym," ebe'r Capten. "Nid wyf yn dweud dim yn erbyn y peth – 'does gennyf yr un gwrthwynebiad pwysig i chwi briodi Mr. Huws. Ond, mewn ffordd o siarad, Susi, mi fuaswn yn disgwyl i chwi ymgynghori â'ch tad cyn entro i gytundeb mor ddifrifol. Ond na hidiwch am hynny."

"Yr oeddwn ar fai, 'nhad," ebe hi, "ac mae'n ddrwg gen i na faswn i wedi siarad â chi yn gyntaf. Ond y mae'r peth wedi ei wneud, a gobeithio y gwnewch chi faddau i mi, ac na wnewch chi ddim dangos dim gwrthwynebiad."

"Nid oes gennyf ond dweud, fy ngeneth, fel y dywedais o'r blaen," ebe'r Capten – "Duw a'ch bendithio'ch dau. Ond, mewn ffordd o siarad, mi welais yr amser, do, mi welais yr amser, y buasai'n o arw gennyf i neb – gan nad pwy a fuasai – gael addewid gan ferch – unig ferch – Capten Trefor, heb yn gyntaf ymliw, ac ymliw drachefn, â'i thad. Ond nid Capten Trefor ydyw Capten Trefor erbyn hyn – mae pawb, ysywaeth, yn gwybod hynny, a'i ferch ei hun heb fod yn eithriad, ac wedi ymddwyn felly. Ond y mae Mr. Huws yn ffortunus – mae'n rhaid i mi ddweud hynny yn eich wyneb, Susi, ydyw, yn ffortunus iawn, a 'does gennyf fi, bellach, ond byw ar atgofion – atgofion hyfryd, y mae'n wir, ond nid ydynt ond atgofion – a cheisio ymfoddloni i'r hyn a elwir yn *fallen greatness*. Ac nid y fi ydyw'r unig un a syrthiodd o ben y pinacl i'r baw. Nage. Ond nid ydyw'r hen lew wedi marw eto, ac y mae ynddo fwy o *mettle* nag y mae llawer yn ei ddychmygu – 'dydi o ddim yn gant oed eto – a hwyrach, y gwelir y Capten – gyda bendith yr Hwn a'i llwyddodd flynyddoedd yn ôl – yn rhywun gwerth ymgynghori ag ef."

Nid oedd Susi wedi disgwyl am ymadroddion cnoawl fel y rhai hyn, ac ebe hi, a'i geiriau fel pe buasent yn glynu yn ei gwddf –

"Nhad, ddaru mi ddim bwriadu eich brifo wrth beidio ag ymgynghori â chi, ac mae'ch geiriau yn fy lladd. A hyd yn oed yn awr, os byddwch bob amser fel yr ydach chi heno – yn sobr, yn garedig a mwyn – mi alwaf fy addewid yn ôl, os ydach chi'n deud wrtho' i am wneud hynny."

"Beth?" ebe'r Capten, "merch Capten Trefor yn torri ei haddewid? Na, fy ngeneth annwyl, pe buasech wedi rhoi eich addewid i'r meinar tlotaf sydd yn darn lwgu yng Nghoed Madog mi fuaswn yn eich gorfodi i'w chyflawni, os buasai hynny o fewn fy ngallu. Nid ydyw 'torri addewid' yn hanes Capten Trefor, nac yn deilwng o *prestige* ei deulu. Ond y mae'n rhaid i mi ddwuded eto fod Mr. Huws yn ddyn lwcus, ac o dan yr amgylchiadau hwyrach na allasech wneud yn well. Rhowch eich meddwl yn esmwyth, fy ngeneth annwyl, yr ydwyf, mewn ffordd o siarad, yn mawr gymeradwyo yr hyn yr ydych wedi ei wneud – yn wir, y mae'n dda gennyf feddwl y cewch fywoliaeth beth bynnag am sefyllfa, a chan nad beth a ddaw ohonof fi, mi a ymaberthaf – mae'r plwyf a'r tloty i bawb."

"'Dydw i ddim yn bwriadu eich gadael, 'nhad, mae hynny'n ddealledig rhwng Mr. Huws a minnau. Cewch yr un fywoliaeth â minnau, ac mi wn y gellwch ddibynnu ar garedigrwydd Mr. Huws. Yn wir, yr wyf yn ystyried mai fi ac nid Mr. Huws sydd yn lwcus," ebe Susi.

"Yr wyf yn meddwl, Susi," ebe'r Capten, "os try pethau allan fel yr wyf yn disgwyl, na fydd raid i mi ddibynnu ar garedigrwydd neb pwy bynnag. Ar yr un pryd, peidiwch â meddwl fy mod yn diystyru eich ymlyniad wrthyf, a'ch bwriadau caredig tuag ataf – hwyrach y bydd yn dda i mi wrthynt – 'does neb ŵyr. Ac am Mr. Huws, yr wyf yn ei adnabod yn lled dda, ac ni fydd yn ddrwg gennyf edrych arno fel fy mabyng-nghyfraith. Beth ydyw'r rheswm, Susi, na fuasai Mr. Huws yma heno? Oblegid ar ôl yr ymddiddan sydd wedi cymryd lle rhyngom, yr wyf, mewn ffordd o siarad, yn teimlo rhyw fath o hiraeth am ei weld."

"Yr oedd yn dweud fod rhywbeth yn galw amdano, ac na allai ddod yma heno," ebe Susi.

"Wel," ebe'r Capten, "er bod yn chwith gennyf feddwl, 'does gennyf ond dweud fel o'r blaen, Duw a'ch bendithio."

Ac felly y terfynodd, yn ddigon diniwed, yr hyn yr oedd Miss Trefor wedi ei ofni yn fawr, ac wedi pryderu llawer yn ei gylch. Y gwir am y Capten oedd mai dyma'r newydd gorau allai gael – hyn yr oedd ef wedi ei ddymuno ers llawer blwyddyn, ac yr oedd ef a Mrs. Trefor wedi gwneud yr hyn oedd yn eu gallu i gyrraedd yr amcan hwn – sef dyweddïo Susi ac Enoc. Ar ôl marwolaeth Mrs. Trefor, yr oedd y Capten wedi eu gwylio yn fanwl, gan geisio rhyw arwyddion o garwriaeth, ac ar ôl methu, fel yr adroddais, mor awyddus oedd ef am i'w ferch sicrhau Enoc yn ŵr, fel na allai oddef yr ansicrwydd yn hwy heb ofyn y cwestiwn yn syth i'w ferch. A mawr a dwys oedd ei siomedigaeth pan ddeallodd nad oedd dim mwy rhyngddynt na chyfeillgarwch, na thebygolrwydd i ddim arall fod, ac felly, nid oedd dim i'w wneud ond parhau i waedu Enoc, druan. Yn ddiweddar yr oedd y Capten yn disgwyl bob dydd glywed Enoc yn dweud na wariai geiniog yn ychwaneg ar Goed Madog – ac yna pa beth a ddeuai ohono ef – y Capten? Pwysai hyn mor ddwys ar ei feddwl weithiau, nes byddai'n dyheu am fynd i'r *Brown Cow* i foddi ei bryder mewn *Scotch Whiskey*. Ond yn awr dyma'r hyn y buasai ei galon yn hiraethu amdano ers llawer dydd wedi ei gyrraedd. Adwaenai'r Capten Enoc Huws yn ddigon da i allu dibynnu, os oedd ef wedi addo priodi ei ferch, mai ei phriodi a wnâi yn ddi-nâg, a rhoddai hyn y fath foddhad iddo na allai ei ddisgrifio, hyd yn oed iddo ef ei hun. Ystyriai'r Capten, erbyn hyn, mai ei ddyletswydd fel dyn gonest – a phwy a feiddiai amau ei onestrwydd? – oedd dweud wrth Enoc mai oferedd oedd iddo ef *ac yntau* wario ychwaneg o arian ar Goed Madog.

"Mi ddywedaf hynny wrtho yfory," ebe'r Capten ynddo ei hun, "fy nyletswydd fel dyn gonest ydyw dweud wrtho, oblegid y mae o *a minnau* wedi gwario gormod yno yn barod, a 'does yno fwy o olwg am blwm nag yng nghas y cloc yna. Mae'n dda gan 'y nghalon i fod pethau wedi diweddu mor dda. Ond nid ydyw hyn ond prawf arall fy mod yn adnabod dynion yn weddol – mi wyddwn ers blynyddoedd fod gan Mr. Huws feddwl o Susi, a diolch i Dduw ei bod mor lwcus – yr oeddwn yn dechrau pryderu beth a ddeuai ohoni, druan."

Fel yna yr ymgomiai y Capten ag ef ei hun wedi i Susi fynd i'r gwely. Pe digwyddasai'r ymddiddan, a gymerodd le rhyngddo ef a'i ferch, y noson flaenorol, buasai'r Capten yn ei gyfrif ei hun yn ddyn perffaith ddedwydd. Ond nid oedd ef yn ddedwydd – yr oedd rhywbeth gwirioneddol neu ddychmygol yn peri cnofeydd yn ei gydwybod. Edrychodd ar y cloc, nid oedd ond chwarter wedi deg. Cerddodd yn ôl a blaen hyd y parlwr am chwarter awr arall, yna safodd i wrando. Yr oedd Susi a Kit wedi cysgu ers meitin, meddyliai. Tynnodd ei slipars a gwisgodd ei esgidiau – rhoddodd ei gob uchaf amdano, a'r cap, a wisgai o gwmpas y tŷ, am ei ben, ac aeth allan cyn ddistawed ag y medrai. Cerddodd yn gyflym a llechwraidd tua phreswyl-fod Sem Llwyd. Yr oedd Sem wedi mynd i'w wely, a phan glywodd rywun yn curo'r drws, agorodd Sem y ffenestr, a rhoddodd ei ben allan, a chlamp o gap nos gwlanen wedi ei glymu dan ei ên. Pan ddeallodd mai'r Capten oedd yno, daeth i lawr ar ei union. Arferai Sem, yn ddigon henlancyddol, anhuddo'r tân bob nos drwy'r flwyddyn, a rhag cadw'r Capten i aros, daeth i lawr heb roi dim amdano ond ei *ddrors* a'i 'sanau. Bu cyngor rhwng y ddau am hanner awr – Sem yn eistedd yn ei grwcwd ar ystôl isel, a'r Capten mewn cadair – un o bobtu'r tân anhuddedig. Buasai *photograph* o'r ddau yn ddiddorol. Eto yr oedd y ddau yn edrych yn ddifrifol. Siaradent yn ddistaw fel pe buasent yn ofni i neb glywed, ac yn wir, dyna oedd y ffaith, er na fuasai raid iddynt ofni, pe buasent yn gweiddi yr adeg honno ar y nos. Er mor ddifrifol oedd yr achos, ni allai Sem beidio â bod yn ymwybodol fod y Capten yn canfod mai canhwyllau Coed Madog a losgai ef i oleuo ei babell. Ar y fath achlysur, nid oedd hynny nac yma nac acw. Ar ôl yr ymgynghoriad, rhoddodd y Capten gyfarwyddyd pendant a manwl i Sem, ac yna aeth ymaith, a chymerodd Sem fygyn yn ei gwrcwd ac yn ei *ddrors* gwlanen i fyfyrio ar y peth. Ni fu golwg fwy doeth ar yr hen *sage* yn ei oes na'r noson honno.

Dychwelodd y Capten yn chwim i Ddyn-yr-ardd, a buasai'n amhosibl, ymron, ei glywed yn agor ac yn cau'r drws, ac yn mynd i'r parlwr. Wedi mynd i'r parlwr, y meddwl cyntaf ddaeth iddo oedd estyn y botel wisgi o'r cwpwrdd. Eithr er ei fod wedi bod yn gaethwas i'r ddiod, yr oedd gan yr hen Gapten nerth ewyllys anghredadwy, ac ebe fe, rhyngddo ac ef ei hun –

"Na, nid heno, rhaid i mi gadw fy mhen yn glir, am dipyn, beth bynnag. Yr un diferyn, nes i mi gael sicrwydd i fy meddwl. Mi gaf glywed yfory beth ddywed Sem – fe wnaiff o benderfynu'r cwestiwn. Mi af i 'ngwely – i beidio â chysgu winc, mi wn. Gobeithio Duw nad oes sail i fy ofnau! Ond y mae o'n debyg ofnadwy! Eto yr wyf bron yn sicr mai dychymyg ffôl ydyw'r cwbl. Peth dychrynllyd, wedi'r cwbl, ydyw cydwybod euog! Ond mi gaf weld beth ddeudiff Sem. Mae gennyf le i fod yn ddiolchgar. A chaniatáu pethau, raid i mi ddim pryderu mwy am Susi – mai hi yn sâff – diolch i Dduw!"

Ni chysgodd y Capten winc y noson honno. Yn rhag-weld hyn, yr oedd ef wedi cymryd ei bibell a'i dybaco i'w ystafell wely, ac ysmygodd lawer, ond ni phrofodd ef ddiferyn o ddiod feddwol, er bod ganddo ddigonedd ohono yn y tŷ – yr oedd yn rhaid iddo gadw ei ben yn glir, a'i feddwl yn effro fel y dywedodd. Meddiennid ef gan ddau deimlad – hapusrwydd diderfyn yn y rhagolwg am gael Enoc Huws yn fab-yng-nghyfraith, ac ofn dirfawr i'r hyn a ddaethai ar draws ei feddwl y noson honno droi allan yn ffaith. Yr oedd ystad ei feddwl yn gyfryw na allai ef ei hun, er cymaint oedd ei allu disgrifiadol, roddi gwir ddarluniad ohono. Ond cysurai ei hun na fyddai raid iddo ddioddef yr ansicrwydd hwn yn hir – byddai i Sem Llwyd benderfynu'r peth y naill ffordd neu'r llall.

Nid aeth Sem at ei waith i Goed Madog drannoeth. Ymwisgodd yn ei ddillad Saboth, a gwelid ef yn gynnar yn y bore yn gwag-symera hyd y dref, ac yn ymdroi yng nghymdogaeth y *Brown Cow*. Yn wir, er bod Sem yn cymryd arno fod yn ddirwestwr, llithrodd fwy nag unwaith y bore hwnnw i'r *Brown Cow* am werth dwy geiniog pan nad oedd neb o'r Annibynwyr yn y golwg. Fel *lieutenant* i'r Capten Trefor yr oedd i Sem groeso mawr yn y *Brown Cow*, ac ymholai Mrs. Prys yn garedig am ystad iechyd y Capten. Ysgydwai Sem ei ben yn ddoeth, ac awgrymai nad oedd iechyd y Capten yr hyn y buasai ef na neb o'r mwynwyr yn dymuno ei fod, a rhoddai Mrs. Prys ochenaid a gwerth dwy geiniog i Sem *free of charge*. Yr oedd Sem yn barod efo'i *report* cyn canol dydd; a phrysurodd i Dyn-yr-ardd.

XLIX

Y CAPTEN AC ENOC

NI fedrai'r Capten brofi tamaid o frecwast, a chredai Miss
Trefor fod ei thad yn gofidio ac yn pryderu yn ei chylch hi yn
y rhagolwg fod Enoc Huws yn mynd i'w chymryd oddi arno,
neu ynteu ei fod dan argyhoeddiad. Credai mai'r peth olaf
oedd yn fwyaf tebygol, yn gymaint ag na welsai hi y bore
hwnnw ddim olion ei fod wedi bod yn yfed y noson flaenorol,
wedi iddi fynd i'r gwely, fel y byddai'n gweld, ymron yn ddi-
eithriad, bob bore drwy'r flwyddyn. Meddyliai ei fod, o'r
diwedd, wedi cael tro, ac yr oedd ei chalon yn llawn o ddiolch-
garwch; ac er y cymerai hi arni fod yn ddrwg ganddi ei weld
yn methu bwyta, dychlamai ei chalon o lawenydd wrth fwyn
gredu fod rhywbeth wedi digwydd i beri iddo weld pech-
adurusrwydd ei fuchedd! Bychan y gwyddai hi beth oedd wedi
amharu ystumog y Capten. Dywedodd y Capten wrth ei ferch
ar ôl brecwast fod ganddo lawer o waith ysgrifennu y bore
hwnnw, oedd yn awgrymu iddi fod arno eisiau'r parlwr iddo ef
ei hun. Nid ysgrifennodd air. Cerdded yn ôl a blaen hyd yr
ystafell am oriau, gan edrych yn bryderus drwy'r ffenestr yn
fynych am Sem Llwyd. Yr oedd agos yn bryd cinio cyn iddo
weld Sem yn y pellter yn cerdded yn frysiog tua Thyn-yr-ardd.
Curai ei galon yn gyflym fel y gwelai Sem yn agosáu. Ofnai a
dyheai am glywed beth oedd gan Sem i'w ddweud. Cyn i Sem
agor llidiart yr ardd, yr oedd y Capten wedi agor drws y tŷ, ac
yn ceisio dyfalu ar wyneb Sem beth fyddai ei adroddiad.
Edrychai Sem yn llawen, ac esboniodd y Capten hynny fel
arwydd dda. Wedi i'r ddau fynd i'r parlwr, a chau'r drws, ebe y
Capten, yn llawn pryder –

"Wel, Sem, beth ydach chi'n feddwl?"

"Lol i gyd," ebe Sem, "'dydi o ddim byd tebyg, ac eto y mae ene rwbeth yn debyg ynddo. Ond nid y fo ydi o, mi gymra fy llw, Capten."

"Ydach chi reit siŵr, Sem?" gofynnodd y Capten.

"Mor siŵr â 'mod i'n fyw," ebe Sem. "'Dydi'r dyn ene fawr dros ddeg o thrigen, ac mi wyddoch nad hynny fase ei oed *o*. Dim peryg – peidiwch ag ofni – rhowch eich meddwl yn dawel. Mae o'n amhosib. *Just* meddyliwch be fase ei oed o erbyn hyn?"

"Gwir," ebe'r Capten, "ond a ydych chi'n hollol sicr, Sem?"

"Yn berffaith sicr, Capten. Fedr neb 'y nhwyllo *i*. 'Dydi o ddim ond dychymyg gwirion ddaeth i'ch pen chi," ebe Sem.

"Yn ddiamau, Sem," ebe'r Capten, "a diolch i Dduw am hynny. Yr wyf wedi cael digon o helyntion heb hyn. Yr ydach chi wedi symud baich mawr oddi ar fy meddwl i, Sem, ac mae gen i ofn i'r eneth yma sylwi fod rhywbeth wedi digwydd, neu mi fuaswn yn gofyn i chi aros yma i ginio. Hwdiwch, cymerwch y goron yma, 'rŵan, ac ewch i'r Gwaith y prynhawn. Mae gen i rywbeth i'w ddweud wrthych chi ryw ddiwrnod, Sem."

Aeth Sem ymaith yn synfyfyriol, oblegid nid oedd ef lawn mor sicr ei feddwl ag y cymerai arno wrth y Capten. Ond wrth ei weld mor bryderus a chythryblus, gwnaeth ei orau i ymlid ei aflonyddwch a rhoi tangnefedd iddo, a meddyliai Sem mai gwae iddo ef y dydd pan ddigwyddai rhyw anffawd i'w hen feistr a'i gyfoed. Ac yn wir, meddyliai Sem yn onest – er nad oedd y peth yn amhosibl – fod y Capten wedi dychrynu'n hollol ddiachos – yr oedd yn un o'r pethau mwyaf annhebygol a allasai ddigwydd. Ar yr un pryd, ni allasai Sem beidio â phondro llawer y diwrnod hwnnw, a bu ymweliad y Capten ag ef y noson flaenorol yn achlysur i atgyfodi digwyddiadau yr oedd ef ers amser maith wedi eu claddu yn ei fynwes – a bu eu claddu o fantais fawr i Sem yn ei gysylltiad â'r Capten.

Teimlai'r Capten yn ddyn gwahanol wedi cael adroddiad Sem Llwyd. Yr oedd, fel y dywedodd, wedi cymryd baich trwm oddi ar ei feddwl, a thybiai, erbyn hyn, y gallai gyda diogelwch gymryd glasied o chwisgi. Estynnodd y botel o'r cwpwrdd, ac yn hytrach nag i Susi gael gwybod ei fod yn ei gymryd drwy iddo alw am ddŵr, penderfynodd ei gymryd yn nêt, yr hyn, gyda llaw, nad oedd fawr gamp i'r Capten. Pa fodd bynnag, pan oedd ef wedi llenwi'r gwydr, ac ar fin ei draflyncu, daeth Susi yn sydyn i'r ystafell i ymofyn pa bryd y dymunai ef gael ei ginio. Edrychodd y Capten yn euog a ffwdanus, ac edrychodd ei ferch yn synedig a phrudd wrth ei weld yn ail-gychwyn ar ei hen arfer felltigedig mor fore, a hithau wedi meddwl fod rhyw dro wedi cymryd lle arno, a'i fod wedi pen-derfynu troi dalen newydd. Syrthiodd ei chalon ynddi pan welodd y botel ar y bwrdd, a'r gwydr wedi ei lenwi, ac ebe'r Capten – yn canfod yr hyn a redai drwy ei meddwl –

"'Dydw i ddim yn hidio am ginio o gwbl, fy ngeneth, achos 'dydw i ddim yn teimlo, rywfodd, yn hanner iach. A dyna'r rheswm fy mod yn cymryd dropyn o *whiskey* yrŵan i edrych a fydda i dipyn gwell ar ei ôl. Yn wir, yr oeddwn wedi pender-fynu neithiwr, er na ddwedais mo hynny wrthych chi, peidio byth â chyffwrdd â fo. Ond y mae'r doctoriaid gorau yn tystio ei fod yn beryglus i un sydd wedi arfer cymryd dropyn bach bob dydd, ei roddi i fyny'n rhy sydyn; ac erbyn hyn yr wyf yn credu hynny, achos yr wyf yn siŵr mai dyna sydd wedi dwyn yr anhwyldeb sydd arnaf heddiw. A chyda golwg ar y cinio, yr wyf yn meddwl mai gwell i chwi wneud cwpanaid o goffi i mi; mae fy ystumog yn rhy ddrwg i gymryd dim arall. A bydaech chwi'n ffrïo tipyn o ham ac wy neu ddau – neu rywbeth arall, fy ngeneth."

Gyda dweud, "O'r gorau," aeth Miss Trefor ymaith yn drist a siomedig, ac yn gwbl argyhoeddedig nad oedd y "tro mawr" wedi cymryd lle ar ei thad eto. Ac yr oedd ei hargyhoeddiad yn berffaith gywir. Ar ginio, gofynnodd Miss Trefor i'w thad yr achos o ymweliad boreol Sem Llwyd, ac ebe'r Capten yn barod ddigon –

"Dod â newydd drwg i mi yr oedd Sem, druan. Y gwir yw, Susi, mae Sem a minnau erbyn heddiw yn hollol argyhoedd-edig na chawn blwm yng Nghoed Madog. O ran amser a natur pethau, ni a ddylasem fod wedi ei gael cyn hyn, os oedd i'w gael o gwbl. Ond yn awr, er ein gwaethaf, yr ydym wedi rhoi pob gobaith heibio. Dyna'r penderfyniad y daeth Sem a minnau iddo y bore heddiw. Pa fodd i dorri'r newydd i Mr. Enoc Huws, ni wn, ac mae o bron â 'ngyrru i'n wirion, ond y mae'n rhaid ei wneud, a hynny ar unwaith. Mi wn y bydd Mr. Huws yn amharod i roi'r Gwaith i fyny, oblegid welais i neb erioed â'r fath ysbryd mentro ganddo. Ond y mae'n rhaid i mi arfer fy holl ddylanwad i'w berswadio i roi'r lle i fyny, achos y mae fy nghydwybod yn dweud wrthyf mai dyna ydyw fy nyletswydd. Ac yn wir, fedra i fy hun ddim fforddio i wario dim ychwaneg – yr wyf yn teimlo ei fod yn dechrau dweud ar fy amgylchiadau. A fydde fo niwed yn y byd, Susi, bydaech chwithau yn dweud gair wrtho i'r un perwyl."

Yr oedd Susi yn gweld drwy bethau yn well o lawer nag y tybiai ei thad. Canfu ar unwaith mai'r hyn a ddywedasai hi wrtho y noson flaenorol, sef ei bod wedi addo priodi Enoc Huws, oedd y rheswm am roddi Coed Madog i fyny. Da oedd ganddi glywed hyn, oblegid credai ers llawer o amser na ddeuent byth i blwm yng Nghoed Madog. Ac wrth feddwl y byddai hi ac Enoc ymhen ychydig wythnosau yn ŵr a gwraig, yr oedd penderfyniad ei thad i daflu'r Gwaith i fyny yn dderbyniol iawn ganddi, canys gwyddai fod Enoc yn gwario wmbreth o arian bob mis ar y fentar. Cydsyniodd â phenderfyniad ei thad, a chanmolai yntau ei gallu i ganfod natur pethau.

Eglur ydoedd nad oedd llawer o amhariad ar ystumog y Capten, ac nid aeth ef allan o'i dŷ y diwrnod hwnnw, am nad oedd ynddo duedd i fynd i'r *Brown Cow* oherwydd rhesymau penodol, a hefyd am ei fod yn awyddus i gael siarad ag Enoc, fyddai'n sicr o dalu ymweliad â Thyn-yr-ardd y noson honno. Daeth Enoc i'w gyhoeddiad yn ffyddlon ddigon, a synnodd braidd pan ddywedodd Miss Trefor wrtho fod ei thad adref, a'i fod eisiau cael siarad ag ef yng nghylch y Gwaith, oblegid anfynych y cawsai Enoc ef adref yn ddiweddar wedi bo'r nos. Pan aeth Enoc i'r parlwr, rhoddodd y Capten wedd bruddaidd ar ei wyneb, ac ebe fe –

"Yr wyf wedi bod eisiau eich gweld, Mr. Huws, ers gryn bythefnos, ac yn ofni drwy waed fy nghalon eich gweld, ond yr wyf wedi penderfynu mynd dros y garw heno."

Chwarddodd Enoc, canys yr oedd ef mewn tymer ragorol y dyddiau hynny, ac ebe fe –

"Beth yn y byd mawr all fod y rheswm am eich bod yn ofni fy ngweld?"

"Mi ddywedaf i chwi," ebe'r Capten, "gan nad beth fydd y canlyniad. Mi obeithiaf, Mr. Huws, wedi i mi ddweud yr hyn na allaf deimlo'n dawel fy nghydwybod heb ei ddweud, mi obeithiaf, meddaf, nad edrychwch arnaf fel dyn anonest neu dwyllodrus, oblegid nid ydwyf na'r naill na'r llall. Mae'n bosibl i'r dyn cywiraf fethu yn ei amcanion ac yn ei farn, ac er, mewn ffordd o siarad, y gallaf, os goddefwch i mi ddweud felly, lon-gyfarch fy hun nad ydwyf neilltuol o hynod am fethu yn fy amcanion na'm barn, eto nid ydwyf yn maentumio fy mod yn gwbl rydd a glân oddi wrth y diffygion a grybwyllais. Yn wir, *such men are few and far between*, ac nid ydwyf yn hawlio bod yn un o'r *few*, er, mewn dull o ddweud, fy mod yn gwenieithio i mi fy hun, os nad ydwyf yn un ohonynt, fy mod, os nad ydwyf yn fy nhwyllo fy hun, yn byw yn lled agos i'w cymdog-aeth. Yr wyf yn meddwl eich bod yn fy adnabod yn ddigon da i goelio amdanaf, pe gwnawn gamgymeriad, na fyddwn wedi ei wneud yn fwriadol, ac na ellid priodoli'r camgymeriad ychwaith, a siarad yn gyffredinol, i ddiffyg *scientific knowledge*, cyn belled ag y mae hwnnw yn mynd. Ond hwyrach, yn fy niniweidrwydd, fy mod yn cymryd gormod yn ganiataol – mae'r fath beth yn bosibl, mi wn. Ond rhag i mi eich cadw mewn disgwyliad yn rhy hir, a goddef arteithiau fy nghalon yn hwy nag a ddylwn – a goddefwch i mi ddweud mai'r hyn yr wyf ar fedr ei ddweud wrthych ydyw'r gofid mwyaf a gefais erioed, a chwi a wyddoch fy mod yn gwybod am ofidiau lawer, ond hwn ydyw'r gofid mwyaf, coeliwch fi – rhag i mi eich cadw yn rhy hir heb ei wybod, fel y dywedais, mae'n dod i hyn, Mr. Huws – newch chwi ddim digio wrthyf yn anfaddeuol wedi i mi ei hysbysu i chwi?"

"Ewch ymlaen, Capten Trefor," ebe Enoc yn sobr ddigon oblegid credai, erbyn hyn, fod y Capten yn mynd i ddweud wrtho na chydsyniai iddo gael Miss Trefor yn wraig.

"Ond mi fuaswn yn dymuno cael addewid gennych – wrth feddwl y fath gyfeillion ydym wedi bod – na fydd i chwi ddigio'n anfaddeuol wrthyf. Ond rhaid i mi gydnabod pe gwnaech felly, na fyddai ond fy haeddiant, er nad fy haeddiant chwaith, oblegid mi gymeraf fy llw fy mod, yn ystod ein trafodaethau, wedi bod yn berffaith onest cyn belled ag yr oedd fy ngwybodaeth yn mynd. Ond dyma ydyw, Mr. Huws, ac y mae ymron â fy nrysu, ond y mae ymdeimlad o ddyletswydd, ac ateb cydwybod dda, yn fy ngorfodi i'ch hysbysu ohono – yr ydym, bellach, wedi anobeithio y deuwn byth i blwm yng Nghoed Madog, ac wrth feddwl am yr holl bryder a'r helynt, ac mor sicr oeddwn yn fy meddwl y cawsem blwm yno, ac wrth feddwl am yr holl arian yr ydych chwi a minnau wedi eu gwario – er y mae'n rhaid i mi ddweud nad yr hyn a weriais *i*, ond yr hyn a wariasoch *chwi*, sydd yn fy mlino – wrth feddwl am hyn i gyd, meddaf, y mae ymron â fy nrysu, ac yr wyf yn gorfod gwneud y cyfaddefiad fy mod wedi gwneud camgymeriad – yr *unig* gamgymeriad mewn *mining* a wneuthum yn fy oes, ond yr wyf yn gorfod ei gydnabod. Ac erbyn hyn, Mr. Huws, yr ydwyf yn erbyn fy ngwaethaf yn gorfod dod i'r penderfyniad mai oferedd fyddai i ni wario ffyrling arall ar y Gwaith, ac mi ddymunwn allu eich perswadio chwithau i ddod i'r un penderfyniad. Ond a ydych yn ddig wrthyf? A ydych yn fy ffieiddio ac yn fy nghasáu â chas perffaith a thragwyddol, Mr. Huws?"

"Yr ydwyf wedi ymddiried ynoch o'r dechrau, fel y gwyddoch, Capten Trefor," ebe Enoc, "ac os ydych yn credu mai taflu'r cwbl i fyny fyddai orau, popeth yn iawn. Mae'r gorau ohonom yn gwneud camgymeriadau, a rhaid i'r dyn sydd yn mentro edrych am siomedigaethau a cholledion weithiau. 'Does dim help, os fel yna y mae pethau'n sefyll, a 'dydw i'n hidio 'run grôt am roi'r Gwaith i fyny os nad oes obaith yno am blwm."

"Yr ydych yn fy lladd â'ch caredigrwydd, Mr. Huws," ebe'r

371

Capten, gan roddi ei wyneb rhwng ei ddwylo, ac fel pe buasai'n ceisio crio, "ond yr arian! wmbreth, yr ydych wedi eu gwario, Mr. Huws bach!"

"'Does dim help am hynny," ebe Enoc, "a pheidiwch â gofidio, 'dydw i ddim wedi gwario'r cwbl eto."

"Diolch i Dduw am hynny," ebe'r Capten, heb dynnu ei ben o'i ddwylo. "Yr oedd dinistrio Denman, druan, yn ddigon heb eich dinistrio chwithau hefyd. Ond yr wyf wedi bod yn onest ar hyd yr amser, Duw a ŵyr!"

"'Does neb yn amau hynny," ebe Enoc, "oblegid yr ydych wedi'ch colledu eich hun, ac y mae'r siomedigaeth yn gymaint i chwi ag i minnau. Nid y ni ydyw'r rhai cyntaf i fethu, ac ofer yw gofidio am yr hyn na all neb wrtho."

Yr oedd y Capten wedi cyrraedd ei amcan, ac ar ôl siarad gryn lawer yn yr un cwrs, gan ddatgan drosodd a throsodd drachefn ei ofid am fod ffawd wedi mynd yn ei erbyn, nes llwyr ennill cydymdeimlad Enoc, ebe fe pan oedd Enoc ar fin cychwyn gartref –

"Mr. Huws, mae Susi wedi dweud rhywbeth wrthyf sydd yn rhyw gymaint o olew ar friw fy siomedigaeth ynglŷn â'r Gwaith – hynny ydyw, yn fyr, rhag i mi eich cadw, eich bod wedi ymserchu yn eich gilydd, ac nid ydyw hynny'n beth i ryfeddu ato, ac y bydd hynny'n diweddu rhyw ddiwrnod – fel y mae'r cyfryw bethau yn gyffredin yn diweddu – yn eich gwaith yn mynd at eich gilydd. A chan nad beth a ddaw ohonof fi yn fy hen ddyddiau, wedi fy ngadael yn unig, mae'n rhaid i mi ddweud fod yr hysbysrwydd wedi fy llonni nid ychydig, oblegid y mae'n rhy hwyr ar y dydd i mi astudio fy *interest* fy hun, a bydd gweld fy unig ferch yng ngofal dyn sobr, da, caredig a chwbl alluog i'w chadw uwchlaw angen, a dweud y lleiaf, yn help i mi pan ddaw'r adeg – ac o angenrheidrwydd ni all fod ymhell – i arfer y geiriau ysbrydoledig, os goddefwch i mi ddweud felly – 'Yr awr hon y gollyngi dy was mewn tangnefedd.' Bydd yn dda gennyf feddwl amdanoch fel fy mab-yng-nghyfraith, a bod fy merch wedi digwydd mor lwcus, ond cofiwch y byddaf yn ystyried eich bod chwithau yr un mor lwcus."

"Diolch i chwi am eich syniadau da amdanaf," ebe Enoc, "ac mi wnaf fy ngorau i fod yn deilwng ohonynt. Mi wn na ellwch ddweud dim yn rhy dda am Miss Trefor – y hi ydyw'r eneth orau yn y byd yn ôl fy meddwl i. A chyda golwg ar gael eich gadael yn unig, y mae hynny allan o'r cwestiwn. Os bydd hynny'n foddhaol gennych chwi, Capten Trefor, cewch gyd-fyw â mi weddill eich dyddiau, ac mi wnaf yr hyn fydd yn fy ngallu i'ch gwneud yn ddedwydd."

"Yr ydych, meddaf eto, Mr. Huws, yn fy lladd â'ch caredig-rwydd. Ond hwyrach na fydd arnaf angen rhyw lawer o ofal na charedigrwydd neb. '*Man proposes and God disposes*' – ond cawn siarad am hyn eto."

A oedd y Capten yntau, fel Saul, ymhlith y Proffwydi? Ar ôl treulio ychydig amser yng nghwmni Miss Trefor, aeth Enoc adref yn ddyn dedwydd – mor ddedwydd fel na wyddai pa fodd i ddiolch digon am ei ddedwyddwch.

L

Y "FENTAR" OLAF

BORE drannoeth, anfonodd y Capten air at Sem Llwyd, yn ei orchymyn i hysbysu gweithwyr Coed Madog y byddid, oherwydd rhyw resymau penodol, yn rhoi terfyn ar y Gwaith ddiwedd yr wythnos honno, ac na fyddai eu gwasanaeth yn angenrheidiol hyd nes y caent air ymhellach. "Ond cofiwch," ebe'r Capten mewn ôl-nodyn, "na chewch *chwi*, Sem, fod mewn angen tra bydd gennyf fi geiniog." Newydd drwg oedd hwn i'r gweithwyr, ond nid oedd ond yr hyn a fuasent yn ei ddisgwyl ers tro, a synnent yn aml eu bod wedi cael mynd ymlaen am gyhyd o amser.

Ni wnaeth y Capten ddim, "mewn ffordd o siarad", am ddeuddydd ond myfyrio ar a chynllunio gogyfer â phriodas ei ferch. Ac yr oedd ganddo'r fath ffydd yn ei allu i drefnu pethau fel yr oedd yn benderfynol y mynnai gael ei ffordd ei hun i gario allan amgylchiadau'r briodas yn y fath fodd ag oedd weddus i sefyllfa'r briodasferch, ac a roddai anrhydedd ar y digwyddiad yng ngolwg ei gymdogion. Nid oedd am arbed cost na thrafferth. Yr oedd ei sefyllfa ef ei hun ymhlith ei gymdogion yn gofyn rhoi urddas ar yr amgylchiad, ac yr oedd gan Mr. Huws ddigon o fodd i dalu'r *bill*. Yr oedd ef yn hynod o ddedwydd ac yn neilltuol o fwyn gyda Miss Trefor, ac yn ei dretio ei hun yn fynych gyda gwydraid o wisgi – yr oedd hynny'n gweddu i'r amgylchiadau yn nhyb y Capten. Carasai fynd i'r *Brown Cow* at ei hen gymdeithion, a rhoi awgrym cynnil iddynt am y digwyddiad mawr oedd i gymryd lle yn bur fuan. Ond yr oedd am aros nes i'r dieithryn fynd ymaith, canys yr oedd yn gorfod cyfaddef, wrtho ei hun, fod wyneb y gŵr hwnnw yn ei atgofio am rywbeth y buasai'n well ganddo beidio â meddwl amdano.

Gyda chryn aberth yr oedd y Capten wedi aros yn y tŷ am ddau ddiwrnod a dwy noswaith. Y drydedd noswaith daeth drosto'r fath hiraeth am gwmni'r *Brown Cow,* fel na allai ei wrthsefyll, "ac yn sicr," ebe'r Capten, "y mae'r hen ŵr hwnnw wedi mynd bellach." Ac i'r *Brown Cow* yr aeth, lle cafodd groeso cynnes, a mawr oedd yr holi am ei iechyd. Ond er ei fawr siomedigaeth, yr oedd yr hen ŵr penwyn yn ei gongl, ac yn ymddangos yn hollol anymwybodol o ddyfodiad y Capten i'r ystafell, ac, fel arfer, wedi ymgolli yn ei lyfr. Ar ôl cael tystiolaeth Sem Llwyd, ac yn wir, wedi iddo ef ei hun ailedrych arno, nid oedd mor debyg ag y tybiasai'r Capten ei fod y tro cyntaf yr edrychodd arno. Eto yr oedd y gŵr dieithr yn ei atgofio am un arall, ac yn ei wneud yn anghyffordus. Nid arhosodd y Capten yn hwyr yn y *Brown Cow* y noson honno, a phan ddaeth adref, sylwai Miss Trefor ei fod yn edrych yn brudd a phryderus – yn gwbl wahanol i'r hyn a fuasai ers deuddydd. Pan ofynnodd hi am yr achos o'i brudd-der, ebe fe –

"Chlywsoch chwi mo'r newydd, Susi?"

"Pa newydd?" ebe hi.

"Mae'r hen Hugh Bryan, druan, wedi marw," ebe'r Capten.

"Beth? yr hen Mr. Bryan? O diar! O diar!" ebe Susi, a rhuth-rodd i'w meddwl fil o bethau. Ond Wil Bryan oedd y gwrth-rych cyntaf ddaeth i'w meddwl. Pa le yr oedd ef? A ddeuai ef gartref i gladdu ei dad? Pa fath un oedd ef erbyn hyn? A oedd ef mor olygus? Sut y gallai hi ei wynebu? Pan oedd y pethau hyn yn rhedeg drwy ei meddwl curodd rhywun y drws, ac aeth hithau i'w agor. Yr oedd yn noswaith leuad olau, a gwelai Susi, wedi iddi agor y drws, hen fonheddwr parchus a phenwyn. Eisiau gweld Capten Trefor yr oedd y gŵr dieithr. Arweiniodd Susi ef i'r parlwr at ei thad, a da oedd ganddi fod rhywun wedi dod i ymofyn amdano, er mwyn iddi gael amser i redeg i edrych am yr hen Mrs. Bryan, oblegid ni allai Susi anghofio'r amser gynt. A da iddi hefyd fod y meddwl hwn ganddi, onid e buasai'n rhwym o sylwi, pan aeth yr hen fonheddwr i'r parlwr, fod wyneb ei thad wedi gwelwi fel y galchen, ac mai prin y gallai ei goesau ei ddal pan gododd i roddi derbyniad iddo.

Cipiodd Susi hugan a thrawodd ef am ei phen, fel na allai neb ei hadnabod, a rhedodd i edrych am Mrs. Bryan yn ei helynt blin. Bu yno'n hir – agos i awr – a chyn iddi redeg yn ôl, clywodd ddigon gan yr hen wreigan i beri iddi deimlo'n anesmwyth. Ond yr oedd wedi rhoi ei haddewid i Enoc, ac ni allai dim ddigwydd i beri iddi dorri'r addewid honno, deued a ddeuai. Wrth iddi droi am gongl heol pan oedd yn prysuro gartref, safodd yn sydyn – gwelodd ei thad a'r bonheddwr yn dod i'w chyfarfod. Gwelodd y ddau yn sefyll gyferbyn â Siop y Groes, ac wedi cryn siarad, ei thad yn troi gartref heb gymaint ag ysgwyd llaw â'r bonheddwr, a'r olaf yn curo drws tŷ Enoc Huws. Eglurai hyn iddi'r nodyn a gawsai gan Enoc yn ystod y diwrnod, fod ganddo *appointment* gan fonheddwr y noson honno. Cyflymodd Miss Trefor ffordd arall er mwyn bod adref o flaen ei thad. Ac nid gorchwyl anodd oedd hyn, canys cerddai'r hen Gapten yn araf â'i ddwylo ar ei gefn, gan edrych tua'r llawr, fel pe buasai ei enaid wedi ei dynnu ohono. Cyfarfu Susi ef yn ddiniwed yn y lobi, a gofynnodd a oedd arno eisiau rhywbeth ganddi cyn iddi fynd i'w gwely.

"Nag oes, fy ngeneth," ebe'r Capten, ac yr oedd ei eiriau fel pe buasent yn dod o'r bedd, ond ni sylwodd hi ar eu tôn – yr oedd ganddi ei meddyliau ei hun i'w blino. Gan amlder ei meddyliau o'i mewn, ni chysgodd Miss Trefor am rai oriau, ac er gwrando'n ddyfal, ni chlywsai ei thad yn mynd i'r gwely. Ar adegau dychmygai ei glywed yn cerdded yn ôl ac ymlaen hyd y parlwr, ond meddyliai wedyn mai dychymyg oedd y cwbl. Drannoeth hi a gyfododd yn lled fore fel arfer – yn wir yr oedd hi i lawr y grisiau o flaen Kit, y forwyn. Aeth yn syth i'r parlwr, a dychrynwyd hi'n ddirfawr gan yr hyn a welodd yno. Gorweddai ei thad ar y soffa, ac ymddangosai fel pe buasai'n cysgu'n drwm. Ar y bwrdd yn ei ymyl yr oedd dwy botel o *Scotch Whiskey* – yn wag. Gwelodd hefyd y funud yr aeth i'r ystafell, lythyr ar y *mantlepiece* wedi ei gyfeirio iddi hi. Rhoddodd y llythyr yn ei phoced, ac ysgubodd y potelau gweigion o'r golwg, oblegid nid oedd hi'n foddlon i hyd yn oed Kit wybod fod ei thad wedi bod yn yfed yn drwm yn ystod y nos. Wedi gwneud hyn, ni wyddai'n iawn pa un ai gadael ei thad i gysgu ei feddwdod ymaith ai ei ddeffro a fyddai orau. Ond beth pe buasai ef yn cysgu i farwolaeth? Penderfynodd ei ddeffro. Aeth eto. Yr oedd yn cysgu'n esmwyth, a phetrusodd ei aflonyddu. Rhoddodd ei llaw yn ysgafn ar ei law ef, a chafodd ei bod cyn oered â darn o rew. Gosododd ei chlust wrth ei enau. Nid oedd yn anadlu. Yr oedd yr hen Gapten, "mewn ffordd o siarad", cyn farwed â hoel!

Yn gyffredin, yr oedd hunanfeddiant Miss Trefor yn ddi-ail, a chyn hyn, lawer tro, yn yr amgylchiadau mwyaf poenus, yr oedd wedi arddangos nerth meddwl a'r fath feistrolaeth ar ei theimladau, nes peri i Kit, y forwyn, edrych arni fel geneth *galed*, pryd, mewn gwirionedd, nad caledwch ydoedd o gwbl, ond cryfder. Ond y foment y sylweddolodd fod ei thad yn gorff marw, rhoddodd ysgrech dros yr holl dŷ, a syrthiodd i'r llawr mewn llesmair. Dygodd hyn Kit, ar hanner gwisgo amdani, i'r ystafell mewn eiliad, ac wrth ganfod yr olygfa ddieithr, a thybied fod y Capten a Miss Trefor – y ddau fel ei gilydd – yn farw gelain, gwaeddodd hithau, fel y gwna merched, nerth esgyrn ei phen, a rhuthrodd allan gan barhau i weiddi. Dygodd hyn amryw bobl i'r tŷ ymhen ychydig funudau, a rhedodd rhywun am y meddyg. Cyn i'r meddyg gyrraedd – ac fel y digwyddodd, yr oedd ef yn ymyl – canfuwyd mai mewn llewyg yr oedd Miss Trefor, ond bod y Capten mewn gwirionedd wedi mynd drosodd at y mwyafrif. Pan wnaeth y meddyg ei ymddangosiad, yr oedd yr ystafell, fel arferol yn y cyfryw amgylchiadau, yn llawn o bobl awyddus i wneud unrhyw beth yn eu gallu, ond heb allu gwneud dim ond cyfyngu ar awyr iach. Wedi clirio pawb allan oddieithr rhyw ddau, cyfeiriodd y meddyg ei sylw at y gwrthrych pwysicaf, sef y Capten, a phan oedd wrth y gorchwyl dechreuodd Miss Trefor ddadebru, ac yn fuan daeth ati ei hun. Dywedodd y meddyg – yr hyn a wyddai pawb – fod y Capten yn ddiamau wedi marw, ac ychwanegodd yr hyn na wyddai pawb, sef mai'r achos o'i farwolaeth oedd clefyd y galon, wedi ei ddwyn oddi amgylch gan orlafur meddyliol. Ac wedi holi tipyn ar Miss

Trefor am yr amgylchiadau, na ddywedodd ddim wrtho ond mai fel y gwelsai ef ei thad, y gwelsai hithau ef, aeth y meddyg ymaith. Ac yn y man aeth y cymdogion ymaith, a gadawyd Miss Trefor a Kit am ysbaid yn unig. Yn ei phrofedigaeth lem, meddyliodd Miss Trefor am Enoc Huws, ac erfyniodd ar Kit fynd i'w nôl, ac os nad oedd ef wedi clywed eisoes, am iddi ddweud y newydd difrifol wrtho mor gynnil ag y gallai rhag ei ddychrynu. Tra oedd Kit yn mynd i Siop y Groes, cofiodd Miss Trefor am y llythyr, ac mewn pryder ac ofn agorodd ef, a darllenodd: –

"FY ANNWYL SUSI,

"Yr wyf yn ysgrifennu hyn o eiriau atoch rhag ofn na welaf mo'r bore, ac yn wir, mewn ffordd o siarad, nid wyf yn gofalu a gaf ei weld ai peidio, oblegid, erbyn hyn, y mae bywyd yn faich trwm arnaf. Fy annwyl eneth, yr wyf yn eich caru'n fawr, ond ni wn beth a feddyliwch am eich tad ymhen ychydig ddyddiau, ac y mae arnaf awydd mawr cael fy nghymryd ymaith cyn gorfod eich wynebu ac wynebu fy nghymdogion – yr wyf yn teimlo yn sicr na fedraf, a gwell gennyf farw na gwneud. Y mae hi yn y pen arnaf – mae fy anwiredd yn fawr ac atgas, a chwi synnwch fy mod wedi gallu ei guddio cyhyd. Ond ni allaf ei guddio yn hwy – daw allan i gyd ac ar unwaith. Mae Duw yn fy ymlid, ac nid oes gennyf le i ffoi. Y mae'n galed iawn arnaf, ac yr wyf ymron â hurtio. Yr wyf wedi ceisio gweddïo, ond ni fedraf – ac ni wnaiff un gwahaniaeth yn fy sefyllfa pa un ai yn y byd hwn ai yn y byd arall y byddaf cyn y bore. Y fath drugaredd fod eich mam wedi fy rhagflaenu! O! na fyddai'n bosibl i chwithau fy rhagflaenu cyn i hyn oll ddod i'r golau! Ni allaf byth ddisgwyl i chwi faddau i mi – byddai'n wyrth i chwi allu gwneud hynny. Fy annwyl eneth, mae cnofeydd yn fy nghydwybod fy mod wedi dwyn gwarth bythol ar eich enw pur. Mae fy mywyd wedi bod yn un llinyn o dwyll a rhagrith, a fy syndod ydyw bod y byd mor hawdd i'w dwyllo. Yr wyf wedi twyllo, do, hyd yn oed chwi, fy annwyl eneth! Yr unig ddaioni sydd wedi ei adael ynof, ers blynyddau, ydyw fy nghariad atoch chwi, fy annwyl Susi; ac mi ddymunwn ar eich rhan allu wylo dagrau o dân, ond ni fedraf; a'r tipyn daioni hwn sydd wedi ei adael ynof ydyw fy nhrueni pennaf erbyn hyn. Hebddo buaswn yn teimlo rhyw fath o *daring* c –. Wel, nid enwaf y gair. Ni wnaf arteithio eich teimladau, ac achosi poen afreidiol i chwi drwy ddisgrifio yr hyn a fûm, a'r hyn ydyw fy sefyllfa yn awr. Yn wir, yr wyf yn amau a ddylaswn ddweud cymaint â hyn wrthych, ond ni fedrwn ymatal heb ddweud rhywbeth wrthych, am y tro olaf, fel yr wyf yn gobeithio. Yr hyn sydd yn rhwygo fy nghalon waethaf – os oes gwaethaf amdani – ydyw na all Mr. Huws, dan yr amgylchiad-au a ddaw i'r golwg, eich priodi; mae'n amhosibl, ac y mae meddwl beth a ddaw ohonoch, fy annwyl Susi, yn rhoi fy enaid ar dân. Eto, yr wyf yn gobeithio y bydd ef yn garedig atoch – ni all beidio. Duw a'i bendithio ef a chwithau.

"Wrth gwrs, os byddaf byw yn y bore, ac yn fy synhwyrau, ni chewch weld y llythyr hwn; ond os marw fyddaf – a gobeithiaf mai felly y cewch fi – darllenwch o i chwi eich hun, a chedwch ei gynnwys i chwi eich hun, a llosgwch o. Ac yn awr, fy annwyl Susi, ffarwel am byth, mi obeithiaf.

Eich tad drwg ac annheilwng,
RICHARD TREFOR."

"O.Y. – Os bydd ar eich llaw, ryw dro, wneud rhyw gymwynas i Sem Llwyd, gwnewch; bu'n ffyddlon iawn i mi. – R.T."

Yr oedd llygaid Miss Trefor wedi pylu cyn iddi orffen darllen y llythyr, ac megis heb yn wybod iddi ei hun, taflodd ef i'r tân. Yr oedd y llythyr yn fflamio pan ddychwelodd Kit i gael Miss Trefor yn llorweddol, ac yn sibrwd yn drist – "O! Mr. Huws, lle mae Mr. Huws, Kit bach?"

"Mae Mr. Huws yn sâl iawn yn ei wely, a rhyw ŵr bon-heddig a'r doctor wedi bod efo fo drwy'r nos," ebe Kit dan wylo.

Ergyd arall i Susi, druan, ac er cymaint oedd ei hunanfeddiant yn gyffredin, daeth niwl dros ei llygaid, ac ni wybu ddim oddi wrthi ei hun nes cael ei hun yn hwyr y prynhawn hwnnw yn ei gwely, a Kit a rhyw gymdoges yn ei gwylio.

Diwrnod prudd oedd hwnnw yn Bethel, fel yr adroddwyd yn ddoniol gan Didymus yn y *County Chronicle* yr wythnos ganlynol, yr wyf yn cofio'n dda. Mewn un tŷ, gorweddai corff marw yr hen Huw Bryan – gŵr a fuasai unwaith yn fasnachwr parchus a llwyddiannus, ond wrth fentro am blwm a wariodd ei holl eiddo, a llawer o eiddo pobl eraill, ond, wedi hynny, drwy ymroddiad a llafur mawr, a chynhorthwy ei fab caredig, a dalodd bob ffyrling o'i ddyledion, ac a fuasai fyw ar ychydig yn ddedwydd a dibryder. Mewn tŷ arall, gorweddai'r hyn oedd farwol o'r enwog Capten Trefor – gŵr hynod am ei uniondeb, ei garedigrwydd, a'i ddylanwad, ac un a wnaethai lawer o les i'r ardal drwy hyrwyddo *speculations* a rhoi gwaith i bobl – gŵr ag yr oedd ei barch mewn rhai cylchoedd yn ddiderfyn, a disgwyliadau lluoedd yn hongian wrtho am flynyddau oedd i ddod, ond a gymerwyd yn sydyn oddi wrth ei waith at ei wobr! Ac mor brydferth! fel y dywedai rhai o'i edmygwyr – cael ei gymryd ymaith yn ei gwsg! *Sudden death, sudden glory!* A pha ryfedd – gan mor sydyn y bu'r amgylchiad – i'w ferch brydferth gael ei tharo i lawr, megis? A pha ryfedd, hefyd, fod y sawl – pe buasai'r Capten wedi byw ddim ond ychydig o wythnosau yn hwy – a fwriadai ei annerch fel ei dad-yngnghyfraith, fod yntau, hefyd, wedi ei lorio gan y digwyddiad difrifol? Yr oedd gofid yr ardal a'r wlad oddi amgylch, yn fawr a dwys. Ond ni all na ddaw'r cyfryw anffodion weithiau – ni ellir eu rhwystro.

Drannoeth, o gryn bellter, yr oedd y trên yn cludo un i Bethel – nid i ddad-wneud pethau, yr oedd hynny'n amhosibl – ond i roi ychydig o olew ar yr amgylchiadau adfydus.

LI

YR AMERICANWR

YN awr, er mwyn egluro'r bennod ddiwethaf, ac yn wir, er mwyn taflu ychydig o oleuni ar holl ddigwyddiadau'r hanes hwn – hanes ag y mae yn bryd i mi bellach ei ddwyn i derfyniad – rhaid i mi adrodd yr hyn gymerodd le rhwng yr Americanwr ac Enoc Huws y noswaith y bu farw Capten Trefor. Yn ystod ei arhosiad yn y *Brown Cow* yr oedd y gŵr dieithr, fel y dywedwyd o'r blaen, yn arfer galw bron yn ddyddiol yn Siop y Groes i brynu sigârs, canys yr oedd ef yn ysmygwr di-ail; a llawer ymgom ddifyr gymerodd le rhwng Enoc ac yntau. Eglur ydoedd i Enoc ei fod yn ŵr oedd wedi gweld cryn lawer o'r byd, a dysgai rywbeth ganddo bob tro y siaradai ag ef. Ond prif destun eu hymddiddan bob amser fyddai'r America, a chyda pha bwnc bynnag y dechreuent, gofalai'r hen fonheddwr am ddiweddu gyda "gwlad fawr y Gorllewin". Yr oedd ef wedi siarad cymaint am y wlad, ac mor ganmoliaethol, nes oedd Enoc ymron anesmwytho am fynd yno, ac oni bai am ryw amgylchiadau gwybyddus iddo ef ei hun, diau mai penderfynu mynd i'r America a wnaethai. Yn gynnar fore'r diwrnod y buasai'r hen fonheddwr yn talu ymweliad â Chapten Trefor, yr oedd ef wedi amlygu dymuniad i gael awr o ymddiddan ag Enoc ar bwnc o fusnes wedi iddo gau'r siop. Ystyriai Enoc hyn yn gryn anrhydedd, a gwahoddodd y gŵr dieithr i swper y noson honno, a derbyniodd yntau'r gwahoddiad yn ddiolchgar. Yn ôl gorchymyn Enoc paratôdd Miss Bifan, ei *housekeeper*, swper nad oedd eisiau ei well, oblegid yr oedd hi'n eneth fedrus, ac yn cael ei mawrhau gan Enoc. Fel yr adroddwyd, aeth yr hen fonheddwr yn syth o Dyn-yr-ardd i Siop y Groes, ac yn ystod y swper ymgomiai Enoc ac yntau am y peth

yma a'r peth arall, yn ddifyr ddigon. Wedi gorffen y swper, ac
i'r ddau danio ei sigârs, ebe'r bonheddwr – a dyma'r gair cyntaf
o Gymraeg a glywsai Enoc ganddo, ac agorodd ei lygaid mewn
syndod pan ddeallodd mai Cymro ydoedd – ebe'r gŵr –

"Mi ddwedais wrthych bore heddiw, Mr. Huws, fod gennyf
eisiau siarad gair â chwi yn gyfrinachol. Cymro ydwyf, fel y
gwelwch, ac wrth ystyried leied o Gymraeg ydwyf wedi ei
glywed ers cynifer o flynyddoedd, yr wyf yn credu y dywedwch
nad ydwyf wedi Dic Shona rhyw lawer. Gadewais Gymru flyn-
yddau lawer yn ôl – ers mwy o flynyddau nag a ellwch chwi
gofio. Gyrrwyd fi o'r wlad hon gan amgylchiadau profedig-
aethus. Nid oeddwn yn dlawd – wel, yn wir, yr wyf yn meddwl
yr ystyrid fi dipyn yn gefnog. Yr oeddwn, cyn mynd i ffwrdd,
wedi claddu fy rhieni, a'm hunig frawd a'm dwy chwaer. Yr
oeddwn yn briod ers llawer o flynyddoedd, ac yr oedd gennyf
un ferch, ac yr wyf yn credu y gallaf ddweud nad oedd yn y
gymdogaeth eneth brydferthach na mwy rhinweddol (yn y fan
hon lleithiodd llygaid yr hen ŵr a daeth rhywbeth i'w wddf fel
na allai fynd ymlaen am funud. Yn y man ychwanegodd):
Esgusodwch fi, Mr. Huws, mae'r amser yn dod yn fyw i fy
meddwl. Ar ôl afiechyd byr bu farw fy ngwraig. Yr oedd
hynny'n ergyd ofnadwy i mi – teimlwn fy mod yn mynd yn
fwy unig bob dydd, a bod fy nghyfeillion, y rhai oedd wir gyf-
eillion i mi, mewn byd arall, ac ar adegau, hiraethwn am gael
mynd atynt. Ond yr oedd gennyf wedyn fy merch, ac i mi, y
pryd hwnnw, yr oedd o fwy gwerth na'r byd efo'i gilydd. Ac fel
y dywedais o'r blaen, mor annwyl oedd yn fy ngolwg fel y
tybiwn nad oedd ei bath yn unlle. Yr oedd fy musnes yn lled
fawr, ond yr oedd gennyf ŵr ieuanc – wel, rhyw bymtheng
mlynedd ieuengach na fi – clyfar a medrus, yn edrych ar ei ôl
pan nad oeddwn i, oherwydd profedigaethau, yn alluog i dalu
nemor sylw iddo. Ymddiriedwn y cwbl iddo, ac yr oedd yn fy
nhŷ yn cael edrych arno fel un ohonom. Bûm am ysbaid
mewn iselder ysbryd ac nid oeddwn yn gofalu am bethau'r byd
hwn. Ymhen amser – ac o drugaredd y mae amser yn gwellhau
dyn – mi ddois ataf fy hun, ac a ddechreuais edrych i mewn i

fy llyfrau. Gwelais yn union nad oedd popeth wedi ei gario ymlaen yn syth, a gwelodd y gŵr ieuanc y soniais amdano fy mod wedi canfod hynny. Ni ddaeth ef i'r *office* bore drannoeth, a phan wneis ymholiad amdano, cefais ei fod wedi gadael y wlad. Creodd hyn amheuaeth ynof, ac ymroddais i chwilio ddydd a nos i fy amgylchiadau. Yn fuan iawn cefais allan fod y gŵr ieuanc yr oeddwn bob amser yn meddwl cymaint ohono wedi fy nhwyllo o dri chant o bunnau. Yr oedd yn hwyr ar y nos arnaf yn dychwelyd adref wedi gwneud y darganfyddiad, ac yr oeddwn, fel y gellwch ddychmygu, wedi dychrynu a ffyrnigo, a 'mwriad oedd rhoi'r achos yn llaw'r *police* ar unwaith. Dywedais y cwbl wrth fy merch, oblegid wrthi hi yn unig y gallwn siarad am y peth ar y pryd. Dychrynodd yn fawr, a rhoddodd ei breichiau am fy ngwddf a chrefodd dan wylo yn hidl am i mi beidio â sôn wrth neb am y peth – nad oedd tri chant o bunnau yn llawer i mi, ac am i mi gofio ei holl wasanaeth a'i ffyddlondeb. Gwrandewais arni, ond bychan a wyddwn i y pryd hwnnw y rheswm am ei phleidgarwch iddo. Winciais ar y cwbl, ac ni chlywodd neb air am y peth o'r dydd hwnnw hyd heddiw, oblegid ni allwn omedd unrhyw ddymuniad o eiddo fy merch – y hi oedd fy mhopeth yr adeg honno. Ond nid oedd cwpan fy ngofidiau wedi ei llenwi eto. Yr oedd y brofedigaeth chwerwaf – oedd yn fwy, yn anhraethol fwy na fy holl brofedigaethau eraill gyda'i gilydd – yn fy aros. Ni wnaf fanylu. Ond ceisiwch ddychmygu fy nheimladau pan ddeuthum, un diwrnod, i ddeall nad digon gan y gŵr ieuanc oedd lladrata tri chant o bunnau oddi arnaf, heb dwyllo a darostwng fy merch. Yr oedd ŵyr bach i mi wedi ei eni cyn i mi wybod na drwgdybio dim. Bu agos i mi ddrysu yn fy synhwyrau, a bûm yn diolch filoedd o weithiau nad oedd y dihiryn a fu'n achos o'r holl ddrwg o fewn fy nghyrraedd, onid e yr wyf yn sicr y buaswn wedi ei lindagu, hyd yn oed pe gwybuaswn y cawswn fy nghrogi drannoeth. Nid edrychais ac ni siaredais â fy merch am fis. Yr oeddwn yn ynfyd, mi wn, a pha boen a achosodd hynny iddi hi a minnau wedyn, Duw yn unig a ŵyr! Yn wir, achos rhaid i mi ddweud y cwbl wrthych,

ni siaradais air byth â hi. Mi eis i'w golwg ychydig o funudau
cyn iddi farw; ac mor brydferth oedd hi hyd yn oed yng nghraf-
angau angau! (ac yn y fan hon eto torrodd yr hen fonheddwr i
lawr, ac nid oedd Enoc damaid caletach). Crefodd arnaf
faddau iddi, a dywedodd eiriau eraill na all fy nheimladau – er
bod oddi ar hynny dair blynedd ar ddeg ar hugain – oddef i mi
eu hadrodd. Yr oeddwn fel ffŵl, yn ystyfnig! Ond cusenais hi
ddwywaith, ac yr wyf wedi diolch i Dduw filoedd o weithiau
am i mi wneud hynny. Fy unig gysur, erbyn hyn, ydyw.
Cymerodd fy merch hyn fel arwydd fy mod yn maddau iddi –
ymdaenodd gwên nefol dros ei hwyneb annwyl, ac ehedodd ei
hysbryd ymaith. Am beth amser yr oeddwn fel dyn gwallgof,
ac yn fy ngwallgofrwydd gwerthais bopeth oedd ar fy elw.
Wedi rhoi'r plentyn dan ofal rhyw hen wreigan, a rhoi rhyw-
beth iddi am ei thrafferth – dim chwarter digon – euthum i'r
America. Ond methais adael fy ngofidiau ar ôl yng Nghymru
– yr oeddynt gyda mi yno yr un fath yn union. Gwelais mai'r
unig feddyginiaeth i mi oedd ymroi i fusnes – yr oeddwn wedi
arfer bod â'm holl fryd mewn busnes. Ymhen amser, bu hyn
yn waredigaeth i mi oddi wrth fy nhristwch, oddieithr fel y
deuai yn awr ac yn y man ar hyd y blynyddau fel cawod arnaf.
Yr oedd gennyf dipyn go lew o arian yn mynd i'r America, a
gwneis lawer yno gyda fy musnes. Oddeutu naw mis yn ôl,
rhoddais y busnes heibio – yr oedd fy oed yn galw am i mi
wneud hynny – teimlwn nad oeddwn fel cynt, gan fwriadu
byw ar fy eiddo yn ddedwydd. Ond ni fedrwn; ac er gwneud
pob dyfais, nid oeddwn yn hapus. Yr oeddwn yn cael mwy o
amser i feddwl am yr hen bethau. O'r diwedd, penderfynais
ddychwelyd i Gymru i ymholi am fy ŵyr, os oedd o'n fyw.
Meddyliwn mai dyna'r unig ad-daliad a allwn ei wneud am fy
ffolineb. Penderfynais na châi neb fy adnabod nes i mi ddod o
hyd i fy ŵyr, ac os byddai'n werth ei arddel, y gwnawn ef yn
etifedd. Gwelwch, Mr. Huws, fy mod wedi rhoddi'r pender-
fyniad hwnnw mewn gweithrediad, ac y mae'n dda gennyf eich
hysbysu fy mod, ar ôl dau fis o ymchwiliad distaw – fy mod ers
rhai wythnosau wedi dod o hyd i fy ŵyr, ac wedi ei gael yn

ddyn parchus ymhlith ei gymdogion – yn ddyn na fydd raid i mi fod cywilydd ohono pan ddaw gyda mi i'r America i fod yn gwmni i mi yn fy hen ddyddiau ac i etifeddu fy eiddo."

"Diolch i Dduw," ebe Enoc, o waelod ei galon. "Ond gadewch glywed, syr, pa fodd y daethoch o hyd iddo?"

"Caf ddweud hynny wrthych rywdro eto, Mr. Huws. Y chwi eich hun ydyw fy ŵyr, myfi yw eich taid," ebai'r hen fonheddwr, gan ddodi ei wyneb rhwng ei ddwylo ar y bwrdd.

Afreidiol dweud fod Enoc wedi ei syfrdanu, a phan gofia'r darllenydd, fel y gŵyr yn dda, mor wan oedd ei *nerves*, afreidiol hefyd ydyw dweud fod yr amgylchiad yn fwy nag y gallai ef ei ddal. Yn y man, ychwanegodd y taid:–

"Ond nid ydwyf wedi dweud ond un hanner o'r hanes. Pan ddeuthum yn ôl i Gymru nid oeddwn yn dychmygu nac yn dymuno dod o hyd i'ch tad. Yr oeddwn yn credu y buasai'r diafol wedi gwneud pac ohono ef ers talwm, oblegid mi a'i rhoddais i'w ofal cyn i mi fynd oddi cartref. Ond y mae'n hir iawn yn ei nôl. Eich tad ydyw'r dyn – os teilwng o'r enw dyn – sydd yn ei alw ei hun yn Capten Trefor. Nid dyna ydyw ei enw bedydd. Ei wir enw ydyw Enoc Huws, ac ar ei enw ef y galwyd chwithau gan yr hen Mrs. Amos. Adnabûm o y noson gyntaf y deuthum i'r *Brown Cow.* Ond er mwyn bod yn sicr, cymerais amser i holi ac ymofyn yn ddistaw, ac i sylwi'n fanylach arno. Ef ydyw eich tad, mae'n ddrwg gennyf ddweud; un o'r *scoundrels* gwaethaf ar wyneb y ddaear, fel y dywedais wrtho heno yn ei dŷ ei hun. Ac oni bai amdanoch chwi a'i ferch brydferth, mi rhown o yn ddigon saff cyn nos yfory. Onid yw bysedd un troed i chwi yn glynu yn ei gilydd? Felly y mae'r eiddo yntau, os ewch i'w chwilio. Mae hyn, mi wn, yn ergyd ofnadwy i chwi, er fy mod, o'r ochr arall, yn edrych arno fel peth hynod Ragluniaethol i mi ddod yma i'ch atal rhag priodi eich chwaer. Ond peidiwch ag ymollwng, dangoswch eich bod yn ddyn – rhaid oedd i hyn ddod i'r golwg, a dylech fod yn ddiolchgar. Codwch eich pen i fyny, fy machgen annwyl, dowch, peidiwch â rhoi ffordd i'ch teimladau."

Hawdd iawn oedd dweud am beidio ag ymollwng, ond

teimlai Enoc ei fod wedi ei drywanu yn ei galon, ac ymollwng a wnaeth. Nid oedd Mr. Davies yn adnabod ei ŵyr nac yn gwybod mor *sensitive* ydoedd, onid e buasai'n gwneud y datganiad iddo'n gynilach. Bu raid i Enoc orwedd ar y soffa, ac edrychai mor glefydus nes peri tipyn o fraw i'w daid. Canodd y gloch am Miss Bifan, a gofynnodd iddi gyrchu meddyg yno ar unwaith, yr hyn a wnaeth. Cariwyd Enoc i'w wely, a bu ei daid, a Miss Bifan, a'r meddyg, yn gweini arno drwy'r nos.

LII

YR OLWG OLAF

BORE drannoeth, teimlai Enoc ychydig yn well, a diau y buasai yn abl i adael ei wely oni bai i Miss Bifan ddod i'r ystafell yn sydyn a'i hysbysu eu bod wedi cael y Capten Trefor yn farw ar y soffa y bore hwnnw. Yr oedd hyn yn ail ysgytiad i'w deimladau, ond derbyniodd Mr. Davies, ei daid, y newydd gyda syndod a gwên, a dywedodd yn ddistaw, megis wrtho ef ei hun – "Mi wyddwn y byddai farw yn ei ddillad." Am Susi y meddyliai Enoc o hyd, ac er bod ei serch ati – ar ôl deall mai ei chwaer oedd hi – wedi newid ei nodwedd, nid oedd ronyn yn llai. Yr oedd ei galon ymron â thorri o gydymdeimlad â hi yn ei thrall-od, ac amryw weithiau yn ystod y diwrnod hwnnw yr anfon-odd ef Miss Bifan, ei *housekeeper*, i Ddyn-yr-ardd, i ymholi yn ei chylch. Yr hyn a arteithiai Enoc oedd pa fodd y gallai ef hys-bysu Miss Trefor am eu perthynas, ac am yr hyn a ddywedwyd wrtho gan ei daid. Deallodd ei daid ei helynt, ac ebe fe – "Gad-ewch hynny i mi, fy machgen. Mi wn eich bod mewn trafferth a helbul blin, ond wedi priddo'r Capten Trefor yna, ni a awn o gwmpas y mater. Mae popeth yn siŵr o ddiweddu'n dda, oblegid nid yw hyn i gyd ond ffordd Rhagluniaeth a ffordd Duw o ddod â phethau i'r amlwg ac i'w lle. Yr wyf yn teimlo'n fwy dedwydd y funud hon nag y bûm ers tair blynedd ar ddeg ar hugain."

Ni allai Enoc, druan, deimlo fel y teimlai ei daid. Edrychai arno gyda chymysg deimladau – yr oedd wedi dwyn arno brof-edigaeth lem, ac eto ni allai beidio â meddwl mor rhagluni-aethol oedd ei ddyfodiad i Bethel – a phe buasai wedi aros fis neu ddau yn hwy heb wneud ei ymddangosiad, y fath drychineb ofnadwy a gymerasai le. Tawelwyd cryn lawer ar feddwl Enoc pan ddywedodd ei daid wrtho –

"Nid oes un creadur byw yn gwybod am yr amgylchiadau yr wyf wedi eu hadrodd wrthych, fy machgen, ac y mae 'y Capten', chwedl pobl yr ardal yma, wedi cael rhoi taw bythol arno, ac er eich mwyn chwi, ac er mwyn ei ferch, rhaid i ni gadw'r cwbl i ni ein hunain. Wrth gwrs, ni allwn beidio ag egluro rhyw gymaint, mewn ffordd ddoeth, i Miss Huws – hynny ydyw i Miss Trefor – a rhaid i ni wneud rhyw ddarpariaeth ar ei chyfer oherwydd y cysylltiad sydd wedi bod rhyngoch chwi a hi. Mae'n dda gennyf ddeall ei bod yn eneth gall, ac y gŵyr pa fodd i ymddwyn pan ddaw i ddeall pethau, os nad ydyw ei thad wedi ei hysbysu ohonynt eisoes wedi i mi fod yno neith-iwr."

Ceisiodd Enoc ymwellhau orau y gallai er mwyn mynd i gysuro Miss Trefor, a gwnâi ei daid hefyd ei orau iddo, oblegid, erbyn hyn, yn Siop y Groes yr arhosai'r hen ŵr. Methodd Enoc â bod yn ddigon cryf i fynd allan hyd ddydd claddedigaeth y Capten. Ond ni adawyd Susi yn unig. Yr oedd yno ŵr ieuanc arall ers deuddydd yn bur ofalus ohoni, ac er ei fod wedi dod adref ar amgylchiad galarus iddo ef, yr oedd wedi gweinyddu llawer o gysur iddi. A oedd Susi yn anffyddlon i Enoc? Dim perygl. Yr oedd ei gair cystal â chyfraith. Ond yr oedd Wil mor deg ei olwg, a chanddo gymaint i'w ddweud, ac mor, ac mor, &c., &c.

Yr oeddid wedi bwriadu claddu'r Capten a Hugh Bryan yr un dydd, ond oherwydd bod y cyntaf yn "chwyddo", bu raid ei gladdu ddiwrnod yn gynt. Gan adael ei daid gyda bocs o sigârs yn ei ymyl ym mharlwr Siop y Groes, ymlwybrodd Enoc gydag anhawster i Dyn-yr-ardd erbyn yr adeg yr oedd y cynhebrwng i gymryd lle. Wrth gwrs, gyda theimladau newydd a rhyfedd yr aeth ef yn ei flaen i edrych am Miss Trefor, ac ni synnwyd ef yn fwy yn ei fywyd na phan gafodd hi yn y parlwr bach yn eistedd ar y soffa fel delw â'i llaw yn llaw Wil Bryan, a eisteddai wrth ei hochr. Cyn gynted ag y gwnaeth Enoc ei ymddangos-iad, tynnodd Susi ei llaw yn rhydd, ac edrychodd yn syth yn ei wyneb, fel pe buasai'n ceisio dweud – "Peidiwch ag amau, Mr. Huws, yr wyf yn dal yn ffyddlon i chwi." Gwasgodd ei law yn dynn a thorrodd i wylo'n hidl, ac ebe hi, dan hanner tagu, gan gyfeirio at Enoc – "Wil, dyma'r dyn gore yn y byd."

Ysgydwodd Enoc a Wil ddwylo'n garedig, oblegid, erbyn hyn, nid oedd mymryn o eiddigedd ym mynwes Enoc at Wil, ac yr oedd Wil yntau'n ddigon o fonheddwr, wedi clywed gan ei fam fod Susi ac Enoc yn mynd i'w priodi, i deimlo'n dda a chynnes ato. Ond cyn iddynt gael siarad ychydig eiriau, dyna gythrwfl a thrwst yr arch yn cael ei chario i lawr o'r llofft, a rhywun yn nôl cadeiriau, a Mr. Brown, y person, gyda'i lyfr wrth y drws. Cerddai Wil ac Enoc efo'i gilydd yn y cynhebrwng, a theimlai'r olaf mor eiddil a diolwg oedd ef wrth ochr Wil, a chymaint gwell *match* i Susi fuasai Wil nag ef. Meddyliai Wil am yr hen Gapten yr oeddynt y diwrnod hwnnw yn ei gludo i'w hir gartref – y fath *change* fyddai iddo orfod bod yn ddistaw, ac os nad oedd wedi "altro yn arw" oddi ar yr amser yr adwaenai ef, teimlai Wil yn sicr mai'r peth cyntaf a wnâi yr hen Drefor – pa le bynnag yr ydoedd yn y byd arall – fyddai ceisio perswadio rhywun i "speciletio". Ystyriai Wil yn onest y byddai gwell siawns i'r giaffer – hynny yw ei dad, y byddid yn ei gladdu drannoeth – am *promotion* nag i'r Capten. Wrth gwrs, ni ddywedodd ef hyn, ond pethau tebyg i hyn a redai drwy feddwl Wil yn y gladdedigaeth.

Pan oeddynt yn sefyll o amgylch y bedd, a Mr. Brown yn datgan gwir ddiogel obaith i fuchedd dragwyddol i'w annwyl frawd, digwyddodd Wil godi ei ben, a phwy a welai, yn ei lân drwsiad, ar ei gyfer, ond Thomas Bartley. Yr oedd Thomas, gan ystyried fod y gymdogaeth wedi cael gwaredigaeth fawr y diwrnod hwnnw, wedi dod allan yn ei orau i'r claddu – sef yn y siwt a wisgai ef pan aeth i'r Bala i edrych am Rhys Lewis. Nid oedd y dres cot las yn edrych bin gwaeth, ac yr oedd y goler wen fawr cyn stiffied ag erioed. Pan edrychodd Wil arno, yr oedd Thomas yn dal ei het befar fawr ar ei glust dde, ac fel pe buasai'n gwrando beth oedd ganddi i'w ddweud, ac ymddangosai yn hynod ddefosiynol. Yr oedd yr olwg arno y trêt gorau a gawsai Wil ers blynyddau, a daeth mil o atgofion digrif i'w feddwl, fel y bu raid iddo guddio ei wyneb rhag i bobl feddwl ei fod yn cellwair ar amgylchiad mor ddifrifol. Yr oedd Thomas yntau wedi canfod Wil, a chyn gynted ag yr aeth y gwasanaeth drosodd, brasgamodd ato, a chan ysgwyd llaw ag ef at y penelin, ebe fe –

"Wel, yr hen bry! ac 'rwyt ti wedi dŵad i'r fei o'r diwedd? Llewt ti wedi bod yn cadw, dwed?"

"Yn Birmingham y bûm i ddiwethaf, Thomas," ebe Wil.

"Debyg; mi wyddwn ma yn un o'r gwledydd tramor ene roeddat, ne y basen ni wedi clywed rhwbeth amdanat ti cyn hyn. Wyst di be, 'rwyt ti wedi mynd yn strap o ddyn nobyl anwedd – wyt ti'n meddwl aros tipyn?"

"Mi fyddaf yma am dipyn, beth bynnag. Sut mae Barbara, Thomas?" gofynnodd Wil.

"Cwyno gan ei lode o hyd, wel di, 'n siampal. Mi ddoi acw on ddoi di? Ma gynnat ti lot i ddeud rŵan, mi dy wranta. Ma acw fwyd yn tŷ, cofia. Paid â bod yn ddiarth."

"Dim peryg, Thomas. Mi ddof acw gynted y bydd yr helynt yma drosodd," ebe Wil.

"Ie, helynt mawr ydi o hefyd, ac ma'n lwc ma unweth ma o'n digwydd yn oes dyn, ne wn i ddim be fase'n dod ohonom ni," ebe Thomas.

Ymhen deuddydd, hynny yw, drannoeth ar ôl claddu Hugh Bryan, aeth Enoc a'i daid i Dyn-yr-ardd. Ymgymerodd y taid â'r gorchwyl annifyr o egluro i Miss Trefor ei pherthynas ag Enoc. Cyn mynd yno yr oedd Enoc a'i daid, er mwyn arbed teimladau Miss Trefor, wedi penderfynu peidio â sôn dim am anonestrwydd ei thad tra oedd ef yng ngwasanaeth Mr. Davies, oblegid nid oedd un amcan da yn cael ei gyrraedd wrth gicio ceffyl marw. Parhaodd y cyfarfod am rai oriau, ond nid buddiol fyddai i mi adrodd ei hanes, canys bu yno gryn wylo ac ocheneidio, ac nid dedwydd ydyw ysgrifennu am bethau felly. Gwnaeth Enoc un peth yno nad oedd – er mor rhyfedd ydyw adrodd – wedi ei wneud o'r blaen – cusanodd Miss Trefor. Ac y mae popeth yn dda sydd yn diweddu'n dda.

Wedi rhai dyddiau gwerthodd Miss Trefor ddodrefn Tyn-yr-ardd a phopeth a berthynai i'w thad, ac aeth i fyw i Siop y

Groes gan gymryd Kit gyda hi. Parhâi Mr. Davies i fyw gydag Enoc, ac yr oedd Wil Bryan yn rhannu ei amser rhwng cysuro ei fam weddw a difyrru teulu – oblegid yr oedd yno deulu, erbyn hyn – Siop y Groes. Ymhen ychydig fisoedd dechreuodd Mr. Davies anesmwytho am gael dychwelyd i'r America, ac eto nid oedd yn foddlon gwneud hyn cyn gweld pethau wedi eu rhoi ar dir diogel a pharhaol. Prysurwyd yr amgylchiadau. Un bore heb fod neb o'r cymdogion yn gwybod dim am y peth, gwnaed Wil a Sus yn ŵr a gwraig yn hen eglwys y plwyf. Gweithredai Enoc fel gwas a Miss Bifan fel morwyn briodas, a thaid Enoc yn "rhoi" y briodasferch. Pan oedd y seremoni drosodd, cychwynnodd Wil a Sus ymaith, ond gwaeddodd Mr. Brown a Mr. Davies ar unwaith – "Arhoswch! 'dydan ni ddim wedi darfod eto," ac ebe Enoc – "Mae tro da yn haeddu un arall." Trawsffurfiwyd Wil yn was a Sus yn forwyn, a phriod-wyd Enoc a Miss Bifan yn y fan a'r lle. Yr oedd hyn wedi ei gadw'n ddirgelwch hollol rhwng Mr. Brown, Mr. Davies, Enoc, a'i gariad newydd. Dychwelodd y cwmni, a Mr. Brown gyda hwynt, i Siop y Groes i fwynhau brecwast rhagorol. Nid oedd ond un diffyg yn y ddarpariaeth hyd yn oed yng nghyfrif Mr. Brown, a ddywedodd yn breifat wrth Enoc –

"Mi dylase fod yma tipyn bach o gwin, Mr. Huws, ar am-gylchiad fel hon, yn ôl pob sens. Ond 'dydach chi, Calfins, erioed yn gwybod sut i gneud pethe yn *first class*, er bod gyn-noch chi modd."

Teimlai Enoc ei hun fod rhywbeth yn fyr, ond prin y credai fod y byrdra yn y cyfeiriad y soniai Mr. Brown amdano. Aeth y ddau gwpl priodasol, a Kit a Mr. Davies gyda hwynt, ymaith gyda'r trên canol dydd. Ymhen yr wythnos dychwelodd Wil a'i wraig i Siop y Groes, ond ni welwyd Enoc a'i wraig, na Mr. Davies, na Kit, byth mwy yn Bethel.

Wil, erbyn hyn, oedd perchennog Siop fawr y Groes. Pa fodd y daeth y Siop yn eiddo iddo, ni pherthyn i neb wybod, ac nid wyf finnau am adrodd. Cymerodd ei hen fam ato i gyd-drigo, a bu Sus yn hynod garedig ati tra bu hi byw. Fel ei rag-flaenydd bu Wil Bryan yn fasnachwr llwyddiannus, a daeth toc yn ŵr o ddylanwad yn y dref. Y gaeaf cyntaf ar ôl ei ddych-weliad i'w hen gartref, traddododd yn ysgoldy'r Hen Gorff gyfres o ddarlithoedd, a wnaeth enw mawr iddo. Testun y dar-lithoedd oedd "Y ddynol natur". Defnyddiodd Wil y teitl "Y ddynol natur", yn hytrach nag "Y natur ddynol," er mwyn cyf-arfod â chwaeth lenyddol y gwahanol enwadau. Byddai'r ysgol-dy yn orlawn bob nos y byddai Wil yn darlithio, er bod y mynediad i mewn trwy docynnau chwe cheiniog. Cymerai Thomas Bartley ddau docyn i bob darlith – un iddo ef ac un i Barbara – er na fedrai Barbara, druan, fynd dros yr hiniog gan "boen yn ei lode". Yr oedd ffyddlondeb Thomas i'r darlith-oedd wedi bod mor fawr fel y mynnodd Wil ef yn gadeirydd i'r ddarlith olaf o'r gyfres, a theimlai'r hen frawd o'r Twmpath hyn yn gryn anrhydedd, a chreodd eiddigedd anfarwol ym mynwes yr hen Sem Llwyd tuag ato. Noswaith heb ei bath oedd honno pan oedd Thomas Bartley yn gadeirydd. Prynwyd saith gant o docynnau, er na ddaliai'r ysgoldy ond deucant. Mae darlithiau Wil, wedi eu hysgrifennu mewn llaw fer, i fod ymhlith fy mhapurau, yn rhywle, pe gallwn ddod o hyd iddynt. Ond gan mai *Profedigaethau Enoc Huws* yw testun fy hanes, ac yntau, erbyn hyn, yn byw bywyd bonheddwr yn Chicago, ac yn fawr ei barch, waeth i mi derfynu'r hanes yn y fan hon nag yn rhyw-le arall, a hwyrach y dywed rhywrai y dylaswn fod wedi ei der-fynu ers talwm.